香港武俠小說史

（下）

陳墨——著

名家推薦

二十世紀五〇年代初新派武俠小說即崛起於香港，這麼多年過去，雖研究者眾多，但種種原因，無人敢問津「香港武俠小說史」，可知難度之大。陳墨兄披沙揀金，厚資料、舉學理、立弘論，開先河，傾力構建，終使《香港武俠小說史》面世，轍軾俠史，啟迪學人，筆路藍縷，功莫大焉！

——中國武俠文學學會會長　劉國輝

一劍西來，決浮雲，洞幽隱，考源流以辨章部次，析條理而為綱鑒易知。卅載精研金庸學，今作春秋筆。雄深雅健啟山林，永憶江湖歸白髮。百年南熏，漸豹變，蔚大觀，爭雄長中濤生雲滅，高標迥乃成宗師傳奇。四海轟傳新武俠，曾為壇坫地。詩酒情懷酹江月，欲回天地入扁舟。

——中國武俠文學學會副秘書長　陳光

陳墨是兩岸三地知名的武俠研究學者，不僅獨力創寫了十多本金庸小說論著，也對港台武俠小說的發展格外關注。陳墨嚴謹治學的態度，以深密透徹的剖析、明快通暢的筆致，追本溯源，呈現了香港武俠小說發展的全貌，可以說是另一個對武俠說研究的重要貢獻。

——師大國文學系教授、武林百曉生　林保淳

香港武俠小說史（下）

——目錄

第二十二章　武林散珠集萃（二）　225

第二十三章　黃鷹的武俠小說創作 301

第十五章

江一明的武俠小說創作

江一明的武俠小說創作持續了將近三十年，在香港武俠小說史上具有重要地位。

江一明（一九二〇—一九八五），原名顧鏡瀾，後改名顧鴻。廣東新興縣楓洞村人，新興縣立高中畢業後居留鄉間多年。一九四九年前後去香港南方書店工作，曾任書店經理、南方書店廣州分銷處主任、青年書店經理。創辦過自學、晨風、知識、朋友等出版社，出版過《自學月刊》、《朋友月刊》，還曾與朋友合辦《漫畫日報》。

江一明、賀原、顏黃世、放亮軒主、夏侯晚濤等，均為顧鴻的筆名。

江一明於一九五〇年代後期開始武俠小說創作，至一九八五年逝世，武俠創作時間將近三十年，創作長篇武俠小說逾四十部。包括：《白馬女俠傳》、《女俠素心蘭》、《女俠紅燕子》《荒山劍影》、《寶劍瑤琴錄》、《珠海騰龍》、《赤膽挽狂瀾》、《碧血濺京華》（**署名賀原**）、《凌波女俠》、《雪爪神魔》、《鐵掌金鏢》（**署名賀原**）、《丹青奇俠記》（**署名顏黃世**）、《俠女英姿》、《天門女俠傳》（**署名賀原**）、《魔影俠蹤錄》（**署名賀原**）、《雪山龍虎劍》、《鐵膽英雄》、《血掌龍飛》、《碧血黃沙》、《虎嘯神州》、《刀劍風雲》、《吟嘯中州》、《鈍劍》、《邪派高手》、《天下第一邪》、《天邪劍》、《怪俠奇行錄》、《碧血寫春秋》、《天魔女》，[1]以及《金鞭女俠傳》、《青燈劍影》、《中州女俠傳》、《神州虎嘯》、《碧海恩仇》、《虎膽英雄》、《鞭風俠影》、《太湖龍女傳》、《龍鳳劍》、《詩酒豪俠傳》（**署名放亮軒主**）、《青霜女俠》（**署名賀原**）、《虎嘯雲山》等。[2]

上述作品中，前五部作品未見連載，是由出版社直接出版。《珠海騰龍》、《赤膽挽狂瀾》、《雪爪神魔》、《俠女英姿》等四部小說均在香港《晶報》連載（連載時間從一九五八年一月一日至一九六一年六月三十日止）。《凌波女俠》於一九六〇年五月十五日至一九六〇年十月三日在《澳門日報》連載。《丹青奇俠記》在香港《新晚報》連載（署名顏黃世，時間是一九六一年二月十四至一九六二年二月三日）。《詩酒豪俠傳》於一九五九年至一九六〇年在香港《明報》連載（具體日期待考）。

而《碧血濺京華》、《鐵掌金鏢》、《天門女俠傳》、《魔影俠蹤錄》、《雪山龍虎劍》、《鐵膽英雄》、《血掌龍飛》、《碧血黃沙》、《虎嘯神州》、《刀劍風雲》、《吟嘯中州》、《鈍劍》、《邪派高手》、《天下第一邪》、《天邪劍》、《怪俠奇行錄》、《碧血寫春秋》、《天魔女》（連載未完成，此作為顧鴻先生絕筆）等十八部小說在《華僑日報》連載，作者署名均為賀原，第一部從一九五九年十一月十一日起開始連載，最後一部至一九八五年二月十日（未完）止，[3] 廿五年多時間從未間斷。

遺憾的是，因《金鞭女俠傳》等十二部作品無法確定出版時間。如此，我們非但不能更加清晰地看到江一明的小說創作歷程，甚至也無法確定江一明的武俠小說創作究竟始於何時——已知《白馬女俠傳》於一九五七年二月由晨風出版社出版，但這部小說是不是作者第一部武俠小說？尚無法輕易下結論。因為，慕容羽軍指出：

「早在『技擊小說』還未受『顛覆』的年代，以江一明為筆名的顧鴻，已察覺『技擊』派沒有前途。顧氏以早期國內武俠小說家宮白羽的路線為師，在『武』與『俠』之間尋求平衡，發表新作，可惜當時仍在舊派作品氾濫的情況下給淹蓋掉，直到金、梁作品崛起之後，才有機會顯露出來，引起讀者注意。」[4]

由於知情人慕容羽軍沒有明確指出江一明究竟何時開始武俠小說創作，最早的作品有哪些，因而有關江一明的武俠小說創作歷程，尚待進一步探查。

一、女俠傳奇系列（上）

江一明小說中，書名中出現「女俠」二字者多達十幾部。這可能是受梁羽生小說的影響，也可能是受民國時期武俠小說如《荒江女俠》、《紅俠》等知名女俠的影響。唐傳奇中就有聶隱娘、紅線、紅拂女等知名女俠形象，原因有二，一是自古女性實際生活空間有限，只有在傳奇故事中才能任由想像馳騁，而被想像出的女俠形象，更容易成為奇觀。二是武俠小說讀者多為男性，女俠形象更容易引起男性讀者的窺視欲或欣賞興味。所以，民國以來，女俠傳奇一直是熱門題材。

江一明喜歡寫女俠故事，也善於寫女俠故事。本章將江一明的女俠傳奇分為兩組討論，一組是相互有關聯的女俠系列，即本節要討論的《白馬女俠傳》、《女俠紅燕子》、《金鞭女俠傳》、《女俠素心蘭》、《太湖龍女傳》等。這些小說雖然不是同一主人公的系列故事，但這些小說的主人公卻在相關小說中客串，並在《太湖龍女傳》中大聚會，形成具有相關性的女俠傳奇系列。

且說**《女俠紅燕子》**。

講述明崇禎時，周永亮、周玉燕兄妹的父親被官府迫害，俠客苗蒼將這對兄妹及時救出。五年後，再次受到官府鷹爪追捕，導致兄妹失散，走上了完全不同的人生道路。哥哥周永亮成了採花淫賊，而妹妹周玉燕則成了女俠紅燕子。

本書的一大看點，是講述了紅燕子周玉燕的成長過程，並在此過程中呈現出主人公的個性形象。周玉燕十七歲前，只有幾個瞬間：七歲時，被苗蒼救出，在船上三次摔倒、三次爬起，不哭不餒，表現出堅強的意志品質。十二歲時，大病初癒，被許鎮東送到陌生的道觀前，希望覺迷道人能夠留下她做飯洗衣，不卑不亢，表現出聰慧靈活的心智特點。

十七歲過後，隨覺迷道人走江湖，她好動、好強、好奇、好學的個性隨時呈現。因為好動，才會跟著師父走江湖；因為好強，才會有不斷進步的動力；因為好奇，她不僅喜歡看熱鬧，乃至故意製造看熱鬧的機會；因為好學，不僅從每次打鬥實踐中總結經驗，而且還隨時隨地向同道長輩學藝。例如，向神手郎君學習救護知識，向望海龍王學習游泳技藝，向生魯班學習發暗器、接暗器的本領。更重要的是，發現自己內力不足，就認真地向師父求教內功練法，且在老鼠上桌、窗簾飄動的尋常事物中感悟內力修練的奧妙。周玉燕不僅好學，更難得的是善於動腦，從而在以弱對強的打鬥中，非但能夠自保，甚至能出奇制勝。與武功奇高的公孫羊鬥智並脫險，是她心智成熟的標誌。

另一個看點，是覺迷道人的形象。他是周玉燕的師父，實如她的父親，教育周玉燕的過程，始終保有情感溫度，給人留下深刻印象。

覺迷道人喜靜不喜動，一向在道觀裡寂寞靜修，所以，在帶著徒弟走江湖時，雖經常教導周玉燕要眼觀六路、耳聽八方，但卻缺乏實際經驗，黑店遇險，反而需要周玉燕救助。從此之後，他的任何重要決策都要聽取徒弟的意見。

覺迷道人心善、謙和、明智而且坦誠。因為心善，所以他很少與人動手，更少趕盡殺絕；因為謙和，他全然沒有武林高手難免的自負；因為明智，所以從不要求徒弟墨守成規，更不束縛弟子的天性；因為坦誠，他經常說師弟是對的，自己是錯的。更讓人感到意外的是，當周玉燕發明練習內功新法時，他竟然承認：「你做的比我教的好！」這樣的師父，在武俠小說中極為少見。因為只有一個徒弟，心懷師徒父女之情，他對周玉燕的鍾愛和關懷，常常溢於言表。周玉燕遇險時，他的言行讓人十分感動。

還有一個看點，是周玉燕的哥哥周永亮居然成了採花賊。這一出人意料的安排，並

娟，開始是百丈長蛇的義女和打手，與生母成潔芳（獨松婆婆）見面後，決心與男友唐偉光一起回歸正道。

本書還有個有趣的看點，是年輕女俠在武功和心智兩方面都超過男性。金鞭女俠方敏，不僅武功超過其男友喬向榮，心智方面也比喬向榮更為成熟。而喬向榮的姐姐喬秀慧亦如是，不僅武功超過了未婚夫趙傳龍，在心機和智慧方面也超過了他。

殷雪梅與陸懷德這一對就更加明顯，殷雪梅的武功足以做男友的師父，而在心智方面，陸懷德也只能做女友的弟子。還有冒充金鞭女俠的衛明娟，在武功、心智和意志品質方面，都要比其男友唐偉光優秀得多。無論是出於作者的審美偏好，還是要迎合讀者的閱讀需求，書中女俠的颯爽英姿，都給人留下了深刻印象。在江一明的許多書中，女俠形象通常都比男性形象更為出色。

最後，方敏與史可法在揚州有一段對話，表達了本書的主題：方敏說，江湖兒女與朝廷命官不一樣，朝廷命官屬於皇帝，而江湖兒女屬於自己、也屬於天下百姓。他們保護揚州而與官府合作，並不是為了保護朱家政權，而是保護揚州百姓、保護天下百姓。這一說，表明了江湖兒女的立場，基於人民史觀。

再說《**太湖龍女傳**》。

本書講述武林高手朱樺、熊慧兒的獨生女朱小慧偷偷離家出走，征服太湖水寨寨主洪波，變身太湖龍女，領導漢族江湖英雄與異族官府對抗的故事。

本書的看點之一，是太湖龍女朱小慧成長和成才的故事。武功技藝方面，朱小慧雖是名家子弟，武功不凡，卻不能戰勝真正的絕頂高手。作者安排她在朝天洞跟華珊學藝一年，然後又拜冬風居士為師學藝半年，使得朱小慧的武功不斷提升。在心智方面，朱小慧在林笑泉、朱昭等人的教導下，也在不斷成長。尤其是華珊前輩對她講述自己年輕時不慎走入歧途的故事，對朱小慧的成長幫助極大。向父親誠心認錯道歉，與嚴父和解，是朱小慧心智成熟的重要標誌。在此過程中，十五歲的朱小慧與十二歲的侍女小龍蝦，雖為主僕卻情同姊妹，以嘻嘻哈哈的方式相處。不僅符合她們的年齡和心智水準，亦彰顯太湖龍女的個性。

第二個看點，是袁念祖的人生選擇。他在母親靜心師太和師父遼東雪鶴的精心培育下，正直無私，仗義江湖，知錯能改，值得信賴。誰也沒想到，這個有為青年竟順從了生父施琅，改名施耀宗。袁念祖的這一變化，有其具體的原因，一是他的姑姑（**實為生母**）陷身於福建水師提督府，不認生父施琅，母親就無法獲救；二是周永亮的誘導，袁念祖認同「天下沒有不是的父母」這一傳統觀念。

此外可能還有其三，那就是年輕的袁念祖心智尚不成熟，難免受榮華富貴的誘惑。遼東雪鶴曾告誡袁念祖，只有當袁念祖通過人生測試，才能正式確認師徒關係，或許就是因為知道袁念祖是施琅之子，怕他心志不堅。好在，朱樺和熊慧兒夫婦前往福州，引導袁念祖思索人間倫理，讓袁念祖回歸正道。稍感遺憾的是，袁念祖這兩次重大人生轉折，都不是正面書寫，而是由他人倒敘出來。

本書的第三個看點，是小說最後的金陵決戰，成了作者江一明筆下女俠的大聚會。《女俠紅燕子》、《金鞭女俠》、《白馬女俠》、《女俠素心蘭》、《珠海騰龍》等小說的主人公紅燕子、金鞭女俠、銀鞭女俠、白馬女俠、素心蘭、熊慧兒等著名女俠齊集金陵，再加上朱樺的妹妹朱昭、本書主人公太湖龍女朱小慧，「八女鬧金陵」的場景，可謂是作者送給讀者的一個大彩蛋。

本書不少回目很有意思。如第十回：「一別經年，龍女遇勁敵；經年一別，結陣困龍女」。第十一回：「荒山鬥豔，梅花驕少女；鬥豔荒山，少女折梅花」。

二、女俠傳奇系列（下）

江一明筆下的女俠傳奇，不止上述幾部。下面幾部女俠傳奇，雖然相互間沒有直接關聯，卻與前述幾部女俠小說一起形成了江一明小說最為靚麗的風景。

先說《**俠女英姿**》。

本書講述韓江女俠蕭七娘的傳奇故事。本書開頭十分精彩。大內鷹爪陰陽夜叉徐量宏費盡心機，不惜擄走莊潛龍的孫子莊大生及諸多名人的兵器寶物，為的是要得到韓江女俠的消息。有意思的是，莊潛龍等人卻還不知道韓江女俠是何人，韓江女俠卻已救出了莊大生，趕走了陰陽夜叉，讀者卻只聞其名、其行，卻見不到其人。

接下來，韓江女俠的侍女雪梅、桃花驚豔登場，二人武功高超、風采奪目，更刺激了讀者對韓江女俠的期待。韓江女俠也沒有辜負讀者的想像，出場伊始，就是救助呂二娘、呂銀珠母女，殺了淫僧，充分顯示了鋤強扶弱的女俠風範。值得注意的是，韓江女俠的更多俠義行為，都在留白之中，並沒有實寫。例如她幫助雷振遠守住山寨，以及她識破敵人金蟬脫殼，並將計就計地劫走了鏢銀等事，都是由他人口述。

韓江女俠更重要的工作，當是與她師父一起組織並領導抗清義軍，否則大內鷹爪就不會如此費心費力，必欲除之而後快。韓江女俠劫走鏢銀所為何來？也有很大的想像空間。書中實寫的，是韓江女俠與敵方高手的連番苦戰，且多數時候是要面對敵方高手的圍攻。通過艱苦打鬥，顯示俠女英姿。

本書還有幾點值得一說。其一，是獨手天尊羊玉川出人意料地棄舊圖新，並臨陣倒戈。此人武功極高，盲目自信，不假思索地與鷹爪陣營合作，走上人生邪路。幸而良知未泯，曾與韓江女俠單打獨鬥，卻不願參與多人圍攻。進而，由不屑於同伴的行為，又受韓江女俠的精神感召，動搖了其人生觀念。最後，受舅母一番教誨，終於徹底悔悟。此人改邪歸正之路，寫得層次分明，讓人印象深刻。

其二，是寫韓江女俠的侍女秋菊受遼東三凶、黃淑燕等人圍攻，苦戰之後方得脫險，卻又被採花淫賊龍化雨所堵截。在秋菊無法脫身之際，自高自大的龍化雨，說秋菊的臉比黃淑燕更香滑，進而說出他曾玷污黃淑燕的秘密，引發黃淑燕現任男友遼東三凶的極度不滿，從而倒戈相向，黃淑燕、遼東三凶竟與秋菊聯手攻擊龍化雨，秋菊得以乘機脫險。這段情節，既寫龍化雨荒淫無恥和目中無人，也寫鷹爪陣營藏汙納垢，突然內訌導致情節逆轉，堪稱敘事妙筆。

老少年蕭雨公，是書中特色突出的人物之一。此人的行為作風似受金庸小說《射鵰英雄傳》中老頑童的影響，只不過，他不是遊戲江湖，而是胡混人生，貌似亦正亦邪，實際上混沌蒙昧。兩個徒弟即羅劍鳴、龍化雨居然都是採花淫賊，他不清理門戶，反而為徒弟武功高超而得意洋洋。把「痛快」作為口頭禪，顯然是作者有意設計，目的是暗示其心理狀態和人生追求，形成江湖的一道風景。

再說《**天門女俠傳**》。

是《鐵掌金鏢》續書。只是主人公換成了天門女俠即銀髯俠叟的小孫女琴雅。

本書最大看點，當然是主人公琴雅的迷人個性。首先，她還是那個愛唱歌的姑娘，所到之處，總有歌聲相隨，即便是在打鬥場上，她也隨時有即興創作。例如，琴雅奚落黑屍幫少舵主慕容煊：「武功高來年紀輕，風清浪靜水波平。可惜淫邪生壞眼，叢叢棘草嘴邊生。」在面對洪家莊莊主洪大鵬、青龍幫幫主冷如鐵聯手夾擊時，她唱道：「高高在上青龍山，姑娘看你不在眼，任你大鵬冷如鐵，如豬如狗作等閒。」又：「高山流水水流柴，兩條老命好難挨，姑娘好心幫一把，隨手輕輕拋下崖。」諸如此類的歌謠還有不少。

其次，琴雅極其好學，見到任何新奇的武功都想學習。書中寫到她向流雲鐵袖求教，向千年浮屠學藝，就是典型的例子，由於她聰慧且單純，這些武林前輩也不吝賜教。最後出現的武林怪俠甚至主動將琴雅帶走，要教她武功。

又次，琴雅最大的變化，是有了自己的心上人，那是她的天門派師兄方劍鳴。琴雅與方劍鳴的愛情故事雖非本書的主線，但書中對她和師兄的結識過程、矛盾心理和情感態度都有明確的敘述。

本書的另一看點，是前傳《鐵掌金鏢》中柳如春的情感難題，在這部書中有了明確的結果。首先，柳如春為了逃婚，穿上了道袍，兩年不與師父見面。其次，舒俊卿愛心不堅，經不住南天雁的誘惑而投入對方懷抱，結果被南天雁欺凌，飽嘗情愛苦果，最終拜淨緣為師，出家為尼。再次，瑪麗雅得知柳如春對慧心傾心相愛，即表明決心，不再癡戀柳如春，把所愛對象的情感意向置於自己之上，可謂真情，也可見瑪麗雅的非凡氣質。

在本書中，我們看到，她與麥大媽的兒子麥永康喜結連理，並有了孩子。書中寫到琴雅救助瑪麗雅夫婦一段，正是要傳達瑪麗雅的最新資訊。最後，當情感障礙消除，慧心感受到柳如春的摯愛，他們的愛情，也終於獲得了鐵掌金鏢、銀髯俠叟兩位長輩的同意和祝福。

再說《**荒山劍影**》。

本書沒有「女俠」之名，卻有女俠之實，主人公是逃婚離家的蘇玉蓮。假如將書名改為《荒山女俠》，或可與顧明道的名作《荒江女俠》前後輝映。

本書看點，首先是主人公蘇玉蓮父女被騙婚、逼婚的故事。青龍莊莊主蘇鐵方做五十大壽，目的是為次女蘇玉蓮尋找合適的婆家。萬事端為洛陽武林名家金臂猿蔣士達的三公子蔣宏達做媒，蘇鐵方雖知洛陽蔣家在武林中名聲不大好，但還是耐不住萬事端舌粲蓮花，被騙許婚。而武林絕頂高手鐵翅梟，利用他與蘇玉蓮師父杜美娘的私交，騙得杜美娘將徒兒許配給他的侄兒柏立堅，進而派人到青龍莊談婚論嫁，這是騙婚加逼婚了。

更有甚者，邵五郎對蘇玉蓮一見鍾情，仗著師父罡風道人的勢力，讓落地金錢、磷火居士等人前往青龍莊求婚，明知蘇玉蓮已許配他人，仍堅持要蘇玉蓮嫁給邵五郎，這就是赤裸裸的逼婚了。騙婚與逼婚，在民間生活歷史上並不少見，只不過很少有人專門寫這樣的故事。《荒山劍影》中的蔣、柏、邵三家騙婚與逼婚故事，算是物以稀為貴。

更重要的看點，當是主人公蘇玉蓮的鮮明個性，嬌縱任性、年輕氣盛、我行我素、敢作敢當，發展得好，固然可以成為巾幗英雄；若一味自我中心並自以為是，也有可能成為恣意妄為的女魔頭。這就是為什麼在慧慈大師第一次為蘇玉蓮療傷並教她香灰（暗器）功時，醉虬翁曾謹慎地加以反對。好在，蘇玉蓮不但心地善良，而且始終不失理性，在一些關鍵時刻大體上能克制自己的任性衝動。例如，當她騎馬遇到一個牽牛的村婦，是不是讓路？當她騎馬撞上了一個買菜的村婦，該如何處置？在這些時刻，蘇玉蓮都沒有服從本能衝動，而是作出了理性選擇。這幾個關鍵點後，蘇玉蓮的選擇都是繼續發揮自己的善良天性，修練自己的俠義情懷。蘇玉蓮走上正道，醉虬翁等前輩也就不再為她擔憂。讀者亦如是。

最後，蘇玉蓮逃婚離家闖蕩江湖，經歷種種風險打鬥，煞是好看。書中蘇玉蓮與玉美人、楊玉瑩、沈小玲等少女一起嬉笑逗樂，不僅生活氣息濃郁，更有輕喜劇趣味。作為武俠傳奇故事，作為速食式精神食品，相當熱鬧好看。

再說《**中州女俠傳**》。

講述中州女俠夏慧吉繼承抗清英雄哥哥夏完淳的遺志，仗劍江湖，反滿抗清故事。小說開頭寫殺害夏完淳的漢奸洪承疇，派人追殺夏完淳的遺腹子夏小淳，俠客莊遠揚、舒靈風等保護烈士遺孤，陷入滿清鷹爪的圍困中，中州女俠突然現身，一隻手抱著兩歲幼兒夏小淳，另一隻手與玄天神魔兄妹、張七爺、王得修等四大高手搏鬥，有如天神。

那一場打鬥驚心動魄，讓人血脈賁張。從此，中州女俠夏慧吉的形象緊緊地牽引著讀者的目光，跟隨她東奔西走，仗義除奸。

這部書的另一看點，是將夏完淳、李香君和洪承疇等正、反面歷史人物寫入書中。中州女俠夏惠吉是夏完淳的妹妹，秦淮名妓李香君亦變身武藝超群的翠衣仙子，歷史與傳奇緊緊地縫合在一起，吸引力加倍。

三、風貌各異的男俠傳奇

江一明善寫女俠，當然也寫男俠。男俠傳奇之間並無直接關聯，各自成書，故事情節與人物性格風貌不同，各有千秋。下面選幾部作品作點評。

先說《**青鋒奇俠傳**》。

本書講述青鋒劍鍾泉的故事。主要看點是其中幾對男女青年的愛情故事。

首先當然是主人公鍾泉和羅漪碧的愛情。他們相見與相識都有傳奇性，也很精彩。看點在羅漪碧的性格缺陷和心理陰影。因她出身於武林世家，祖母鐵杖婆、母親火棒女是兩代寡婦，對羅漪碧的教育不免過於嚴苛。物極必反，舊式家庭的環境氛圍令人窒息，嚴苛的家庭教育和婚姻傳統，迫使羅漪碧離家出走。羅漪碧回家探訪，祖母和母親又將她囚禁並逼婚，難怪羅漪碧的心理陰影重重。

另一對愛情故事的主人公，是舒潔明和石斌。舒潔明一直以為自己是擎龍三娘的女兒、青竹蛇沈菡珠的弟子，也一直與江湖正派人物作對，最嚴重的罪行是殺死了鄭雄的師父章龍彪。後來才知自己的生身父母另有其人，擎龍三娘、青竹蛇沈菡珠恰是自己的殺母、殺父仇人，舒潔明才幡然醒悟，痛悔前非，離開了背叛師門、為虎作倀的黃鎮江，[5] 愛上了正派青年石斌。她與石斌的相識和相愛也有傳奇性，為了表示自己與過去決裂，決定廢棄舒潔明之名，讓石斌將她改名為舒凝芬。然而，舒潔明／凝芬的愛情和自新之路並不平坦，僅僅是擎龍三娘之女、青竹蛇沈菡珠之徒的身分，石斌的父親石剛就無法接受。舒潔明殺害了章龍彪，即使得知她改過自新、做了許多好事，章龍彪的徒弟鄭雄就難以釋懷。這種社會壓力和阻力，讓舒凝芬與石斌的情感要經受嚴峻的考驗，也讓讀者掛念。

這部書寫得很熱鬧，每段故事情節都會呈現激烈打鬥。

再說《**雪爪神魔**》。

本書故事情節可分為救義士、劫漕銀、劫天牢三大段落。其中劫漕銀、劫天牢兩大事件都沒有作正面講述；主要內容其實是林雪儀和江強兩個年輕人冒險與學藝的傳奇經歷。小說開頭，楊三掌被追殺的故事驚險重重，引人入勝，目的是要引出林如龍的獨生女兒林雪儀和大弟子江強這兩位年輕的主人公離家冒險。他們並非同時離家，作者安排林雪儀和表哥范家駒一同出走，江強則是受師父指派去追尋，這就讓林雪儀和江強有不同的冒險經歷。

本書真正的看點，是諸多正、邪之間的武林人物形象。首先是楊三掌，他雖然痛恨魏忠賢，且大鬧京師，卻非通常意義的正派人物。由於他出身於苗家，曾飽受漢人歧視，故對漢人始終心懷芥蒂，言行舉止也與通常意義上的正派人物有所不同。其次是雪爪神魔，綽號中有神魔二字，表明此人兼備神性與魔性，顯然也不能簡單化地將他歸為正派中人。再次是天山狼女鐵玉蓮，雖然劫奪漕銀分發給貧苦百姓，但她我行我素，與純粹的正派人物也有明顯差異。又次，林雪儀的表哥范家駒，雖然自以為是，心胸狹窄，且因愛慕表妹林雪儀而對大師兄江強心懷不滿，這樣的人隨時可能會走上邪路。與龍門寨主駱宏發的女兒駱芙蓉結婚後，讀者就更有理由擔心，但結果卻出人意料，他雖然有性格弱點，但並未背離親情與正道。

最後，邪派陣營中，龐虎也很有特點，他愛妻子龐大娘，也時時保護龐大娘，但他與龐大娘的價值觀和行為方式仍有明顯的不同。龐大娘甘心成為鷹爪，而他卻是中立，當他得知妻子與師弟有染，立即反戈一擊，其遭遇令人同情。

再說《**鐵掌金鏢**》。

本書講述鐵掌金鏢穆長虹的弟子柳如春仗義江湖的故事。

第一個看點，當是書中一場接一場的武功打鬥，諸如：雞冠山之戰、萬松崗之戰、撫仙湖之戰、滇池之戰、普寧寺之戰、終南山之戰、南召之戰、武昌之戰。如同體育分站賽，正邪兩派高手相當於職業搏擊運動員。

看點之二，是對柳如春的性格描繪。這位武林青年才俊，雖然只學得師父鐵掌金鏢三成武功，足以獨立行走江湖，雖非恃才傲物，卻難免自信過頭、任性衝動。為應急而搶奪慧兒的玉花驄，就是一例。更重要的例子是，與何大娘一起進攻海心寨，雖說是仗義行俠，卻也是衝動冒失。書中有個細節，是柳如春來到海心寨附近，不聽何大娘的警告，發出長嘯驚動敵人，以至於身陷重圍，何大娘因此被俘，柳如春本人也終於身負重傷。這一經歷，是他成長的代價。

另一看點，是柳如春與舒俊卿、慧兒、瑪麗雅三個姑娘間的情感糾葛。舒俊卿被柳如春拯救，對英俊瀟灑的柳如春一往情深，可謂順理成章。見到美貌單純的慧兒，本能地把她當作自己的情敵。有意思的是，慧兒與柳如春初見時，對他並無好感，且把他當作壞蛋，因為柳如春搶了她的玉花驄。瑪麗雅是柳如春的救命恩人，由純粹善心發展為愛情。柳如春心中只有慧兒的影子，對瑪麗雅的深情只能刻意逃避。更複雜的是，何大娘關心弟子舒俊卿，為弟子向鐵掌金鏢穆長虹求婚，穆長虹不能不答應。柳如春不愛舒俊卿，卻有兩方師父之命，大大增加了柳如春情感與婚姻的變數。最後，瑪麗雅主動退出，慧兒對柳如春的態度也有所好轉，而柳如春的愛情與婚姻結局仍留下懸念。

還有一個看點，是書中有大量民歌：柳如春唱，小姑娘琴雅更喜歡唱。柳如春所唱，多是從別處聽來的，而琴雅則能現編，並且即興演唱。在她戰勝玄真道長、龍田青時，立即編了首歌兒：「養子莫養大牛龜啊，成雙成對像破鑼。一隻少了耳朵哇，一隻尾指掉下河……」；當姐姐慧心與長春洞主比武遇險時，她提醒姐姐：「㛹㛹飛上半天高，長長馬鞭捆杖頭。隨身帶有割鳥器，殺雞何必用牛刀。」琴雅的歌大多信口而來，未脫稚氣，俏皮可愛，是小說中的一道風景。

再說《**丹青奇俠記**》。

本書講述畫僧元濟（**石濤**）和好友破雲樵者（**八大山人**）、望雲子（**牛生慧**）的傳奇故事。三位都是真實歷史人物，且都是明朝皇室後裔，滿清入關，明朝江山崩潰，宗室國破家亡，百姓慘遭塗炭，本故事有極大的寫作和閱讀想像空間。

本書看點，是在滄桑巨變之際，人們的選擇各有不同，文壇領袖錢謙益首鼠兩端，青樓出身的柳如是卻大義凜然，八大山人「哭笑不得」，牛生慧「生不拜君」，主人公元濟為抗清事業四處奔走。無垢大師、文若大師等雖是出家人，卻不忘民族大義，暗地裡組織抗清義軍。這部武俠故事中，有歷史的血痕與淚痕。

更大看點，當然是主人公石濤的獨特形象。他是成就非凡的畫家、書法家和詩人，本書作者賦予他武功，變身成丹青奇俠。這位武功不俗的僧人，有典型的文人氣質。被少女薛若素無理糾纏，開始是無計逃避，繼而是逐漸生情，一度產生應緣還俗之想。他想為父親報仇，刺殺前明廣西巡撫瞿式耜之子，發現仇人父子深明大義，因而躊躇再三，終不忍下手。更有意思的是，有人報訊說，薛若素的父親薛元敬是他的仇人，一因找不到確切證據，二因與薛若素情絲糾纏，也只能壓抑自己的復仇衝動。如此搖擺，既見個性氣質，更顯內心悲苦。

第三個看點，是清廷派出大批高手圍攻天臺山，目的是抓捕義軍領袖，消滅抗清力量，卻也大大影響到在山中避亂隱居之人。皇甫璧和辛大娘隱居的綠竹窩，苕溪釣叟和孫女杜小青的隱居地，都被滿清鷹爪入侵。是所謂：覆巢之下無完卵，山中無地可避秦。這兩組人物故事，同樣讓讀者牽腸掛肚，感慨萬端。

再說《**神州虎嘯**》。

講述樓凌風的俠義傳奇故事。

看點之一，是草蛇灰線的敘事設計。例如，當樓凌風被舅舅委派去山東冒名求親時，讀者都以為他只是個文弱書生，不知他是年輕的武功高手，早已在龐家莊與飛箭幫本書講述南宋時期抗金英雄詩人辛棄疾的傳奇故事。初次出現時，他剛剛拜柳青娘為師；接下來，他被俘虜並被拯救；最後終於練好武功，一展身手，激動人心。小說看點，首先是歷史感和強烈的愛國情。小說開頭引述辛棄疾的詞，介紹了南宋歷史背景，第二段故事也是辛棄疾為保衛岳飛墓而戰；小說結尾也是辛棄疾參加了耿京的義軍，書中辛棄疾、耿京、張安國等人，都是真實歷史人物。

另一看點，是對人物心理的精彩刻畫，如寫黃秀嫻的一段心理描寫：「黃秀嫻一驚而醒，又是失望，又是羞慚，也有一點高興，心裡亂麻麻的找不到頭兒，忽而想到東，忽而想到西，過了一會，卻又似乎完全忘了，好像什麼也沒想過。」

最大看點是武功打鬥。故事段落以打鬥分：第一段是黃河上，張安國等與青海馬賊之戰。第二段是杭州西湖，柳青娘等與臨安高官侍衛之戰。第三段是杭州保俶塔附近，江天心等人與金頭陀之戰。第四段是杭州清溪莊，老叫化鐵拐神鷹與焦大年及王大禿之戰。第五段是辛棄疾與義端和尚、鐵掌仙猿之戰。每段的打鬥都很熱鬧，打鬥者的武功是從低到高，第一段中的張安國請來單天賜助拳，本以為是高手，但遇到鐵掌仙猿就相形見絀；進而，鐵掌仙猿、義端和尚看起來是真正的高手了，但他們都被江天心扔進黃河中。在第三段打鬥中又看到，助拳的熊偉、老叫化鐵掌神鷹的武功，卻又比江天心更高。本書打鬥還有一個特點，是喜歡讓人在船上打鬥，從黃河打到西湖，讓讀者大開眼界。

四、《邪派高手》系列

《邪派高手》當是作者最出名的小說。證據之一，是作者說：「該小說發表之初，原擬兩年內結束，後來讀者來信與老編的要求，使我改變了初衷，中途加料，寫了三年多，現在看來，覺得還算完整，沒有脫節的痕跡。」[6] 一部小說在連載過程中，讀者和編輯都要求它不要過快結束，其受歡迎程度可想而知。證據二，是《邪派高手》連載結束後，又有《天下第一邪》及《天邪劍》等作品相繼連載，它們都是以凌起石為主人公，組成一個真正的系列。這表明，不但讀者和編者喜歡這個小說主人公，作者也認可並喜歡這個主人公。證據三，大陸武俠小說讀者，大多數都不知道江一明，但卻有可能知道賀原或顧鴻，因為唯有《邪派高手》在大陸出版過，有多個版本（**盜版**），合法版本是貴州人民出版社版。

《邪派高手》最突出的特色，是塑造了一個與眾不同的主人公：凌起石。從小被兩位老人收養在山洞中，從十歲開始獨立行走江湖，十三歲即大鬧京師，在江湖成名——他有很多名字，例如：小傢伙、凌起石、小石頭、小石子、石喜棱、石敢當、鐵鋒、石如鐵、冷天風、黑大哥等，每個名字都是一段傳奇。

凌起石不但武功高強，而且多才多藝，醫卜星相、琴棋書畫無所不通，甚至懂得鳥獸語言。更神奇的是，雖然有幾位高人教過他，但卻始終沒有正式拜師。凌起石真正的與眾不同之處，在於他善於學習，善於開動腦筋，善於觀察感受，尤其善於思考。面對不同的江湖人物，他總是要進行調查，而後再採取相應行動。

小說名《邪派高手》，當然是指主人公凌起石。他之所以被稱為邪派，是因為他不但與惡霸強梁、邪魔外道、貪官污吏等壞人為敵，對那些名門正派中做壞事的個人，無論是少林派弟子還是武當派弟子，他也同樣毫不留情地予以揭露和打殺。對此，他還有一套成熟的觀點，即「凌起石堅持自己的意見，說由過去事實證明，名門正派一樣有叛徒，有壞人，除非他不做壞事，不是壞人，否則，就該予以應得的處罰。若果因為他是出身名門正派就予以通融，那不但不公平，而且有縱容之嫌。他主張好人就是好人，壞人就是壞人，該由其本人去負好與壞的責任，不能由其門派去負責與判別。對於好人與壞人當然有不同的對待，卻不能因其出身及門派而有所分別。」

這種成熟的個人主義價值觀，不被當時人所認同。所以，儘管他仗義行俠，濟困扶危，鋤強扶弱，而在正派人眼裡，他仍不能算是正派中人，而只是個「邪派高手」。

《邪派高手》可謂「小傢伙江湖歷險童話故事系列」。因為小說的主要故事情節，就是凌起石這個小傢伙的江湖歷險故事。說它是「童話故事」，是因為這樣的傳奇主人公，只能在純粹的童話中才能出現。

武俠小說被稱為「成人的童話」，是說武俠小說的傳奇童話須經得住成人心智的檢驗和推敲。只有在純粹的童話或神話中，人們接受作者對主人公的一切設定，而不會問為什麼。之所以說這部小說是「故事系列」，是因為小說所寫情節，從凌起石下山冒險，到幫助劉玉鳳奪回被劫的鏢銀、幫助正派官員呂旭洗清罪名從而大鬧京師，再到救助輕生女子、剷除江湖黑店，這些故事段落相互間並無實質性關聯。

小說寫作，無非是一個故事接著一個故事，讓主人公在不同情境中歷險，結果總是好人被救、壞人被殺。這也是作者原本打算在兩年內結束，應讀者和編者的要求而延續至兩年多，而仍「覺得還算完整，沒有脫節的痕跡」的真正原因。實際上，這個主人公的系列故事，可以連綿不斷地延續下去。我們看到，在這部小說中，除了呂玉娘、尚青、金不換及劉玉鳳、竹瑩等少數人物外，大多數人物都是匆匆而過。

以童話標準看，這部作品可得高分，因為它確實新奇好看，且看起來痛快過癮。讀者可以毫不費力地將自己代入其中，毫不費神地獲得痛快淋漓的閱讀感受。但若以「成人的童話」標準看，對這部作品的評價必會有不同意見。最重要的一點，是這部小說缺乏整體構想。證據是，高仲坤將凌起石養大，於主人公有教養之恩，如師如父，此人在小說開頭不久即離開了，他為什麼要離開？究竟去了哪裡？結局是生是死？讀者對此必然關切，但作者卻故意隱而不說。

凌起石在昆明殷家莊聽說高仲坤有難的消息，他也說要去拯救高仲坤，作者卻讓他一路耽擱，似只是說說而已，以至於直到小說最後也沒有去尋訪高仲坤的消息。這說明，作者只關注凌起石的歷險而不關注他的感情動向，只關注情節連環而沒有整體性設計。再如，凌起石誅殺少林、武當等名門正派的不肖弟子，這些名門正派是否會找凌起石麻煩？是否會聯手對付這一「邪派高手」？作者完全沒有考慮這一點。與此同時，凌起石屢次與邪惡勢力作鬥爭，而邪惡勢力竟也沒有採取聯合行動對付凌起石，這就更說不通。所以如此，是因為作者讓主人公率性而為，也讓小說信天遊，寫到哪裡是哪裡。

如何理解和評價主人公凌起石？鱸魚膾說：「凌起石是文武全才型的無敵高手，類似於梁氏作品中後期的金世遺，一出手所有難題迎刃而解，本身是要歌頌的主人公，但同時又是別人眼中的『邪派高手』，恰好和金世遺的身世、經歷、行事相若，但顯得比金大俠更加行俠仗義。」[7]這是一種讀法，且有一定道理。只不過，考慮到金世遺的身世與經歷，從《冰川天女傳》到《雲海玉弓緣》，有十分扎實的個性形成與發展歷程，這是凌起石所沒有的。金世遺成為所向無敵的武功高手，是在三十歲以後，身體與心智都十分成熟，符合人類成長規律。

要找凌起石的影響源，首先應考慮金庸小說《鹿鼎記》主人公韋小寶。兩人都是小傢伙幹大事，且都是出道伊始即逢凶化吉，四海通吃，所向披靡。江一明說不定十分喜歡韋小寶，從而要創造一個類似韋小寶的凌起石。

當然，凌起石與韋小寶的差異仍十分明顯，一是韋小寶無論怎麼神，他的武功始終都是八流水平，除了腳底抹油的逃跑功夫，別的武功都不足掛齒。韋小寶之逢凶化吉和所向披靡，一是他運氣好，早早做了康熙之友、陳近南之徒，更主要的還是他生存能力超強，個性無賴而堅韌。二是韋小寶形象，實具有文化象徵意義及解構功能，這也是凌起石所沒有且不可能具有的文學價值與文化價值。凌起石沒有類似訊息負載。

繼續溯源，那就是《西遊記》中的孫悟空及《封神演義》中的哪吒了。凌起石與這兩個神話人物的共同點，一是如自然的精靈，多種神技無師自通；二是小小身材及小小年紀，就有巨大神通，是所向無敵的少年英雄；三是天生就有自由精神和反叛性，攪動神界傳統，有人喜歡有人憂。

無論凌起石形象來源於何處，有一點是肯定的，即他的故事非常好看。看凌起石的種種壯舉，讓人痛快淋漓，血脈賁張，而且心無掛礙，可以不動腦筋。也就是說，江一明找到了能夠滿足（部分）現代讀者娛樂需求的秘方。

五、如何評說江一明

江一明說自己「寫作武俠小說是向梁羽生學來的。」[8] 這話應該可信。梁羽生的武俠代。鍾泉抓獲了清軍的最高統帥福康安，竟然沒有任何下文。

《雪爪神魔》：雪爪神魔的妻子（老丐婦）叫什麼名字？為什麼天山狼女不知道自己有個師母？老丐婦為何把江強安排到廣濟寺？書中全無交代。

《鐵掌金鏢》：主人公到底是鐵掌金鏢穆長虹，還是他的弟子柳如春？若是前者，為何主人公很少出現？若是後者，為何要用這個書名？

《丹青奇俠記》：極好的題材，可惜沒有寫好。主因是沒有專注於主人公石濤，更不用說八大山人、牛生慧兩大王子畫家。只有傳奇，卻不見性靈。退一步說，薛元敬在靖江王蒙難事件中扮演了什麼角色？也始終沒說清楚。

《神州虎嘯》：結尾處有幾聲虎嘯，卻與大局無關；「神州」二字如何落腳？更成疑問。大篇幅寫爭奪天虹劍情節，天虹劍是不是樓凌風師門所有？為什麼埋在海邊？是誰埋的？天虹劍最終由誰取走？這些都沒有清楚交代。

《鞭風俠影》：小說結尾倉促，江陰城破之日，閻應元、陳明遇、姚通等人的結局如何？是犧牲、被俘、不甘被俘而自殺還是逃亡？作者竟沒有說。

《詩酒豪俠傳》：小說的主人公是誰？是辛棄疾還是江天心、柳青娘夫婦？只怕作者也難以回答。每一段打鬥似乎都有新的主人公。

總之，江一明小說看點與弱點共存，幾乎沒有無可挑剔之作，故選舉其武俠小說的代表作也非易事。即便如此，江一明對香港武俠小說的貢獻仍不可低估。

對武俠小說家作出評價，須同時考慮兩種不同的評價標準，固然要考慮文本批評標準，同時也要考慮接受美學標準。從接受者角度看，對江一明小說的觀感可能會截然不同。首先，看單行本與看報紙連載就截然不同，單行本讀者可以從小說整體結構及故事情節圓滿自洽角度給出評價，而看報紙連載則會注重故事情節發展的過程，由於每天一段，往往容易忽略情節自洽及其整體結構。

進而，江一明在《華僑日報》上持續不斷地連載十八部小說、時間長達廿七年，這一事實本身就說明問題：即江一明小說始終受歡迎。理由很簡單：假如讀者看厭、編者不喜，絕不可能在一家報紙上持續連載小說超過廿五年。

最後，更重要的是，江一明武俠小說創作，持續到他生命的最後一刻——最後一部小說《天魔女》只連載一個月零一天即戛然而止——可以說，江一明為武俠小說奉獻了生命。

【注釋】

1 自《鐵膽英雄》至《天魔女》等小說，作者署名都為賀原。

2 「以及」之後的作品，即自《金鞭女俠傳》至《呼嘯雲山》等十二部小說，其中，《詩酒豪俠傳》曾於一九五九年七月下旬至一九六〇年初在香港《明報》連載，後由香港南國出版社出版。其餘小說都是由香港偉青書店出版，這些書都沒有標明確切的出版時間。又，上述作品目錄，係根據俠聖（顧臻）的《偉青與左報系武俠小說知見目錄》（電子版）以及顧臻《顧鴻（江一明）武俠小說目錄（二〇二一年九月二十日修訂版）》（電子版）修訂。

3 以上連載資訊，是根據俠聖（顧臻）的《顧鴻（江一明）武俠小說目錄》（二〇一九年十二月三十一日電子版）。

4 慕容羽軍：《為文學作證：親歷的香港文學史》，第一六五頁，香港，普文社出版，二〇〇五年。

5 黃鎮江在書中出現很早，開始時的名字是莫鎮江，後來都寫作黃鎮江。

6 顧鴻：《邪派高手・前言》第一冊，第一—三頁，貴陽，貴州人民出版社，一九八八年。說小說連載了三年多，可能有誤，據俠聖（顧臻）《顧鴻（江一明）武俠小說目錄》（二〇一九年十二月三十一日電子版），《邪派高手》在《華僑日報》上連載時間是一九七四年一月一日至一九七六年一月三十一日，只連載了兩年又一個月，共七五三期。

7 鱸魚膾：《武俠作家顧鴻》，見 http://blog.sina.com.cn/s/blog_50d180af0100nevz.html。

8 顧鴻：《邪派高手・前言》，第一—三頁，貴陽，貴州人民出版社，一九八八年。

9 江一明：《青鋒奇俠傳》（共八集，香港文偉書店出版，一九五八年十月初版）的第七集後面有一則《青鋒奇俠傳》的廣告，號稱「故事以乾隆、嘉慶年間貴州石柳鄧，湖南石三保、吳八月領導下的抗清運動為背景，穿插兩湖大俠柳國英及西川女俠梅玉芬等江湖俠士協助抗清的英勇事蹟。」又說其中有「清宮侍衛德愣泰比武奪標；梅玉芬獨破壩子岩，力戰清廷數侍衛，生擒清廷統帥福康安；柳國英勇戰武林叛徒雲貴三怪、智救吳廷義，氣煞傅鼐等都是極精彩的節目。」而實際上，這部書中根本沒有柳國英、梅玉芬這兩個人物，生擒福康安的也不是梅玉芬，而是鍾泉。

第十六章

張夢還的武俠小說創作

張夢還是香港武俠小說史上的重要作家。

張夢還原名張擴強（一九二九—二〇〇八），另有筆名孟桓、張靈，四川重慶人，（民國）中央陸軍官校二十二期炮科畢業，一九五〇年遷居香港。曾任印刷廠校對，其後在《中國學生週報》任編輯。一九五一年開始小說創作，以《蜀道青天》、《暴風》等小說以及《金腰帶》、《大力神》、《湖底少年》等書蜚聲文壇。

他也創作歷史小說，有《定軍山之戰》（署名孟桓）、《難堪手足情》（署名張靈）、《太平之戰》、《宋末遺恨》、《亡蜀恨》、《空中紅武士》、《赤壁之戰》、《戰潼關》、《懿貴妃》等作品。一九六五年赴新馬為賽馬騎師，後返港繼續寫作，曾同時為十一家報紙撰稿。[1] 晚年擔任香港退伍軍人協會副理事長。

一九五七年開始武俠小說創作，武俠處女作是長篇連載《屠龍手》[2]，稍後的《沉劍飛龍記》被譽為「是能兼取各派之長的武俠小說；在某一個意義上，它最接近『武俠文學』的標準。」[3] 有論者說，「在香港眾多武俠作家中，張夢還的文字功力直追金庸，而與梁羽生在伯仲之間。同時他也是最迷還珠（作者名「夢還」，即「夢還珠樓主」之意）並善於提煉《蜀山》奇妙素材之佼佼者。」[4]

一、張夢還武俠小說概述

根據顧臻統計，張夢還的長篇武俠小說有：《屠龍手》、《沉劍飛龍記》、《青靈八女俠》、《鐵樹銀花》、《劍底紅塵》、《黑蟒神》、《奇俠奇緣》、《雪山血痕》、《狼娃》、《金鞭岩恩仇記》、《玉女七煞劍》、《十二女金剛》、《魔湖天女》、《血手恩仇》、《紅鏢衣》、《血箭盟》、《天劍神筆》、《四霸天》、《玉女天魔》、《蛇震峨嵋》、《魔宮龍女》、《金刀記》、《劍氣驚虹》、《血刃柔情》、《豔女飛環》、《霹靂雙姝》、《玉手補金甌》等。

中篇武俠小說有：《全州碧血》、《驪山恩仇》、《烈火旗》、《龍門京華》、《龍泉夜店》、《盜卷宗》、《飄香山莊》、《廠衛》、《龍紋票布》、《霸王弓》、《兩將軍》、《玉面狐》、《劍氣蕩湖山》、《江南四俠》、《天回鎮》、《玉手屠龍》、《六陽神指》、《武節》、《鬧京都》、《鐵血山河》、《血濛濛》、《劫鏢》，[5]《血刃柔情》、《鐵血柔情》、《義膽柔情》、《俠侶柔情》、《鐵馬金戈大劍山》、《滅罪雙姝》、《少年君子》；[6] 短篇小說《南林處女》、[7]《荒林夜戰》、[8]《雙龍會》、[9]《萬勝門》[10] 等。[11]

張夢還的武俠小說創作，大致上分為三個不同時段。即第一階段：一九五七－一九六五年；第二階段：一九六九—一九七三年；第三階段：一九九六—二〇〇〇年。第一階段主要是長篇武俠小說為主，第二階段主要是中篇武俠小說，第三階段則是中篇小說和長篇小說兼備，有將此前發表的中篇小說整合成長篇出版，或將此前的長篇分解成中篇發表的情況。

由於筆者尚未掌握張夢還創作的詳細年表，第一次創作停頓尚可解釋，第二次長期停頓及暮年再創作的具體原因及其實際情況無法說明，有關張夢還的武俠小說創作歷程，尚待進一步研究。

張夢還的小說，存在一書多名的複雜情況，例如《沉劍飛龍記》，臺灣版改為《碧雲恩仇記》；[12]另一名作《青靈八女俠》，連載時的書名是《華山劍俠傳》；[13]連載作品《翠女飛環》，臺灣版改名為《豔女飛環》；連載作品《風雨雙嬌》，臺灣版改名《霹靂雙姝》。[14]臺灣萬象圖書股份有限公司出版「張夢還作品集」，改變書名當徵得作者同意，為什麼改名？則不得而知。

進而，張夢還晚期的幾部長篇作品，似由中篇小說拼貼整合而成，例如《血刃柔情》一書，當是由香港《武俠世界》一九五七期、一九七一期、一九八二期、二〇〇五期發表的《血刃柔情》、《鐵血柔情》、《義膽柔情》、《俠侶柔情》（**當時命名是「柔情三部曲」**）整合而成。進而，長篇小說《玉手補金甌》似由一九七一年發表的中篇小說《鬧京都》和《鐵血山河》拼貼補充而成；一九七〇年、一九七一年發表的中篇小說

《玉面狐》和《武節》的全部內容，則被整合到後來的長篇小說《翠女飛環》（《豔女飛環》）中。

張夢還具有良好的文學天賦，心思活躍，想像豐富，敏於創意且善於敘事，投身武俠小說創作之初即引人注目，其武俠小說多結合史實，對明朝歷史尤為津津樂道，寫到江山易主時代中人的惶惑和悲苦，常常撼動人心。因他熟悉並喜愛還珠樓主，其作有歷史與傳奇的廣闊空間及驚人張力，小說故事情節引人入勝，卻無從猜測其實際走向，從而極具可讀性。得到金庸賞識，並成為金庸旗下《明報》、《武俠與歷史》等報刊的骨幹作家，非偶然倖致。

張夢還小說中的女性形象值得專題研究。《沉劍飛龍記》中的呂曼音，《玉女七煞劍》的宋采仙和高瑤，《魔湖天女》中的岳碧春，《血刃柔情》中的白玉珍，《翠女飛環》中的閻翠，《霹靂雙姝》中的戴春花，中篇小說《烈火旗》中的狄綠華，《龍門京華》和《盜卷宗》中的王萍（方玉芳），《飄香山莊》中的文豔，《龍紋票布》和《兩將軍》中的秦良玉……或個性突出，或心智超群，無不光彩照人。《青靈八女俠》堪稱經典，作者對這八位女俠顯然十分偏愛，所以在《玉面狐》、《武節》、《鬧京都》、《鐵血山河》、《豔女飛環》、《玉手補金甌》等中長篇小說中反覆書寫，甚至讓「中年美婦袁孤鳳」出現在呂四娘刺殺雍正的現場。[15]

張夢還的整體成就在新派武俠小說的平均水準線之上，但「直追金庸」則多少有些過譽。主要原因，當是他在創作盛年寫得太多，曾同時為十一家報紙撰稿固然是他才情與精力過人的證明，卻也可能正是他無法保證品質更無法提升的原因。

二、《沉劍飛龍記》

《沉劍飛龍記》是張夢還的成名作，一九五七年在《武俠小說週報》發表。[16] 小說分為三個敘事段落，第一大段落是方孝孺後人方繼祖的女兒方靈潔、兒子方龍竹到貴州碧雲莊報仇故事，殺了吳璧，炸毀了碧雲莊。第二大段落是龍鳳雙幡故事，講述安達鏢局創始人卞玉龍、衛飛鳳夫婦及其後人與沙一鳴（沙九公）之間的恩怨衝突。第三大段回到方、吳兩家仇恨主線。吳氏兄弟的好友李揚已求得泰山萬竹山莊莊主夏一尊出面召集武林大會，揭開方、吳兩家仇怨真相，於是雙方放下仇恨。

本書故事相當吸引人，一是作者文筆較好，敘事清晰；二是作者善於講故事，細節尤其生動；三是作者善於捕捉並刻畫人物的即時心理。

書中復仇故事耐人尋味。方孝孺忠於建文帝，被燕王朱棣誅十族；漏網的方繼祖成了南海島主，要興兵報仇；吳氏兄弟勸方繼祖不要這樣做，被方繼祖視為反叛，要誅殺他們。吳氏兄弟自衛，使得島主自殺、夫人中毒而死。吳氏兄弟對此有不同的認知：吳璧覺得逼死島主夫婦罪孽深重，聽說方氏姐弟要來報仇，吳璧要講出當年的事實真相，然後聽憑方氏姐弟處置；弟弟吳璞則覺得自己沒有錯，要與復仇者方氏姐弟周旋、與命運抗爭。誰能說他這樣做不對呢？

同理，方氏姐弟的父母被害時，姐姐方靈潔年僅三歲，弟弟剛剛出生，母親留下血書，要他們為父母報仇。似乎也很合理。同理，吳戒惡的父親死於方氏姐弟之手，他要為父親報仇，看起來也似天經地義：「殺父之仇，不共戴天」。復仇推刃，就成了書中人物共同的倫理依據和行為邏輯，其結果，是冤冤相報，永無盡頭。

書中沙九公復仇就更為可悲：他愛上師妹衛飛鳳，衛飛鳳卻嫁給了卞玉龍，他就從此矢志復仇，不死不休。於是小說最後出現所謂「還珠式結局」：方靈潔的飛龍劍墜下懸崖，瀑布中出現飛龍，方繼祖夫婦、吳璧都在飛龍上。彩鳳說，他們在天上都已經和好，其子女卻還糾纏不休。這一神話結局，有象徵寓言價值。

書中最鮮明的形象，是天臺派盧吟楓的弟子甘明，這少年長相如猴，生性活潑好動，非常敏感，自視甚高而衝動偏激。他人的一言一行都可能引起他的敏感反應，常常出人意料，卻符合少年心理與行為邏輯。

甘明在書中作用不小，其一，方氏姐弟前來復仇的消息就是由他送信給碧雲莊主的。其二，他與碧雲莊少莊主吳戒惡結拜兄弟。其三，碧雲莊二莊主吳璞是由他拯救的。其四，在泰山，是他發現方氏姐弟住處，並告訴吳戒惡。更重要的是，此人形象有獨立的審美價值。

書中的呂曼音形象也很鮮明，此人是峨嵋紫雲庵靜因師太的大弟子，因為武功超人、美貌出眾，養成了她驕傲自大、肆意妄為的性格。在卞、衛故事即龍鳳雙幡故事中，對付藏邊掌門人雷迅、對付螳螂派掌門人沙九公，她是關鍵人物。呂曼音形象，是個性與環境衝突的產物，她喜歡奉承、喜歡張揚、喜歡轟轟烈烈，而她的生活環境卻是尼姑庵，青春女性欲望、情感受到壓抑，使她在紫雲庵的表現與在江湖上的表現天差地遠。在紫雲庵中不得不克制自己，模仿師父靜因，做掌門弟子狀；到江湖中則肆無忌憚，因滿懷憤懣需要發洩。

書中彩鳳的形象也值得關注。她是方夫人的侍女、方靈潔的奶媽，卻又與吳璞有情，方繼祖夫婦與吳氏兄弟發生衝突，最難過的是彩鳳。彩鳳變成「白頭婆」，是她內心煎熬的外化。她幾次出場，都有令人驚奇的出彩表現。

本書的不足。一是只顧講故事，卻沒有真正的主人公。二是方、吳復仇故事中，插入龍鳳雙幡故事，篇幅過大，影響了方、吳仇恨主線的深度開掘——方、吳仇恨不僅含有家與國、忠孝與仁義的矛盾，含有情與理的矛盾，還含有真相與假象的矛盾，有可開掘的深度和廣度空間。

三、《青靈八女俠》

《青靈八女俠》[17]講述華山派巫靈門下八位女弟子故事。作者寫作技藝有明顯進步，書中人物和故事有了統一性，故事情節由謀殺案——刺殺案——綁架案——奪寶故事串聯而成，環環相扣，結構自然而精巧。

本書最大亮點，是對華山巫靈觀女弟子個性的描繪和展示。首先出場的是六師妹董飄香，這個姑娘年齡小，經驗少、定力差而心腸熱，容易上當受騙，個性突出，經歷曲折，結局可喜。巫靈觀的二師姐賈墨羽，性格溫和，態度端莊，心理寬容，行為謹慎，對同門師妹情感深厚，不僅武功不俗，對玄門經典也造詣最高。

與賈墨羽不同的是，三師姐張凌雲號稱屠龍仙子，武功超群而性格火爆，對敵絕不留情，而對自己的師姐們則情篤且深。四師姐卞宛青與賈墨羽、張凌雲又不同，她聰明伶俐而多愁善感，行為端正而內心複雜，內心是林黛玉，外表卻是薛寶釵。對未婚夫梅歸明明有情，卻始終回避對方且逃避自己。

五師妹薛絳樹是八姐妹中最出彩的人物之一，她是女諸葛，卻像晴雯，有話直說，鋒芒畢露，內心柔軟，她對八師妹袁孤鳳非常嚴苛，卻也最為關心愛護。點蒼派天生劍客謝春雷看中薛絳樹，可謂是慧眼識珍珠。

七師妹林紅梅外號「七木頭」，心智不夠發達但心地善良醇厚，穩重可靠。她自願照顧岷山派傷者陳四姑，友情深厚，即是她的閃光點。八師妹袁孤鳳年齡最小，性格尚未成型，外表孤弱，內心敏感而性格倔強；情竇初開，對三師兄甘季英情不自禁，清純如夢，傷感如詩。書中對大師姐沈翠屏刻畫最少，因她在單獨練武，可視為作者故意留白。

書中寫巫靈觀八女俠在一起的場景，有不少精彩篇章和段落。八姐妹相處，固然是尊卑有序，卻並不拘泥刻板，更不限制或影響各自個性的表達與發揮。既像還珠樓主小說中的峨嵋女俠，更像《紅樓夢》大觀園中的群芳聚會。有時候相互調侃嬉笑，相互打趣或嘔氣，充滿生活情趣，形成動人的景觀。

本書的另一特點，是借奪寶故事，展現了錯綜複雜的武林景觀。當年泰山大會有「六雄」之說，即岷山謝超凡、川南嘉定烏尤寺秋月上人、華山赤靈羽士、武當神英道長、蒙古阿拉善紅鷹林士霸、雲南苗區通天教主吳文風，在這部小說中，「六雄」門下都有代表出場。岷山謝超凡的弟子盛威公、易敏公、陳容君（四姑）、龍渾；烏尤寺秋月上人的弟子孫不邪；華山赤靈羽士的弟子夏靈風、岳定一、甘季鷹，華山巫靈觀更是傾巢出動；武當神英道長已去世，但他的師弟神通及其弟子有多人出場；蒙古神鷹林士霸及其弟子鄧士第、查璞、查瑞、查小玉出場；通天教主吳文風更是本書反派第一號人物，他的十八名弟子及其金蠍教徒全部出場。此外還有崑崙派的九尾神龍陳放詩，雲南武林頂尖人物如蒼山三老、點蒼派蒼洱七劍、南詔國主龍再興、阿育王孫張繼帝等悉數出場。

難得的是，作者對書中人物的處理並沒有簡單化。例如岷山門下，大師兄盛威公行為卑劣，三師弟易敏公嚴謹正派，陳四姑風流放浪，六師弟龍渾則力量巨大而頭腦簡單。林士霸的弟子查氏三兄妹中，查璞殘酷（要殺梅歸），查瑞謹慎（要釋放梅歸），查小玉任性而為（因為看上梅歸而綁架梅歸）。蒼山三老中，靈鷲上人自高自大，妙香居士偏激衝動，玉居上人則謹慎謙和。崑崙派九尾神龍陳放詩傲慢倔強，烏尤寺弟子九州行者孫不邪則言行放浪、心懷慈悲。

本書弱點，是有些情節存在漏洞。諸如，一，小說開頭徐全白被謀殺，凶手是盛威公，謀殺動機是什麼？二，通天教主吳天風偷盜了華山的《天罡三十六參總樞》秘笈，華山派掌門人赤靈羽士李玄清卻不出面，是什麼道理？三，這部秘笈下落如何？四，惡扁鵲狄健形象出現了多次轉變，乃至性格邏輯鏈條「斷裂」，原因是什麼？

四、《豔女飛環》

《豔女飛環》[18]是《青靈八女俠》的衍生作品。分為前後兩部分，前半是梅歸奉命幫助洛陽周敬復興雙槍鏢局，聘請岷山派陳四姑為總鏢頭，保鏢去西北張掖，一路上驚險重重。後半是李自成進攻寧武關，岷山派掌門人東方玉儀、青靈觀掌門人賈墨羽率領同門隨東廠、錦衣衛馳援周遇吉將軍抗擊闖軍。

小說將武林故事與明末歷史作密切縫合，值得注意的是，作者與其他武俠作家不同，並非站在起義者立場上，視闖王李自成為神聖英雄（例如梁羽生的小說）；亦非站在明王朝正統的立場上，將李自成視為土匪賊子（例如蹄風的小說）。這部小說中的李自成形象，既非反面，也非正面，進京之前他能虛心納諫，進京之後才自我膨脹且迅速腐敗。

書中的李自成形象，近乎金庸《碧血劍》中所寫。作者情感上傾向明王朝，證據是讓賈墨羽、東方玉儀兩位掌門人前往北京為明王朝服務，進而隨東廠和錦衣衛聯合援軍前往寧武關作戰。但另一方面，卻又利用書中人物，如武威監軍張樂福、廠衛首領倪少華等人，對明王朝皇帝昏庸無能、用人不信，官員貪污腐敗、鼠目寸光等等大加揭露。

書中對明朝官府中人並未一筆抹煞，有幾個人值得特別關注。一是武威監軍張樂福，明白幹練，對明王朝談不上忠心耿耿，因為他是白蓮教徒。書中倪少華，同樣明白幹練，他不是白蓮教徒，對明王朝更為忠心，卻也不願為明王朝殉葬。他之所作所為，是盡人力而從天願——在明末，這樣的人物應該不少——他動員東廠、西廠、錦衣衛派人支援寧武關的那場戲讓人印象深刻，他說世人都把東廠、西廠、錦衣衛當作罪惡淵藪，殊不知其中也有血性之人。此說體現了作者實事求是態度，值得稱道。書中最感人者，當然是寧武關總兵周遇吉及其老母、兄弟，這一家人全都為守衛寧武關獻身，其行為可歌可泣，值得感念欽佩。

本書最大看點，是髗羅剎閻綠衫形象。此人原是漢中府的女捕頭，令罪犯聞風喪膽；因李自成攻陷漢中時殺害了漢中知府林文宗，閻綠衫變身劫匪，專門與李自成作對，也是鏢頭們的夢魘。閻綠衫正式露面，是一個人面對振武鏢局的九大鏢頭，連殺三人，讓人膽寒。有意思的是，當陳四姑和梅歸出面，讓她劫走軍餉但不要繼續殺人，她答應了。更有意思的是，當她得知梅歸是林文宗的同鄉、同窗、好友，竟然接受梅歸的勸告，不僅交還軍餉，還將軍餉運到目的地。也正因如此，當她的師父岷山易敏公率人來清理門戶時，陳四姑挺身對抗易敏公，並向岷山派掌門人東方玉儀求情，要求赦免閻綠衫。

最有意思的是，閻綠衫參加了寧武關保衛戰，殺人如麻，卻是一心求死。最後是袁孤鳳洞察了她的內心秘密：她愛林文宗，也愛梅歸，因愛情失意或無望而變身女魔頭，使得這一人物擁有超群的能量與張力。好在袁孤鳳說服了梅歸和卞宛青，閻綠衫故事有個圓滿結局。

袁孤鳳發現閻綠衫的愛情秘密，表面理由是袁孤鳳對男女情感十分敏感，真正原因是袁孤鳳對姐夫梅歸早已情有所鍾——書中閻綠衫曾直接詢問過袁孤鳳，而袁孤鳳也沒有掩飾她對梅歸的鍾情——袁孤鳳對梅歸的情感，書中有多處表現，那種沒有功利目的的片面情感，美好生動，卻也令人感傷。

五、《玉手補金甌》

《玉手補金甌》[19]同樣是《青靈八女俠》的衍生作品。主人公是「青靈八女俠」中的五師妹薛絳樹。薛絳樹為了幫助永曆皇帝穩固南方基地，贏得反清復明的時間和空間，居然混入滿清顧命大臣鄭親王濟爾哈朗的家中，成為鄭親王最信任的王府總管兼鑲藍旗武術教頭。其目的有三，一是深入瞭解滿清王朝內部消息。二是在清朝內部製造混亂。三是在降清漢族將領中尋找願意反清復明志士。故事情節主幹是間諜加武俠，敘事主題即薛絳樹「玉手補金甌」。

小說的故事情節由三個部分組成。

一是薛絳樹在北京策劃鑲藍旗士兵換裝事件，引發別旗士兵不滿，憤怒燒毀糧台，製造混亂，激發多爾袞與濟爾哈朗、多爾袞與順治間的矛盾。

二是薛絳樹隨鄭親王前往西安勞軍，在吳三桂部屬、家屬中做策反工作。

三是薛絳樹被鄭親王派往南方視察軍情，策反江西水師提督朱才，製造幾位漢軍旗主之間的矛盾，挫敗兩次暗殺，迫使清宮侍衛布爾格揭露多爾袞的罪行，導致順治剝奪多爾袞的爵位。由於薛絳樹的卓越工作，成功地拖住了滿清南征的步伐，為永曆皇帝反清復明事業贏得了時間和空間。

這部小說的最大看點，是武俠與間諜相結合，薛絳樹的形象與一般武林中人截然不同。例如她一直在為滿清鄭親王濟爾哈朗工作，她對濟爾哈朗似乎也忠心耿耿，所作工作也都對鄭親王有利；但實際上每一工作都在幫助永曆皇帝反清復明事業。進而，因為她的身分是鄭親王府總管及鑲藍旗軍的協辦，所以她的行為與尋常的武俠人物明顯不一樣，她不能像武俠人物那樣愛恨分明、睚眥必報，而是要顧全大局，儘量利用一切有利條件創造出更大的戰果。

例證之一，是葉華率人暗殺她，她將葉華帶來的十一人殺了八人，卻將剩下的三人釋放，且讓受重傷的葉華從容逃離，這就不是武俠人物的做法，而是間諜的做法，其中有政治因素的考量。更好的例證，是她對另一次更大規模的刺殺行動的指揮官布爾格的態度，表面上一直採隱忍與合作態度，最終也在重重懲罰了布爾格部屬的同時，卻沒有對布爾格施加任何處罰，而是與他分析多爾袞死後的政治形勢，勸他看清形勢，選擇立場，揭發多爾袞，遠離多爾博。結果布爾格果然如此，這對布爾格有利，但對鄭親王更有利，而對遠在雲南的永曆皇帝也同樣有利。

小說的另一看點，是將歷史與傳奇無縫連綴。書中出現的人物，從順治皇帝、睿親王多爾袞、鄭親王濟爾哈朗、平西王吳三桂到漢軍鑲紅旗主金礪等，全都是歷史人物，武俠兼間諜主人公薛絳樹活動在歷史人物之間，利用歷史人物之間的矛盾縫隙，做成讓人驚訝的間諜事業。使得這部武俠小說、間諜小說有歷史小說的味道。

進而，小說的歷史背景是實，歷史人物亦是實，書中的故事情節卻虛實相生，是歷史外衣包裹的傳奇故事，而不是尋常歷史傳奇。例如多爾袞之死，小說中渲染他是因為淫欲過度而死，就是對歷史人物作恰到好處的傳奇演繹。

小說的不足之處，一是對薛絳樹由於什麼機緣為永曆皇帝當間諜？如何變身辛木？如何獲得鄭親王濟爾哈朗的信任爾當上鄭親王府總管？書中沒有說明。二是薛絳樹女扮男裝混跡於男人世界，當有諸多尷尬時刻及驚險場面，書中也未涉及。三是多爾袞之死只是自然事件，與薛絳樹完全無關，多少有些讓人遺憾。

六、其他長篇小說簡述

《玉女七煞劍》[20]

講述主人公楚泓江湖歷險故事。看點之一，是主人公楚泓的俠義形象，此子天性厚樸、俠肝義膽，路見不平即拔刀相助，對師弟文飛重義，對妻子宋采仙重情。看點之二，是高瑤的身世、經歷和情感——武林前輩尤翠鳳、盧紅楓的「玉女七煞劍」即為她和宋采仙所得——她是強盜世家的另類。看點之三，是強盜世家人物良莠不齊，高應荃俠義豪邁，妻子高大娘唯我獨尊且脾氣火爆；老二高應召雖很貪財卻相對理性（**高瑤是他女兒**）；老三高應庭更是唯利是圖，血債累累。

不足之處，一是有些故事情節段落有明顯的編造痕跡；二是女主角宋采仙對後夫楚泓的情感態度有些曖昧。

《魔湖天女》[21]

講述主人公史青衫的故事。第一個段落是其成長與歷險，第二個段落是奪寶（**李自成寶藏**），第三個段落是反抗滿清異族統治。本書視野廣闊，故事曲折，結構複雜。史青衫的身分極為特殊，他是高傑和邢夫人的兒子高文忠（**高傑原是李自成麾下悍將，後投降朝廷成為史可法麾下總兵；邢夫人是李自成的妻子，與高傑私奔，揚州城破時後被吳三桂收留**），也是史可法的義子史青衫，其人生可謂身不由己、隨波逐流，串聯起龐大而複雜的社會關係網路及紛紜曲折的故事情節。魔湖天女即洞庭湖主岳碧春，她的事業令人景仰，情感生活則讓人唏噓。

本書缺陷，一是史青衫被俘後與敵對陣營的耶律寒蓮私奔，岳碧春居然勸心上人史青衫娶耶律寒蓮為妻，既不符合情理，也違背人物性格。二是史青衫聽說師父被白骨天王裴康打傷中毒，要回四川探訪師父，但卻始終未成行，大大損害了這一人物的內在同一性。

《血刃柔情》[22]

是一部拼貼式作品，由鐵衣會花惜春行俠故事、十二鐵機堡復仇故事、群雄奪寶故事（爭奪和珅遺產）、反滿抗清故事拼貼而成。小說的主人公至少有三人：第一冊的主人公是鐵衣會的二當家毒心血刃玉郎君花惜春；第二冊的主人公是鐵衣會大當家冷雲飄；第三、第四冊的主人公則是漢軍旗公爵白仲明的女兒白玉珍。花惜春、冷雲飄形象都很突出，刻畫得最好的人物形象當屬白玉珍：此人身世特殊、經歷複雜而曲折、內心矛盾張力最大、個性氣質最為突出。

此外，雙槍鏢局東主周玉的深情，大內侍衛歐陽雲從的紈褲自負，歐陽雲從妻子陸慧劍的獨立自尊，也讓人留下印象。書中還有若隱若現的女同性戀跡象，例如陸慧劍與她的四個女徒、白玉珍與陸慧劍、燕明珠與石語情等等，她們之間動輒擁抱，甚至親吻，且白玉珍還曾明確說她也愛女人。

《霹靂雙姝》[23]

講述屈春華江湖歷險故事，包括情感糾葛、師門矛盾、江湖恩怨、武林衝突和歷史風暴。霹靂雙姝是指戴春花和冷鳳，這兩個人最終都嫁給了屈春華。戴春花自我中心，懵懂無知，「語言暴力」讓屈春華無法忍受、離家出走，成為非典型「遊俠」。其經歷，串聯了廟堂與江湖、歷史與傳奇。書中最大看點是戴春花，作為戴羽的獨生女兒，單純而無知，不懂得也不尊重他人感受，喜歡師兄屈春華，但卻不知道如何去愛。她的「語言霹靂彈」，讓屈春華「屈」得可憐。本書的不足，是對女主人公冷鳳的形象刻畫有問題，冷鳳對屈春華的情感態度始終曖昧。「霹靂雙姝」之冷鳳越來越失去主動性，更缺乏「霹靂性」。

七、中篇小說《玉手屠龍》

《玉手屠龍》[24]講述滿清神策營統帶玉榮被雍正通緝，化名王榮做岳鍾琪的西席，說服了因、甘鳳池、呂四娘不要刺殺岳鍾琪，幫助岳鍾琪刺殺將軍府總管、皇家密探門登，幫助岳鍾琪對付總兵賽阿美，還指點呂四娘等人刺殺雍正；但他自己卻回北京保駕；雍正被殺後，他和九門提督葛隆自殺殉主。

何以如此？玉榮的突出個性和複雜心理，正是小說的最大看點。上述行為矛盾，恰是理解玉榮其人的關鍵：他是旗人、神策營統帶，站在滿族統治者立場上，忠於滿清政權，這一點從未改變。奧妙是，忠於滿清政權並不等同於忠於雍正皇帝。當雍正的行為有礙於滿清政權的千秋大業，玉榮便提出異議，不惜冒犯龍威。雍正大興文字獄，處死（呂四娘之父）呂葆中，他會力諫；雍正處死大將軍年羹堯，他更不以為然。所以，他成了通緝犯。入岳鍾琪府避難，是他非凡智力和超群勇氣的表現，越是危險的地方越安全。進而，他躲入岳鍾琪將軍府，還另有目的，即要探查岳鍾琪是否忠於滿清王朝。當他發現岳鍾琪不可能反抗雍正，便幫助岳鍾琪勸退刺客、消滅奸細、解決危難。他指點呂四娘等人進京刺殺雍正的恰當時機，是因為他覺得雍正的行為對滿清政權會有極大的危害，所以要借呂四娘之手刺殺雍正，確保滿清政權更加穩固。但他畢竟是雍正的臣子，救駕是他的倫理義務；雍正被刺，他只有自殺才能消除內心愧疚與罪惡感。

他死前還有一件義舉，即阻止了雍和宮喇嘛參戰，避免了漢族義士流血犧牲及對滿清王朝的更大仇恨。玉榮的武功、智力、勇氣、襟懷和道德情操，無不令人感嘆。和親王弘曆（乾隆）說：「二位大臣殉主身故，傳諭天下，叫百姓知道我大清也有義烈忠臣。」這句話，可以說是小說主題，只可惜和親王只知其一、不知其二：屠龍「玉手」，一是呂四娘之手，一隻是玉榮之手。

還有幾個人物形象值得一說。例如雍正，他不是漫畫式的暴君魔鬼，只是個自恃聰明、剛愎自用又疑神疑鬼的孤家寡人。他的所作所為無不是「作死」，要與刺客呂四娘單打獨鬥，固然是要拖延時間、等待雍和宮裡喇嘛增援，也是他自負「天子聖明」、自尋死路的小小寓言。又如岳鍾琪，此人個性雍容，心機深沉、熟悉官場規則，在不同場合都有恰當表演，真實態度卻始終曖昧，他的言語、行為和心理之間有大塊「留白」，要讀者去揣摩領會。例如，他對已故上司年羹堯的態度究竟如何？對最高領袖雍正皇帝的態度又如何？都是值得仔細觀察和分析的題目。

他從未表達過對雍正皇帝不滿，但他的侄兒岳忠卻蒙面參與了呂四娘的刺殺行動，這說明他對雍正皇帝懷有深深的恐懼。再如呂四娘，此人性格單純、熱情衝動、動輒出劍卻也通情達理，與其他小說中的呂四娘有所不同。

八、中篇小說《血濛濛》

《血濛濛》[25]講述雍正故事，是張夢還小說中最值得品味的作品之一。

開頭講述雍正下令湖南、湖北、浙江三省水師圍剿巫山雙龍會，周雪燕等人被官兵攔截經歷九死一生；中間是雍正誤認周雪燕是自己的女兒，父女情深；最後寫雍正破獲反叛集團，抓捕隆科多。

小說中雍正具有多面性：既是冷血皇帝又是溫情老父、骨子裡殘忍而表面親和，表裡不一，莫測高深，極善做戲。官兵圍剿巫山雙龍會就是他策劃導演的一場表演。

證據一，巫山雙龍會主連紅玉正是雍正與年妃（年羹堯的妹妹）的女兒五格格。

證據二，不參與圍剿且保護巫山雙龍會的侯爺藍志舉並未受罰，認真圍剿而打了敗仗的黃安國乃至大將軍岳鍾琪反而被撤職。

證據三，雍正錯把周雪燕當作連紅玉，對她百般寵愛，絲毫未追究巫山雙龍會事。

證據四，他繼續布置圍剿雙龍會事，周雪燕十分焦慮，美玉格格卻說皇帝是在做戲。

證據五，雍正正在布置抓捕反叛集團成員，且查明這個集團的保護傘是他舅舅隆科多，而他卻讓隆科多擔任首任軍機大臣，讓他集多個職務於一身；直到關鍵時刻才讓順天府尹吳羡去調查審理隆科多——雍正一直不動聲色，實際上早已布下棋局，隆科多、岳鍾琪、巴清、吳羡這些大臣都不過是他棋枰上的小小棋子。

那麼，他將雙槍鏢局的東主周雪燕誤認為自己的女兒五格格，並對周雪燕百般寵愛，是真情還是表演？就成了最大懸疑，誰也猜測不透。也許他真是老眼昏花，認錯了女兒；也許他要借假女兒周雪燕向真女兒連紅玉傳遞老父想念親閨女的消息；也許這是個陰謀：向連紅玉傳遞迷惑性消息，等到合適時機才對女兒及其巫山雙龍會下手，皇帝才是真龍天子，豈容「雙龍」存在？他對舅舅隆科多如此無情，對女兒又會有多少真情？又或許，雍正自己也說不清，他對女兒連紅玉到底是怎樣的情感，自己也不知道會不會消滅女兒及其幫會。

最堪玩味的是小說標題《血濛濛》。「血濛濛」當然不同於「血淋淋」，「濛濛」有迷茫、紛雜、濃盛之意，書中最驚人的揭秘是隆科多承認自己是漢人，他姐姐即雍正母親自然也是漢人，那麼雍正的旗人血統就有問題了；雍正與反叛者連紅玉有血緣關係，而雍正錯把周雪燕當作親生女兒……血統或血緣，豈不是迷茫、紛雜且濃盛？或許，只有「滿漢一家」之說，才能抵達血濛濛的最深層。

小說格局很大，從結構和敘事看，這部中篇很像是長篇小說的一段。若作中篇小說看，那麼追蹤雲中雁的李鼇一去無消息，雍正派寶親王弘曆去襄陽調查藍志舉之事同樣沒有下文，就是這部小說的情節漏洞。

九、其他中篇武俠小說簡述

《烈火旗》[26]

是倫理悲劇故事：女俠萬里飛虹狄綠華一直尋找失蹤的弟弟狄翼峰（弟弟改名高振

飛），非但相逢不相識，且一直針鋒相對，最終姐弟相殘，雙雙殞命。這個是倫理悲劇，也是命運悲劇。姐弟相殘源自命運捉弄，也因高振飛（狄翼峰）的惡行昭彰，死於向好轉變的關鍵節點，仍可謂性格決定命運。小說具有可讀性，且有寓言價值。不足之處是有關烈火旗與金神教情節過於簡單乃至隨意。

《龍門京華》[27]

講述朱元璋殺害結義兄弟田興後，田興的八個兒子（田家八龍）分別化名進入大內侍衛、錦衣衛、燕王府、藍玉麾下，為父報仇故事。復仇手段不是刺殺朱元璋，而是挑動藍玉將軍製造內亂，刺殺太子，懲罰朱元璋。小說開頭田興辭別宗廟，遣散家人，隻身赴難，古風撲面，奪人眼球。少女王萍兼管大內侍衛和錦衣衛，與田家八龍針鋒相對，故事情節神秘曲折，緊張刺激。弱點是，八龍沒有易容術，如何能不被人認出？

《盜卷宗》[28]

是《龍門京華》續集。藍玉被殺，田家八龍實施B計畫，即盜取燕王朱棣生母朝鮮妃被殺卷宗，策動燕王發動政變。故事情節是王萍偵查八龍並實施抓捕，懸念迭起，最後是驚人反轉：王萍竟是方國珍的侄女、田家八龍的表妹方玉芳，方家與朱元璋、田興都有仇；馬力（田玉龍）之死觸動了方玉芳（王萍），將卷宗送給了剩下的田氏兄弟。武功打鬥加偵探、推理，故事情節神秘曲折。

《龍泉夜店》[29]

講述大臣徐階、國師藍道行、太監喬承澤分別派人在龍泉夜店刺殺欽差許梅生故事，欽差的隨從大部分都是刺客，刺客們針鋒相對，氛圍神秘而緊張。最大看點是夏吟秋，從看客變為刺客，又從刺客變成欽差護衛；更驚人的是她並非夏吟秋，而是妹妹夏凝秋。本故事很可能受胡金銓電影《龍門客棧》影響。遺憾的是，欽差大臣許梅生最終還是被殺。血腥故事的「真相」是官場黑暗。

《飄香山莊》[30]

講述丹桂堂繼承人孟仁孝率人找苗秀春商議重建三十年前被官府剿滅的天桂幫，因其採取霸道手段，且姦污苗秀春的繼母，苗秀春及其未婚妻文豔發起反抗，最後全殲孟仁孝等丹桂堂部眾。故事情節神秘而曲折，孟仁孝、文豔形象讓人印象深刻，物是人非、兄弟鬩牆的結局發人深思。

《廠衛》[31]

侯爺張錦被殺，凶手竟是東廠與白蓮教聯盟，黔國公沐恩、江南巡案周硯聯手揭露真相，大內侍衛林南設計讓東廠、白蓮教與西廠內訌。巡案周硯明知九千歲魏忠賢權勢熏天，毅然以卵擊石，為揭露真相而不惜犧牲，顯示「士」之風骨；大內侍衛徐彪、林南在重壓之下顯出英雄本色，讓人血脈賁張。

《龍紋票布》[32]

王雪濤創建錦燕幫，讓好友安雲錦當幫主。安雲錦發出龍紋票布（**相當於最高級權杖**）誅殺王雪濤，石柱女土司秦良玉率兵攻入錦燕幫總舵，擊斃安雲錦，錦燕幫覆滅。權力鬥爭無處不在，官場中有，幫會中也有，錦燕幫權杖使用「龍紋」即是明顯象徵。故事結局令人唏噓。

《兩將軍》[33]

是《龍紋票布》續集。講述秦良玉與曹文昭兩位將軍從矛盾衝突對立，到相互妥協諒解，最後合作抗擊張獻忠。其時明王朝岌岌可危，秦良玉的深謀遠慮無人問津，兩將軍也不被重用。《兩將軍》並非尋常的武俠小說，更像是政治寓言——書中插敘朝臣「李無用」故事，對比寓意十分明顯。秦良玉與曹文昭惺惺相惜，若有若無的情感耐人尋味，更令人感嘆。

《霸王弓》[34]

講述蒙古蒙哥皇帝率部攻打四川苦竹隘故事。蒙哥麾下大將、侍衛多是漢人，十四歲少年侍衛林玉看到了蒙哥皇帝鐵血、柔情、作秀的不同側面，是這部小說中最精彩的部分。林文、林玉父子的內心矛盾也具有深度和新意。林玉形象非常生動，很可能受到金庸小說《鹿鼎記》主人公韋小寶形象的影響。

《江南四俠》[35]

黃知府一家被滅門，江南四俠劉玉飛仗義尋找凶手，發現三俠田文孝的姐夫朱子貞是本案主謀。西廠首領倪少華要朱子貞加入西廠，謀殺案便可忽略不計，但田文孝卻當著倪少華的面殺了對他有養育之恩的姐夫朱子貞，以實際行動詮釋了俠義精神，與西廠首領枉法草菅人命的行為涇渭分明。

《天回鎮》[36]

年羹堯被雍正皇帝罷官賜死，岳鍾琪繼任，胡金風率眾成立「丹心同仇會」，結義大哥董千秋率大內侍衛到天回鎮抓捕二弟胡金風，當鏢頭的三弟展冠雯脅迫岳鍾琪，救出胡金風。友情與大義經受了嚴峻考驗。小說前段散漫，後段精彩。

《劫鏢》[37]

《劫鏢》講述鄧文琪、鄧君琪替皇家護送軍餉，遇到黑雲樓首領田子英率人劫鏢，經過慘烈打鬥，劫匪失敗，鏢隊慘勝。有幾點非同尋常，一是鄧文琪的另類俠客形象，因他熱衷為國效力，大義凜然。二是刻畫了戚繼光訓練的義烏兵超乎尋常的戰鬥力和犧牲精神。三是參與劫鏢的四絕手藍天虹故意輸給鄧文琪，敵友難分，給小說留下一個開放性疑問。

【注釋】

1 見臺灣萬象圖書股份有限公司「張夢還作品集」的《作者簡介》，臺北，一九九九—二〇〇〇年。

2 張夢還：《屠龍手》於一九五七年六月四日至九月十四日在香港《真報》連載，作者署名孟桓。

3 于式：《沉劍飛龍記・序（一九五八年四月）》第九頁，臺灣，獅鷲文化有限公司，二〇〇一年三月。按：文中提及的《碧雲恩仇記》即《沉劍飛龍記》。

4 葉洪生：《論劍：武俠小說談藝錄》第五十八頁，上海，學林出版社，一九九七年。

5 上述作品都發表在一九六四—一九七三年間的《武俠與歷史》雜誌上。

6 上述作品發表於一九九〇年代末的《武俠世界》雜誌上。

7 張夢還：《南林處女》，馬來西亞《中國報》一九六一年五月廿七、廿八日連載。

8 張夢還：《荒林夜戰》，馬來西亞《中國報》一九六一年六月三十日、七月一日連載。
9 張夢還：《雙龍會》，新加坡《南洋商報》一九七〇年六月三十日第八十一期。
10 張夢還：《萬勝門》，馬來西亞《詩華日報》一九八〇年六月九日。
11 顧臻：《張夢還武俠小說目錄（草稿2021.02.2-01）》（電子版）。此外，顧臻還提供了其他零星資訊。
12 更複雜的情況是，大陸盜版書卻又改名為《天龍玉嬌》，冒名群眾出版社出版。
13 更複雜的情況是，大陸盜版書改名為《華山八美》，盜用台聲出版社之名，作者冒用臥龍生之名。
14 《霹靂雙姝》與《風雨雙嬌》是否同一部書？還要仔細比較查證。
15 見張夢還：《玉手屠龍》，《武俠與歷史》第五三九期（一九七一年五月七日出刊）第三十六頁。
陳墨按：袁孤鳳及青靈八女俠活躍在明末，且成年袁孤鳳還參與過寧武關保衛戰（《翠女飛環》，一六四四年），呂四娘刺殺雍正則是在一七三五年，此時袁孤鳳超過百歲，不可能是「中年美婦」。
16 由於《武俠小說週報》停刊，《沉劍飛龍記》只連載了數萬字，其後出版單行本。
17 原名《華山劍俠傳》，於一九五七年九月六日至一九五九年十二月廿二日在《香港時報》連載四五四期，香港武俠文學出版社出版單行本時改名為《青靈八女俠》（共八冊）。
18 我看的是臺灣萬象圖書股份有限公司「張夢還作品集」第十一卷，臺北，二〇〇〇年。又，根據顧臻《張夢還武俠小說目錄》（電子版），本書在《武俠世界》連載時的書名為《翠女飛環》。
19 我看的版本是臺灣萬象圖書股份有限公司出版的「張夢還作品集」第十二卷，臺北，二〇〇〇年五月。
20 我看的版本是臺灣萬象圖書股份有限公司的版本，書名《名劍深情》，臺北，一九九九年十二月。

21 張夢還：《魔湖天女》，十七集（六十八回），香港武林出版社，一九六一－一九六二年。前傳是《玉女七煞劍》，後傳是《血手恩仇》。

22 我看的《血刃柔情》版本是臺灣萬象圖書股份有限公司一九九九年三月初版的「張夢還作品集」第一－四冊，本書很可能是曾在香港《武俠世界》一九五七、一九七一、一九八二、二〇〇五期連載的「柔情三部曲」（四個中篇）。

23 我看的版本，是臺灣萬象圖書股份有限公司二〇〇〇年八月版，共四冊。

24 張夢還：《玉手屠龍》刊載《武俠與歷史》雜誌第五三九期（一九七一年五月七日出刊）。本故事的前傳是中篇小說《天回鎮》，載《武俠與歷史》第五三一期（一九七一年三月十二日出刊）。

25 張夢還：《血濛濛》，載《武俠與歷史》第六一二、六一三、六一四期（一九七二年九月廿九日及十月六日、十三日出刊）。

26 張夢還：《烈火旗》，載《武俠與歷史》第四四九期（一九六九年八月十五日出刊）。

27 張夢還：《龍鬥京華》，載《武俠與歷史》第四五〇、四五一、四五二、四五三期（一九六九年八月廿二、廿九日，九月五、十二日刊出）。

28 張夢還：《盜卷宗》，載《武俠與歷史》第四六一期（一九六九年十一月七日出刊）。

29 張夢還：《龍泉夜店》，載《武俠與歷史》第四五四期（一九六九年九月十九日出刊）。

30 張夢還：《飄香山莊》，載《武俠與歷史》第四六三期（一九六九年十一月廿一日出刊）。

31 張夢還：《廠衛》，載《武俠與歷史》第四七一期（一九七〇年一月十六日出刊）。

32 張夢還：《龍紋票布》，載《武俠與歷史》第四七六、四七七期（一九七〇年二月出刊）。

33 張夢還：《兩將軍》，載《武俠與歷史》第四八二期（一九七〇年四月三日出刊）。

34 張夢還：《霸王弓》，載《武俠與歷史》第四七八期（一九七〇年三月六日出刊）。

35 張夢還：《江南四俠》，載《武俠與歷史》第五二一期（一九七一年一月一日出刊）。

36 張夢還：《天回鎮》，載《武俠與歷史》第五三一期（一九七一年三月十二日出刊）。

37 張夢還：《劫鏢》，載《武俠與歷史》第六四七、六四八期（一九七三年六月一日、八日出刊）。

第十七章

林夢的武俠小說創作

林夢是新派武俠小說名作家，原名羅治平，曾任《晶報》、《明報》編輯，後受聘擔任過《星報》總編輯。一九七〇年代和林行止夫婦創辦香港著名財經報紙《信報》，繼而創辦馬經報《專業馬經》，一九七〇—八〇年代曾經銷量極佳。

林夢的武俠小說作品有：《湖海九英》、《湖海恩仇記》、《江湖七傑傳》、《芙蓉劍》《俠侶恩仇記》、《風塵騎俠傳》、《江山奇英傳》、《雲海俠隱記》、《黃山四鳳》、《峨嵋三劍俠》、《羽箭銀瓶記》、《天山神俠》、《火燒少林寺》、《武當飛鳳》、《三山奇俠傳》等。[1]

已知的是：一，《湖海九英》、《江湖七傑傳》、《芙蓉劍》《俠侶恩仇記》、《風塵騎俠傳》、《江山奇英傳》、《雲海俠隱記》、《黃山四鳳》、《峨嵋三劍俠》、《羽箭銀瓶記》等十部作品曾由香港偉青書店出版。二，他有十部小說從一九五八年七月一日至一九六五年三月三十一日在香港《晶報》不間斷連載，連載作品是：《湖海恩仇記》、《江湖七傑傳》、《芙蓉劍》、《黃山四鳳》、《峨嵋三劍俠》、《羽箭銀瓶記》、《天山神俠》、《火燒少林寺》、《武當飛鳳》、《三山奇俠傳》等。可見，一九五八年至一九六五年，是林夢武俠小說創作的鼎盛期。

《湖海九英》是不是林夢的武俠小說處女作？這部作品創作於何時？是否曾在報紙上連載過？在哪家報紙連載？《天山神俠》及以後的幾部作品是否出版過單行本？在哪家出版社出版？《三山奇俠傳》之後，林夢是否還創作過其他武俠作品？何時停止武俠創作？為什麼停止武俠小說創作？目前尚不得而知。進而，林夢的武俠小說，筆者只讀過五部（**占其已知作品的三分之一**），因而很難依據這一部分作品概述林夢武俠小說的全貌及其特點。

這裡，只能從讀過的幾部作品簡述對林夢小說的印象。

一，林夢是新派武俠小說作家，價值觀偏向香港左翼，即持民族主義、愛國主義立場，書寫明確歷史背景下的江湖傳奇故事。但他對階級鬥爭學說似乎興趣不大，書中也不將階級矛盾和階級鬥爭作為故事情節主線敘述。

二，林夢的歷史學養不俗，其作品涉及漢代至清代不同歷史時期，他的作品也寫到過官府與廟堂，但他很少將古代王朝的歷史命運作為故事情節主題，更喜歡書寫某個歷史背景下的江湖人生。

三，林夢想像力豐富，虛構涉及武林江湖極具仿真效果，雖很少借用神異，更不故弄玄虛，而其小說的傳奇性不減，情節曲折跌宕，故事引人入勝，敘述思路清晰，有很好的可讀性。

四，難能可貴的是，林夢富有人性洞察力，其小說中有不少人物形象可圈可點，有些人物的心理內涵、文學成色及其藝術價值，遠超當時武俠小說的平均值。

五，作為編輯，林夢的文字功力上佳，雖很少像梁羽生那樣讓筆下人物不時吟誦詩詞，其書中某些寫景抒情的段落頗富有詩意，值得欣賞品味。

下面幾節，是對林夢幾部作品的簡介和分析。

一、《芙蓉劍》

《芙蓉劍》[2]是《江湖七傑傳》的姊妹篇，講述沈復學藝報仇、傻大姐伍敏報仇伏魔故事。父母家人蒙難，少年學藝復仇，是武俠小說中常見的故事模式。這部小說有幾點不同。其一，是少年沈復的個性特殊。因急於拜師而亂耍心眼，見廣惠和尚與少女程碧波隔牆說話就試圖以此要脅，以至於廣惠和尚認為他品行不端，拒絕收徒。來到五陵山，沈復又耍花招騙了韓錦瑤，讓韓錦瑤極為反感。後來又拜辣手狠心苗秦為師，可謂不擇手段，讓人想起金庸筆下的楊過。好在最後峰迴路轉，伍敏將他帶回伍志峰身邊，泯絕仇恨，拜伍敏為師，回到人生成長的正軌。伍敏和沈復都是芙蓉劍的傳人，《芙蓉劍》也因此而名副其實。

另一與眾不同之處，是寫出多人由邪途回歸正道。

其一是伍志峰。伍志峰號稱南昌一殘，年輕時心狠手辣，作惡不少；而到沈復報仇時，伍志峰已徹底悔悟，不僅對沈復多次刺殺行為諒解不咎，且一心要讓沈復避免人生迷途。正是在他的感召之下，讓沈復放下仇怨，一心向善。

其二是蘇金鋒，此人是南蘇劍派的傳人，只因爭強好勝，求婚不成，自取其辱，此後走上邪途，成為武林中人所不齒的採花惡賊。哥哥壽山劍客蘇伯濤為他而死，仇家程碧波釋而不殺，讓蘇金鋒頓悟前非，自殺贖罪——這一場景，是小說中令人震撼的一幕。

此外，書中還刻畫了幾個有趣的人物。一是傻大姐伍敏。所謂傻大姐，並非呆傻，也非缺心眼，是心地純淨而頭腦簡單，感性發達而理性不足，容易衝動任性。明知司空鏡武功奇高，傻大姐為了報仇，照樣勇往直前。居然一路遇難呈祥，最終殺了強敵。

另一有趣人物，是愣小子湛修明，雖然武功驚人，卻全無江湖經驗，而且生性憨直，所到之處，妙趣橫生。最讓人發噱的是，韓錦瑤聽說他師父要他服從有道理的人，就拿出一方手帕，說這東西就是「道理」，要他服從，而愣小子果然聽少女韓錦瑤指揮。論起輩分，他應該是韓錦瑤的師爺。

第三個有趣人物，是自稱老糊塗的千手佛言浩朋，他與司空鏡打賭，自我囚禁十三年，自創能夠打鬥的木偶消遣（讓人想起金庸《射鵰英雄傳》中的老頑童）。最後，也正是他幫助傻大姐伍敏殺了司空鏡。傻大姐、愣小子、老糊塗這三個人物，當是《江山奇英傳》、《湖海俠隱記》中醉芙蓉、呆金剛、胡三公（外號也是老糊塗）的原型。

這部小說的弱點，是由前後兩個部分拼貼而成。小說的前半部分，講述沈復求師學藝的曲折經歷；而後半部分，是韓寶莊死後，傻大姐伍敏找司空鏡報仇。傻大姐伍敏的報仇過程，既非依靠其武功，更非依靠其智力，而是仰賴傳奇性的好運氣，故事雖然熱鬧好看，但卻經不住回味和反思。

二、《風塵騎俠傳》

《風塵騎俠傳》[3]講述鐵面慈航關傑幫助山東翻子門撥亂反正故事。本書由多個故事段落組成，每段故事都有看點。最精彩的段落是第九回書「錯中錯，好友變仇人；冤外冤，蕩婦成節婦」，即關傑的師父程文海、神醫韓碧桐、俠女趙秀芝的三角戀，及程文海死亡之謎。趙秀芝深愛韓碧桐，程文海暗戀趙秀芝，因黃慶元無心之過，讓程文海酒後與趙秀芝發生性關係，從而使程、韓、趙三位孤獨終生、抑鬱終生，趙秀芝更自稱蕩婦、妖女。趙秀芝找到程文海，逼程文海自殺，恰好黃慶元又在場，頭腦簡單的關傑，以為黃慶元是殺師仇人。趙秀芝、韓碧桐、魏靈素共同揭秘，事實真相出乎意料。這段故事，不僅寫出了世事的複雜，寫出了人生的曲折，更寫出了心理的微妙。

鐵面慈航關傑的故事也很精彩，從救助喬巧惜並幫助她復仇，到幫助翻子門撥亂反正而身受重傷、尋醫療傷，到結識無塵和尚、替無塵送綠玉碗給丐幫長老，到尋找白骨雙魔及《洗髓經》、進京奪回綠玉碗，都很吸引人。

更吸引人的是關傑的獨特個性。首先，此人拙於言辭，惜言如金，說得最多的只有一個字：「哼」。進而，此人武功超群，俠肝義膽，卻又一根筋，不會用腦、更不會用心。證據一，師父自殺，他不問青紅皂白，頂撞師叔、離開愛侶，一心找無辜者復仇，結果無功。證據二，翻子門老幫主的遺囑，是他去替換的，原因是他輕信，受了楊國泉的騙。證據三，他幫翻子門討公道，明明打敗了所有對手，卻還要讓對手再來，終致勞而無功。證據四，無塵和尚托他送綠玉碗給丐幫幫主甄承年，他卻送錯了人。證據五，明知自己不是白骨雙魔的對手，卻不顧愛侶魏靈素勸說，要去找白骨雙魔拼命。這樣的俠義主人公極為少見。

書中慕容澄形象也很出色。此人年輕英俊，頭腦靈活，善於學習，用兵如神，身為翻子門大管家，率領翻子門對抗官府、佔領山東全境。可惜功高震主，被翻子門繼任幫主余維嶽百般掣肘，導致翻子門盛極而衰，最後土崩瓦解。慕容澄和關傑都愛喬巧惜，且都關心翻子門，兩位主人公的情場矛盾，也是書中看點。

不足之處，一是情節漏洞。喬天樂保鏢被殺，關傑幫喬巧惜奪回軟玉枕，但喬巧惜卻不將軟玉枕送給托鏢人；更嚴重的是，喬巧惜母親健在，她竟不將父親和堂兄的死訊告訴母親。二是有拼貼乃至拼湊痕跡，寫作時缺乏整體性構思。

三、《江山奇英傳》

《江山奇英傳》[4]講述王昭君奉命遠嫁匈奴和親，琵琶中藏有魚腸劍，瘋女杜香娘搶走了王昭君的琵琶；王昭君傳語中原武林，希望為她尋回魚腸劍。魚腸劍是故事引線，故事主線是主人公虞冰的江湖奇遇和歷險：大俠游離手辛力耘教授她掌法，摘星換斗張叔重賜她輕身藥並教她六合功，劍術大師秦慕仙教她三招玄女劍法，紫電飛霜教她潛龍勁與擒拿掌，黃衣羽士齊元亮教她劍術和回力鏢，這是奇遇；遭無影飛雲魏春亭綁架，遭神火子魏希桐的威脅，遭阮氏三魔的糾纏，遭柳二員外柳南陽的毒鏢，這是歷險。在將魚腸劍交給王昭君之後，虞冰還幫助曹彥尋找三葉不枯草救母，途中遇到五雷門掌門人閃電轟雷張一貴，獲碧環紫金刀，受託整頓五雷門。回中原後，虞冰又救了秦慕仙，幫江劍青與賈碧蘭成就姻緣。

虞冰團隊的核心成員，個個形象鮮明。首先是主人公虞冰，小姑娘不過十五六歲，卻喜歡喝酒，且一喝就會醺醺然，所以叫醉芙蓉。虞冰性格直率，心地善良，純樸天真，如渾金璞玉；雖有些魯莽衝動，但她不貪不吝，樂於助人，常得長者喜愛，化險為夷。二是老糊塗胡三公，此人說糊塗又不糊塗，說不糊塗又有點糊塗，標誌是隨身攜帶熟狗腿，隨時往嘴裡塞狗肉，武功奇高而生性詼諧，心思細密而言語幽默。三是呆金剛董方，自稱董爺，別人叫他呆子，他也答應，此人武功奇高而頭腦懵懂，竟不知道自己的師父是誰；哪裡有好吃的就到哪裡，所到之處都會有笑聲。四是程牧，個性純樸，與虞冰如影隨形，兩小無猜。

最大看點卻是瘋女杜香娘的故事。她丈夫保家衛國，卻被誣為叛徒；她把兒子曹彥交給崔子槐，兒子又在戰亂中走失；憤懣與憂患交織，導致她發瘋，因此遷怒於崔子槐，並殺害崔子槐全家及其他六位江湖義士。她的行為，讓人切齒；她的遭遇，卻令人同情。當她錯把程牧當兒子時，其慈母眼淚十分感人；當親生兒子曹彥出現在她面前，她卻不認，還對曹彥拳打腳踢，鐵心要把程牧當親兒。最後，虞冰尋得三葉不枯草治好她，回首前塵，真心懺悔，力圖改過自新，讓人唏噓。瘋女杜香娘貫通小說首尾，具有極大的藝術張力和闡釋空間。

小說的不足之處，一是開頭寫江湖義士在秭歸的戰爭廢墟前為王昭君送行，昭君出塞是從長安啟程；匈奴入侵是在北方騷擾，秭歸何來戰爭廢墟？二是，醉芙蓉虞冰、呆金剛董方、老糊塗胡三公，是《芙蓉劍》一書中傻大姐、愣小子湛修明、老糊塗言浩朋的複製：傻大姐伍敏變成了醉姑娘虞冰，愣小子湛修明變成了呆金剛董方，老糊塗言浩明變成了老糊塗胡三公。這是作者自我模仿。書中靠吹牛騙吃騙喝的孟耀國，則有金庸小說《射鵰英雄傳》中裘千丈的影子。

四、《雲海俠隱記》

《雲海俠隱記》[5] 是《江山奇英傳》的後傳，講述醉芙蓉虞冰攜帶碧環紫金刀重振五雷門的故事。本書由幾個故事拼貼而成。大半部是五雷門故事，中間插入「南郭北姜」的家族恩怨，無雙義士郭德民娶了追風神龍姜浩的妹妹，姜浩卻與他勢不兩立，郭德民夫婦不得不歸隱於黃風島——書名《雲海俠隱記》對應於郭德民夫婦故事——直到柯一山帶虞冰等人前往，才終於揭開過去的恩怨。接下來，白骨魔君張蒼天從千眼百靈秦子玉處借得利器游絲刃，打敗了郭德民，帶走了其女郭素素。虞冰等前往峨嵋山找秦子玉，幫秦子玉找到女兒，秦子玉贈她響鈴，並陪她打敗張蒼天，奪回游絲刃。老叫化柯一山作主，讓郭素素和表哥姜穎結合。最後，虞冰回家，向程牧表達了自己的情意。

小說最大看點，是追風神龍姜浩。他是北姜劍術的繼承人，其性格偏激怪癖，實際上是一種神經症。簡單說，是因為過度嬌慣，自我中心，沒有容人之量，乃至心理異常。他視妹夫郭德民如天敵，就因為南郭與北姜齊名，而無雙義士郭德民的劍術、人品都比他更好，讓他嫉妒成狂。即便郭德民忍讓乃至歸隱，他還把怒氣撒到外甥女郭素素身上。

作為兒子，他驕縱任性，根本不聽父親姜子修的教訓；而作為父親，卻又要求兒子姜穎對他言聽計從，否則就嚴懲不貸。最讓人難以接受的是，明知妹夫郭德民誠心修好，卻仍堅持要妹妹姜修殺親生女兒！姜浩並非惡人，只是病得厲害。好在，虞冰的逆耳忠言，讓他有所醒悟。最後自導自演一場假死，是他恢復心理健康、重新做人的標誌。

另一個看點，是五雷門叛逆白雪殭屍雲一清聽了老糊塗胡三公的一番話，幡然悔悟，痛改前非，戴罪立功之後，又自殺以謝師恩。雲一清自殺場景震撼人心，讓人印象深刻。作者如此安排，是要說明任何人都能改變：善者可能會作惡，惡者也可以遷善。作者對人心、人性的認知水準不低。創作自有更大想像空間。

張愚人也是小說中讓人印象深刻的人物之一，五雷門的「罪人」張愚人，正是五雷門的最大功臣，雖然受盡委屈磨難，骨肉分離，仍不改其耿耿忠心，在關鍵時刻蒙面出現，拯救了五雷門。張愚人的故事打動人心，讓人印象深刻。

本書不足之處，一是五雷門掌門人張一貴的行為讓人難以接受：明知道師兄雲一清的武功高過自己，仍堅持獨自去清理門戶，在出門之前又不指定接班人，結果白白犧牲，讓五雷門從此一蹶不振。臨死前要小姑娘虞冰代他重振五雷門，也是異想天開，只能證明張一貴這個掌門人實不稱職。二是醉芙蓉虞冰重振五雷門，實在是成事不足、敗事有餘；最終有所成就，全靠作者幫忙。

五、《黃山四鳳》

《黃山四鳳》[6] 講述黃山守信堡主鐵面羅漢焦石彥與東海龍王杜冷雲兩家族的恩怨糾葛。祁文英帶著家藏的金國皇帝玉璽投奔黃山守信堡，不料玉璽當晚就被東海龍王的侄子杜城衛盜走；焦石彥的外甥女柯靈犀、兒媳夏琴心等前往杜冷雲處索玉璽並與之發生衝突，幸得大顛和尚將玉璽盜回。發現玉璽為贋品，柯靈犀、夏琴心等隨大顛和尚再次前往杜冷雲家索回真玉璽。

焦石彥之子焦承志病重，神醫毒刺神農劉定祥卻被杜冷雲綁架，柯靈犀等人三往杜冷雲家，得杜城衛之助，救出劉定祥。杜城衛到守信堡求婚兼求醫。東海龍王杜冷雲與南嶽散人徐天福約戰天臺山，杜、焦和好，焦石彥答應將外甥女柯靈犀嫁給杜城衛，新婚之夜，新娘掉包，柯靈犀隨姜淑霞逃走，卓妙芝成為杜家新婦。黃山四鳳，指的是天都玉鳳柯靈犀、白雲飛鳳姜淑霞、碧海孤鳳卓妙芝，以及柯靈犀的表嫂夏琴心。

本書最大亮點，是守信堡焦家的日常生活。鐵面羅漢焦石彥享譽武林，卻是家裡專制老爸，其子焦承志愚魯癡呆，與其說是遺傳，不如說其老爸專制的惡果。焦承志從早到晚都在練功，並非癡迷武術，而是害怕成績不好被老爸責罰。焦承志的妻子夏琴心，常在祥符庵裡對月唏噓，因從小被繼母虐待，更因與焦承志結婚數年卻還是處女，有苦難言。更難堪的是，她與師弟彭順年相互關心，卻被焦石彥當作男女私情，一頓暴打讓彭順年屈打成招，幾乎要了夏琴心的命。若不是柯靈犀發現夏琴心手臂上的守宮砂，這兩個人註定會被冤死。

焦石彥為何如此暴躁？原因是他當鰥夫多年，欲望壓抑、情感空虛而不自知。焦石彥雖是正派人，但他的兒子、兒媳、徒弟卻無一不生活在苦海中，

主人公柯靈犀是焦石彥的外甥女，舅舅焦石彥對她另眼相看，但焦家的壓抑氣氛仍影響了她的心理與個性。柯靈犀頭腦簡單而容易衝動，與其說是恃寵而驕，不如說是對舅舅焦石彥行為的簡單模仿。她不願嫁給杜城衛，固然是因為不喜歡，更因為她害怕婚姻，要逃離家庭。白雲飛鳳姜淑霞女扮男裝，女身男心，讓柯靈犀叫「哥哥」，兩人逃離家庭、雙宿雙飛，是大膽新穎的同性戀故事，也是她們自我保護的特殊方式：柯靈犀的心靈深處，有看不見的精神創傷。

四鳳中，只有柯靈犀和夏琴心住在黃山，姜淑霞和卓妙芝與黃山關係不大，「黃山四鳳」之說有些勉強。進而，杜城衛盜走金國玉璽，還假造贗品，如此損人而不利己，所為何來？書中沒有合理解釋。最後，大顛和尚強迫柯靈犀拜師，傳授「智慧功」，作者忽略了心理治療功能，殊為遺憾。

【注釋】

1 見顧臻：《香港左派武俠小說目錄》，電子版，未曾公開發表。

2 林夢：《芙蓉劍》，於一九六〇年六月一日—十一月三十日在香港《晶報》連載，後由香港偉青書店出版。

3 林夢：《風塵騎俠傳》，香港偉青書店出版，共八集（冊）、廿四回，未標注出版時間。

4 林夢：《江山奇英傳》，香港偉青書店出版，共十二集（冊）、三十六回。

5 林夢：《雲海俠隱記》，香港偉青書店出版，共六集（冊）、十八回，未標注出版時間。

6 林夢：《黃山四鳳》，一九六〇年十二月一日至一九六一年二月十四日連載於香港《晶報》，後由香港偉青書店出版單行本。

第十八章

高峰的武俠小說

高峰的武俠小說創作從一九五九年初至一九八八年八月，長達三十年之久；已知作品有四十部，不僅在香港武俠小說史上自有一席之地，且蜚聲海外。[1]

高峰，本名甄誠（一九二二—一九九八），廣東樂昌楊溪人。國立第三華僑中學畢業，入廣州嶺南大學數學系。一九五七年開始寫作，一九五九年開始寫武俠小說。直至一九八八年，共寫長、中、短篇武俠小說四十餘種，長篇占多數，總計約兩千萬字。

高峰本人開列作品目錄，包括：《高原奇俠傳》、《蟠龍劍客傳》、《一劍震神州》、《掌風劍影錄》、《五嶽豪俠傳》、《劍氣蓋山河》、《五嶺英雄傳》、《金鼉毒掌》、《碧峰劍仙傳》、《金刀怪客》、《沼澤潛龍》、《俠侶恩仇》、《刀劍傳奇》（以上十三種已出過單行本），以及《挑燈看劍記》、《夕陽殘劍》、《劍馬萬重山》、《大漠英雄傳》、《劍馬天涯》、《玉簫銀劍》、《躍馬銀河》、《胡州鹽傳》、《碧眼娘》、《紅鬍子》、《青鬚魔》、《白骨仙》、《黃髮叟》、《劍裡乾坤》、《摧心掌》、《古錢玉瓶記》等（共十六種，作者說這些作品大多散佚不全，自己都沒有存剪報）。[2]

一、高峰的武俠小說簡述

高峰的武俠小說尚不止此數。顧臻的《高峰武俠小說作品目錄（草稿）》，[3] 提供了高峰武俠小說創作的若干重要資訊。包括：

一，高峰作品還有《七劍抗暴記》、《易劍記》、《晚明俠隱記》、《鐵劍風雲錄》、《雙劍天涯》、《魔鬼島》和《玉佩記》等。

二，高峰另有筆名甄滕（用於三部作品署名）。

三，高峰的作品從一九七五年十月一日至一九八八年八月三十一日在香港《華僑日報》不間斷連載，作品包括《晚明俠隱記》、《大漠英雄傳》、《鐵劍風雲錄》（以上三部作品署名甄滕）、《雙劍天涯》、《碧眼孃》、《魔鬼島》、《玉佩記》等。

四，從一九八一年底至一九八八年三月不間斷在《華僑晚報》上連載了《百靈廟之盟》、《湖天水寒》、《寶劍玉瓶》、《六盤山》等。

五，已知高峰最早的武俠小說作品是《一劍震神州》，最晚的作品為《玉佩記》。

高峰的武俠小說創作持續了整整三十年，不僅表明他的創作能力驚人，也表明他的作品一直有人欣賞。但，他的作品又有半數以上（可能多至三分之二）只是在報紙上連載，而沒有出單行本，除了一九七〇年代以後武俠小說圖書市場呈整體衰落趨勢外，是否還有其他原因？值得專題研究。

筆者見到的高峰小說只是若干部單行本，大多是其早期作品，後期報紙連載作品沒有通讀，還有一部分作品既沒有見到單行本，也不知道何時在何處連載，因而無法詳細描述高峰武俠小說的創作歷程，實際上也無法準確分析總結高峰武俠小說創作的技藝特徵。在此只能說幾點粗略印象。

其一，高峰的早期作品大多在香港《文匯報》、《香港商報》等左派報紙上連載，屬於新（左）派。其價值觀如民族主義、愛國主義立場，及對受壓迫的勞動階層的同情即階級鬥爭觀念，與新派領軍人物梁羽生、金庸等左派作家一致。他的早期作品明顯受金庸、梁羽生小說的影響。

其二，高峰小說中雖有歷史背景，涉及某些歷史人物，穿插一些歷史掌故，但總體上卻非「史詩小說」，不作歷史演義，更不作歷史觀演繹，而是以虛構的江湖傳奇為其創作目標，講述匪夷所思的武林人物及其曲折跌宕的矛盾衝突，追求可看性及娛樂性。

其三，高峰小說融多種故事模式於一體，常常將歷險—奪寶—愛情—復仇—政治鬥爭等不同故事線索結合在一起，大多是以主人公的江湖歷險為主線，奪寶線索、愛情線索、復仇線索或政治鬥爭線索組成辮式結構；進而，在這些常量之外，還隨時增加「變數」，即人物的身分、立場乃至個性隨故事情境的變化而改變，使得小說不但內容豐富，且懸念不斷，

折，吸引人一口氣讀下去。

書中陸思匡等人遠征大夏故事，從傳奇層面看，讓人大開眼界。從西域六部族會議開始，到在大夏國遭遇巨靈五魔，到在沙漠地帶遭遇原始部落及半開化部落，每段故事都很精彩可觀。但這些精彩的傳奇故事，不免有人為編造的痕跡，且在情理上很難說服讀者。陸冠南要藏玉璽，神州大地何處不能？為何要將傳國玉璽藏到遙遠的大夏？作者要這樣寫，無非是為了故事傳奇，故意讓主人公歷險。

本書的弱點，正是一味傳奇，而對人物個性作簡單化處理。其實，書中四位主角，陸思匡、文定山、文露兒、張珊兒，每個人的個性、情感和心態，都有極大的可開掘空間。陸思匡下山不久，就遭遇殺父仇人，而這仇人卻是他的親叔叔和師叔祖，他將如何處置？文定山下山的目的，是要殺陸冠南報復父仇，而自己的未婚妻張珊兒又喜歡陸冠南的兒子陸思匡，他將如何對待？張珊兒被陸冠南養大，但陸冠南卻是她的殺父仇人；她愛上了陸思匡，而陸思匡卻與文露兒相戀，這對她的情感又有怎樣的衝擊和影響？文露兒遵從母親囑咐，尋找陸思匡，但若哥哥文定山一心要與陸思匡對敵，她又怎麼調處？

這些矛盾，涉及主角們的情感立場和個性特徵，如果寫得深入，則不僅會讓人物形象更為生動，更能讓故事情節懸念叢生。遺憾的是，作者不願在這方面多費心力，讓陸、文、張的後人簡單地超越上述種種矛盾，成為概念化的俠義英雄，陸思匡、文定山、文露兒、張珊兒等人物給人留下印象不深，小說的藝術成就也就因此而受局限。

三、《掌風劍影錄》

《掌風劍影錄》5講述闖王李自成的侍衛長李鶯鶯縱橫武林故事，其任務有三項，一是找出賣國者並予以清除；二是爭取中間分子，讓他們支持李自成；三是刺殺多爾袞。故事情節主幹是李盈盈感化教育何松齡、張小娟。

本書最突出的人物形象是年輕的崑崙派弟子何松齡。

此人家境富有，出身於武林名門崑崙派即名門大派，長相英俊且聰明伶俐，這讓他加倍輕狂。輕狂的具體表現，是自我膨脹，不知道天高地厚。是以，他從崑崙山回鄉途中，不斷找人比武，招惹是非，急於揚名。聽到別人的譏笑，立即要拼個你死我活；得知武林人士集會，他一定要前往。只可惜，事實證明，他的武功沒有自己想像的那麼高。經過李鶯鶯的教訓，且見識了邵南川、黑天猿、神掌惡煞、黃石道人等人的武功，他很快就知道山外有山、天外有天。

何松齡的心理特徵，是自我中心且自以為是，所以他不僅無知、乏智，且無禮、寡情。首先是對師兄馬雲彬不友善，且還曾一度懷恨，因為師兄武功高、人品好，吸引了李鶯鶯，讓他自慚形穢。其次是對父親何傑同樣無禮且無情，回鄉不先見父親，見父親時竟不相認（他以為女友郭小梅是被父親「逼死」了，實情卻不那麼簡單），直到父親與神掌惡煞打鬥面臨危機時，他才天良發現。何松齡並非無情，更非道德敗壞，只是一個沒長大且被寵壞的孩子——父親寵他、師父寵他，他自己還加倍寵自己——即今人所說的「巨嬰」或「媽寶」。

何松齡既不懂得、也不關心天下大局，不懂得、也不關心江湖正道，他只關心他自己，只關心自己的青梅竹馬女友郭小梅的生死，他只會意氣用事。有意思的是，何松齡對女俠李鶯鶯卻是心悅誠服。原因是，李鶯鶯是個美女，讓他怦然心動、情不自禁；李鶯鶯的武功讓他望塵莫及，李鶯鶯是武林第一女俠，充滿正氣、俠氣和大氣；更重要的是，李鶯鶯關心他、愛護他，而從未譏笑他、蔑視他。

難能可貴的是，作者並沒有把年少輕狂作為這個人物的標籤，更沒有就此「定義」這個人，而是借黑天猿之口，說少年會成長、會變化，從而說服神掌惡煞不要看扁這個人。黑天猿的這一說法，代表了作者的觀點，即更深刻的人生經驗與性格邏輯，何松齡的個性與人生，也從此開始轉折——女友去世了，父親去世了，家園被燒毀了，世界上再也沒有人寵他了，反倒成了何松齡的成長拐點。

何松齡的成長之路曲折坎坷，不由自主地走上歧途。即被張雲峰的女兒張小娟——她被崇禎皇帝封為「文華公主」——所迷惑，當了張小娟的駙馬。這一選擇看似是被誘兼被迫，實則因他無智慧更無主見，只能隨波逐流，且貪圖安逸、只顧眼前的性格弱點。聽張小娟說「我是壞女人，你是壞男人」時，他也曾深受震撼，且試圖主宰自己，奈何沒有智慧更無意志，只得成為張小娟的俘虜，也是俗世生活的俘虜。吳大娘、吳倩君的警告，讓他不得不直接面對倫理衝突；李鶯鶯、馬雲彬的救援和鼓勵，則讓他做出合乎俠義道精神的選擇。只可惜，他很快又被張小娟抓住了，他的自新、蛻變與成長之路，還很漫長曲折。

書中對何松齡成長與變化的經歷並沒有做太多敘述。只是用了三個場景，表現何松齡的變化。

第一個場景，是李鶯鶯到西山單獨見他，要他主宰自己，選擇自己的人生道路，他選擇了以國為重，於是留言離開。

第二個場景是數月後，何松齡見過師兄馬雲彬、殷儀（找到了人生榜樣），也見過師父靈通道人（堅定了改變的決心），再見李鶯鶯，表示自己要單獨去找吳大娘和未婚妻吳倩君，向她們求婚，這意味著他接受了真實的自己、發現了自己的性格弱點，力圖改變自己，並努力做自己的主人，擺脫了依靠他人的「巨嬰」狀態。

第三個場景，也是最後一個場景，我們看到，何松齡果然與吳倩君成雙成對出現。此時的何松齡，顯然已非昔日吳下阿蒙，他已經重新做人，且已煥然一新。總之，何松齡形象，是《掌風劍影錄》一書最突出的藝術貢獻。

書中的張小娟形象也值得一說。此人出場時是一個略帶邪氣的女子，再出場時搖身一變，成了崇禎的乾女兒即「文華公主」；令人不齒的是她對何松齡產生了情感欲望，立即拋棄了深愛她的表哥耿逸明，與何松齡堂而皇之地結合了。她明知道何松齡已有未婚妻，且是出於感恩和欲望和她在一起，但她並不在乎這個，一心要把何松齡抓在自己的手心裡。直到李鶯鶯勸說何松齡離開，她也受李鶯鶯感化，才從對何松齡的欲望中解脫出來，從新選擇了自己的人生道路，也從新選擇了戀愛對象，最後一次選擇是鄱陽湖的陳在因。

值得一說的是她與表哥耿逸明的關係，以及她對表哥的情感態度，她曾嚴重傷害表哥，但卻不希望表哥死。她對表哥的態度，值得作專門分析。張小娟的成長歷程及其心理特徵，也值得作專門分析。只不過，這很可能超出了作者的構想，作者只是寫出了這個比較特殊的人物形象而已。即從邪惡立場轉向正派人生的典型形象。

四、《劍氣蓋山河》

《劍氣蓋山河》[6] 講述冰河劍仙的女弟子廖鳳兒的江湖歷險故事，具體情節卻由奪寶故事—愛情故事—反清門爭等故事線索交織而成。

小說開頭講述金豹門北宗弟子胡傑奉師命單騎南下，找金豹門南宗掌門人楊兆萬，要聯合搶劫餉銀。一路上經歷種種風險，遇到廖鳳兒後，故事情節就從胡傑一個人歷險，變成了胡傑和廖鳳兒兩個人的歷險。胡傑脫險後要回北京向師父報訊並有去無回，故事情節又變成了廖鳳兒一個人的歷險。

主人公的歷險，多半與奪寶故事相關。朝廷要運送數百萬兩餉銀到江南，引起金豹門北宗、獨腳和尚、鍾老七，枯山寺住持、伏牛山農夫婦、田六侯父子、楊兆萬師徒等江湖中人覬覦和紛爭，而朝廷中的兩股勢力即鄂親王盈驊所代表的大內侍衛一方與九門提督尚可基所代表的軍方卻又相互算計，書中人物的關係錯綜複雜，矛盾紛爭的結果出人意表。

書中真正讓人印象深刻的部分，是愛情故事。包括兩段主線和數條輔線。兩段主線，一是廖鳳兒與胡傑兩人一起歷險過程中，相互產生了好感，進而產生了愛情。但這一愛情只開花不結果，因為胡傑被震遠鏢局總鏢頭丁六吟殺害。廖鳳兒得知胡傑被殺消息，如遭五雷轟頂。接下來是另一段愛情故事，即廖鳳兒與京城四大高手之一崔雲生的愛情故事。這段愛情故事有雙重基礎，一是崔雲生失去了愛人紅衣魔女古詠裳，而廖鳳兒也失去了心上人胡傑，兩人同病相憐；二是崔雲生竟然也是冰河劍仙的弟子，即廖鳳兒的同門師兄，冰河劍仙傳給崔雲生一套掌法，劍法與掌法配合即可天下無敵。

由此看來，廖鳳兒與崔雲生的愛情似是早已註定，但卻不是一帆風順。原因是書中的兩條輔助線，一是崔雲生與紅衣魔女古詠裳的愛情，讓崔雲生難以忘懷；另一條則是鄂親王盈驊對廖鳳兒一見鍾情，從而糾纏不休。書中還有幾條愛情線索，一是陳兆康與楊兆萬的大女兒楊柳青的愛情，歷盡磨難；另一是唐賽珊與焦雨農的愛情，同樣曲折坎坷。值得注意的是，所有這些愛情故事，都與奪寶線索緊密關聯。

第四條故事線索是反清鬥爭。書中「豐台聚義」，不僅是為了奪寶，更是立志反清。故事的歷史背景，是滿清平西王吳三桂起兵反清之際，餉銀也正是朝廷要運往鎮壓吳三桂前線之用。所以，奪寶行為本身就有反清意義。值得注意的是，反清並不意味著支持吳三桂（**雖然他起兵反清**）；進而，作者還借回人焦雨農之口發表議論——他是滿清與漢人之外的第三方——說：明朝皇帝未必好，清朝皇帝未必不好，皇帝的好壞不能因為他的族裔身分，而應該以他對老百姓的態度和行為裁判。這段議論，可謂這部小說的主題思想。

書中人物並非一目了然，而是富有變化，從而讓故事情節充滿變數。例如，唯天鏢局總鏢頭卓一志，看似金豹門主陳魁的好友，但向盈驊告密的恰是此人。又如，陳魁原本自私自利，但當金豹門弟子傷亡殆盡，即轉變立場，成了反清義士，並為之獻身。又如，楊兆萬的二女兒楊清青原本是自私無情的小惡霸，不僅曾陷害姐姐的心上人，且曾綁架自己的姐姐；後來卻成了廖鳳兒的密友，背離了父親，加入了反清陣營。

又如，王府侍衛陳天成，你以為他是鐵桿鷹爪，他卻釋放了楊柳青和楊清青姐妹，隨徐宏一起反出王府，參加了「豐台聚義」；你以為他是好漢，實際上他是內奸。最後，鄂親王盈驊雖然霸道可惡，對廖鳳兒卻是一往情深，多次對廖鳳兒手下留情；所以，最後廖鳳兒在要殺盈驊時，想起此人曾多次留情，便對他網開一面。這一細節，準確把握了廖鳳兒的心理律動。

本書也有缺陷。小而言之，胡傑與鍾老七在飯店裡打鬥，砸壞了傢俱，伏牛山農代他們賠償百兩黃金——伏牛山農與打鬥者並不相識，又非俠義富豪，為何要替他們賠償？作者顯然沒想過，百兩黃金價值多少。又，書中說焦雨農一個人奪了全部餉銀，他一個人如何搬得了六百萬兩銀子而不被人發現？大而言之，書中主人公廖鳳兒的身分設計並不周全，形象更未精雕細琢。她是普通農家女，且從未離家，如何能成為天下第一高手冰河劍仙的入室弟子？廖鳳兒隨胡傑一起離開家、離開父親，說是為了找尋自己的哥哥（**她的哥哥被朝廷拉夫，一直杳無音訊**），但她從未去找哥哥。這說明，廖鳳兒也像崔雲生、陳兆康、唐賽珊、焦雨農等人一樣，都只是傳奇的「棋子」，由作者根據情節需要而任意擺弄。

五、《金鼇毒掌》

《金鼇毒掌》7是《沼澤潛龍》的後傳。講述洪澤幫年輕一代的故事，幫主區斌與黑龍鬼母袁玄娟同時消失後，洪澤幫面臨重大危機。前副幫主郭章的妻子百變魔女史鳳兒化名何日君，詐稱自己是區斌的外室，接掌洪澤幫。區斌的女兒區慧君，得到慧心和尚、黃石道長的指點，同師兄劉南展、異母姐妹何如煙等聯手，與何日君、郭章、徐真等展開對抗。何日君盜得《鬼母遺書》和武林盟主的信物金銀葫蘆，引得武林人覬覦，徐真、郭章等邀集武林大會，明裡是要對付殺人魔王陳兆策，實際上是要對付何日君。不料螳螂捕蟬、黃雀在後，蒙古瓦剌王爺脫歡土木率領多位高手前來，試圖一舉征服中原武林，幸而陳兆策已改邪歸正，並拜慧心和尚為師，不僅懲罰了何日君，也讓蒙古武士的陰謀無法得逞。

書中最有特色的設計，是主人公區慧君學藝。區慧君是區斌的女兒，武功算不上第一流。慧心和尚、黃石道人先後傳授她武功。慧心和尚傳授正心內功，這一內功的神奇之處，是能幫助人正心、誠意；更神奇的是，當人心懷慈悲之念，功力就成倍增長；而當人起了殺心，功力就會大大削弱。

黃石道人傳授玩世奇招，要點是自作主張，並且隨意發揮。慧心和尚和黃石道人，一佛一道，一內功、一招式，一以慈悲正心，一以自由灑脫，不僅提升了區慧君的武功水準，也提升了這位主人公的精神境界。這兩種武功，既可相輔相成，也會自相矛盾，因為它們代表了不同的價值觀念和行為方式，區慧君必然會有一個階段處於自相矛盾的境地之中，處理好這一價值觀的矛盾，這位主人公才能真正地成長與進步。遺憾的是，作者沒有就這兩種功夫的不同價值觀展開更加深入細緻的表現。

小說中有不少看點。一是大反派何日君，誰也沒有想到，這位絕世美女，真面目竟是醜陋不堪，美貌竟是面具。二是書中的京師四大公子，即范文思、牛子儒、梅得望、馬超風，個個文武雙全，風流倜儻，但卻都是卑污小人。三是書中的白鬚和尚，竟是前武林盟主袁天擇，本身就令人驚奇；更驚奇的是，他練習的挨打神功，受傷後反而能恢復功力。四是書中對靈玉神尼、華東飛鳳何鳳侶等人的講述，也有出人意料的設計安排，前者搖擺於正邪之間，後者在欲望和良知的衝突中掙扎，表明情感和欲望對人的立場和行為有巨大的影響。

有袁天擇故事在前，再寫殺人魔王陳兆策悟道出家，有重複取巧之嫌。小說最後寫到瓦剌武士的入侵，民族矛盾蓋過了江湖恩怨，固然使得故事情節的意義更加突出，但也讓小說讀者的期待落空：醜女何日君戴著美女的面具，美女區慧君則化妝為醜女，兩個人的恩怨竟沒有直接解決。大反派何日君如何被陳兆策處罰，書中沒有正面敘述；而在高潮戲裡，區慧君也由主角變成了配角。

作者有很好的想像力，也有講故事的能力，但這部小說卻沒有很好的整體構思。如同大多數武俠小說一樣，作者想到哪裡就寫到哪裡。

六、《五嶺英雄傳》

《五嶺英雄傳》[8]講述燕王朱棣發動靖難之變前後，五嶺聯盟內部衝突及天下武林變化的傳奇故事。本書篇幅巨大，情節曲折離奇，有不少寶貴創意。

創意之一，是寫五嶺聯盟的內訌，即騎田、越城、萌渚、都龐四派在騎田嶺掌門人楊夫人的領導下，與程沖領導的大庾嶺派展開對抗。對抗的原因是聯盟內部權力鬥爭，以及政治立場與政治利益的衝突。

創意之二，是小說別開生面，以兩個小孩闖江湖開頭。峨嵋仙峰寺藏佛骨舍利被越城派掌門人梁老大和甘天人等人盜走，仙峰寺住持法虛和尚寫信給大庾嶺派掌門人程沖求助，事關五嶺聯盟內部衝突，程沖自己不好出面，派出十一歲的兒子程日峰、八歲的女兒程紉蘭前往。

創意之三，是全書確立兩大目標即奪寶與救人為故事的情節主幹、結構依據、核心懸念。奪寶是尋找被盜的佛骨舍利，救人則是尋找並營救程日峰（**他被楊夫人俘獲後輾轉多地，長期下落不明**），奪寶、救人不僅是本書的敘事重點，也是主人公程紉蘭的關心焦點和重大人生課題。

創意之四，是設計多個「變數」，使得故事情節發展不斷出人意料。第一個變數是越城嶺領袖陳家堯，他是方孝孺的學生、程沖的戰友，但卻背叛了程沖，背叛了建文帝，且背叛了當初的自己。第二個變數，是文天山的副手、大內侍衛副總管蒼山老怪，因追緝程沖、陳家堯受傷，被降級降職，文天山姦其妻而殺其父，從此成為文天山及大內侍衛的死敵。第三個變數，是程沖的觀念和立場的改變，即他從拯救建文帝、忠於建文帝、把幫助建文帝復辟皇位作為奮鬥目標的骨幹分子，變成了置身事外者，進而變成看淡政治、看淡世情的人。如此變化，不僅改變了故事情節走向（**建文帝及其命運從此不受關注**），也改變了小說的思想主題，即從維護正統提升到考慮天下蒼生，這一思想主題更符合現代價值觀。

創意之五，是書中屠金龍不僅是武林第一高手，且是洞察力驚人的武術評論家和武學思想家。證據是，他對程沖、王家章、蒼山老怪、他自己等當世四大高手的武學都作出了敏銳而準確的批評與改進，即他送給程紉蘭的《神州五嶺派半個英雄程沖的武功總評》（**落款是「化外頑民不是英雄屠金龍評述」**）；送給王德忠的《兵部尚書鎮遠大將軍王家章武功之研究》（**落款是「回部卸任兵馬大元帥、國王都哈汗武士總教習屠金龍」**）；

送給蒼山老怪的《蒼山老怪臭武功之譏評》(落款是「半怪不怪屠金龍敬題」);以及送給王德忠、程紉蘭的結婚禮物《屠金龍半生武功自評》。

這一構想,是作者的重大創意。更值得注意的是,本書名為《五嶺英雄傳》,但書中的第一高手和英雄卻不是五嶺中人,甚至也不是中原人,而是一個西域英雄。如何看待這一現象?讀者自會深思。

《五嶺英雄傳》是一部可看的小說,且是一部好看的小說,可惜並不耐看。小說原初設計當是將五嶺內訌與政治立場衝突,但這一主線被逐漸淡化,程紉蘭長大後的故事情節,有些故事段落編造痕跡明顯。更大的問題,是書中的主要人物如程紉蘭、程沖、程郁、王家章、王德忠及反面人物文天山、楊夫人、甘天人、陳家堯等等,都寫得很單薄且隨意,看得出作者是為了傳奇而傳奇,並沒有為人物設身處地。典型例證是,程日峰被俘,其父程沖有多次機會去尋找並營救,但卻始終都沒有去,似完全沒有把兒子的劫難當作一回事;程紉蘭救了哥哥之後,明知只有父親才能為他療傷,但她卻沒有把拯救哥哥作為第一要務,以至於程日峰再度被抓走,直至被摧殘致死。程沖、程紉蘭如此無情,應該不是這兩個人物當真無情,而是作者的疏忽所致,為了傳奇而保留懸念,結果讓人遺憾。

七、《五嶽豪俠傳》

《五嶽豪俠傳》9 講述天山雙老派自己的弟子程南珊和蘇垂生下山去闖五嶽，最後聯合五嶽豪俠幫助回疆人民抗擊清兵故事。本書融合復仇故事、奪寶故事、愛情故事和反暴抗清故事為一體，「五嶽豪俠」精神，即體現於反清抗暴的戰鬥之中。隨著抗暴戰爭的勝利，五嶽派與天山雙老之間的仇怨消解，金銀葫蘆也重歸五嶽，程、蘇愛情得到圓滿結果。作者的創作技巧已經非常嫻熟，故事情節發展都始終在作者有效掌控中，情節相當吸引人，而且結構完整，一氣貫通。

本書最大的看點，是塑造了主人公程南珊、蘇垂生，這兩個人物頗似金庸小說《射鵰英雄傳》中的黃蓉和郭靖，即女子聰穎伶俐、心思活潑，而男子憨厚質樸、穩重可靠。在武功方面，程南珊除了輕功稍勝一籌外，在內功、兵器、掌法等方面都比不過蘇垂生，但因為她心思靈活又嬌俏可人，師兄蘇垂生成了她調侃戲弄的對象。兩人身分有很大差異，程南珊是江南雙鷹之女，而蘇垂生卻是孤兒，不知道自己的父母是誰——這是一個重大懸念，讓讀者始終惦記。

本書另一看點，是程南珊、蘇垂生的一系列奇遇，既見奇人，更遇奇事。例如在涼州酒樓上遭遇「神州四毒」與「江湖兩怪」，「神州四毒」包括僧、尼、道、俗四種身分，即金鷹和尚、蓮花妙尼、玄罡道士和俗家李光遠，「江湖兩怪」則是一對夫婦，霍天通和陳若梅，其中陳若梅竟是波斯人。他們要爭金葫蘆。在金鷹和尚未來之前，尼、道、俗三人不是兩怪敵手；金鷹和尚來了，兩怪又不是敵手。結果是鷸蚌相爭、漁翁得利，大內侍衛張瑾突然出現，輕鬆取得金葫蘆；張瑾帶來兩千清兵，差點將他們一網打盡。更加傳奇的是程景帶程南珊赴陝北找佘氏三傑。

首先，佘氏三傑的城堡是天下英雄的避難所，凡是能進入城堡者都會受到佘氏三兄弟的庇護。其次，進入城堡有所求者，必須連過三關，第一關是要對付幾十隻巨大的獒犬，第二關是要對付數百上千條蛇，第三關才是要對付佘家三兄弟。過三關的過程充滿趣味，尤其是第三關，在程南珊與佘家兄弟打鬥時，旁觀者竟然開出盤口賭博，這也表現出佘家城堡的與眾不同之處。

程景開出的彩頭十分特別，第一彩頭是以自己的女兒作賭注，第二彩頭是以華山作賭注，第三彩頭是以回部數萬人的生命作賭注。程南珊連勝三場，獲得了佘氏三傑的全力協助。佘家堡內有眾多雞鳴狗盜之徒，神偷矮腳虎即是其中之一，程景和程南珊帶著矮腳虎前往北京，要取回被林明智盜走的《五嶽同盟條款》。在紫禁城中他們遭遇了超級高手神龍子。此人年過百歲，武功高不可測，性格卻像高峰版老頑童，從而程景、程南珊等人的皇宮歷險過程與結局全都出人意料。

第三個看點，是書中人物及其故事情節固然有娛樂遊戲因素，小說的思想主題卻大有深意。天山雙老邵雨村、紀文娟要弟子去闖五嶽，並不是耀武揚威，而是要他們去贖罪修好。五嶽盟主競選演變成內訌分裂，是因為五嶽中人都過分看重權力與榮譽，且把金銀葫蘆這一令符、《五嶽同盟條款》這一證物看得太重，以至於本末倒置。五嶽派掌門人全都前往回疆參與抗暴鬥爭，並非受擁有金銀葫蘆者的指派，而是因為正義與良知召喚。金銀葫蘆、同盟條款，都不過是一種信物、符號或標籤，回應正義與良知的召喚，才是真正的豪俠精神。

八、難斷真偽的兩部小說

我看過兩部署名高峰的小說，即《武林第一劍》[10]和《綠野奇英傳》[11]。這兩部小說是不是高峰的作品？頗難斷定。因為在一九六〇年代，香港書市上曾出現過冒名高峰之作，為此，高峰還曾專門發表過《鄭重啟事》，[12]列出作者承認的真作，可惜在這份啟事中沒有具體列出冒名之作目錄。這兩部作品真偽難斷，是不僅作品署名高峰，且其故事情節及其寫法也與高峰作品有某些類似之處；但另一方面，兩作都不在可靠的高峰小說目錄中。若能斷定為偽作，當然不必且不會在此提及，問題是不能斷定，只得作些說明，期待有心人作進一步考證。

《武林第一劍》共四集，五十二章。主要故事情節是：明永曆帝被吳三桂所殺，漢族義士分別培育了武國光、朱永昌、朱繼榮，以為是永曆帝幼子（其實二朱並不是）。絕世高人凌霄宮主不但訓練了武國光母子，還分別教授朱永昌、朱繼榮武功，希望他們能成為反清復明的中堅。吳三桂的大將保住，率領諸多武林高手，引得朱永昌、朱繼榮先後反叛，甚至一度迷惑了武國光。

其後，法緣和尚率三十六位康熙侍衛，劫奪了龍驤虎賁大將軍墓裡的財寶，燒掉了吳三桂的糧草，且追殺永曆遺孤。凌霄宮主為了寶物、人質不至於落入康熙侍衛之手，與保住聯合抗敵，但卻屢次受到保住及其屬下的暗算。最後，朱永昌、朱繼榮聯手攻擊武國光而死於非命，凌霄宮主與武國光、珍珠回到大雪山凌霄宮。

本書核心情節的構想十分新奇，假王子朱永昌、朱繼榮，不是王子，卻以王子自居，且傲氣逼人；真王子武國光母子卻對反清復明毫無興趣，只想過平民生活，引發出人意料的矛盾紛爭。情節構想奇特，頗似高峰小說，只是小說語言相對稚嫩，存在疑點。

《綠野奇英傳》共八集，十六回。本書講述滿清雍正年間漢族俠士反清復明故事。故事分為三個段落。第一段是三點會總舵主、太湖二十四寨總寨主黃日沼及其子黃任重，以太湖為反清復明基地，清廷派大內二十位高手連袂出擊，迫使黃氏父子放棄根據地。第二大段是黃任重遇到江南大俠甘鳳池、白泰官，與他們一起去八里台張家莊，聯合大俠王敬久及張仲山父女與大內鷹爪展開連環搏鬥。第三大段，是康熙十四皇子允禵之子允世明為父報仇，被鷹爪抓獲，紅葉莊莊主唐龍設計，讓黃任重扮作康熙侍衛宣澤林的侄子入宮當侍衛，伺機救出允世明。

故事尾聲是馬明珠、張小紅在泰山碧霞寺幫助黃日沼打退強敵。這部作品可謂「黃任重歷險記」，近乎高峰小說模式。但全書至少有一半以上篇幅都是武打，有些甚至是為打而打，存在疑點。

【注釋】

1 高峰的小說有多種海外連載版，例如《一劍震神州》曾在泰國《星暹日報》連載（一九五九），《碧峰劍仙傳》曾在馬來西亞《中國報》連載（一九六〇），《蟠龍劍客傳》曾在印尼《新生報》連載（一九六〇），《沼澤潛龍》曾在柬埔寨《工商日報》連載（一九六〇）。

2 黃仲鳴：《香港新派武俠小說作家高峰》，https://bbs.gulongbbs.com/forum.php?mod=viewthread&tid=26230。

3 顧臻：《高峰武俠小說作品目錄（草稿）》，電子版，未公開發表，係作者於二〇二一年一月廿三日發給筆者。

4 黃仲鳴：《香港新派武俠小說作家高峰》，https://bbs.gulongbbs.com/forum.php?mod=viewthread&tid=26230。

5 《掌風劍影錄》於一九五九年九月九日至一九六〇年十二月三十一日在香港《文匯報》上連

載四七一期，單行本由香港偉青出版社出版，共十四集。

6 《劍氣蓋山河》於一九六一年一月一日至一九六二年三月廿五日在香港《文匯報》上連載四三四期，單行本由香港偉青書店出版，共十四集，每集三回。

7 《金鼈毒掌》於一九六二年三月至一九六三年二月廿八日在《香港商報》連載三六二期，單行本由香港偉青書店出版，共十二集。

8 《五嶺英雄傳》於一九六二年四月一日至一九六四年五月十七日在香港《文匯報》連載七百六十期，單行本由香港偉青書店出版，共廿五集。

9 《五嶽豪俠傳》原載報刊不詳，柬埔寨《工商日報》於一九五九年十月至一九六〇年八月底曾轉載（似未完），單行本由香港偉青書店出版，共七集。另，還見過香港新光出版社的版本，該版本封底有盜版書廣告。

10 《武林第一劍》，作者署名高峰，香港，偉光書店出版，無出版時間。共四集，五十二章。

11 《綠野奇英傳》，作者署名高峰，香港，偉晴書店出版，無出版時間。共八集，十六回。

12 《高峰鄭重啟事》，見高峰：《劍氣蓋山河》第一集內頁，香港，偉青書店，無出版時間。《啟事》中說，因有冒名高峰之作，作者將其作品《高原奇俠傳》、《蟠龍劍客傳》、《一劍震神州》等九種小說交由偉青書店出版（意思當是：除《啟事》所列九種作品外，其餘皆是冒名之作）。

第十九章

金鋒的武俠小說創作

金鋒即毛聊生，[1]原名張本仁（一九二七——），是香港新派武俠小說重要作家之一。開始武俠小說創作的時間不晚於一九四九年，早期筆名為毛聊生。一九五九年以後以金鋒為筆名發表武俠小說。

張夢還回憶說：「環球出版社的作家很多，蹄風、金鋒等人，都是環球的健將，當然我只是就武俠小說而言。」[2]《武俠世界》首任主編蹄風對金鋒讚賞有加：「以不佞之見，金鋒君堪稱武術小說作者中成功之一人。」[3]

一、金鋒武俠小說概述

已知金鋒武俠小說有二十部：

《虎俠擒龍》二
《漠海雄風》二
《西域飛龍傳》四
《天山雷電劍》六
《冰原碧血錄》八

《子母離魂劍》十二
《青門鴛鴦劍》八
《猿山神劍》八
《滄江七女俠》十二
《魔掌血連環》十二
《碧血紅娘》十
《海峽藏龍》十
《大澤龍蛇傳》四
《嶗山七鶴》四
《五鳳囚龍記》十二
《血洗地獄島》十
《血詔驚龍傳》十
《劍網十三重》十六
《鐵猴傳》（短篇）
《毒掌乾坤》二，等[4]

其中《虎俠擒龍》、《漠海雄風》、《毒掌乾坤》為中篇，其餘皆為長篇。

金鋒武俠小說創作的起止時間，大致為一九五九年至一九六五年（此後還有零星作品），巔峰期是一九五九年至一九六二年——他的大部分作品都是在這四年間發表的。

金鋒武俠小說代表作，是以史存明、金弓郡主孟絲倫夫婦和岳金楓、伊麗娜夫婦為主人公的「天山系列」，包括《西域飛龍記》、《天山雷電劍》、《冰原碧血錄》、《子母離魂劍》、《血詔驚龍記》、《五鳳囚龍記》及衍生作品《碧血紅娘》。另有《青門鴛鴦劍》、《猿山神劍》、《滄江七女俠》系列，但成績不如前者。

蹄風說：「金鋒君執筆為武俠小說十餘年，其作品不特動作特多，且曲折離奇，高潮迭起，令人拍案叫絕。尤有甚者，其寫來合情合理，獨創一格，自成一家。」[5] 此說為行家之論，深入肌理，曲折離奇而合情合理的武俠小說，確實是金鋒小說的成功要點。只是，此說未涉及一個關鍵點，即金鋒小說與昔日毛聊生小說有怎樣的不同；亦即，新派武俠小說與舊派武俠小說有怎樣的不同。

金鋒小說與毛聊生小說最大的不同點，是金鋒小說引入了新派價值觀念及其寫作模式，即民族主義觀念和民族鬥爭模式。金鋒的天山系列小說，與毛聊生小說的不同點，首先是突出了民族意識，史存明是抗清烈士史可法的後人，岳金楓是抗金英雄岳飛的苗裔，他們組成的團隊自然是堅定的反抗異族入侵的英雄團隊，他們的奮鬥與犧牲就有更崇高且更明顯的精神價值。

其次，書寫反滿抗清英雄故事，不僅使得小說獲得了歷史框架，小說的故事情節也獲得了歷史感。再次，反滿抗清主題也大大拓展了小說的敘事空間和想像空間，書中人物不再僅局限於家族或門派仇恨，而是獲得了更大視野並投入更大規模的民族鬥爭，使得書中人物能夠在更廣闊的歷史——傳奇空間展現其人生故事和個性形象。與舊派作家相比，金鋒能與時俱進，吸納新派小說優點，使自己的創作煥然一新；與純粹的新派作家相比，金鋒更富創作經驗，敘事技巧更加圓熟，金鋒成名實是理所當然。

討論金鋒及其小說，不能回避的問題是：金庸對金鋒的影響。

金鋒小說中有大量金庸小說的影響痕跡。例如《西域飛龍傳》中，金弓郡主孟絲倫形象就有金庸《書劍恩仇錄》中霍青桐的影子；飛龍師太創制「如百花雜陳」的飛龍劍法，有「百花錯拳」的影子；天殘叟為表達對女友的情意而自斷一臂，有無塵道長的影子；烏藍婆練習陰屍功，有金庸小說《射鵰英雄傳》中梅超風練習九陰真經的影子；史存明和伊麗娜去崑崙求藥，面對崑崙三老阻攔並考核，有郭靖、黃蓉找一燈大師求醫而被漁樵耕讀攔截、考試的影子；書中反派人物桑昆，則與郭靖的對頭桑昆同名。

又，小說《血詔驚龍傳》的核心情節，即乾隆是漢人陳世倌之子，與《書劍恩仇錄》相同。又，小說《滄江七女俠》中毒手彌勒、金駝姑、衛海客等毒門故事，有金庸《飛狐外傳》中藥王門師徒的影子，例如：師父，一是毒手藥王無嗔，一是毒手彌勒無戒；毒藥，一是七修羅花，一是七星海棠；身體形狀：一是駝背薛鵲，一是駝背衛海客、金駝姑。——說這些，並非要證明金鋒「抄襲」。上述相似之點，並不構成抄襲，只是借鑒而已，因作者講述的是另一個故事，是金鋒自己的故事，與金庸小說並不相同。

除了有形的影響痕跡外，無形的影響也許更大。金鋒小說最突出的藝術貢獻，是塑造了飛龍師太（《西域飛龍傳》）、鐵爪魔娘甘翠蓮（《天山雷電劍》）、武西施謝雲瑛、癲道姑洪仙韻（《血詔驚龍傳》）等個性特殊、心理「異態」[6]的人物形象，與金庸筆下的梅超風、李莫愁等異態形象似有某種隱秘關聯。

實際上，早在毛聊生時代的一九五五年，就曾出現過一次長達一年的創作暫停，作者解釋是：「不佞去年未有新書出版，純因題材方面，自感窠臼相成，未能推陳出新，以慰讀者厚望，乃於客歲春初，暫停著作，彙集野史題材，搜羅武林資料，加以整理，方始再撰新卷……由一九五六年起，再次恢復新書出版。」[7]毛聊生停筆的這一年，正是金庸《書劍恩仇錄》發表之時，二者之間是否有關聯？進而，金鋒之「金」與金庸之「金」是否有所關聯？值得進一步考證。

下面是對金鋒若干重要作品的述評。

二、《西域飛龍傳》

《西域飛龍傳》[8]講述史存明和金弓郡主孟絲倫故事。分為兩個部分，前一部分講述史存明的身世（史可法的苗裔）與經歷，直到清兵入侵回疆，史存明參與回疆金弓郡主孟絲倫領導的抗清戰爭。在這段故事中，史存明專心練劍、仗義救助伊麗娜、打敗雷木喇嘛，又幫孟絲倫抓俘虜、提建議，被賀蘭明珠拯救後又冒險拯救賀蘭明珠，體現道德情懷和鮮明個性。

金弓郡主孟絲倫形象光彩照人，她英姿颯爽、果敢無畏、武藝高超、用兵如神，且有政治智慧和道德擔當。後半段講述金弓郡主孟絲倫被飛龍師太打傷致殘，史存明不惜冒千難萬險前往崑崙山天池尋找龍腦草，又從天山追蹤到蘭州直到北京，營救孟絲倫。尋藥、救人的長途，也是史存明成長過程，由一個青澀少年成長為能夠獨當一面的英雄；他和金弓郡主孟絲倫也從戰友發展成真正的情侶。伊麗娜、孟絲倫、賀蘭明珠三位女性見證了史存明的成長過程，她們對史存明的情感也是本書的看點和懸念。

本書關鍵情節，是飛龍師太將弟子金弓郡主打傷致殘，不僅改變故事情節走向，改變了戰爭結局，也改變了孟絲倫及回疆人民的命運。飛龍師太為什麼要這樣做？這涉及飛龍師太（韋青荷）的古怪心理和獨特個性，即心氣高、情商低、心胸狹窄而自以為是。搞砸了與表哥耿仲偉（智禪和尚）的戀情，卻不知自省而外向歸因，認為都是表哥不好，從而把情人關係扭曲為仇人關係。偏偏其武功又不如對方，最終遷怒於弟子——懷疑孟絲倫將自己的飛龍劍法傳授給智禪和尚的弟子史存明；進而把孟絲倫好心勸和當作惡意諷刺——將弟子打傷致殘。

這一關鍵情節，可謂韋青荷（**飛龍師太**）即時心態和一貫作風的總爆發。飛龍師太心理與個性的癥結是：愛無能。她始終渴求愛且追求愛，卻不知道怎樣去愛，不知道怎樣表達愛、追求愛；更不知道表哥耿仲偉削髮出家實際上是由她造成。而她卻只感到絕望與憤怒，只記住幽怨和仇恨。她因拯救孟絲倫而被阿難陀尊者、伽葉禪師打敗並俘獲，後被史存明、智禪師徒拯救，她也只感羞辱而不願感恩，終於和阿難陀同歸於盡，為自己失敗的人生劃上悲涼的句號。本書最突出的藝術貢獻，是塑造了飛龍師太這一心理傷殘的人物形象。

書中的天池三怪，即天殘叟、地缺翁、瀟湘仙子也有心理傷殘症候，只是在此書中沒有充分展開，讀者可從天殘叟的往事中略窺一二。

本書的不足之處，是在大小和卓木王城即葉爾羌城被攻陷之前，智禪和尚要帶孟絲倫離開，孟絲倫因傷殘而瘋狂拒絕，智禪和尚居然將孟絲倫放棄，隻身離開危城。這一情節，主要原因當然是為孟絲倫被捕並被押往北京製造機會，但卻不符合智禪和尚的身分與性格，他有點穴功夫（**在北京拯救孟絲倫時他就施展了點穴功夫**），要將孟絲倫救出葉爾羌城並不難，放棄才是不合情理。

三、《天山雷電劍》

《天山雷電劍》9 緊接《西域飛龍傳》，但故事情節線索另有頭緒。主因是這部書中增添了新人，正、反兩個陣營中都有新的角色加入，前三集故事的內容大多是「新人介紹」。正面陣營中加入的新角色，主要是范金駒、范金驥兄弟，以及來自滿清軍營福康安大帥麾下的岳金楓，到此，史存明團隊的骨幹成員全部聚齊，他們是：史存明、孟絲倫、岳金楓、伊麗娜、范金駒、范金驥等六人。

本書故事情節，前半段講述江湖恩怨，後半段講述反清戰爭——史存明等人到拉薩參與反抗福康安的戰爭，是這部書的重點及高潮部分——在後半段故事中，又夾雜了鐵爪魔娘甘翠蓮與史存明等人之間的江湖恩怨與打鬥。甘翠蓮與福康安合作，使得拉薩故事形成了戰爭與技擊、入侵與復仇兩條故事線索，這兩條線索有時候單獨發展，更多時候是互相交織。民族戰爭故事加上個人武功打鬥，使得後半段故事不僅內容豐富飽滿，而且懸念迭起，節奏緊張刺激。

在本書中，伊麗娜成了甘翠蓮的弟子，岳金楓是滿清軍隊先鋒官（岳飛苗裔、名將岳鍾琪之子），兩人相遇、相助與相悅，最終殊途同歸，是本書的一大看點。而兆惠的側福晉賀蘭明珠跟隨福康安到天山尋找心上人史存明，此一出人意料的設計，大大增加了故事情節傳奇性，也拓展了想像空間。史存明等人離開拉薩時，賀蘭明珠乘轎子也出現了，她要跟史存明去尼泊爾！留下了更大懸念。

拉薩抗清失敗，主要原因是雙方實力過於懸殊，另一原因則是達賴喇嘛無奈改變立場。作者對達賴等人的描寫，大體符合人物身分立場及行為規範。達賴在大軍壓境之下派使者求和，進而在尕巴延、呼音克的唆使下抓捕史存明、智禪等人獻給福康安，從政治行為邏輯看，不難理解。政治人物與武林人物的價值觀念和行為方式畢竟有所不同。更重要的是，達賴的妥協乃是歷史事實。

本書最突出的藝術貢獻，是講述甘翠蓮從清純少女到鐵爪魔娘的經歷，塑造了又一個心理傷殘而個性突出的人物形象。她的經歷堪稱淒慘。要點是，一，父親甘天瀾曾是雍正的血滴子，因奉命殺害同僚冷天培而內疚於心，最終自殺身亡。二，父親死後，母親又死，家裡又遭火災，甘翠蓮從此漂泊江湖。三，被惡霸兼強盜賈玉麟強姦、毀容、折斷八根手指。四，多次找冷雪梅報仇，先是不敵冷雪梅，後被竺虬（天殘叟）打敗，最後是找不到仇家。五，在當了崆峒掌門後武功大進、聲名鵲起，卻走火入魔，半身癱瘓。直到伊麗娜來，她才突然康復——頗有寓言性——並陰差陽錯地成了史存明等人最大敵手。

鐵爪魔娘的行為，需要作適當的心理分析。要點是，她找不到復仇對象，「拋棄」伊麗娜而愛上孟絲倫的史存明就成了她發洩滿腔仇恨憤懣的目標。甘翠蓮年輕時被賈玉麟姦污並毀容，從此覺得天下男子都不是好東西；更何況，史存明還會崑崙派的旋風掌（是地缺翁教的），認定史存明是崑崙派弟子，由此即成她的復仇對象。書中甘翠蓮一系列匪夷所思的行為，充分地表現出了甘翠蓮心理傷殘的病態症候。

本書的不足，是作者對西藏的政治制度、拉薩的地理環境可能不是特別熟，例如寫拉薩城牆，說布達拉宮是布達拉寺等，都不確切。好在這些細節，無關大局。

四、《冰原碧血錄》

《冰原碧血錄》[10]緊接《天山雷電劍》，講述史存明團隊逃出拉薩，幫助尼泊爾人抵抗滿清侵略軍的傳奇。小說中突出的不是戰爭指揮官，而是武學高手。正方除了史存明團隊外，還有瀟湘仙子蕭玉霜、冷霜梅；反方則有金山雙醜呼延陀、呼延真兄弟，以及來自印度的薩菩婆。開頭用大篇幅寫冷霜梅與金山雙醜結仇的經歷，目的是別開生面，鋪墊大雪山的嚴酷環境，同時書寫傳奇——冷霜梅被困古墓一年、墜崖被救、再次相遇合作戰狼群、遇颶風而師徒離散、再遇時刺殺雪人並將金山雙醜引向大雪山，進而誘金山雙醜跌下懸崖，等到十年後福康安大軍經過大雪山時才成為福康安的幫凶，故事足夠傳奇，結構允稱巧思。

本書一大看點，是主人公史存明心智成長和武功提升。從一個頭腦簡單、性格火爆、心思單一的青年，經過艱苦歷練而逐漸成熟，學會使用自己的心智、控制自己的情緒。蕭玉霜陪同史存明前往崆峒山找鐵爪魔娘取回《離火劍譜》，在戰爭間隙裡，上演武林奪寶故事，真正目的是讓史存明的武功與心智不斷提升。史存明與薩菩婆、金山雙醜打鬥，從明顯下風，到勉強持平，最後戰而勝之，即是史存明武功與心智不斷升級的生動實證。

另一看點，是「冰原」的奇異景觀。首先是在瑪薩兒湖因地震而出的石油上作文章，其次是虛構了大雪山特有的雪人，雪人故事穿插在冷霜梅、史存明的故事中，使得本書獨具特色的傳奇因素吸人眼球。再次是薩菩婆的瑜伽功曾大顯身手，繼而又以催魂術先後迷惑了史存明、鐵爪魔娘、國王阿澤登旺，進而以毒藥、毒蜂、機關等術，讓抗清義士吃盡苦頭。

又次，書中熊素珊的經歷亦極具傳奇性。熊素珊拜冷雪梅為師，在大風中師徒失散；再次出現時，居然成了刀客首領，化名洪珊，被史存明、蕭玉霜收服，加入義軍；繼而化名王勇，女扮男裝混入清兵隊伍，成了海蘭察的親兵；繼而在銅鼓關前刺殺福康安，瓦解了清兵的一次攻勢；被俘後吃盡苦頭，元氣大傷，生命垂危，蕭玉霜讓童男范金駒幫助她裸體療傷，才得恢復。

書中還有一個看點，是滿清將軍海蘭察形象。此人出場就公開處決違反軍紀的十六名士兵，既說明海蘭察統兵嚴謹，也說明他對百姓有同情和保護之心。在軍事才能上，海蘭察也比福康安更勝一籌，諸如搶佔銅鼓關兩邊山頭制高點、用拋石機讓金山雙醜渡裂谷造鐵索橋、用大炮轟擊山崖製造碎石填白象河……都是海蘭察的傑作。當福康安要趕走尼泊爾國王的求和使者時，又是海蘭察力勸主帥，締結和平。書中海蘭察形象，與福康安形成了鮮明對比。

本書結局也值得一說。在戰爭層面，福康安是勝利者，而尼泊爾國王、史存明團隊是失敗者；在武俠傳奇層面，史存明團隊則是勝利者，史存明擊斃薩菩婆和金山雙醜，營救了尼泊爾公主黛絲麗，警告福康安不可為非作歹。這種寫法，既不違背歷史真實，又不讓義士俠客屈辱灰暗，值得稱道。

本書的不足之處，是對史存明與孟絲倫、岳金楓和伊麗娜、范金駒與熊素珊這三對戀人的情感缺乏精細敘述；讓賀蘭明珠當間諜，則有明顯的人為痕跡。

五、《血詔驚龍傳》

《血詔驚龍傳》，[11]是《西域飛龍傳》系列《子母離魂劍》續書。講述天山大俠史存明夫婦率領岳金楓夫婦及呼倫齊等人，在天山地區繼續反滿抗清鬥爭故事。史存明手握事關乾隆身世秘密的親筆詔書，要乾隆以一百萬兩銀子贖回，乾隆則想借此機會將史存明等義士一網打盡，孟絲倫則讓官方美夢成空。乾隆惱羞成怒，撤換了伊犁將軍，並派福康安率領霍都巴罕等多位高手到天山地區展開掃蕩。

雙方相持不下之際，史存明又率人前往北京，讓和珅、乾隆飽受驚嚇。伊麗娜在皇宮中被捕，孟絲倫抓了和珅之子，在西山碧雲寺交換人質後，史存明等人被官兵重重包圍。義士金凱帶著詔書與官方談判，以便史存明等人突圍，結果金凱犧牲，血染詔書。最後，史存明等人再入皇宮，迫乾隆退位。

本書的故事框架清晰，情節也很緊湊，戰陣、計謀、打鬥等細節也不乏亮點，有可讀性。武西施謝雲瑛、癩道姑洪仙韻、薩玉花三位女性讓人印象深刻。

小說開頭是武西施追殺金凱、狄人虎，從中原一直追到天山。武西施殘酷嗜殺，因其婚戀受騙，對男性世界充滿怨恨。她與伊犁將軍薩布素的女兒薩玉花投緣，願當清廷的間諜前往反清陣營中臥底；因對史存明的武功人品心悅誠服，從而轉變立場。後被炸毀面容，心性再度變化，回到崆峒山，史存明為她解除走火入魔之厄，她又再入江湖，死心塌地地加入史存明陣營。武西施的幾次轉變，有其特定的心理邏輯依據，她的變化又影響雙方勢力均衡，增加了情節的複雜性。

癩道姑洪仙韻是另一種情形，她的最大心願，是打敗史存明，成為武林第一高手。雖不是清廷的幫凶，卻常常給反清義士帶來麻煩。她的另一個心願，是為自己找一個傳人，先強迫武西施，後強迫薩玉花，既剛愎自用，又懵懂無知。她的故事是小說中的插曲，增加了故事情節的變數。癩道姑形象醜陋而頭腦簡單，心懷莫名怨憤，行為不可理喻，單純而善良的薩玉花觸碰到她心靈的柔軟部分，遂有如此出人意料的表現，可謂人性的證明。

薩玉花是伊犁將軍薩布素的女兒，她的故事是，父親將她許配給福康安之子傅爾丹，她在武西施的幫助下逃婚離家，因為她暗戀反清義士狄鵬舉，除卻巫山不是雲。薩玉花單純善良，與其父身分不同，立場也不同，史存明等人對她的態度自然也不同。而薩布素對女兒的寵愛，也頗為感人。薩玉花逃婚出走的故事，增加了故事的變數。只可惜，作者沒有善始善終，忘記交代薩玉花的結局。

本書借用了乾隆為漢人陳世倌之子的稗史傳說，並無不可。不足之處是對史存明形象刻畫缺乏自覺性，史存明的心智水準與妻子金弓郡主孟絲倫相距甚遠，而他想表現自己的英雄氣概，遂冒險進京，要妻子為他收拾殘局。作者似乎並未洞察到史存明的個性實質，把他刻畫為英明領袖，不免自相矛盾。

六、其他武俠小說述評

《五鳳囚龍記》[12]

是《血詔驚龍傳》的續書。

講述金弓郡主率領鳳綺華、戚賽玉、覃瑤珍、姜雪蝶入皇宮，五鳳囚龍，脅迫嘉慶皇帝宣布和珅罪狀，賜死並抄其家。情節曲折，結構緊密，看點頗多。

本書增加了若干敘事線索：一是陶子俊和戚賽玉的情感關係曲折演變。二是增加了川楚白蓮教之亂的歷史背景。三是矛盾焦點集中於奸相和珅。四是本書講述了武西施謝雲瑛、癩道姑洪仙韻等重要人物的結局。

本書最大問題是，史存明團隊的反清目標不再明確。針對和珅事，與其說是反清，不如說是為嘉慶皇帝清君側。乾隆皇帝病危時，居然與和珅談論後悔沒有恢復漢人江山，似乎忘了和珅是滿族正紅旗人，此舉匪夷所思。

《碧劍紅娘》[13]是《西域飛龍傳》系列的衍生之作，講述岳金楓之子岳鼎回天山，捲入武林奪寶——死亡谷（死火山口）中有綠玉柱——紛爭。書中看點不少：奪寶故事背後有朝廷的政治陰謀；邊疆風情之中有部落衝突，其背後又有經濟動因；綠燕、岳鼎、劉鶚、卜天童等人物形象，也很生動。

綠燕是草原的女兒，也是草原的主人，書中第一把綠玉劍、第二把綠玉劍先後屬於她，看似偶然，實有象徵寓意。岳鼎是岳金楓和伊麗娜之子，他的出現，讓人自然產生對其前輩抗清英雄事蹟的聯想。劉鶚的形象在書中慢慢浮現，他的靈活心智超出師輩，堪稱「後喻文化」典型；綠燕暗戀他，既出人意料，更在情理之中。

卜天童是地地道道的「狼孩」，從小生活在狼群中，書中卜天童被馴化即人性化、社會化的經歷，發人深省：若像綠燕那樣真心關懷他，此子完全可能成為一代大俠；而陶子俊、武當三老卻既不懂其本性，更無教養耐心，給他貼上「本性惡」標籤，讓「天童」變成「惡人」，讓人震撼，更讓人扼腕痛惜。書中火神姥姥、酆業、笑無常列缺等人心智傷殘人物，如金庸「天龍八部」中人。

本書的不足，是沒有把奪寶故事背後的朝廷陰謀作實際展開，不僅讓「陰謀論」無法落地，流為空談；且讓本書故事缺少可靠的政治歷史地平線。

《滄江七女俠》[14]

是《青門鴛鴦劍》、《猿山神劍》的續書。講述末代大理國王段志興的弟弟「猿山神俠」段志傑及其弟子聯合青門派高手，與試圖劫奪大理國歷代國王寶藏的蒙古國師呼羅多展開浴血抗爭故事。情節主線圍繞呼羅多三次進攻藏寶窟展開，中間穿插武林派系間的恩怨與衝突，以及雲南少數民族的奇異風情。

本書看點是傳奇，主要有：

一、奇獸。如猿山奇獸合趾猿，懂人類語言，可組成軍團。又如竹山派豢養的狗頭猩猩，被殘酷培訓，最後反噬主人。

二、機關。首先是猿山惡龍峽藏寶洞內的四象、八卦陣，有水、有沙、有石、有陷阱。其他機關如翠華谷裡的土堆，秦太沖、秦太玄兄弟的石堆，以及竹山派在竹山布置的六微浮塵陣，以及松風觀的大鐵屋等等。

三、毒藥。毒手彌勒的弟子金駝姑與其師兄衛海客都是用毒高手，培植七修羅花、血杜鵑，配製玉蝸散。竹山四友顯然也會用毒，六微浮塵陣、鐵屋裡都有毒氣，還給狗頭猩灌注毒藥膠。

四、奇人。一類是雲南土著如花籠苗、洗骨苗、大藤苗等。另一類是武林奇人，如石龍子、石玲珠兄妹，是人猿雜交產物；還有印度人夜摩星，善用催魂術，可用音樂控制毒蛇與兒童組成毒蛇陣。其他如鐵手鬼丐雷四、逍遙子、黑神子、臥龍子、黑醜、黑西、陰陽雙怪、竹山四友、毒手彌勒等等，都是奇人。

本書的缺陷，首先是地理與歷史錯誤，例如分不清瀾滄江、怒江、金沙江，也分不清南詔國、大理國。其次，書中寫到青門派與金靈姑的衝突，有明顯人為痕跡。再次，書名為《滄江七女俠》，韋仙客、施小宛、施小曼、滕紅彩、段金花、金靈姑、石玲珠七人卻並非小說的主人公，「滄江七女俠」名不副實。

《劍網十三重》[15]

講述漢朝初年楚囚郭嘯天邀集風水先生董彥等人，引誘神偷余無畏加盟，試圖盜挖秦始皇陵故事，對手是關中神叟陸羽公及其飛龍幫。本書看點，是書中奇人奇事層出不窮。神偷余無畏、一心整容的南駝，秦始皇陵中獨眼鬼叟、無情叟，鬼書生、烏瘤子、羅剎婆婆等黑玡島上的黑煞門高手，以及三髻道人、穀城樵隱、白頭翁、白雲仙等人，越來越神奇，最後出現的黃石公更是神奇至極。

本書的問題也多。好故事須打得開、收得攏，具體說，一須自圓其說，二須結構為整體。《劍網十三重》在兩方面都有明顯的不足。例如，單丹雲的身世究竟如何？一開始神神秘秘，最後竟不了了之。再如，單丹雲說他從三歲起就拜在北瘋門下學藝，而黑玡島主烏瘤子卻說單丹雲是黑煞門弟子，直到三年前才離開，實情究竟如何？始終不得而知。又如，孫梅核學了伏羲步，書中說日後引起軒然大波，但卻沒有下文。柳葉青打通生死玄關，書中說此後在破除秦始皇陵的十三重劍網中發揮作用，同樣沒有下文。

更嚴重的問題是小說缺乏整體性。前一部分寫郭嘯天、陸羽公等幾股勢力試圖盜挖秦始皇陵，後一部分寫小姑娘柳葉青為完成心上人單丹雲的囑託而單身歷險，爭盜秦始皇陵主線無故中斷，幾乎成了兩個故事。「十三重劍網」為何物？無人知曉。如此看來，小說似未完成。

【注釋】

1 參見本書《毛聊生》章。

2 張夢還：《武俠小說名家大評介》，載香港《武俠世界》第四十年第廿三期，一九九八年七月廿七日出版。

3 蹄風：《金鋒著〈西域飛龍傳〉出版啟事》，載金鋒：《天山雷電劍》第一集、第二集廣告插頁（第七十四、一二八頁）。

4 這一書目參考了顧臻的《金鋒武俠小說目錄》（電子版），書名後的數字為作品所含集數，其中若干作品順序有所調整。

5 蹄風：《金鋒著〈西域飛龍傳〉出版啟事》，載金鋒：《天山雷電劍》第一集、第二集廣告插頁（第七十四、一二八頁）。

6 「異態」是我杜撰的一個詞，即異於常人的心理狀態。使用這個詞，是避免「心理變態」這個詞帶來的先入之見乃至刻板印象。

7 毛聊生：《女俠碧雲娘・卷首啟事》第一集第一頁，香港，南風出版社（祥記書局代理），無出版時間。

8 金鋒：《西域飛龍傳》，香港，環球圖書雜誌出版社暨武林出版社出版，無出版時間（推測為一九五九年）。

9 金鋒：《天山雷電劍》，香港，環球圖書雜誌出版社暨武林出版社出版，無出版時間（推測為一九五九年）。

10 金鋒：《冰原碧血錄》，香港，環球圖書雜誌出版社出版，一九六〇年二－七月。

11 金鋒：《血詔驚龍傳》，香港環球圖書雜誌出版社出版，多冊本，無出版時間（推測為一九六二年以前）。我看的是網友自製的合訂本上中下三冊。

12 《五鳳囚龍記》曾於一九六一年五月十七日至一九六二年十月廿一日在馬來西亞《中國報》連載。單行本共十二集，由香港環球圖書雜誌出版社出版，無出版時間。

13 《碧劍紅娘》於一九六一年十月至一九六二年十一月在香港《藍皮書》雜誌連載，後由香港環球圖書雜誌出版社出版單行本，共十集。

14 《滄江七女俠》於一九六〇年七月至一九六一年六月在香港《武俠世界》雜誌連載，後由環球圖書雜誌出版社出版單行本（全十二集）。

15 《劍網十三重》於一九六二年十月廿七日至一九六四年四月十八日在香港《武俠世界》雜誌連載，其後由武林出版社及香港環球圖書雜誌出版社出版，共十六集。

第二十章

倪匡的長篇小說創作

倪匡是香港小說史、電影史及文化史上的重量級人物，與金庸、黃霑、蔡瀾並稱「香港四大才子」。曾擔任香港作家協會創會會長（一九八七年）。

倪匡（一九三五—二〇二二），原名倪聰，字亦明，祖籍浙江寧波鎮海縣，一九三五年生於上海。一九五七年到香港，做過短期鑽地工、染廠雜工，其間寫作並發表第一篇散文《石縫中》、第一篇小說《活埋》，後投稿《真報》並被該報錄用為工友，後逐步升級為校對、助理編輯、記者及政論專欄作家（筆名衣其），最後辭職從事專業寫作。除倪匡這一筆名外，另有筆名衛斯理、魏力、岳川、洪新、危龍、沙翁、依其、倪裳、阿木、九缸居士等。

倪匡是全能作家，不僅嘗試過幾乎所有小說類型，散文、雜文、影評、書評、電影劇本創作亦成就斐然。除四十二部長篇武俠小說，近百篇中短篇武俠小說外，另有衛斯理系列一四五種，原振俠系列三十二種，亞洲之鷹系列十五種、年輕人系列十三種、木蘭花系列六十種、浪子高達系列十七種、非人協會系列六種、神探高斯系列廿九種，還有俠盜影子系列三種，神秘武器系列三種，還有雜文無數。

尤可驚嘆的是，他還創作了數百部電影劇本，他本人不無得意地說：「到目前我已寫了四百多部劇本，其中拍成電影的有三百多部，大概可以列入世界記錄大全了，哈哈哈！」[1] 為此獲第三十一屆香港金像獎終生成就獎（二〇一二年四月十五日），是實至名歸。

本章專門討論倪匡的長篇武俠小說。

30、《天涯折劍錄》（一九六五，岳川與金庸，東南亞週刊）
31、《虎魄冰魂》（一九六五—一九六六，倪匡，武俠世界）
32、《斷腸刃》（一九六五，倪匡）
33、《劍谷幽魂》（一九六五—一九六七，岳川，明報）
34、《古劍殘鞘》（一九六五，倪匡，武俠世界）
35、《追魂十二令》（一九六六，倪匡，武俠世界）
36、《劍亂情迷》（一九六七，岳川，明報）
37、《長鋏歌》（一九六七，岳川、金庸，明報星期週刊）
38、《劍動四方》（一九六八，岳川，明報）
39、《玲瓏雙劍》（一九六八—一九六九，倪匡，武林出版社）
40、《紅塵白刃》（一九六八—一九六九，倪匡，臺灣真善美出版社）
41、《群劍飛》（一九六九，岳川，明報）
42、《血雷飛珠》（一九七二，岳川，明報）[2]

從一九五九年至一九七二年，倪匡從事長篇武俠小說創作十四年，共有四十二部作品，平均每年三部。實際上的年度分布卻極不均勻：一九五九年一部，一九六〇年四部，一九六一年十一部，一九六二年五部，一九六三年三部，一九六四年四部，一九六五年六部，一九六六年一部，一九六七年兩部，一九六八年三部，一九六九年一部，一九七二年一部。[3]

倪匡長篇武俠小說創作頭尾延續了十四年，前七年（一九五九—一九六五）是三十四部，後七年（一九六六—一九七二）則只有區區八部，其中一九七〇—一九七一年還是空缺（指沒有新作）。

為什麼會出現這種情況？

原因之一，是倪匡開闢了別的寫作路徑，其中最重要的是衛斯理系列。該系列的第一部《鑽石花》於一九六三年三月十一日開始在《明報》上連載（共連載一三三期）。《明報》專門為此發表啟示，衛斯理故事是以「現代武俠言情小說」為號召，即仍是把它當作武俠小說的創新形式，只不過時間改為現代，內容加入言情、探險、偵探等元素而已。從第四篇《藍血人》（一九六四年八月開始連載，共一九九期），衛斯理故事系列逐漸發生了蛻變，從武俠言情變成了科幻玄想，與傳統武俠漸行漸遠，從而獨立門戶，衛斯理名聲大振，讓作者的創作重心逐漸轉移。這是作者一九六六年後長篇武俠數量減少的部分原因。

原因之二，是從一九六八年開始，作者創作了大量中短篇武俠小說，武林出版社從一九六八年秋至一九七一年秋，三年內連續出版了倪匡九個中短篇武俠小說集，含三十九部中短篇武俠小說（有關倪匡中短篇小說，後面有專章討論）。這應是倪匡在一九七〇至一九七一年沒有新的武俠小說長篇創作的部分原因。

造自己的武俠天地。從《青劍紅綾》開始，倪匡將「歷史背景」逐出了自己的小說，任自己想像馳騁如天馬行空，專心創造單純的江湖。

為什麼會這樣？

可能原因之一，是不願長期處在左有梁羽生、右有金庸的兩座大山陰影之下。具體說，他可能不想走梁羽生歷史＋浪漫武俠之路，卻又無法追蹤金庸小說的歷史＋成長模式，只好找尋適合自己的寫作路子。

可能原因之二，是倪匡的歷史興趣沒有梁羽生、金庸那麼強烈，而他的歷史知識和學養也明顯不如梁羽生、金庸。從《鑿紅印》到《龍騰劍飛錄》幾部書看，書中的歷史只是一片淡遠的故事背景。在《鑿紅印》裡，真正令人印象深刻的並非歷史人物，而是活骷髏玉嬌嬌、壺山五鬼、筏水和尚、黨三等師徒等傳奇人物。

可能原因之三，是在前幾部書中，倪匡發現以自己的想像天賦，足以創造出與眾不同的傳奇。在《七寶雙英傳》裡，碧狸、金英劍、鐵線軟藤鞭、龍門三躍、雪蠶、小有天不壞丹、綿功十七式等傳奇七寶故事線索吸引讀者。在《龍騰劍飛錄》裡，歷史人物鄭成功（鄭森）的師父七音和尚是在世神仙，他並不親自教授他武功，而是驅使蟒蛇、老虎做他修習高深武功的陪練。

可能原因之四，是出於創新或好玩的目的，基於自由與任性衝動。

倪匡的長篇武俠小說，有其獨特風格印記，是香港武俠小說市場上的異常景觀。古龍曾撰文稱讚倪匡：

「他寫的小說縱橫開闊，有還珠的氣勢，朱貞木的綺麗，王度廬的清雅。只不過他的布局更奇秘，更詭異，他的寫法更新。當然，他的小說也並非沒有缺點，但我相信，看過他小說的人，都不會記得這些缺點的，這正是如大家若能見到捧心西施，只覺其美，還有誰會記得她有心臟病呢？」[6]

考慮到古龍是倪匡好友，而這段話又是專為推介倪匡小說新作而寫，正如倪匡推介古龍時說古龍小說「前無古人，後無來者」，[7] 俱不免誇張。倪匡小說是否當真有王度廬的清雅？顯然有商榷餘地。說倪匡小說布局更奇秘詭異，則是事實。

倪匡曾自信地說：「我寫的都是很好看的小說。」[8]、「怎麼才算是一部好看的小說呢？可以有比較具體的回答：要有性格鮮明的人物；要有情節變化多端、豐富動人的故事；要有引人入勝、叫人越看越愛看的寫作技巧；要有簡易通俗、讀者看得懂的文字。能夠具備以上四個條件，必然是一部好看的小說。」[9] 按照鮮明性格、動人故事、敘事技巧、語言通俗這四點說，倪匡確實做到了。

只不過，倪匡的長篇武俠小說，有人喜歡，也有人不喜歡。

二、部分長篇小說述評

倪匡曾自詡其小說：「氣氛逼人，情節詭異，構思奇巧，描寫瑰麗。」[10] 這話並非虛言，他的長篇武俠小說，大都具備這些特點。下面是部分小說述評。

《羅浮潛龍傳》

講述清波道人（**海底蛟麥榮**）領導廣東天地會抗清故事。最驚人的是清波道人之女麥蓮形象，因長期生活在道觀中而無世事人生經驗，又因從小被嬌寵而以自我為中心，沉醉於兒女私情、罔顧民族大義，竟追隨心上人引領清兵入侵廣州，父親義憤填膺，她還莫名其妙。這不是道德敗壞，而是心智與人格缺陷。書中清波道人、趙敞、寥燕秋及反面人物鄭可等人的形象，都有可取之處。趙敞對麥蓮從迷戀到醒悟，讓人歡喜；鄭可被石小蘭感化而轉變立場，亦讓人欣慰。唯一不足是，主人公究竟是清波道人，還是趙敞？似沒有明確定位。

《青劍紅綾》

看點之一，是幾位年輕主人公的形象。盧春燕因師父焦伯鯨自由不羈，從小養成了我行我素的個性，自以為是，好奇好動，天不怕地不怕，到處惹事生非。阿秀因從小在深山學藝，又因生為苗女，善良純真，癡情不可救藥。江南一指生池不殘，因遭遇淒慘，身殘心也殘，為證明自己而無所不用其極。看點二是故事情節曲折迷離，繁複多歧，頗多精彩片斷。如孔少麟、商俠兩個毀容怪人的真相；盧春燕的身世之謎；韋孤在西湖盜取盧春燕的劍、綾；商俠、洪青筠夫婦的遭遇，女閻王陶血姑對商俠的深情；劍神孔少麟與焦伯鯨亦師亦友的關係，以及苗山萬毒洞奇觀等等，可以說，每段情節都有引人入勝的想像。

《冷劍奇俠》

前半部是血焰勾魂凌赤山找商相復仇，後半部是商相之子商猛找凌赤山復仇。故事極富傳奇色彩，小說敘事引人入勝，書中血焰勾魂、雪山四妖、南海雙凶、商相、無塵、半塵、一塵及天魂、地魄，無人不奇。冷龍寶劍、蜈蚣之珠、蟒蛇之丹、蝌蚪文刻經，凌小芸的母親花發三姑、凌天鳳的母親毛臉怪人，百獸門弟子邀約外人爭奪掌門人夫婦遺體而求取絕世武功秘笈，主人公商猛廢功重修而終成冷劍奇俠，無事不奇。更大看點是商猛與凌小芸、凌天鳳姐妹的情感糾葛，凌小芸心腸歹毒，凌天鳳善良懦弱，這兩人竟是姐妹，都是血焰勾魂凌赤山的女兒，商猛如何取捨？構成最大懸念。

《奇門劍俠》

表層是奪寶故事，八寶明珠鞍中藏有奇門劍和《奇門劍譜》線索，引起武林紛爭。裡層是主人公是陳世昭、譚麗兒、秦麗兒、宗直之間的四角情感關係，不僅大大增加了故事的可看性，更重要的是寫出了情感層次及人物個姓差異。譚麗兒、秦麗兒長相相同，使得前半部故事情節撲朔迷離；這對雙胞胎的身世又直通奪寶故事的源頭，小說構思與布局，堪稱巧妙。

《梅花八劍》

開頭是奪寶故事，中間是方霞追尋殺害祖父的凶手以及父親方白風的生死真相，最後是方霞找金彌復仇。故事情節神秘曲折，懸疑叢生，層層揭秘，十分誘人。書中人物形象也頗為鮮明。方霞俠義情懷，心思細密，意志堅定，外柔內剛。沈良生性淳樸，如渾金璞玉，得多位前輩高人青睞；他深愛方霞，方霞卻愛許蒼，他也不怨不憤。再如冷雲翁，聽說方白風尚在人世，即千里追蹤；知方白風被金彌所害，矢志為好友復仇，面冷心熱，有古俠之風。許蒼秉性不壞，卻曾偷盜武功秘笈，愛方霞卻不敢透露內心秘密。最令人震驚的，是日月羅漢與父親侍妾生下金彌，良知愧疚，情感卻無法忘懷。

《金龍劍俠》

講述通天尊者試圖稱霸武林，以攝魂術驅使武林高手殺害王鎖的父母、林雯的母親和爺爺，王鎖、林雯學藝成長，最後除魔復仇。小說開頭十分精彩，故事情節神秘曲折，匪夷所思。主要看點，是王鎖對林雯情感變化。第一次他討厭她驕傲，第二次感激她幫忙，第三次才因憐生愛，將林雯救出寒泉。情感三次變化，也是王鎖心理成長的三個節點。此外，王鎖學藝過程也十分獨特，師父強行收徒，弟子堅決拒絕，師父點其穴道，說學他獨門內功才可自救。王鎖下山要經過七關，最後一關是坐待花開花落，長達千日之久。過關過程即修練的過程，這一奇妙的教學方式，聞所未聞。

《金刀怨》

小說開頭非常神秘刺激，袁氏姐妹華山遇險，到老龍灣武林大會，一直迷霧重重，懸念不斷。小說主線是無名幫和五逆門爭霸武林，上官如龍與周文淵相互算計報復，人性扭曲到讓人毛骨悚然。小說看點是袁燕飛、周深、楊華、袁晶晶等青年男女陰差陽錯：袁燕飛愛周深，楊華愛袁燕飛，袁晶晶愛楊華，竟無一對有圓滿結局，令人感慨唏噓。不足之處是，崆峒山洞不僅有《天下武匯》，還長滿仙丹，可供多人取用；楊華在狼群中長大，得到半部武功秘笈，就從「大頭毛臉怪」變成捍衛武林正義的第一人。

《無情劍》

是奪寶故事，寶物是無形劍、青劍。比「天降無情劍」更可怕的，是「劍底無情，萬事皆成」的價值觀。所有人的命運，都因奇人——畸人——奪寶而改變，最值得同情的無辜少女陶琳，被貴州三魔追殺迫害，被易玉鳳迫做丫環，被易居瑚逼做續弦，還親眼見父母被害；與心上人李純如重逢，偏偏已懷上了易居瑚的孩子，因逃不出魔掌而瘋癲；為保住孩子，不得不犧牲自己。幸李純如不離不棄，悲慘命運才最終逆轉。霸凌羅剎女易玉鳳，身世決定了個性，個性決定了命運，其惡行令人髮指，其命運則耐人尋味。陶行侃、李純如兩位男主人公的人生，也是被命運所扭曲，其經歷出人意表，好在最後都尋回初心。

《六指琴魔》

融合了爭霸、奪寶、愛情和復仇等元素，從南昌天虎鏢局受託保鏢惹出人命，引發峨嵋派、點蒼派找武夷山六指先生報仇，到琴魔出現，武林邪派歸順、正派潰散，十分精彩誘人。後半部尋找火羽箭復仇除霸，則拖遝敷衍，且編造痕跡明顯，有蛇尾之嫌。呂麟、譚月華、東方白的三角關係有可觀之處，最動人的形象是琴魔之子黃心直的赤子之心。本書曾被改編成電影，在倪匡長篇小說中最為著名，卻並非倪匡小說代表作。

《龍翔劍》

荀家莊馬夫孟威、孟烈兄弟，偷學莊主荀肅的龍翔劍法，被莊主驅逐。兄弟倆個性截然不同。孟威誠實厚道，重視親情，志向平凡，只想生活在暗戀對象荀慧身邊。孟烈雄心萬丈，自私寡情，一心出人頭地，以卑鄙手段佔有哥哥的情人游馨兒並獲得龍翔劍譜，成功之際走火入魔，孟威帶著癱瘓的孟烈回到荀家莊，繼續在荀家莊當馬夫。

小說的其他看點是：孟氏兄弟的身世之謎，鞏天鳳的蛇蠍心腸，龍翔劍的三個不同版本，以及有關七俠蠻不講理和八俠刁鑽古怪的喜劇情節。小說雖有若干瑕疵如游賓的認知能力、孟域的父子情感都有疑問，但在整體上說，仍不失為一部可觀之作。

《天涯折劍錄》

小說開頭迷霧重重，情節曲折，懸念層疊，煞是好看。書中謎團極多，最大謎團是主人公韋君俠的身分之謎，親父韋鉅夫實為養父，繼而從慈父變成了殺父仇人；最後再次反轉，由仇人變成恩人。真相是：生父靳日醉縱欲寡情，對唐畹玉始亂終棄，韋鉅夫娶已懷孕的唐畹玉，是因為愛，更是為了保護她的名聲。小說的另一看點，是韋君俠與展非煙、展非玉姐妹的情感糾葛，以及兩姐妹形象的逆轉：似魔鬼者實如天使、似天使者實如魔鬼。這些轉折，增加了小說的故事張力，也增加了小說的趣味，更發人深思：真相誘人且灼人。

《劍谷幽魂》

故事情節神秘曲折，邪異景觀層出不窮。第一看點是主人公曾天強的人生傳奇。先是家破人亡，繼而發現父親是修羅神君的家奴；後又被天山妖屍打成重傷，形同骷髏，讓愛他的白若蘭、施冷月如見鬼魅，從此斷交，曾天強最後在少林寺出家。第二看點，是卓清玉的心性變化，由單純多情的少女，演化成心理變態的權力狂，當是江湖叢林法則的產物。第三看點，是白若蘭、施冷月對曾天強的愛情，經歷種種磨難，最後因曾天強重傷變形而灰飛煙滅。第四看點，是霸主修羅神君麾下邪派人物的反抗衝動及無奈。不足之處是，主人公經歷傳奇，但卻沒有成長。「劍谷幽魂」書名，似沒有落到實處。

《長鋏歌》

開頭緊張刺激，主人公被人追殺同時被人拯救，作者長時間不說其姓名，他也不知道自己為什麼被追殺。隨著情節展開，真相逐漸顯露：華五被追殺，是因為他從風雷莊來；華五拜師三日，就被師父驅逐並追殺，是因為風雷莊三位莊主當年為寶物陷害過華五父母，害怕華五知情復仇。最後是母親（黑衣人）救了華五，打殺了三位莊主，囑華五帶著心上人李小瓊遠走高飛。小說的敘事節奏很快，讓讀者目不暇接，只能一口氣追讀下去。書中問題不少，例如，華五的母親為何不及早救助兒子？華五的傳奇經歷為什麼叫《長鋏歌》？

《一劍動四方》

萬大成奉師命送信到好力堡，憑弔大俠馮威墓時遭遇襲擊，被小鈴子所救，從此捲入江湖是非中。發現所有人、所有事，都與「旁門三寶」即追月劍、九天秘笈、玉盒有關。看點之一，是二十年前，大俠馮威夫婦，竟用美人計騙得三寶，卻是假的，結果是馮威被殺，新生女兒被人擄走。看點之二，是小鈴子偶獲假三寶，貪念熾盛，變身魔教南宗之主，最後身敗名裂。看點之三，是魔教南宗直系繼承人馬明珠，不願做魔教南宗執法，寧可回去放牧牛羊。最後，所謂「一劍動四方」，是指追月劍如有魔力，人見人貪，有明顯寓言意義。

三、《龍騰劍飛錄》與《紅塵白刃》

倪匡有四十二部長篇武俠小說，要選出代表作並不容易。原因是候選作品的水準差不多，很難說哪部作品出類拔萃。也因為選擇標準不同，很可能仁者見仁、智者見智。

《仙笛神龍》、《六指琴魔》等曾被改編成電影，可看性和知名度較高——其中《六指琴魔》的知名度最高——但作為小說，卻未必是最佳。

《龍騰劍飛錄》和《紅塵白刃》分別是倪匡前期與後期作品，對這兩部小說作較詳細的分析，可見證倪匡小說的創作特點及其創作模式差異。

先說《**龍騰劍飛錄**》。

本書的主人公是歷史人物鄭成功（鄭森是其本名），是按照梁羽生、金庸開拓的歷史＋武俠傳奇的路徑書寫。小說情節誘人，一環套一環。開頭是青年鄭森聽到官船上有人驚叫，救出了被無辜毆打的丫鬟歐小梅。回到自家大船，發現有人入侵，父親行為神秘。於是追蹤父親，遇醉鬼崔衛的徒弟小禿子中毒，生命危在旦夕，求鄭森到黑竹林偷盜七色靈芝解毒，幸得天女葉華蓀弟子朱靈幫助，才得如願。母親逼迫鄭森與表妹千代子結婚，鄭森說自己還要外出學藝，只答應訂婚。一年後，鄭森學藝歸來，聽說父親鄭芝龍已率領船隊北上投清，立即開船追趕，終於在海上追上了船隊。

鄭森勸說父親無果，與百丈尊者打鬥，幸得葉華蓀趕走百丈尊者，才留住了船隊。鄭芝龍一度投向了南明王朝，鄭森也被隆武帝賜姓朱、賜名成功。可惜好景不長，鄭芝龍最終還是投降了滿清，而鄭森之母也被百丈尊者派人暗殺。鄭森和小禿子聯手，將百丈尊者打入火窟，報了殺母之仇。鄭森和千代子摒棄私仇，到古吉堡中打開鄭芝龍的寶藏，展開反清復明事業。

鄭森形象鮮明。從英雄樹（木棉）寫起，襯托主人公形象；繼而是官船救人，為其俠義英雄形象奠基。可貴的是，他能超越父子與家庭，明辨是非善惡，對父親鄭芝龍及管家沈家威魚肉鄉親的行為，有清晰的道德判斷。更加難得的是，深明民族大義，立場鮮明，意志堅定，不惜一切地阻止父親投降滿清。

這是一部地道的武俠傳奇。歷史只是背景，作者讓主人公鄭森在真實歷史與虛構江湖中自由穿越，卻無意像梁羽生、金庸那樣將二者融合為同一藝術世界。換言之，歷史線索只是基於武俠時尚的「規定動作」，而江湖傳奇則是作者「自選動作」，是作者偏好。

故事情節的主幹，實是由奪寶和復仇兩線交織而成：鄭芝龍與高鐵豹聯手當海盜多年，搶得珍寶無數，鄭芝龍為了獨吞珍寶，竟將高鐵豹殺害；其子女高松、高柏、千代子等一心要為父報仇。鄭芝龍藏寶在何處，就成了貫穿全書的懸念。書中醉鬼崔衛、烏雷三姑、天女葉華蓀、黑水聖母、七音和尚等人物，都與異族入侵及改朝換代的歷史無涉。鄭森的學藝過程，更是神乎其神，七音和尚不讓鄭森拜師，也不親自教授他武功，而是驅使蟒蛇、老虎做他修習高深武功的陪練，甚而「直至狐狸獐狼、甚至刺蝟大蛙，一一俱全。」[11]

書中情感故事線索，亦大有可觀之處。歐小梅、朱靈、千代子三位少女，都愛鄭森。在武俠小說中，類似的多角戀情形相當普遍，其解決方式有技巧高低之分。難得的是，這部書中的情感線索，結局都有出人意料的逆轉。歐小梅一往情深，卻因投錯了師門，心性變化，為惡多端，與鄭森漸行漸遠，甚至勢不兩立；到最後，她卻為拯救情郎而犧牲自己，以俠義之舉贏得心上人的永久懷念。

朱靈對鄭森一見鍾情，為救助心上人不惜脫離師門，當歐小梅作惡、千代子懷仇，誰都會認為朱靈必是鄭森唯一良配；不料朱靈竟選擇與師父葉華蓀一起皈依佛門。千代子是鄭森表妹，並與鄭森訂婚，本以為這對金童玉女定會琴瑟和鳴，誰料她竟是赤手天尊高鐵豹之女，高鐵豹被鄭芝龍所害，未婚夫妻竟成仇家；都以為千代子與鄭森不共戴天，但她有情難忘，更感鄭森高義，居然又破鏡重圓！

歐小梅和朱靈的形象，各有特點，值得一說。歐小梅被鄭森所救，感恩生情，覺得自己身分地位難於匹配，故將深情埋在心底；直到練成絕世武功、搶劫萬貫財富、自封為烏雷公主，才與對方談情說愛，是世俗心理的畸形表現。開始自卑，繼而自負，都是心理失衡。因為缺少愛，所以不懂得愛；因為遭受不公，所以複製不公；因為無知，所以只能自以為是；因為佔有欲膨脹，終於失落初心，也失落愛情。朱靈心眼較小、妒心較重，愛心容不得沙礫，原是多數懷春少女的共同特點，她的獨特，在其由敏感昇華成了智慧，深知鄭森非但另有所愛，而且並不知己（**他竟然懷疑她殺了他的母親**），毅然斬斷情絲，保護了自己的人格尊嚴。

小毛病是，鄭母到底是千代子的姑媽還是姨媽？書中說法前後不一：出場之初，鄭森的母親介紹千代子，說是她弟弟的女兒；[12] 但後來千代子與師父說話，卻又稱鄭森母親為姨母。[13]

再說《**紅塵白刃**》。

倪匡小說總能引人入勝，本書也不例外。天一堡塗雪紅嬌縱任性，表哥林浩生不順其意，教婢女玉琴武藝，便將表哥打成重傷。林浩生與玉琴一起逃出天一堡，塗雪紅率人追擊，要將林浩生和玉琴置於死地。父輩甘德霖勸她不可如此，她竟將對方殺害。血猿神君追蹤塗雪紅到天一堡，堡中武士作鳥獸散，唯在此養傷的雷三與塗龍、瘋女嫦娥聯手對敵。而在瘋女嫦娥與血猿神君打鬥時，雷三竟將塗雪紅擄走，幸得東方白相救。

雷三說塗雪紅是他妻子，東方白受騙，且被雷三重傷。血猿神君讓塗雪紅將重傷的東方白送到六盤山烈火神駝處，金骷髏兄弟攔截東方白，塗雪紅只得向烈火神駝報訊。烈火神駝立即趕往雪山，讓塗雪紅留下陪伴其盲妻。塗雪紅詐稱是瘋女嫦娥的女兒，並隨之而去……邪派第一高手東方霸主現身，前面的諸多隱秘才逐步揭開，進入小說正文。

本書的核心情節，是個武林爭霸故事，說的是邪派第一高手東方霸主要建立武林無敵盟，並成為無敵盟主，要一統江湖。與一般武林爭霸故事不同的是，沒什麼邪派高手與他競爭，也沒有俠義之士對他發起挑戰，對他的權威發起挑戰的是他的兒子東方白，以及東方白的女友塗雪紅。書中的東方霸主形象並不特別出彩，看點是他的兒子東方白、東方雷（雷三）、塗雪紅等幾個年輕人。

東方雷（雷三）的形象複雜多變。此人在天一堡首次露面，像是個義士，血猿神君入侵天一堡，堡中武士作鳥獸散，唯此人不走，要聯合堡主塗龍、瘋女嫦娥共同對敵。誰知道，這個義士其實是採花賊，血猿神君到天一堡，就是因為雷三姦殺了他女兒。進而，雷三猥褻塗雪紅，原形畢露。若僅僅是這樣，那就不算什麼稀奇。稀奇的是，雷三的第一個「受害者」席珍出現，讓雷三的形象有了出人意料的逆轉。他並沒有強暴師妹席珍，而是與席珍兩情相悅，因師父席大先生堅決不允許，並要嚴厲處罰，他憤然下山，才成了人所不齒的採花賊。雖然席大先生不許婚，並不是雷三作惡的理由，但席大先生的嚴厲，仍是塑造雷三性格的一種不可忽視的力量。

席大先生之所以不許雷三與自己女兒戀愛，是因為他知道雷三是東方霸主的兒子。雷三的命運，被血統論觀念所支配。雷三的遭遇固然值得同情，但他的命運最終還是由其性格所決定，聽說自己是東方霸主之子時的那種狂喜，即充分暴露了他的心性底色：恃強凌弱的叢林法則，早已深入骨髓。有意思的是，雖然他願意幫助父親建立霸業，並分享榮耀與權威，但當父親東方霸主要席珍為塗雪紅吸出毒針時，東方雷卻強烈反對，這一行為，表現出他對妻子席珍的真愛，且不願以此作任何形式的交換。為保住真愛，他甚至要離開父親、離開日月堡、離開無敵盟。

東方白的遭遇讓人唏噓。作為烈火神駝的弟子，他武功不俗，正義凜然，只是看上去有點迂，否則，也不會受雷三所騙並身負重傷。當他得知自己是東方霸主的兒子，自己的師娘竟是生身之母，非但沒有作為天下第一高手之子的狂喜，而是無法接受邪派魔頭父親。道德理性與父子親情的衝突，撕裂了他早已習慣的自我認同。他拜別恩師，不是忘恩負義，而是不願敗壞恩師烈火神駝的清譽；他離開親娘，也不是無情，而是要重建自我認同，且須獨自完成。

他為救助金蘭花而被父親打傷，繼而因吞服毒蛇內丹而內力大增卻面目全毀，於常人無法忍受的痛苦中重新獲得自我同一性：他接受了痛苦的事實，卻要挑戰命運。在整個武林都匍匐在東方霸主的強權之下時，唯有他挺身而出，東奔西走，絕不與強權同流合污。即使他要對抗的強權，出自他的生身之父，他也在所不惜。只可惜，英雄難過美人關，在面對美女塗雪紅時，情感淹沒理性，理性有時候還能冒頭；而在面對淫婦柳翠娃的性攻勢，他就沒有還手餘地，理性就被徹底淹沒，人也就徹底墮落了。

東方白的墮落，並不是由於天性不好，甚至也不是由於意志薄弱，最主要的原因其實是無知。東方白為塗雪紅吸出毒針，其實是以毒攻毒，不僅恢復了原貌，也恢復了健康。他本人對此一無所知，經驗豐富的東方霸主就利用這一點，讓他以為父親當真為了助他療毒而不惜損耗內力，於是心甘情願地留在日月堡，並且一步一步地走入父親東方霸主布置的色情陷阱中。因為無知，所以墮落。

塗雪紅是天一堡主的獨生女兒，有公主病的典型症候。從小被嬌寵，慣於頤指氣使，只關注自己的欲望，而罔顧他人的需求和意願，稍不如意，就會怒火萬丈，必欲報復而後快。他對表哥林浩生示愛，林浩生竟然不從，這不僅讓她情感受挫，同時也讓她自尊受損；林浩生和玉琴兩情相悅，更讓她妒火中燒。於是她不顧一切地要毀滅這兩個人，父親的好友甘德霖勸阻，她竟將他殺害。小說開頭的這一段，充分表明塗雪紅的公主病已發展為神經症。

但這還只是塗雪紅個性的一個側面，她還有另一側面，那就是對強者的依附性。她能隨心所欲，是因為她是天一堡主的女兒，有強大的靠山。天一堡毀滅後，她本能地繼續尋找靠山，先是假扮瘋女嫦娥的女兒，不過是向武功奇高的嫦娥尋求保護，也希望嫦娥能教她超級武功。進而，當她得知東方白的父親是武林第一高手東方霸主，即毫不猶豫地依附於東方霸主。只是由於東方白不願與惡名昭彰的父親在一起，而東方霸主又將塗雪紅趕走，說她不配和東方白在一起，使她依附圖謀落空。在嫦娥處獲得道家三寶真經，修練成絕世武功後，卻又不顧東方白的勸說，當了無敵盟副盟主，這實際上是一種變相的依附。嚴重的公主病，使得塗雪紅成了一個叢林生物，由弱肉強食的叢林價值觀所支配。她的統治欲和依附性，不過是一物兩面，都是叢林生存法則的產物。叢林生物與人類的差異是，人類具有相互同情心和健全的道德良知，而叢林生物卻沒有，或，即使有，也不健全。

塗雪紅對東方白似乎有情，但那不過是因為東方白對她有超乎尋常的溫暖關切；她對東方白即使有情，也無法與她的控制欲、操縱欲、統治欲相提並論。塗雪紅謊稱自己是嫦娥的女兒，但卻沒有絲毫的母女情感，甚至沒有起碼的人類同情心，當她以為嫦娥為救治東方白而死去，失去了依附價值，就要立即離開，甚至不想花點時間埋葬這個被她父親害了一生的女性。她和東方霸主爭當叢林之王，最後同歸於盡。

缺陷是，席珍有時被寫作席玲。嫦娥所得「道家三寶真經」秘笈，又被寫作「九天秘笈」。烈火神駝、苗疆天女教教主金蘭花下落不明，是作者照應不周。

四、潛在模式：窩囊男與羅剎女

倪匡小說有人喜歡，有人不喜歡，這很正常。除了金庸、古龍之外，哪一位武俠作家作品不是有人喜歡、有人不喜歡？

不喜歡倪匡長篇武俠，原因可能是不適。倪匡部分小說中存在一種潛在模式，即男主角單純、無知、軟弱、窩囊，如扶不起的劉阿斗；女主角率性、毒辣、霸凌、陰險，如吃人羅剎，所以我把這一主人公配方稱為「窩囊男＋羅剎女」模式。

這一模式的源頭，是倪匡的第四部小說，即一九六〇年的《煞手神劍》。小說講述朱珠和石禮的女徒「神鞭女俠」婁玲，性情偏激，蠻橫霸道，仗勢欺人，濫殺無辜，引起武林正道公憤，而朱珠、石禮夫婦護犢子，偏聽偏信。孤兒霍島自幼即遭婁玲藤鞭毒打，多次在鞭下死裡逃生，是婁玲為惡江湖的重要證人，但霍島練成絕世武功後，因迷戀婁玲美色，不惜背叛恩師，助紂為虐，使正義無法伸張。此書雖是《豎紅印》、《七寶雙英傳》的續書，但全無歷史痕跡，是純粹的江湖傳奇，女主人公婁玲是典型的「羅剎女」，而男主人公霍島則是「窩囊男」的雛形。

這部小說同樣氣氛逼人、情節詭異、構思奇巧、描寫瑰麗，問題是，閱讀過程相當憋悶，讀完之後更加抑鬱難抒。簡單說，作為通俗小說，《煞手神劍》有「三宗罪」：一是羅剎女、巨嬰男模式，剝奪了讀者「代入」的快感。二是書中儒俠石禮、朱珠夫婦作為成名大俠，如此偏聽偏信，剝奪了讀者對大俠的期許和信念。三是小說結局，正義仍無法伸張，剝奪了讀者夢幻圓滿的期待景觀。

如果只有一部書中有這樣的主人公，那也就罷了，問題是，倪匡在創作中不自禁地一再重複這一模式。例如：《冷劍奇俠》中的商猛、凌小芸；《奇門劍俠》中的陳世昭、秦麗兒；《梅花八劍》中的沈良、西門紅；《無情劍》中的陶行侃、易玉鳳；《劍雙飛》中的沈覺非、侯銀鳳；《天涯折劍錄》中的韋君俠、展非玉；《劍谷幽魂》中的曾天強、卓青玉；《長鋏歌》中的華五、紫綃仙子；《一劍動四方》中的萬大成、小鈴子；《紅塵白刃》中的東方白、塗雪紅；直到最後一部小說《血雷飛珠》中的謝英傑、雷紅嬰，無不如是。在倪匡長篇武俠小說中，窩囊男和羅剎女形象層出不窮，嚴重影響到讀者閱讀過程的投射、移情。

所以如此，當與作者思想觀念有關。倪匡說：「武俠小說中的俠，其實就是各種各樣的英雄人物。英雄有很多種，有為國為民轟轟烈烈的，有私情私意婆婆媽媽的，甚至也有狗皮倒灶人皆唾罵的，形形色色，都可以成為武俠小說世界中的英雄。」[14] 進而，「談到武俠的俠義精神，這是引發自古代《史記・刺客列傳》這一脈傳統的精神，和現代社會的精神是不太切合的，因為武俠小說中那種不顧自己的，集體主義的俠義精神，並不是一般人做得到的。」[15] 如是，倪匡決定寫「可能存在」的人物，例如：無能窩囊男、霸凌羅剎女。

英語 hero 一詞有兩義，一是英雄，一是主人公。說形形色色的人物都可以作為小說 hero（主人公），肯定沒有問題，而說「……有私情私意婆婆媽媽的，甚至也有狗皮倒灶人皆唾罵的，形形色色，都可以成為武俠小說世界中的英雄」，一般武俠迷可能無法接受，因為武俠小說中要有真正的英雄，不僅行為上要為國為民或主持正義，在個性品質上也要有意志堅定的俠義精神。無志無能的劉阿斗或陰險霸道的羅剎女，恐怕不會被武俠迷視為英雄。簡單說，倪匡的思想觀念及其小說中常見的主人公模式，是挑戰武俠小說常規，難怪有人不習慣、不喜歡。

問題是：挑戰了武俠小說常規又如何？

金庸小說中也有濫好人，例如《倚天屠龍記》的主人公張無忌，《連城訣》的主人公狄雲，《俠客行》的主人公石破天。金庸筆下羅剎女更多，如《碧血劍》中的何紅藥，《射鵰英雄傳》中的梅超風，《神鵰俠侶》中的李莫愁、裘千尺，《飛狐外傳》中的薛鵲，《天龍八部》中的天山童姥、李秋水、木紅棉、王夫人、康敏、阿紫等等，形成「羅剎女世界」。這些形象，是金庸文學成就的重要組成部分。

倪匡挑戰武俠小說常規，未嘗不是力圖拓展武俠小說疆域、豐富武俠文學景觀。倪匡小說中的窩囊男，或為媽寶，或為巨嬰，或為庸人，或為無知少年，抑或身不由己；書中羅剎女，亦並非同一模式簡單翻印，而是各有風貌且各有因由。

例如，《天涯折劍錄》中的羅剎女展非玉：並非道德淪喪，而是患有精神分析專家阿德勒定義的神經症：身為家中老二，不如老大那麼受重視，亦不如老小那麼受寵愛，渴望關愛而得不到滿足，她之所需，都要自己去爭取。因孤立無援，自我中心固化，長期自卑導致心理畸形，只有得失之心而無是非之念，從而缺乏道德感。母親妙姑對三個女兒並非一視同仁，對她另眼相看，先見之明的背後，實有羅森塔爾自證預言效應。展非玉對母親的惡毒報復，正是神經症惡化的典型症候。

又如《劍谷幽魂》中的卓清玉：其形象演化層層遞進。一層是，作為白修竹的女弟子，曾救助過曾天強，且愛上了曾天強，只因自尊而不願表達，從而故弄玄虛。二層是，與曾天強相處，每句話都要爭個上風，知錯而不認錯，有典型的「小性子」。三層是，發現曾天強與施冷月親近，出於嫉妒，加上為拜千毒教主為師，試圖將施冷月置於死地。四層是，在小翠湖發現施冷月未死，不是懺悔，而是發射暗器，試圖將施冷月、曾天強一起打死，以新錯掩蓋舊錯。最後，她才變成了權勢狂。卓清玉從自戀發展為自負，說到底是因為蒙昧與自卑。

再如《一劍動四方》中的小鈴子：她的故事，可謂因貪念而變態、因妄念而墮落、因蒙昧而盲目。出場時拯救萬天成，頗有俠風。見萬天成與馬芳珠在一起，產生嫉妒。從醉樵子那裡獲得「旁門三寶」，才貪心大發、妄念叢生，從此走入人生迷途。

在醉樵子呼救時，她還有拯救醉樵子的衝動；醉樵子死後，她也有一絲愧疚。但當神出鬼沒遭遇師姐鬼婆子時，拯救衝動卻消失了。進而，她曾猶豫要不要把三寶消息告訴師父李塵，但師父的追問讓她措手不及，貪念本能促使她將恩師刺死！刺殺恩師後，也有幾分後悔，但很快就自我辯護，原因是她無法承受殺師的嚴重後果，只能外向歸因，維護心理平衡。進而，當枯葉老人要馬芳珠繼承魔教執法，要小鈴子去當情敵的丫環，小鈴子殺害枯葉老人，奪取魔教執法令符，冒充枯葉老人使者接掌魔教，是衝動使然，正所謂一不做二不休。打開玉盒被毒藥毒瞎雙眼，更有象徵意義：在目盲之前，早已心盲。

以上幾個例子證明，倪匡小說雖然令部分人不適，卻有其可觀性。倪匡說：「三十年前，只有大學生、醫生、博士看我的小說」，[16]這話是說，其小說的讀者群，具有較高文化修養。換言之，只有具備較高文化修養者，才能欣賞倪匡小說。

這又帶來新的問題：「窩囊男與羅剎女模式」與金庸小說中類似人物究竟有怎樣的差異？為什麼倪匡小說不像金庸小說那樣雅俗共賞？

主要差異是，金庸小說中的濫好人為數不多，與倪匡筆下的窩囊男不可同日而語。張無忌是寬容仁厚，狄雲是淳樸剛毅，石破天靈氣過人，且他們都在書中不斷成長變化，並走向成熟。更重要的是，他們都有明確的俠義立場，狄雲忍辱負重而不欺弱小，石破天善心待人且樂於助人，張無忌更是內彌戰禍、外抗強敵，以天下為己任。進而，金庸筆下的羅剎女雖然為數眾多，但始終邪不壓正；《天龍八部》雖是「羅剎的世界」，目的是突出「冤孽與超度」主題，[17]書中段譽、蕭峰、虛竹三大主人公，無不存同情憐憫之心。金庸寫濫好人、羅剎女，是出於悲天憫人的溫暖情懷，而倪匡卻不相信俠義與慈悲：「這種古代的俠義精神在古龍的小說裡是發揮得最淋漓盡致了……但實際上卻是不可能存在的。」[18]

身為武俠小說作家，卻不相信俠義精神，因而不能或不願書寫俠義英雄故事，只能不斷複製「窩囊男與羅剎女」模式，這是倪匡武俠小說創作的最大難題。倪匡說：「我的人生觀其實是非常灰色的，這大概和我青少年時的經歷有關。」[19]此事關乎作者人生及心理隱秘，是倪匡傳記研究的重點，在此無法深入討論。

五、影響倪匡武俠小說成就的因素

倪匡天資過人，才華橫溢，具有第一流想像力及小說敘事技能，為什麼他的長篇武俠小說創作成就卻不如人意，亦不如其己願？

首先，是其創作方式問題——不如說是生產方式問題。武俠小說是文化商品，武俠作家著書都為稻粱謀，由於智慧財產權法規不全更不嚴，市場收益有限，武俠作家不得不想方設法增加產量，於是有不少作家是選擇某種特定小說「配方」，從事大批量類型故事生產。倪匡的高產讓人咋舌，他說曾同時寫作十二份連載。[20] 如此產量，即便才華超人，也難免自我複製，上述「窩囊男＋羅剎女」模式就是因此而產生。

小說中模式化生產還不至於此，作者還喜歡在魔女身邊搭配天使，增強形象對照與故事張力，例如《冷劍奇俠》中凌小芸與凌天鳳，《奇門劍俠》中秦麗兒與譚麗兒，《劍雙飛》侯銀鳳與冷雪，《天涯折劍錄》中展非玉與展非煙，《長鋏歌》中紫綃仙子與李小瓊……她們是姐妹，大部分是雙胞胎姐妹。

小說產量超過某種極限，小說品質自然會受嚴重影響。倪匡小說雖然好看，但有時候卻經不住推敲，例如《七寶雙英傳》：鄭和召集民間武林高手到昆明，緝捕建文帝的子女，但似乎沒有人把這當一回事：鄭和之子馬小寶隱瞞朱珠身分在先，鄭和縱容兒子與朱珠的私情在後，朱珠在鄭和府中轉來轉去，居然沒什麼實質性的危機。這顯然經不住推敲。

實際上，作者似不在意建文帝子女的處境，敘事重點是奪寶奇聞。而在奪寶故事中，巨恆羅漢與七星真人的一場比武，竟長達一年多時間！作為倪匡的第二部小說，處在小說創作的嘗試期，當然情有可原。問題是，如此經不住推敲的故事情節，在倪匡小說中並非孤例。

影響倪匡小說創作品質的第二個因素，是創作態度。這與生產方式及其生產強度也有關係，在高強度生產過程中，要保持創作態度始終認真敬業，自是大不容易。更大的問題是作者的隨意與任性，為了「好玩」，常作讓人難以接受的設計，挑戰讀者的閱讀習慣，乃至挑戰讀者的價值觀。例如《劍雙飛》：故事開頭迷霧重重，懸念迭起，煞是好看。問題是其核心情節，主人公沈覺非親眼見到母親被冷雪所殺，竟對冷雪一見鍾情，且一往情深，不可理喻。更大的挑戰是，冷雪殺沈母，是以為對方將她和沈覺非掉包，即沈母方婉應是她的生母，她竟毫不猶豫地弒母。冷雪的冷血，悖逆人間倫理，讓人難以接受。更不必說，小說由爭霸、愛情、奪寶故事拼貼而成，奪寶情節雖曲折熱鬧，卻與故事主線無關。

第三個原因是小說觀念局限。倪匡說：「好小說，必須是一部好看的小說。」[21]這話雖不無道理，但只說對了一小半，通俗小說或許是這樣，純文學小說未必追求好看，而是以是否「耐看」為衡量標準。即便是通俗小說，也只有既好看又耐看者，才稱得上真正的好小說。進而，好看和耐看，實際上還可以細分，好看的小說可能是A：情節引人入勝的小說；也可能是B：讀者喜聞樂見的小說。耐看的小說可能是指A：經得住推敲的小說；也可能是指B：耐人尋味的小說（**即擁有發人深省的思索與闡釋空間**）。真正的好小說，還須具備獨創性和圓熟度。

倪匡追求「好看的小說」，百分之八十的精力投放於引人入勝這一點，即追求氣氛逼人、情節詭異、構思奇巧、描寫瑰麗，這一點他是做到了。倪匡的每一部長篇武俠小說，無不引人入勝。問題是，對小說是否耐看、是否耐人尋味，是否具有獨創性和圓熟度，顯然缺乏足夠的關注。倪匡的故事技巧是第一流的，但卻常常忽略「技進乎藝，藝進乎道」；他的技巧大多用於製作精美的包裝形式，而當讀者一層一層地打開包裝，其中內容卻不耐回想，有些小說甚至徒具精巧包裝。

舉例說，《仙笛神龍》：由奪寶、伏魔、愛情、歷險等多種元素融合而成。開頭神奇，中間熱鬧，情節曲折而節奏很快，貌似看點不少。問題是，小說情節拼貼痕跡明顯，每條線索都簡單草率：奪寶故事，地圖飄落懸崖竟不了了之；伏魔故事顛覆了離魂島，卻放過了青龍莊；愛情故事，並未專寫主人公尚玉燕和馬如龍的愛情，而是以柳雁秋和孫天嬌的速成愛情故事為重點。書名《仙笛神龍》，書中「仙笛」尚玉燕和「神龍」馬如龍，只是兩個模糊的影子。更不必說，為了便於孫天嬌復仇，竟讓其殺父仇人胡聞浪莫名其妙地從東北趕到西域。這部小說當年就被搬上了銀幕（上下集，一九六一，楊工良編劇、導演），或許是看上它熱鬧。

作者最後一部長篇小說《血雷飛珠》，是上述三因素的「併發症」。《血雷飛珠》的開頭極其誘人，情節也出人意表。主線是血雷宮主鬼母圖霸武林，進攻金虎堡，以走火入魔告終。主人公是金龍莊少莊主謝英傑，開頭俠氣英風襲人，接下來卻是被人抓來捉去，如同人偶。雲蓮未見過謝英傑真容，卻派人來搶親，後遇歐洲裔龍門幫主，立即改投洋人懷抱。金虎堡少堡主雷紅嬰似深愛謝英傑，卻與爺爺輩的怪老人苟且。謝英傑俠義為懷，最後卻因貪念而不齒於人。看到最後，也不知道書中人物這一番驚險熱烈的胡鬧，究竟所為何來？

倪匡長篇武俠小說生產創作歷程，至此宣告終結。與此同時，倪匡電影及衛斯理小說，正走向巔峰，光彩照人。

【注釋】

1 《精務八極・心游萬仞——與倪匡談天》，馬來西亞《南洋商報》新聞版，一九八一年二月十三日。按王錚的《倪匡年表》統計，倪匡編劇的電影只有兩百二十部左右，與倪匡所說三百多部有一定差距，尚待進一步考證落實。又：本書很多資料都來自王錚《倪匡年表》（王錚編：《倪匡散文集》附錄，第四八六—五五九頁，香港，天地圖書有限公司，二〇一八年），特此說明並致謝。

2 這份倪匡長篇小說目錄，是根據王錚的《倪匡年表》和俠聖（顧臻）的《倪匡長篇與中篇武俠小說暫定目錄》（琴雨簫風齋武俠小說隨筆・電子版），以及作者考證綜合而成。書名後面的括弧中分別列出首次刊載或出版年分、作者署名（主要是倪匡、岳川，岳川與金庸合著者也都是倪匡獨立創作）及出版單位。倪匡的小說並非全都首先在報刊連載，有些是由出版社直接出版。在《煞手神劍》單行本內頁，有一則《啟示》：「本書原在香港真報連載，但因發現無恥之徒盜印翻版，為保障作者與出版者之權益，故停止在報上刊出，專出單行本，按月一集，敬請讀者留意。」（香港，南天書業公司，一九六〇年六月初版）從這一《啟示》中，可推測一些小說由出版社率先出版的原因。目錄中有兩部小說出版單位不詳，待考。

3 為方便說明問題，作品年分從作品連載開始時計。跨年連載的作品，亦計算在開始年分中。

4 《精務八極・心游萬仞——與倪匡談天》，馬來西亞《南洋商報》新聞版，一九八一年二月十三日。

5 倪匡：《我看金庸小說・所謂「代筆」》第一四一頁，臺灣，遠流出版事業股份有限公司，一九九七年。

6 古龍：《寫在〈紅塵白刃〉前》，《紅塵白刃》第一集第二頁，臺灣，真善美出版社，一九六八年五月。

7 倪匡：《前無古人、後無來者——〈古龍精品系列〉代序》，王崢編：《倪匡散文集》第二九六頁，香港，天地圖書有限公司，二〇一八年。

8 黃卓倫:《做個媚俗藝術家不簡單——倪匡的自我剖析》,新加坡《聯合早報》一九八九年八月十三日。引者按:原文是每句話一行一段,這裡將它集中為一段,是為了節省篇幅。

9 倪匡:《一團燃燒的烈火——〈為我而生〉代序》,見王崢編:《倪匡散文集》第三一八—三一九頁,香港,天地圖書有限公司,二〇一八年。

10 轉引自王崢:《編者的話》,載倪匡:《倪匡寫武俠》第二五一頁,香港,豐林文化傳播有限公司,二〇一七年。

11 倪匡:《龍騰劍飛錄》合訂本中冊,第二一七—二一九頁,香港,胡敏生記發行,無出版日期。按:本書的封面署名為岳川著,書脊上印的卻是倪匡著。

12 倪匡:《龍騰劍飛錄》合訂本上冊,第廿六頁。

13 倪匡:《龍騰劍飛錄》合訂本下冊,第四〇四頁。

14 倪匡:《倪匡寫武俠序・武俠小說寫英雄》,第三頁,香港,豐林文化傳播有限公司,二〇一七年。

15 《精務八極・心游萬仞——與倪匡談天》,馬來西亞《南洋商報》新聞版,一九八一年二月十三日。

16 黃卓倫:《做個媚俗藝術家不簡單——倪匡的自我剖析》,新加坡《聯合早報》一九八九年八月十三日。

17 陳世驤:《致金庸函》(一九六六年四月廿二日),載金庸《天龍八部》第五冊第一九七五頁,北京,三聯書店,一九九四年。

18 《精務八極・心游萬仞——與倪匡談天》,馬來西亞《南洋商報》新聞版,一九八一年二月十三日。

19 《精務八極・心游萬仞——與倪匡談天》,馬來西亞《南洋商報》新聞版,一九八一年二月十三日。

20 這話是二〇一九年七月廿九日下午,倪匡先生對筆者說的,當時顧臻先生在場(香港,倪匡先生家）。

21 倪匡：《一團燃燒的烈火——〈為我而生〉代序》，見王崢編：《倪匡散文集》第三一八——三一九頁，香港，天地圖書有限公司，二〇一八年。

第二十一章

倪匡的中短篇武俠小說

倪匡的中短篇武俠小說值得專題討論。

有論者說：「倪匡先生是寫短篇武俠的高手，總能在極短的篇幅內，瞬間抓住讀者的心。這些短篇小說的結尾，往往出人意料，卻又令人回味。」[1] 此說符合實際。倪匡本人顯然也是這樣看，在《俠義金粉》的序言裡，記錄倪匡與臺灣評論家、出版家陳曉林先生的一段對話：「長篇的不必出了，雖然寫的極多，但不值得再版。中篇的和短篇的，可以整理一下，大概淘汰三分之一，出三分之二，其中倒也不乏頗有可觀者。」[2] 此說同樣符合實際。

一、倪匡武俠中短篇概述

倪匡寫過大量中短篇武俠小說，大部分刊載於《武俠與歷史》、《武俠世界》雜誌，也有不少作品在《明報》、《真報》上連載，另有一些作品分別刊載於《老爺車》、《東南亞週刊》、《娛樂週刊》等雜誌。中短篇小說署名仍然有倪匡或岳川。

倪匡的第一篇短篇小說是《古劍情鴛》，時間為一九六一年。其中短篇小說創作截止時間，大約是在一九七六年——倪匡曾說：「最後一篇武俠小說大概是在七六年寫的，過後就沒寫了。」[3] 如此說來，他的中短篇武俠小說創作延續了十五年。倪匡共寫作及發表過多少中短篇小說？目前尚無法獲得準確的統計數字。由於這些小說散見於多種報刊，難以搜集齊全，好在他有不少小說曾結集出版。

倪匡的第一個中短篇小說集，由胡敏生書報社出版，惜未標注出版年分。[4] 這個集子含《寶鏡奇緣》、《金腰帶》、《秘魔崖之謎》、《女俠飛紅雁》、《天龍刀》、《銀劍恨》、《青鳳奇仇》、《古墓探寶記》、《古劍情鴛》等小說。

此後，香港武林出版社接連推出九部倪匡中短篇集，具體資訊如下。

第一個集子，含《不了仇》、《長虹貫日》、《寶劍千金》、《啞俠》、《誅邪劍》、《未完成的匕首》、《快劍》等，出版時間為一九六八年秋。

第二個集子，含《百步飛針》、《殺氣嚴霜》、《紅梅金劍》、《回光璧》、《鐵手無情》、《劍分飛》，出版時間為一九六八年冬。

第三個集子，含《最後一劍》、《杏花劍雨》、《劍相逢》三個中篇，出版時間為一九六九年春。

第四個集子，含《五虎屠龍》、《影子神鞭》、《追擊》三個中篇，出版時間為一九六九年冬。

第五個集子，含《獨行女俠》、《孤俠》、《大盜柔情》、《鐵拳》、《保鏢》、《冰天俠侶》，出版時間為一九七〇年春。

第六個集子，含《鐵獄飛龍》、《火鳳凰》、《十三太保》等三個中篇，出版時間為一九七〇年秋。

第七個集子，含《夜遁》、《俠義金粉》、《鐵蝙蝠》等三個中篇，出版時間為一九七一年春。

第八個集子，含《萬里雄風》、《新獨臂刀》、《火拼》、《大俠金旋風》等四個中篇，出版時間為一九七一年夏。

第九個集子，含《五雷轟頂》、《奔龍》、《盜盒》、《玄武雙毒》等，出版時間為一九七一年秋。

一九八一年，臺灣遠景出版公司推出了《倪匡短篇小說全集》，共十二卷，書名分別為《大鹽梟》、《遊俠兒》、《飛針》、《夜遁》、《紅飛雁》、《鐵拳》、《大俠金旋風》、《五虎屠龍》、《冰天俠侶》、《龍虎雙劍俠》、《俠義金粉》、《最後一劍》，每集含四至六篇作品不等。需要說明的是：

一，此集名為「短篇小說全集」，不僅包含了倪匡的短篇小說，也包含了中篇小說。5

二，此集名為「全集」，實際上未必「全」，仍然是一個選集，主要篇幅是選自上述香港十個小說集。

三，這個集子中收入了《大鹽梟》（一九七五年）等一九七一年後發表的作品。

四，本集小說並非按照發表時間編排。

五，本集為「倪匡短篇小說全集」，並未限定為武俠小說，因而其中也包含了非武俠類作品，例如民國歷史傳奇小說《黃土》（在第二集《遊俠兒》中），以及民國偵探小說《白癡劫》（在第十二集《最後一劍》中）等。

新世紀以來，有倪匡小說愛好者和倪匡研究專家不斷發掘倪匡作品，編輯成書，如《倪匡寫武俠》（施仁毅、王錚主編，香港豐林文化傳播有限公司，二〇一七年），及《武俠與歷史・倪匡短篇武俠小說集》（王錚編，自印書，未標明出版時間）等，其中輯錄了很多未結集的作品，如《烈焰珠》、《冷雲丸》、《秘密》、《萬丈懸崖》、《血染奇書紅》、《勝者》、《在黑暗中》、《淤血灘》等短篇小說。

臺灣遠景版《倪匡短篇武俠小說全集》十二卷，每卷的封底，都印有這樣一段文字：「倪匡早期寫長篇武俠小說，後來，致力於撰寫中篇或短篇武俠小說。這個《全集》，包括了全部這一類作品。這些小說，當時幾乎全是為了拍攝電影而寫下來的。其中有一半左右，已經拍成了電影。正因為是為電影而寫的小說，節奏特別明快，有電影的現場感，情節變幻無窮，能夠吸引讀者。這些，本來是武俠小說的特點，濃縮在短篇之中來表達，與如今的社會生活節奏相符，避免了冗長和無關緊要的敘述，是武俠小說的一種新形式。《大鹽梟》、《遊俠兒》、《飛針》、《夜遁》、《紅飛雁》、《鐵拳》、《大俠金旋風》、《五虎屠龍》、《冰天俠侶》、《龍虎雙劍俠》、《俠義金粉》、《最後一劍》，這些懸宕又浪漫的書名，構成了一個獨特的、激蕩的、奇情的世界。倪匡從那光怪陸離的江湖恩怨中，透視了人性永恆的隱秘，捕捉出人類可貴的真情，這是倪匡的妙眼，也是倪匡的慧心。」

這是一段行銷廣告，難免有誇張溢美之辭，未可全信。但也不能有偏見，認為廣告皆虛言。說倪匡中短篇武俠小說節奏明快、有電影現場感、情節變幻無窮、能夠吸引讀者、避免了冗長和無關緊要的敘述等等，則大體符合實際，不可不信。

倪匡的中短篇小說的特點，其一，是與其長篇小說相比，有更多色彩，具體說，是有更多亮色。亮色的背後，則是作者溫暖情懷。例如作者最喜歡的《俠義金粉》，並非為書中人物塗上俠義的金粉，而是在其酒色財氣的背後，發掘出人類共有的同情憐憫之心。以不可思議的傳奇情節，表達人之為人的真諦。

小說特點之二，是言之有物。所謂避免了冗長和無關緊要的敘述，不僅是篇幅的減縮或枝蔓的刪剪，更重要的是始終抓住小說的敘事核心，即人類情感、個性及種種色相，從而不至於在炫技般敘事圈套中迷失，更不會徒有精美包裝。例如《銀劍恨》中的奪寶情節詭異離奇，引人入勝，但仍不過是情感書寫的輔道。

小說特點之三，是恰當留白，追求言外之意，建構寓言空間。所謂技進乎藝、藝進乎道，關鍵奧妙是，其「道」往往在虛空留白中。詩如是，畫如是，小說亦如是，蒲松齡、莫泊桑、契訶夫小說莫不如是。倪匡最好的短篇小說，如《勝者》、《血染奇書紅》、《生與死》等等，即便未臻完美，亦庶幾近之。

二、倪匡短篇武俠小說述評

有論者說：「倪匡先生的武俠小說，中篇強於長篇，而短篇又強於中篇。」[6]這可能代表一部分讀者的印象。所以如此，是因為短篇小說中難容太多包裝虛套，需開門見山——應該說是開門見人、見情、見性、見心。文學是人學，要旨在書寫人類性情及人間色相，傳奇不過是一種書寫形式。

下面對一些短篇小說作述評。

《古劍情鴛》

講述少女阿鳳的身世傳奇。養父黃能，竟是殺父仇人；盜圖之敵祝三花，是她的親妹妹；情人程一規，是她殺父仇人的獨生子。小說看點，是寫出了武林人的代際變化和個體選擇。阿鳳和程一規不受上代仇怨影響而成就古劍情鴛傳奇，這是代際變化。黃能圍攻霍英白夫婦，卻又撫育霍英白的遺孤阿鳳，以至於夫妻反目，這是個體選擇。程一規深愛師妹祝三花，而祝三花卻傾心於桑萬，桑萬全無乃父桑秋鳴的鐵骨英風，是另一種代際變化和個體選擇。

《金腰帶》

天魔教教主的女兒公孫燕，戲弄俠客邱明，氣走邱明的未婚妻紅衣女俠花倩。花倩中毒昏迷，引發花氏父兄與天魔教主公孫湛惡鬥。公孫燕找到毒蛇金腰帶，終於化干戈為玉帛。看點是魔教公主公孫燕無事生非的驕縱個性，以及情竇初開的下意識衝動：邱明是她第一個心儀對象。

《天龍刀》

與《金腰帶》關聯。公孫燕假手邢秉仁奪天龍刀故事，過程曲折而神秘，只是表象。真相是，魔教公主找情郎。利用邢秉仁奪刀，不過是要「考察」候選新人，進而培養感情，最後果然稱心如意。

《青鳳奇仇》

新婚之夜，新娘丁小瑩竟重傷新郎陸康。原因是新娘臂上有字，持青鳳劍者即她的殺父仇人。由此引起親家互鬥，丁母賽玉環找到真相：丁小瑩的父母，是被養父丁澄所殺。恩仇情怨，如何了得？讀者難免擔心：「持青鳳劍者，掌砍汝父，足踢汝兄，姦殺汝母，汝不殺其父子，九泉莫見汝父。」這麼多字刺在女童臂上，是否可能？

《古墓探寶記》

蘇州天平山古墓有寶，探寶者互相殘殺，古墓前屍體堆積。史茵、史威姐弟輕信蘇周世，差點送命，幸而母親母親三花娘子及時現身，救人奪寶，教育兒女學識人。故事曲折離奇，寓言主題饒有趣味。

《飛劍手》

洛陽城綢緞莊主人郭永新有「飛劍手」絕技，兼職保暗鏢。遇關西六虎劫鏢，殺了六虎，自己也受傷。回家發現，妻子竟是黑道強人于東陽的女兒，與他結婚，是為報父仇。郭永新不忍殺妻，只能默默地冒雨離家。故事言簡意賅，武林中再好的飛劍手，也斬不斷世間情仇鏈，人在江湖，只能感傷。

《勝者》

二十四家幫會好手聯合圍攻天山神鷹，全都被後者誅殺。幫會強援黃鸝兒晚到一步，惡鬥更為凶險。鬥到懸崖絕境，兩人互相拯救，異性相吸超越了立場衝突，神鷹與黃鸝兒竟成情侶，共赴溫柔鄉，誰是勝者？值得深思。

《在黑暗中》

何威孤身前往粉衣教總壇，為友人報仇。面對高手圍攻，只得打下水晶吊燈，在黑暗制服粉衣教新教主周玉柔穴道，對方無限溫柔，結果兩情相悅，最終結為夫婦。真正秘密是，周玉柔能移動穴道，故意被何威點中，在黑暗中，男性何威，不是女性玉柔的對手。

《不了仇》

向三在現任北五省武林盟主洪陵家做馬夫，伺機刺殺前武林盟主毛人雄，為父母報仇。刺殺再次失敗，眾人得知他父親是粉蝶兒向花、母親是金蜂仙子白冰娘，紛紛找他報仇，被毛人雄勸阻。看點是：向三盲目無知，毛人雄俠義心腸，以及洪陵之子洪天心的紈褲行徑。

《誅邪劍》

莆田大俠林承海派門下十二弟子抗擊倭寇，獨子林天鷹被俘，倭寇首領山口勇脅迫林承海與之合作。林承海拒絕，主動決戰，結果兩敗俱傷。再戰時，林天鷹逃出匪窟，殺了山口勇，殲滅倭寇。林承海、林天鷹父子寧死不屈，讓人震撼。林承海的誅邪劍被山口勇磕飛，恰被林天鷹接住，有象徵意義。抗倭勝利，村民歡騰，林天鷹和洪素鳳只是靜坐，安享和平，主題鮮明。

《未完成的匕首》

年輕鐵匠劉天朗和小麗相愛，小麗被林府請去繡花，捲入武林衝突中，他不得不為自己打製一把匕首。衝突了結後，大俠林倫要收他為徒，劉天朗堅決拒絕，也放棄了未完成的匕首。他只想做鐵匠，不想做武林人。林倫是大俠，其子林青雲卻仗勢欺人；採花賊費柏生對女兒小麗也有父愛真情。

《快劍》

武林三年一比武，爭奪第一劍手。被快劍龍威打敗的蓋天豪，為奪回第一頭銜，不惜與金骷髏聯手殘害龍威，自己卻被金骷髏殺害。指殘的龍威練成鏈子快劍，殺了金骷髏，但卻不要第一劍手頭銜。故事主題是：虛名害人。大俠蓋天豪晚節不保，即是最好的證明。快劍龍威不為虛名所累，形成鮮明對照。

《鐵拳》

鐵拳胡千鈞到清遠鏢局找工作被拒且被侮，大盜佟明魂偽裝嚴百萬，被當作上賓，順利搶劫鏢局。胡千鈞提醒，被批無理取鬧。胡千鈞打敗強盜，鏢師卻與他拼命，直到他將鏢銀奪回，才對他刮目相看。胡千鈞頗似伏爾泰筆下的老實人，江湖中人善惡不分，不信人間有好人，這是人性弱點，也是文化病。

《烈焰珠》

太監魏忠賢不把崇禎皇帝放在眼裡，因為他有烈焰珠，上有先帝遺刻，可廢立皇帝。小官徐盛門下，有李敢、葉勤、華今非三人，感徐盛當年平反冤獄之恩，不惜犧牲自己，盜走烈焰珠，使魏忠賢伏誅。李敢、葉勤、華今非三人，有古代俠義之風，符合司馬遷對俠的定義，俠義精神光彩照人。

《冷雲丸》

孔瑾、孔瑜的父親孔逸身負重傷，需冷雲丸救命。不懂武功的孔瑾自作主張為父親送藥，一路九死一生，幸得叔叔孔飄解救。小說可以兩面看，一面是孔瑾無知盲目而膽大妄為，把一塊碎銀當作冷雲丸；另一面是她為救父而勇於擔當、不惜犧牲，藥是冷的，心是熱的。

《秘密》

岳飛讓內奸湯富穿過敵營送密信到五龍山，湯富將密信送到金兀術手裡，但函中並無密信。漢奸仇羅決定將計就計，讓湯富去五龍山探秘。湯富到五龍山軍營即被剃光頭髮，密信在湯富的頭皮上。敵我相互算計，想像神奇，結局精彩。只是作者忽略了，湯富被剃光頭、刺密信，三天內不可能長出長髮。此計雖好，卻不可行。真正亮點，是金營中孫老七及另兩位無名志士劫密信、殺漢奸，壯志未酬身先死。

《萬丈懸崖》

少年四兒採參時跌落懸崖，幸被兩位隱俠相救。見其中一人生命垂危，說出何處有人參。獲救者收四兒為徒，數月後，有人來尋仇，師父怕危及四兒，命他離開。四兒攀崖回家，母親被逼死，惡霸徐彪逼四兒找人參，四兒與徐彪在懸崖上同歸於盡。故事的動人之處，是四兒天生俠義心腸。其人生如此短暫，更讓人扼腕傷懷。

《血染奇書紅》

少林寺方丈了塵生命垂危，慧因、慧明、慧空師兄弟為爭奪《達摩尊者九年面壁錄》而內訌，三敗俱傷。笑面魔君尹徵在少林寺做火工，最終奪得染血奇書，得意洋洋之際，方丈了塵卻在他身後大笑。小說情節極其緊張，人物心靈不慧、不明、不空，性靈蒙昧，象徵意義明顯。

《生與死》

曾家寨馬夫陶峙雲與小姐青姮相戀，寨主將青姮另許他人，陶峙雲希望私奔，青姮卻要他刺殺她。陶峙雲情思恍惚，不辨生死，遇無名老僧與他談論生死，並揭露真相，凶手果然另有其人。死亡有兩種，一是身死，一是心死，經過老僧點化，陶峙雲能否感悟生死奧秘？令人期待。

《淤血灘》

龍少白與歸韻華聯手殺了羅家三霸中的兩個，由此相識並相愛。新婚之際，遇三霸的師父天荒老人為徒弟報仇，在長江瞿塘峽附近攔截並惡鬥，這對夫婦拼死護衛對方，雙雙受傷嘔血，染紅江中礁石。天荒老人被其深情感動，不再趕盡殺絕。《淤血灘》愛情故事寓美麗於凶險，可謂不朽傳奇。

三、與電影有關的小說

倪匡有不少中篇小說被拍成了電影，值得專題討論。

被電影改編的小說通常都是好小說，至少是好看的小說。退一步說，能被電影導演相中，必有其理由，諸如有足以吸引人的故事情節，或足以引起觀眾興趣的話題。小說被改編，通常是先有小說，其後才有改編，但倪匡中短篇小說的情形稍有不同。因為他本人就是張徹等導演欣賞且信任的編劇，經常參與電影策劃，所以不排除有些作品是先有電影、後有小說；還有些作品可能是在電影策劃的同時，小說和劇本同時出爐，一魚兩吃。至於說倪匡寫作中短篇小說是否全都是為拍電影而寫？是否有接近一半的小說拍成了電影？則有待進一步研究。

下面就對一些被改編成電影的小說作簡短述評。

《紅梅金劍》（電影《龍門金劍》於一九六九年上映）

岳陽金劍山莊莊主白震東失蹤十年後，其子白玉龍新婚之際又被蒙面人抓走。金劍山莊總管彭大叔（失蹤的青城派掌門人鹿威）揭開紅梅宮的秘密，過程驚心動魄。真相更加驚人，白玉龍是紅梅宮主和白震東的兒子，紅梅宮的規矩是，相關男子須永遠留在宮中，否則殺無赦。規矩形成，自有因由，生存鬥爭導致性別戰爭，紅梅宮成了女兒國，女權社會與男權社會同樣可怕，性別不平等，即是罪惡之源。

在所有封閉社會中，人人都是規矩的奴隸。好在紅梅宮還有一條特別規矩：若宮主想改變紅梅宮的規矩，須用自己鮮血灑遍石刻規矩的每一個字。這導致故事最後的驚人逆轉，紅梅宮主用自己的生命鮮血，保證了丈夫白震東、兒子白玉龍的自由和尊嚴。愛的力量引導了生存方向，使這個故事有了不可低估的寓言價值。

《殺氣嚴霜》（同名影片於一九六九年上映）

被關押在死牢中二十年的丁天野被大赦出獄，一心找出當年出賣他的人。嫌疑人陳烏、燕大南、項飛先後被排除，最終證明，告密者竟是龍門幫幫主金龍神君。小說融合武俠與偵探元素，故事層層深入，最後突然逆轉，布局精彩，這還只是表層。表層下面，是丁天野、俞紅紅的悲慘命運。丁天野做死囚二十年，失去了戀人，從玉面郎君變成醜陋畸形，更可悲的是不知道被誰出賣、為什麼被出賣？俞紅紅更加不幸，父親竟命令她去殺自己的戀人，劫獄不成，只好到鐵心庵出家，法號「無根」。

小說的核心看點，是悲劇製造者、不可理喻的金龍神君：燕大南向幫主求親，卻被幫主大罵；女兒與丁天野戀愛，卻下令讓女兒去殺其心上人；最後將丁天野送入死牢。

他為什麼要這麼做？書中沒有明確解釋，留出了想像與思索空間。

《保鏢》（同名電影於一九六九年上映）

表層看點是保鏢故事。飛虎寨高手雲集，籌畫精密；無敵莊主殷可風練功岔氣，缺少強援，此鏢結局如何，遂成揪心懸念。更深看點是向定、雲飄飄。向定年紀輕而武藝好，難免不知天高地厚；對雲飄飄一片深情，難免過度敏感，視駱逸作眼中釘。直到駱逸為他犧牲，他才震撼成長。雲飄飄美麗溫柔，且靈性過人，因而理解、信任並尊重駱逸，讓駱逸為之兩肋插刀。

小說的核心看點是駱逸。此人清高，所以落寞；因為落寞，愈發清高：不願偷、不願搶、甚至不願接受他人饋贈。一身武藝，卻找不到工作，不得不賣掉愛馬才得果腹。不自輕，不自賤，更不願與劫匪同流合污，卻願意免費為人保鏢，不是因為雲飄飄為他贖回坐騎，只因為理解和尊重。令人感動的是，雖然屢受向定刁難擠兌，卻為拯救向定而犧牲自己，只因他是雲飄飄的未婚夫。駱逸的生命短如流星，其形象光芒卻不會熄滅。駱逸死後，雲飄飄淚流滿面，這是怎樣的感情？值得仔細品味。

《遊俠兒》（同名電影於一九七〇年上映）

故事主線是盜匪朱武等人謀奪威勝鏢局的暗鏢，重點卻是表現遊俠兒的仗義行為。

在奪鏢故事發生之前，他就先後邂逅了盜匪過天雲、放天龍、鍾赤虎、金利來、侯九，每次邂逅都很有趣。正反面人物全都出場後，奪鏢故事才正式開始，可見布局之巧。遊俠兒性格開朗，心地善良，形象生動。戲謔盜匪，救濟饑民，還以裝死方式哄江靈開心，足見溫暖情懷。他也容易上當，朱武說要劫奪毒龍會的珠寶送給災民，他就不假思索地隨行。知道自己鑄成大錯，就單身冒險，拼命奪回暗鏢，自己也重傷不治。他曾說，寧願死也不願聽女孩子哭泣，但江靈的哭泣，再也無法將他喚醒。小說寫他上當受騙，寫他英勇戰死，讓遊俠兒形象更加深入人心，難以忘懷。

《十三太保》（同名電影於一九七〇年上映）

講述李克用麾下名將李存孝故事。李存孝身材瘦小，出場時醉臥城頭，怎麼看都不像蓋世英雄。這是作者欲揚先抑，很快就看到他在敵軍陣中如入無人之境，抓獲名將孟絕海，讓人刮目相看。後六太保（電影中改為九太保）入長安擾敵軍心，險些射殺黃巢，更顯示出李存孝勇猛善戰而又足智多謀。與長安賣菜女翠燕邂逅，雖是輕描淡寫，卻讓人感到他內心柔情。四太保李存信和十二太保唐君利嫉妒李存孝，又受朱溫誘惑，勸李克用入汴梁見朱溫，導致十一太保史敬思為護衛李克用而犧牲。李存信和唐君利索性乘李克用醉酒之際，盜走李克用隨身寶劍，騙李存孝入營並將其五馬分屍。李存孝的孤兒心態和忠義氣質得到凸顯，還留有很大的想像與思索空間。

《新獨臂刀》(同名電影於一九七一年上映)

鴛鴦雙刀雷力出道未久即揚名江湖，大俠龍異之為保持其名聲地位而暗中剪除新人，迫使雷力斷臂並退出江湖。雷力在小飯館當夥計，沉默頹唐，因得到鐵匠女兒巴蕉關注而恢復生機。武林新秀封俊傑調查威虎山莊，與雷力結交。威虎山莊送來請柬，邀封俊傑赴宴，雷力警告封俊傑說龍異之必在彼處，封俊傑不信，被龍異之所害。雷力忍無可忍，持巴蕉所贈單刀前往威虎山莊，將莊主陳震南、龍異之及為虎作倀的打手殲滅。

小說非常簡潔，無多餘枝蔓，龍異之虛榮陰險，雷力隱忍沉鬱，封俊傑意氣風發，巴蕉情竇初開，都寫得鮮明生動。弱點是，龍異之不過是地方惡霸，卻擔「天下第一」之名；雷力退隱江湖，卻仍生活在威虎山莊輻射範圍之內，讓人難以置信。雷力退隱之後，未專門訓練獨臂刀，何以有如此驚人的威力？電影中增加雷力苦練獨臂刀細節，顯然更為合理。

《冰天俠侶》(電影名《冰天俠女》，一九七一年上映)

八歲女童沈冰紅眼見父母被殺，自己的雙腿也落下殘疾。十年後她開始復仇，先後殺葛鷹、西門沖，殺高允時力有不逮，高允卻沒有殺她，而是向她說明了沈盾夫婦盜翠鳳劍的真相，且說她的腿有可能康復，高允次子高天英還主動陪她到南海火山、北極冰田。沈冰紅在冰田溫泉中治療時，童洪、童明珠父女率人趕到，為奪高天英手中翠鳳劍，將他逼入冰田中。沈冰紅將救命火珠交給高天英，她自己卻凍成冰人。高天英決意在冰田旁永遠守護愛侶。

小說故事情節曲折傳奇，主題更是新穎動人。高允、高天威、高天英父子兄弟俠義為懷、關心弱小、情感真摯，溫暖融化了沈冰紅心頭冰寒，最終不僅放棄復仇，且為愛侶而犧牲，成為閃爍人性光輝的永恆雕塑。

《火拼》（同名電影一九七一年上映）

講述銀號搶劫案的劫匪內訌。情節設計極其精巧。搶劫過程令人驚奇，層層剝離，才見真凶。大盜滕奇影是表層裝飾，蒙娘子和花夫人是第二層裝飾，扮沈公子的花蝶兒和扮車夫的蒙龍是第三層即實施搶劫者，福來銀號護衛領班文禮賢才是搶劫行動主謀。更驚人的是搶劫成功後劫匪相互火拼，先是蒙龍殺連襟花蝶兒，繼而是蒙娘子謀殺親夫而等待情夫文禮賢，繼而文禮賢看上花夫人而殺蒙娘子。最後，滕奇影殺了文禮賢，卻被當作劫匪處決。

文禮賢形值得一觀，綠林寨主為搶劫而變身銀號護衛，看起來文質彬彬且忠心耿耿，實際上老謀深算且心狠手辣。有趣的是，大盜滕奇影作了文禮賢的反襯，文禮賢做案，卻是滕奇影擔罪。故事中沒有俠士，只有貪婪、欺騙和殘忍。

《鐵蝙蝠》（電影名《雙俠》，一九七一年上映）

康王趙構在金國做人質，漢人武林高手前往營救，全都犧牲。鐵蝙蝠找到師兄嚴律人，卻被漢奸于彩暗器所傷，幸被鮑廷天師兄弟所救。為救康王，鐵蝙蝠假意降金，為取信而殺了鮑廷天。最後將計就計，殺了康王替身，救出康王，卻因殺鮑廷天而受漢人武士圍攻。

這是倪匡最好的小說之一。開頭氣勢非凡，四十二位武林高手為救康王而前赴後繼，讓人熱血沸騰。鐵蝙蝠個性突出，看似漫不經心，卻意志堅定，又能隨機應變。更難能可貴的是，懂得為國家大計而犧牲小義，殺鮑廷天即是驚心例證。最終他為此付出生命代價，他沒有錯，錯的是那些頭腦簡單的草莽英雄。小說結尾令人震撼，更發人深思。電影《雙俠》是平庸之作，唯一可取之處，是將鐵蝙蝠改名邊幅，更像正常人名。

四、其他中篇小說述評

小說與電影畢竟是兩種不同的藝術形式，小說通過文字訴諸想像，而電影則通過鏡頭直接呈現畫面形象。文學史上常有的情況是，最好的小說往往難於被改編成電影，即便改編也不見得是可與小說文學成就匹配的好電影，小說改編的好電影常常是由次好的小說改編而成。倪匡小說中也有不少好小說沒有被改編成電影，例如他本人最喜歡的《俠義金粉》，原因是其中關鍵情節只能想像，直觀表現出來反而讓人難以置信。當然，沒被改編的小說並非都是好小說。

下面對沒被改編成電影的倪匡中篇武俠小說作簡短述評。

《百步飛針》（一名《飛針》）

青年李維揚不服「無敵女俠」黃小玉，與朋友打賭要奪下黃小玉的劍，卻錯把令狐黠妾婦戚金花當作黃小玉，受譏諷且被偷襲。後把黃小玉打下懸崖，卻發現那不是偷襲自己的人。黃山威夫婦八年來一直在追殺李維揚，卻沒想到身邊的丁駝子就是李維揚。如此陰差陽錯，源自衝動與盲目。不足之處是西域魔宮主人令狐黠鳩占鵲巢、囚禁黃小玉等情節，有些勉強。

《劍分飛》

武林名宿汪雷七十大壽，武林中人前來祝壽。呂不凡來為師父鐵劍老人討回公道，打敗汪雷後離開。于武、丁烈等人騙回呂不凡，要將他毒殺。丁烈的妻子甄飛鳳提醒，呂不凡苦戰脫身。小說從丁素娥的視點去寫，不僅視點客觀，看到正派中人如何不正派；且把復仇故事導向愛情故事。甄飛鳳與呂不凡相愛在前，無奈父親將她許配給丁烈；丁素娥對呂不凡傾心於後，無奈呂不凡對甄飛鳳無法忘情。結局是，呂不凡孤帆遠去，丁素娥黯然神傷。

《最後一劍》

三絕派掌門蒙威門下八個弟子相約回開封為師父祝壽，五、六、三、四、七等弟子先後被殺，遺體旁有邪派高手鳳七姑的小劍。老七臨終呼喊「八師弟」，使八師弟陸鷹揚成為重大嫌疑人。蒙威的獨生女兒蒙茵茵相信陸鷹揚不會殺人，劫陸鷹揚逃入樹林，遭遇二師兄萬舜水追殺。中條雙劍、鳳七姑先後趕到，萬舜水最後一劍，被鳳七姑擋回，殺死了他自己。故事情節神秘曲折，真相卻很簡單，萬舜水殺害同門，是想當三絕派繼任掌門人。重點不是道德批判，而是心理刻畫，其陰謀看似天衣無縫，仍不過是自作聰明。

《杏花劍雨》

宋天池要來蘇家莊，蘇映珍出莊迎接，發現宋天池身負重傷。莊主蘇豹懷疑女兒蘇映珍因嫉恨打傷對方，蘇映珍決心查明真相。真相是，宋天池為了成名，娶了武功奇高的金圈幫主，害怕蘇映珍揭露他始亂終棄，設計讓她身敗名裂。故事充滿戲劇張力，看點是宋天池的自私和虛榮。「報導先生歸也，杏花春雨江南」，春雨變成了「劍雨」，令人感慨。令人疑惑的是，宋天池假傷詐死，如何瞞得住蘇豹這一行家？

《劍相逢》

有怪人在會賓樓賣劍匣，索價居然是萬兩黃金。風寒冰、風寒雪姐妹到會賓樓請客，鬧得人心惶惶，主賓遲遲不到，其隨從屍橫馬上。武功絕世的綠林盟主風四家中竟然有人入侵。來人是風四的好友淳于連，他們曾一起去苗疆尋找稀世珍寶比翼劍，此次來是諍友勸善，風四決定皈依佛門。故事開頭十分精彩，風寒冰、風寒雪、汪威等人形象也鮮明可觀。弱點是淳于連形象概念化。

《獨行女俠》

匪首鬼王厲吼和鳳娘子，率劫匪為禍一方。女俠鳳蓮來到仙桃鎮，被誤認為鳳娘子，遭王家武士圍攻。王家三少王雲飛尾隨其後，一起出生入死，誘殺鬼王，鳳娘子自取滅亡。看點是鳳蓮與鳳娘子這對同胞姐妹，品行氣質截然不同。獨行女俠鳳蓮雖勇氣過人，卻也有幾分托大、幾分賭氣、幾分天真。不足是結局有些匆忙。為什麼不與王雲飛繼續合作到匪幫徹底覆滅？她與王雲飛的關係沒有展開，令人遺憾。

《孤俠》

小說前三分之二，是王琳琳歷險故事。天誅宮中邪魔聚集，新奇誘人。結局是王琳琳愛上孤俠，最後自願變成孤俠。孤俠張天敏形象可觀，孤俠之孤，是因為其妻美貌被毀，夫妻分離；孤俠之俠，是多次拯救王琳琳，且不貪閃光金（閃光金能讓其妻恢復容貌）。王琳琳自幼在玄嫗門下，不免沾染邪氣；孤俠張天敏重塑了她的人生觀。因為愛孤俠，所以理解孤俠對妻子的愛，願意奉送閃光金以成全他們的愛。因為失去所愛，她願做新一代孤獨之俠。這結局讓人感傷，也讓人振奮，王琳琳雖然孤獨，俠路人生，何愁天涯無知己？

《大盜柔情》

獨行大盜雷天聳被關入萊州大牢，其好友洪劍範挖地道營救，出口偏到了黑煞星家中。黑煞星當年偷情害妻，如今正面臨妻子的報復。洪劍範、雷天聳的「大盜柔情」，與自私慘酷的黑煞星夫婦、郝夫人姐妹形成鮮明對比。故事聯結點：是雷天聳的妹妹、郝夫人的弟子、奉命刺殺黑煞星、有心照顧洪劍範的雷婉兒，她的選擇決定了他人的命運、故事的走向，更顯示自己的個性。小說開頭歪打正著，中間懸念不斷，繼而層層揭秘，結局出人意表。

《俠義金粉》

講述俠、義、金、粉四個江湖奇人，即「醉而不俠」譚盡、「粉面玉郎君」秦深、「多多益善」金不嫌、「義無反顧」顧不全，原本分別喜歡酒、色、財、氣，與六歲女童白棗兒接觸，竟改變各自慣習，為護衛白棗兒不惜犧牲。白棗兒沒有魔法，卻如金庸筆下張無忌初生啼哭，能喚醒人性，激發良知。書中酒色財氣算不上俠道，卻都是性情中人。故事奇特而精巧，語言幽默生動，寓言深刻有趣，打動並溫暖人心，堪稱小說佳作。

《五雷轟頂》

飛龍寨固若金湯，元朝兵馬無法攻克，洪威單騎上山，與龍麟、貝奮、陳英群三位寨主結拜兄弟，誓言背盟者遭五雷轟頂。洪威力勸三寨主跟他打江山，但他卻是蒙古朝廷鷹犬，先後殺死龍麟、貝奮，又派人刺殺陳英群，龍珠兒拼死報信，陳英群吞炭毀容，終以「五雷轟頂」之技殺了洪威。貌似因果報應，實為政治梟雄與山林草莽的差異。故事情節曲折跌宕，扣人心弦。

《奔龍》

大俠黃英傑動員俠道將神槍李伯祺的女兒李青花送到關外避險，鏢頭徐虎子送到魚家莊，發生驚人變故。李青花竟是惡魔長白飛屍的女兒，李青花不願認惡魔為父，與潛龍幫主霍文淵挖地道私奔。霍文淵由「潛龍」變「（私）奔龍」，因神奇的「美女效應」，當年李伯祺也是如此。小說主題，是美女李青花的身分認同危機和自主人生選擇。不足之處是，有些情節顯得隨意。

《大鹽梟》

鹽幫利潤驚人，窖藏黃金無數，只有幫主知道埋金處。南通舉人張翱為獲取鹽幫黃金，設計加入鹽幫，娶新幫主蘭姑為妻，離間與蘭姑青梅竹馬的陳典文。蘭姑離家出走，被張翱殺害。這是個復仇加偵探故事，小說從陳典文十年之後尋找蘭姑蹤跡開始，調查舊案，揭露張翱的陰謀，發現蘭姑遺體，殺了張翱。小說的新意是，張翱是舊舉人，而陳典文則留學日本，結識孫中山，成了現代知識分子，兩人之間有新舊價值衝突。敘事特點，現在進行時與過去完成時相互穿插，在陳典文尋找蘭姑蹤跡的過程中，不斷插入十多年前鹽幫往事。

《風雲變幻三十春》

三十年前，呂明中與東方昭華是「天地雙友」，烈火鳳凰馮秀娟嫁給呂明中，使天地雙友反目。呂氏夫婦帶兒子路經張家坪，東方昭華要報仇，致使嬰兒失蹤，呂明中夫婦歸隱。三十年後，呂氏夫婦重訪張家坪，發現殺人凶徒正是他們失蹤的兒子，父親被兒子殺害，母親與兒子同歸於盡。悲劇因果，值得深思。無辜嬰兒被狼叼走，落入泰山黑魔君手中，獸性壓倒人性，實肇因於東方昭華、烈火鳳凰盛氣凌人。書中殺人不見血的匕首，是仇恨象徵物，只可惜當事人至死也不明白究竟。

《天才殺手》

馬夫周見怒殺莊主，被另一馬夫看到，為了滅口，不斷殺人。職業殺手柳三發現周見有殺手天賦，選他為接班人，最後兩人同歸於盡。小說布局周密，故事傳奇，人物更傳奇。周見殺人，是叢林動物行為；柳三帶他去妓院，把周見帶入叢林深處，讓周見變成純粹動物，生活只為交配和殺人。為了交配，需要金錢；為了掙錢，就去殺人。周見毫不尊重生命，在與朱小紅交配後，即能冷酷無情地殺死朱小紅的父親。周見與柳三相互殘殺，如同動物爭食。

五、中篇小說《銀劍恨》

下面對中篇小說《銀劍恨》作較為詳細的分析。

《銀劍恨》有前後兩個故事段落，始終有兩條故事線索交織，前段是由奪寶故事與愛情故事交織，後段是由復仇故事和愛情故事交織。奪寶、復仇都只是故事的表層，用以吸引讀者；愛情故事才是小說裡層，主題即「銀劍恨」悲劇。

奪寶故事是：青城山的某個山谷水潭中有七彩光華閃爍，預示有寶劍，引來奪寶人。衛桐客帶著大師兄的女弟子馮若梅來了，邪派高手縮骨鬼仙率弟子也來了，為確保萬無一失，縮骨鬼仙還請師弟玉面書生楊立幫忙。衛桐客來到瀑布前，被人以七色彩帶拉入水中，待他從水中浮出，馮若梅和敵人都不見蹤影。衛桐客請武林隱逸棋翁和醉翁幫忙尋人，進而，衛桐客被縮骨鬼仙打下水潭，在水潭深處得到了七珠銀劍，殺了縮骨鬼仙及其弟子。奪寶過程曲折迷離，足以吸引讀者。

愛情故事是：小師叔衛桐客愛上了師侄女馮若梅，把尋寶之路當作情人踏青，對是否得到寶劍並不在意。由於陰差陽錯，衛桐客得到了寶劍，而失去了情人。馮若梅被奪寶敵手、玉面郎君楊立「劫」走（**他不知道、更不相信馮若梅愛上了楊立**）。小說的後半段，是衛桐客巧遇七索劍林百新，練成七索劍法，尋找楊立報仇的經歷。此時楊立和馮若梅已成婚，且生了一子。衛桐客殺了楊立。馮若梅在丈夫楊立身旁自殺。衛桐客從此在山洞中隱居六十年，結局發人深思。

小說最大的藝術貢獻，是刻畫了主人公衛桐客的形象。此人號稱「青蓮秀士」，智商或許還行，情商卻是太低，不僅自以為是，而且一意孤行。他愛師侄馮若梅，就以為馮若梅也愛自己，沒想到馮若梅會為「亂倫焦慮」所困擾。見馮若梅與楊立在一起，即不顧一切地攻擊楊立；馮若梅說楊立是「自己人」，更是怒不可遏，大罵馮若梅是「賤人」，並將她打傷。全沒想到，愛對方須珍惜對方，更要尊重對方。若非楊立將馮若梅救走，馮若梅性命堪憂。

進而，他以為楊立救人行為是「綁架」馮若梅，以為馮若梅說楊立是「自己人」是為了不讓楊立殺害自己，進而自以為是地想像馮若梅與楊立在一起會受盡苦難折磨。最離譜的是，明明見到馮若梅與楊立結婚生子，其子被野狼圍攻，他不救孩子，而是殺了孩子的父親楊立，導致馮若梅絕望自殺。《銀劍恨》悲劇的真正根源，正是是衛桐客追求愛，卻不懂得愛，更不懂得理解和尊重愛人。

馮若梅、楊立也值得一說。先說馮若梅，她雖喜歡衛桐客，但他畢竟是自己的小師叔，害怕「亂倫」。所以，她對「小師叔」的稱呼不願改口。在此微妙時刻，玉面書生楊立出現了。楊立是玉面書生，個性開放、為人寬厚。更重要的是，與楊立相遇，讓她暫時擺脫了小師叔的「糾纏」及潛意識中的亂倫焦慮。馮若梅對楊立未必是一見鍾情。馮若梅與楊立在一起，其實是由衛桐客推動，衛桐客打傷馮若梅，楊立救她並長期悉心照顧，日久生情，最終嫁給楊立。

楊立雖是縮骨鬼仙的師弟，其個性品質與師兄不可同日而語。他雖答應幫助師兄奪劍，但不允許師兄濫殺無辜；他對寶劍很好奇，並從衛桐客手中盜走了寶劍，把玩一番之後就還給了衛桐客（**有意思的是，馮若梅勸他留下寶劍，他堅決拒絕**）。此人雖我行我素，為人卻不失公正大度。由於專心練武，年過而立才情竇初開，對馮若梅的愛十分純粹且純潔，因而十分可愛。如此，馮若梅最終愛上楊立並與他結為夫婦，是合情合理。只可惜衛桐客盲目固執，製造了銀劍恨。

六、倪匡對武俠文化史的多種貢獻

倪匡在香港武俠小說史上應有特殊地位。除撰寫四十二部長篇武俠小說和數量更多的中短篇武俠小說外，他還有以下幾方面的貢獻，不能不說。

一、倪匡對香港武俠電影史的重大貢獻。

倪匡曾自撰對聯：「屢替張徹編劇本，曾代金庸寫小說」，說他的兩大得意事。第一件就是屢替張徹編劇本。倪匡和張徹合作多年，共同創作了數十部電影，其中大部分是武俠電影（篇幅有限，具體片目恕不一一抄錄），包括《獨臂刀》、《十三太保》等武俠電影經典之作。「倪匡編劇，張徹導演」是香港電影、尤其是香港武俠電影史上最知名品牌之一，共同創造了香港武俠電影的輝煌。要說明的是，倪匡不僅是給張徹一個導演編劇，他與楚原等諸多導演合作過。

倪匡對武俠電影的貢獻，還應包括他對金庸小說、古龍小說的電影改編。

首先，倪匡改編了金庸的大部分小說，諸如：

《射鵰英雄傳》（一九七七，張徹導演）
《天龍八部》（一九七七，鮑學禮導演）
《笑傲江湖》（一九七八，孫仲導演）
《射鵰英雄傳續集》（一九七八，張徹導演）
《連城訣》（一九八〇，牟敦芾導演）
《飛狐外傳》（一九八〇，張徹導演）
《碧血劍》（一九八一，張徹導演）
《書劍恩仇錄》（一九八一，楚原導演）

《射鵰英雄傳第三集》（一九八一，張徹導演）
《神鵰俠侶》（一九八二，張徹導演）
《俠客行》（一九八二，張徹導演）

同時，他也對諸多古龍小說作電影改編，諸如：

《流星・蝴蝶・劍》（一九七六，楚原導演）
《天涯・明月・刀》（一九七六，楚原導演）
《楚留香》（一九七七，楚原導演）
《飄香劍雨》（一九七八，李嘉導演）
《大地飛鷹》（一九七八，歐陽俊）
《護花鈴》（一九七九，鮑學禮導演）
《名劍風流》（一九八一，李嘉導演）
《血鸚鵡》（一九八一，華山導演）
《浣花洗劍》（一九八二，楚原導演）[7]

金庸小說、古龍小說改編成電影是一回事，由武俠小說家兼電影編劇倪匡來改編金庸、古龍小說，則是另一回事。這不僅是武俠電影史的研究題目，同時也應該是倪匡研究的一個重要組成部分。

此外，倪匡對武俠電影史的貢獻，還應包括他本人的多部武俠小說作品被改編成電影，諸如：

《仙笛神龍》（一九六一，楊工良編劇、導演）
《倩女情俠》（一九六一，潘焯編劇，凌雲導演）
《六指琴魔》（一九六五，上下集，陳烈品導演，上集編劇凌漢、江陽、劉丹青；下集編劇凌漢）
《玉女英魂》（上下集，一九六五，凌漢編劇，陳烈品導演）
《龍門金劍》（一九六九，根據倪匡小說《紅梅金劍》改編，編劇、導演羅維）
《殺氣嚴霜》（一九六九，秦漢編劇，袁秋楓導演）
《保鏢》（一九六九，倪匡編劇，張徹導演）
《遊俠兒》（一九七〇，倪匡編劇，張徹導演）
《五虎屠龍》（一九七〇，倪匡、羅維編劇，羅維導演）
《十三太保》（一九七〇，倪匡、張徹編劇，張徹導演）
《新獨臂刀》（一九七一，倪匡編劇，張徹導演）
《冰天俠女》（根據倪匡小說《冰天俠侶》改編，一九七一，倪匡、羅維編劇，羅維導演）
《火拼》（一九七一，倪匡編劇，楚原導演）
《雙俠》（根據倪匡小說《鐵蝙蝠》改編，一九七一，倪匡編劇，張徹導演）

這一目錄可能還有遺漏。值得注意的是，倪匡小說改編成電影，並非全都是由倪匡親自改編，前期許多作品的編劇都是其他人。

二、曾代金庸寫小說

具體是指：一九六五年五月至六月間，金庸去歐洲旅遊期間，請倪匡代筆《天龍八部》在《明報》上連載。事關金庸及其武俠小說傑作《天龍八部》，是武俠小說史上的大事件。

在臺灣、香港武俠小說史上，代筆事件並不鮮見，但此次代筆與一般代筆事有所不同。首先，金庸要出遊，報紙連載不能斷檔，須請人代筆，情有可原。其次，代筆者不是剛出道的新丁或默默無聞的捉刀人，而是武俠小說名家倪匡。金庸請倪匡代筆，當然是欣賞且信任其武俠小說寫作能力。

最後，金庸在修訂出版《天龍八部》時，重寫了倪匡代筆的段落，即讀者所見流行版《天龍八部》中並無倪匡代筆部分。即便如此，倪匡仍在《天龍八部》及金庸小說創作歷程中留下了明顯印痕——因為不喜歡書中阿紫這個人物，倪匡將她的眼睛弄瞎了。[8]從而成就了書中虛竹換眼手術、游坦之獻眼、阿紫還眼的驚世傳奇。也就是說，倪匡曾實實在在地「影響」過金庸武俠小說創作。

此事值得研究。小問題是：倪匡說，代筆時間為期「三四十天」，代筆寫了「大約六萬字左右」，[9]《倪匡年表》中說是「近兩個月，代筆六萬多字」，[10]金庸說「曾請倪匡兄代寫了四萬多字」。[11] 各說之間差距不小，倪匡究竟代筆了多少天？究竟代筆寫了多少字？尚待進一步考證。

大課題是，倪匡曾與金庸有過這樣一段「同題作文接力」，兩位作者在個性、思路、風格等方面有怎樣的異同？這問題不僅關乎倪匡研究，關乎金庸研究，也關乎香港武俠小說史。

三、改寫還珠樓主名作《蜀山劍俠傳》

從一九七三年起，倪匡開始刪改修訂還珠樓主的《蜀山劍俠傳》，易名《紫青雙劍錄》，在《明報》連載數年。一九八〇年十月，由香港明窗出版社出版五卷本《紫青雙劍錄》。三十五年後，即二〇一五年六月，香港明窗出版社又推出復刻本《紫青雙劍錄》十卷。

此書的出版和再版，表明此書有一定的市場需求，應該是有人惦記它。此事關乎中國現代武俠小說史上的大宗師還珠樓主及其紀念碑式代表作，同樣是武俠小說史上的大事件。在大陸、臺灣、香港，還珠樓主擁有無數熱心讀者，《蜀山劍俠傳》更是還珠樓主迷心中的聖典。倪匡也是《蜀山劍俠傳》的超級粉絲，他改寫《蜀山劍俠傳》的行為，當是出於對該書的熱愛，是對還珠樓主致敬，希望《蜀山劍俠傳》這部卷帙浩繁的巨著能以結構緊湊的簡本形式繼續流行。與此同時，這一行為也可以說是倪匡與還珠樓主的「對話」與「角力」。

刪改修訂《蜀山劍俠傳》並在《明報》連載，選題是由誰策劃的？《明報》編輯或金庸本人是否參與了策劃？刪改本開始連載時，還珠樓主逝世僅十二年，刪改者倪匡是否取得了還珠樓主版權繼承人的授權？刪改者及《明報》是否曾嘗試與版權擁有者聯繫？倪匡對《蜀山劍俠傳》作了怎樣的刪改修訂？為什麼要將書名改為《紫青雙劍錄》？刪改修訂本藝術成就如何？倪匡小說是否受到還珠樓主小說的影響？有哪些影響？還珠樓主迷、《蜀山劍俠傳》迷對倪匡的刪改本《紫青雙劍錄》有怎樣的反響和評價？不熟悉還珠樓主及《蜀山劍俠傳》的讀者對《紫青雙劍錄》又有怎樣的評價？《紫青雙劍錄》應算是倪匡小說嗎？此書寫作和出版在倪匡小說創作中有怎樣的意義？這些問題尚待研究，也值得研究。

四、為金庸小說評論與研究開先河

一九八〇年七月，倪匡在臺灣出版《我看金庸小說》一書，成為遠景出版公司「金學研究叢書」的奠基石。一九八〇年十月，遠景公司在香港《明報》上刊登名為《等待大師》的廣告，徵集「金學」研究書稿。倪匡又寫了《再看金庸小說》、《三看金庸小說》、《四看金庸小說》和《五看金庸小說》。[12] 作者以資深書迷、小說行家、金庸之友三重身分書寫，熱情澎湃，灼見紛紜，言語率真，趣味盎然。

作者對金庸小説推崇備至，有「古今中外，空前絕後」的誇張説法，但對金庸小説的瑕疵，也有直率的批評。例如，説《白馬嘯西風》寫得「不通」，經過修改，「由『不通』變『通』，還是不好！」又指出，《天龍八部》中譚公－譚婆－趙錢孫、《俠客行》中白自在－史小翠－丁不四的關係，與《書劍恩仇錄》中陳正德－關明梅－袁士霄三角模式雷同，「這種做法，似不足取。」[13]

倪匡「五看金庸」，是金庸小説研究的先聲，不僅豐富了金庸小説的闡釋，也推動了當代書迷文化的發展——線上線下「金庸茶館」中，倪匡當是最受歡迎的人。

以上種種，不僅值得銘記，也都值得專門研究和評説。

【注釋】

1 施仁毅、王崢編：《倪匡寫武俠・編者的話》第二五一－二五三頁，香港，豐林文化傳播有限公司，二〇一七年。

2 引自《倪匡全集》典藏版之《俠義金粉》（電子版）。此説應該可信。二〇一九年七月廿九日，我和顧臻兄一道去倪匡先生家拜訪請教，倪匡先生也是這樣説。

3 《精務八極・心游萬仞——與倪匡談天》，馬來西亞《南洋商報》新聞版，一九八一年二月十三日。

4 這本集子沒有標注出版時間，但倪匡在《武俠片果真劇本荒嗎？——〈青鳳奇仇〉故事又被剽竊》中説及，小説《青鳳奇仇》早兩年曾由胡敏生書報社出版，此文載《真報・觀影隨筆》專欄，一九六三年七月九日，可推測這個集子的出版時間當在一九六一年。

5 短篇小說、中篇小說、長篇小說的區分，首先當然是小說篇幅上的區分，通常的劃分標準是，三萬字以內的為短篇，三至十萬字左右的為中篇，十萬字以上的為長篇。但這不是唯一標準，還可以從小說體制結構規模上區分，有時候，短篇可以長達四萬字或以上，而中篇可達十萬字以上，乃至十五萬字，甚至更多。本書中對短、中、長篇的劃分，是結合篇幅、體制結構兩種標準，作靈活區分。

6 施仁毅、王崢編：《倪匡寫武俠．編者的話》第二五一—二五三頁，香港，豐林文化傳播有限公司，二〇一七年。

7 資料基於王錚《倪匡年表》，載王錚編：《倪匡散文集》第四八六—五五九頁。香港，天地圖書公司，二〇一八年。

8 參見倪匡：《我看金庸小說．所謂「代筆」》第一四四頁，臺灣，遠流出版事業股份有限公司，一九九七年。

9 見倪匡：《我看金庸小說．所謂「代筆」》第一四三、一四四頁，臺灣，遠流出版事業股份有限公司，一九九七年。

10 王錚編：《倪匡散文集．倪匡年表．一九六五年》第四九七頁，香港，天地圖書有限公司，二〇一八年。

11 金庸：《天龍八部．後記》第一九七四頁，北京，三聯出版公司，一九九四年。

12 我手頭只有臺灣遠流「金庸茶館」（一九九七年）版。其中《我看》、《再看》、《三看》、《四看》都是倪匡獨著，唯《五看金庸小說》是倪匡、陳沛然合著，此書分為兩部，第一部為倪匡所作《金庸作品中的情書》（專門討論《神鵰俠侶》），一—一二四頁；第二部為陳沛然所作《〈神鵰俠侶〉之兒女私情》，一二五—二四九頁。因我未見過遠景版，不知遠景版是否也是如此？

13 上述案例及引文，見倪匡：《我看金庸小說》第二頁、第一四九—一五〇頁、第一五五—一五六頁，香港，遠流出版事業股份有限公司，一九九七年。

第二十二章

武林散珠集萃（二）

一九五〇年代至一九六〇年代，是香港武俠小說極度繁盛期。

這一時期，舊派小說繼續流行，新派小說隆重開張，各大報開始連載武俠小說，更有《武俠世界》、《武俠與歷史》等專門刊載武俠小說的雜誌相繼創刊，使得武俠小說的需求量大大增加，嘗試武俠小說創作的作者也如雨後春筍。其中，有人只寫了一部作品，如百劍堂主；有人寫過兩部作品，如商清。

武俠小說界新人輩出，卻也大浪淘沙。這一時期在香港報紙、雜誌和圖書市場上的作家多達數百，其中有一部分是臺灣作家化名。要在數百位作家中甄別出哪些是香港作家、哪些是臺灣作家的化名，將是武俠小說研究的一項長期工作。

本章如《武林散珠之一》一樣，繼續對香港武俠小說的散珠、散葉作簡述和評析。由於筆者所見及所知有限，所見更加有限——例如，杜光庭、方山、荊山、毛天、杜宇等人的小說，就一本也沒能找到——本章只能選擇一部分作家作品加以介紹，且無法作充分討論，更無法作準確概括，只能就具體情況具體分析，有一份證據說一分話。又，由於很多作品的出版時間不詳，本章的排列順序也只能靈活處理。

一、商清的兩部武俠小說

商清，即秦瘦鷗（一九〇八－一九九三），原名秦浩，上海嘉定人，畢業於國立上海商學院銀行系。早年在上海擔任報紙編輯、大學講師。後去香港，擔任香港《文匯報》副刊部主任、集文出版社編輯；再回上海，任上海文化出版社編輯室主任，上海文藝出版社、上海辭書出版社編審。一九二六年開始發表文學作品，代表作是長篇小說《秋海棠》。在香港期間，以商清為筆名，寫過兩部武俠小說，即《血濺銅沙島》和《茅山俠隱》。

《血濺銅沙島》1

講述主人公董源拜師學藝，藝成後送表哥張顯揚的未婚妻劉碧雲從四川前往福建惠安成親，進而參與銅沙島之戰；副線是講述董源所屬雪山派與少林派之間的矛盾衝突。本書故事情節曲折，打鬥場面不少，具有可看性。

本書看點，一是，主人公董源的成長。送親之路正是董源的成長之路，從一個鄉村小子，變成了具有責任感和大局觀的武林英雄。與金氏四虎打鬥，其武功實戰技能迅速得到提升；與宜都惡霸吳鼉及其幫凶鬥爭，其江湖經驗迅速得到豐富；幫助崔驥、楊雨生師徒時，心智與判斷力得到提升。多次探訪銅沙島，他的戰鬥能力、心智能力、判斷能力以及俠義心腸則得到了更加充分的顯現。

看點二，是董源的師父姜老么，即寒江獨釣姜環的奇特個性，他的名號響亮且雅致，但卻寧願做姜老么，生活在偏僻的鄉村裡，固然是因為要保護許梅姑母女，卻也因為他喜歡平凡樸實的生活，以打魚賣魚為生。此人性格孤僻，不願與人交往，但內心深處卻別有洞天。

看點三，是富家小姐劉碧雲的變化。開始時，這位小姐嬌氣十足；投奔未婚夫的千里行程可謂其「成長」過程。從一個沒有勞作能力的小姐，變成了一個肯幹且能幹的自主女性。

看點四，表嫂劉碧雲對董源的情感依戀，以及董源對師姑江雪月的傾慕，這種帶有倫理壓力的情感，讓人關切。

《血濺銅沙島》是新派武俠小說的另類。不足之處是，小說的結局和高潮，沒有讓主人公董源發揮更大的作用。永明和尚教他子母鏢絕技，而沒有表現絕技的機會，堪稱寫作失誤。

《茅山俠隱》2

講述的是隱居於茅山之中的先天千峰派弟子柳芳華和茅山七友傳奇。由三個故事組成。第一個故事是貧農郭六家庭的不幸遭遇，目的是刻畫柳芳華的俠隱形象。第二個故事是本書主要內容，講述萬勝鏢局總鏢頭錢正倫為蘇州知府保五千兩黃金暗鏢，被柳芳華和女盜燕子飛聯手劫奪，其後討鏢、還鏢、再劫鏢，為反清事業積累資本。第三個故事只是插曲，講述太平天國忠王李秀成之子李榮發的遭難，燕子飛、柳芳華等人拯救。

小說看點，一是最茅山七友老二海若道人（劉海若）意氣用事，被情緒支配，從而不斷蛻變，直到公然與官府合作，燕子飛和柳芳華面臨的最大危機，就來自於劉海若洩憤復仇行為。看點二，是柳芳華與賽香妃沈月華的姐弟戀。

小說最大的不足，是書中若干故事情節經不住仔細推敲。例如蘇州知府既然可以用船運金子到京城，為何不偷偷從蘇州起運？又如，太平天國失敗、李秀成喪生，李榮發是政治犯，燕子飛讓章韻秋騙官府將胡青笠交還給她監督，而官府當真這麼做，未免想當然。從小說開頭看，胡青笠即李榮發隱居茅山應該有所作為，但此人卻只是惹禍精、窩囊廢，實在讓人失望。

二、東方驪珠的三部小說

東方驪珠，即董千里，亦即項莊，原名董炎（一九二六—二〇〇六），另有筆名鍾山舊侶、鍾靈、樂偉等，祖籍浙江。一九五〇年遷居香港，邊打工，邊向報社投稿。早年曾撰寫出版若干三毫子小說。一九五八年開始在《香港時報》上連載歷史小說《銅雀台之戀》，次年以《成吉思汗》一舉成名，其後有《董小宛》、《馬可・波羅》、《柔福帝姬》、《玉縷金帶枕》等一批歷史小說。更出名的是他以項莊為筆名的雜文，結集有《舞劍說》、《讀史隨筆》。

一九五六年開始寫作武俠小說，已知有《紅娘子》[3]、《蠻荒劍俠傳》[4]、《瀛海異人傳》、《鴛鴦劍》、《禁宮仙蕊》等作品。下面簡述我看過的幾部。

《瀛海異人傳》[5]

是對還珠樓主名作《蜀山劍俠傳》的模仿之作。作者是「蜀山」書迷，借用《蜀山》人物如鳩盤婆、枯竹老人、屍毗老人、易靜、上官紅等，複製後續故事。書名《瀛海異人傳》由「瀛海教」主枯竹老人及其新收弟子劉玉映、貝佳而來。劉玉映、貝佳入道修仙，各有緣法，本書即講述他們見證或參與的行道伏魔故事。

雖是模仿劍仙傳奇，卻也有人間故事，例如天津武義鏢局故事、野人山沙羅苗生存鬥爭故事等等。故事情節在仙界／魔界與人間來回遊動，好處是故事空間相應擴大；但對仙界或魔界的講述沒有太多新鮮資訊，而對人間與江湖的講述又不專心，所以成績平平。

書中兩個神獸，即劉玉映的徐徐、貝佳的紅猿頗有趣味，但此類神獸在劍仙小說中屢見不鮮。本書不足之處，一是模仿痕跡明顯，二是藝術形象模糊。劉玉映的個性前後不一，對哥哥的情感也因修仙而斷裂，令人遺憾。貝佳前世是屍毗的妻子，屍毗由魔入佛，後世如何成了枯竹的弟子？沒有交代。

《鴛鴦劍》[6]

本書是按復仇故事模式書寫。主人公魏雲璉的父親被殺，於是上山學藝，然後下山報仇。看點之一，是魏雲璉的殺父仇人並非江湖武林中人，而是農民起義軍領袖闖王李自成，且這個李自成是亂世奸雄、匪幫賊寇，與梁羽生、金庸筆下的李自成形象截然不同。

看點之二，是它表層是復仇故事，裡層是愛情故事，所以書名《鴛鴦劍》。

書中有兩個愛情故事。一是師父輩的愛情故事，管思浩是朝廷派往苗寨的欽差大臣，苗珠珠則是苗寨領袖苗三祝之女。管思浩努力跨越立場矛盾而與苗寨達成和解，卻因荊州蔡提督愚蠢莽撞，使得管思浩被免職而出家當了道士，號悟真老人；而苗珠珠也離開了苗寨出家作了尼姑，號峨嵋老尼。鴛鴦劍從此分離，情天遼闊，恨海無涯。

書中第二個愛情故事，是二人弟子即諸相如、魏雲璉，兩人一見鍾情，卻讀不懂各自內心，魏雲璉有喪父之痛，諸相如年方十七歲。三年後，魏雲璉如願報復父仇，兩人才如願走到一起。

本書不足之處。一是對李自成形象過分醜化。如說李自成要與滿清、曹化淳三家分享明朝江山，明顯過分。二是對魏雲璉、諸相如的情感敘述，過於簡單。魏雲璉下山再見舊侶，發現諸相如和東海派石鳳當眾勾肩搭背，妒火焚心，對諸相如不理不睬；但小說最後又有諸相如陪魏雲璉前往太行山祭父。書中竟沒有解釋：諸相如和石鳳到底是什麼關係？魏雲璉又如何化解內心妒火？

《禁宮仙蕊》[7]

本書講述凌玉蟾（**玉蟾仙子**）刺殺多爾袞，為父親（**江南大俠凌桐**）報仇故事，成績上佳。首先，是故事精彩，情節安排得當，懸念誘人。其次，凌玉蟾個性突出，光彩照人。作為復仇刺客，周旋於范通父子、冒辟疆和董小宛夫妻、多爾袞、皇太后、小皇帝福臨等人中間，如翩翩蝴蝶，合情合理。再次，十四歲的小皇帝福臨與二十歲女俠凌玉蟾的情感故事，出人意料，卻又真切動人。

關鍵點是，其一，當凌玉蟾射殺了多爾袞，福臨沒有怪罪，反而要替她擔責，因為福臨對多爾袞同樣又敬、又怕、又恨。二是，福臨說，兩個人遇到了，不論是皇帝也好，是牧童也好，就應該在一起。此時福臨尚未親政，且沒把皇位看得多重，因為他還是相當純真的少年。凌玉蟾是俠女，仍是少女，難怪會跌入溫柔陷阱。又次，凌玉蟾只是要刺殺多爾袞，而不是要反滿復漢，更非反清復明，不將家仇與國恨混為一談，作者有民族國家多元一體意識，值得讚賞。

本書的明顯不足，是馮大剛、皮七兩條線索有始無終。凌玉蟾找馮大剛幫忙，馮大剛也答應幫忙，且提前來到了北京，凌玉蟾到底讓做什麼？書中再也沒有提及。進而，書中對皮七的安排也是如此，凌玉蟾問了他在京地址，說要去找他，卻沒有下文。若僅僅是小說的漏洞那還好說，否則，那就只能說明凌玉蟾只利用人，利用完之後就不管、利用不上就丟開、攀上皇帝就不管江湖同道，如此，凌玉蟾形象就要大打折扣，甚至被顛覆了。

總之，東方驪珠有豐富的史學知識，諳熟人情世故，文字水準上佳，但想像力和講故事的能力卻沒那麼出眾，中篇故事也出現照應不周的情況。

三、百劍堂主小說《風虎雲龍傳》

百劍堂主，原名陳凡（一九一五—一九九七），字百庸，廣東三水人，另有筆名周為等。一九四一年起擔任桂林《大公報》記者、採訪科副主任、柳州辦事處主任，後任柳州駐廣州特派員、辦事處主任，一九四九年以後任香港《大公報》編輯、副主任、副總編輯。一九七九年加入中國作家協會，一九九七年九月三十日心臟病猝發逝世。

作品有新聞報導集《轉徙西南天地間》，詩集《往日集》，散文集《海沙》、《無華草》，武俠小說《風虎雲龍傳》[8]等。二十世紀五〇年代中期，與《大公報》的同事梁羽生（陳文統）、金庸（查良鏞）同寫武俠小說，且在報上合作開設專欄，後結集為《三劍樓隨筆》出版，是香港新派武俠小說史上的一段佳話。

《風虎雲龍傳》講述武林前輩無常道長及石臼道人、「岱宗三洞」即洞真、洞玄、洞神等在泰山召集天下英雄，共同反滿抗清的故事。與眾英雄對敵的，是山東巡撫譚廷襄的幕客「黑裡刀」鄒人鶴及其他官府鷹爪。總體上正邪兩派陣線分明，但武林中人並不是非黑即白。有些人只顧本門利益、聲譽或仇恨，如太極派門下；有些人持強凌弱為禍一方，如青蛇幫；有些人則投向官府甘當鷹爪，如趙猛、李長勝等人；還有人漂泊江湖逍遙人生，如朱明豔、琵琶手；當然也有人追隨正派集團反滿抗清，如陳三元等人。這些人物不僅呈現出武林江湖的複雜生態，更因相互間情仇交集，風雲際會，使得故事複雜多變，情節曲折出奇。

武打設計是本書的重點之一。開頭寫官府鷹犬趙猛公報私仇，率人連夜追殺宋一龍，暗夜黑林，打鬥凶險，懸念重重，是很好的開局。其後官兵火燒宋一龍岳父柳含英莊園，打鬥連連，場面可觀。此後時有打鬥發生，可謂隔三一小打，隔五一大打，頗能滿足讀者觀鬥需求。書中人物的武功是一山更比一山高，開頭是宋一龍武功已然很高，岱宗三洞、石臼道人等武功又高一層；何槁木、蕭千雲等人武功更高一層；無常道長、青蛇幫老媽、金身劍妖等人，才是絕頂高手。

在情感描寫方面，本書也有些可觀之處。宋一龍、柳貫虹夫婦情濃，李紅霜、陳莽愛侶情真，偶有生動場景和細節。更突出的是，洞神道人雖已出家，但對舊愛朱明豔情深且烈，修道二十年，也難以忘卻一段深情，二十年後重逢愛侶，破鏡難以重圓，竟起意要與情敵鄒人鶴同歸於盡。

書中有三個情感三角，即：柳貫虹與宋一龍、趙猛；朱明豔與趙仁山（洞神道人）、鄒人鶴；趙芍（青蛇幫老媽媽）與李愚（無常道長）、何拔群（金身劍妖）。都是一女二男，同門學藝，其中二男性格差異明顯，一人宅心仁厚腳踏實地，堅持正道；另一人聰明伶俐氣傲心高，走上邪途；女主角一時左右為難，結果怨恨糾結，讓人唏噓。

本書回目可供鑒賞，如第一回《夜色蒼冥　浩浩江湖誰屈指；世途荊棘　茫茫恩怨此從頭》，第二回《霹靂橫來　一聲打破田園夢；風雲急變　百劫難摧鐵血身》，第十六回《崖上殲奸　私恨公仇完此日；劍邊草檄　忠肝赤膽照人間》等。

本書的不足，主要是作者講故事的經驗和技巧不足，缺乏整體設計，甚至沒有突出的主人公，宋一龍開頭頗有聲色，後來卻只是抗清小分隊的配角。

本書成績與梁羽生《龍虎鬥京華》相近。只可惜，百劍堂主只此一劍。

四、薩般若小說《美人如玉劍如虹》

薩般若，生平不詳。曾在香港《武術小說王》雜誌發表過《易筋經匯談》、《練功百訣》、《洪門秘鈔》等作品。

小說僅見《美人如玉劍如虹》，[9] 講述山東遊俠神箭手蕭崇真保護好官山東巡撫王曙光北上進京，途中遭遇黑風山惡盜截擊，為保護王曙光安全而與惡盜姚明瑞、招啟泰、謝祖培等人多次展開打鬥故事。蕭崇真在保護巡撫王曙光的過程中，不僅獲贈青虹寶劍，還獲得了歐陽薇、徐珠兒兩位美人的青睞，「美人如玉劍如虹」，可謂名副其實。

本書看點，一是故事緊張刺激的情節，即一連串的綁架劫持和一連串的拯救與冒險。二是書中人物形象，山東巡撫王曙光性情耿直、堅持原則、肅清匪盜、保護一方平安，是典型的好官。蕭崇真如同小說《施公案》及京劇《連環套》、《惡虎村》中的金鏢黃天霸——與左翼新派武俠反滿清、反官府的價值觀有明顯不同——其行為既是感恩，也是行俠；蕭崇真的武功並非很高，但他的俠義心腸和英勇氣概讓人心折。

書中最成功的人物形象並非王曙光和蕭崇真，而是周大官人周展雄。此人家境優裕，喜好結交，生性好色，貪慕虛榮；從某一角度說，他講究親情，對舅舅和舅母都很好，對朋友也頗講義氣，有人求他幫忙，他能挺身而出；而從另一角度說，他其實是非不分、善惡不明、容易衝動、自以為是，易被情緒所支配。為報復岳佩蘭等人，不惜欺騙師父甘漢壽，顛倒是非，導致家破人亡，這種花心蘿蔔在現實生活中並不罕見，書中的周展雄形象也活靈活現。

此外，宋一銘不願捲入與黑風山強盜的衝突中，固然是因為他年紀大、孫子還小，難以出力；更重要的原因是他隱居多時，多一事不如少一事，這是許多生活中人的普遍心態。無獨有偶，周展雄的師父甘漢壽也說自己年紀大了，不願再捲入江湖衝突；但當他得知兒子是在與巡撫大人作對，立即率人前去攔截，立即將弟子周展雄交給巡撫發落，並且一定要擺酒宴招待巡撫以示謝罪。甘漢壽出場不多，其言語行為卻表現出一個老鏢頭的職業特徵和人生經驗。

小說中有技擊小說影響痕跡，特徵是打鬥場面很多。只是書中打鬥沒有太突出的特色。此外，如前所述，書中還有姻緣故事線，即歐陽薇、徐珠兒先後看中蕭崇真，而兩位少女的家人都要許婚，在蕭崇真可謂是飛來豔福。進而，甘漢壽的女兒甘鳳看中了歐陽齊，最後，巡撫王曙光主持了他們的婚禮，算是大團圓結局。但書中對男女主人公的情感關係較少細緻描述，與技擊小說有所不同，但與新派小說的情感描寫也有明顯區別。

不足之處是，書中有明顯的人為編造痕跡，例如書中求婚、許婚、訂婚、結婚情節即是。此外，有些情節也經不住推敲，一是歐陽薇與蕭崇真訂親，明知前程有風險，卻沒有送蕭崇真和王曙光一程，顯然是一個疏忽。二是，蕭崇真在白馬溝岳佩蘭家生病，也有明顯人為痕跡。

五、風雨樓主的幾部小說

風雨樓主，原名曾焯文，另有筆名曾懷冰、西蒙、孟英等。廣東五華縣人，一九三七年考入香港中國新聞學院，一九四一年日軍攻陷香港，攜父舉家回鄉避亂，抗戰勝利後返港，入學校做教師，同時開始給各報刊雜誌寫稿、譯稿。後放棄教職，專業寫作，為《香港商報》《華僑晚報》供稿即達二十餘年之久，包括武俠小說、文藝小說，翻譯偵探小說、間諜實錄等。

約於一九八〇年代末期，因身體欠佳徹底擱筆，後以高齡辭世。風雨樓主的武俠小說創作始於一九五〇年代後期，分別以筆名風雨樓主和孟英寫下大量作品，連載於《香港商報》和《華僑晚報》，部分作品由香港偉青書店出版單行本，已知作品有：《紫劍鬧碧洞》、《雪山恩仇記》、《神州奇俠傳》、《湖海爭雄記》、《天山三絕劍》、《龍淵斬魔記》、《玄都劍》、《化血神刀》、《降龍穿心劍》、《一劍震群魔》、《拜師記》、《玄都神劍》、《群雄奪寶記》等。

風雨樓主是香港「新派」武俠小說的重要作家之一。其小說故事情節曲折生動，想像豐富，頭緒紛紜，迷霧重重，懸念不斷，表層精彩而伏線深埋，極具可看性。梁羽生曾為他的《神州奇俠傳》作詞《浪淘沙》代序。[10]

《神州奇俠傳》[11]

講述滿清雍正皇帝大興文字獄，虬髯公等神州奇俠救助遇難者及其家屬，最終助呂四娘刺殺雍正復仇故事。大體分為三個大段落，第一段是呂家遭滅門之禍，朝廷鷹爪追捕呂四娘，虬髯公等奇俠幫助呂四娘避險及拜師學藝。第二段，是甘鳳池、虬髯公等人去杭州營救被捕的車鼎賁，與官府鷹爪展開大規模武力衝突。第三段，是數年後，呂四娘下山進京刺殺雍正，如願報仇。

本書看點之一，是故事情節緊張刺激，懸念迭起。例如第一段中，呂四娘神秘失蹤（被寶傘神珠黃慶昌抓走）；第二段中，虬髯公等人去杭州營救車鼎貢，府衙監獄中卻找不到車鼎貢蹤影；第三段中，呂四娘報仇心切，結果欲速則不達。

看點之二，是俠客虬髯公、梅花神叟、魚殼、莊雨農、甘鳳池、管大娘、程嘯天、魚孃、呂四娘等人形象相對鮮明。

看點之三，是技擊場面既多且細。

看點之四，是敘述語言流暢而有味道。作者對江湖「黑話」顯然也下過功夫。

不足之處是，書中有些情節不十分嚴謹，例如呂四娘失蹤，甘鳳池等人關心不足；朱蓉鏡的父母是否脫險？書中未及時交代。此外，反方人物多而雜，缺乏統一指揮，也難以被讀者記住。

《湖海爭雄記》[12]

表層是奪寶故事：無錫首富張杏邨要把七星聚寶盆獻給皇帝，請名鏢頭楊公弼保鏢，江湖中人紛紛攔截。深層卻有更為廣闊而複雜的歷史社會空間，主線是明朝官府系統與李自成起義軍系統間的矛盾衝突。

看點之一，是故事情節的曲折性和複雜性，托鏢師運送的七星聚寶盆是假物，讓大內侍衛暗送的居然也是假物，真物作為釣餌存在於尚書府中。看點之二，是書中人物的神秘性和可變性，例如半瘋仙、江碧桃和南宮豹、高柏青、方振華、江翠雲和江彩虹、花子王及其弟子醜叫花、小叫花等人，無不神秘；鏢頭楊公弼、黑道人物火眼狻猊常元慶，被錦衣衛收買引誘的哈哈先生及其弟子黃少山，最後都變成了義軍的同路人。看點之三，書中江碧桃與師兄南宮豹、陰司秀士高柏青和青衣幫主梅麗英、半醉道人章立平與林夢茵等人的情感故事，各有動人之處。

缺點是，有些情節經不住推敲，例如開封鏢頭林永泰公然率人搶劫七星聚寶盆，可信度不高。更大問題，當然是主人公形象缺乏個性深度。

《雪山恩仇記》[13]

講述黃河幫設計挑起雪山派弟子姚崇武、姚金鳳父女與蕭劍青、蕭白駒父子的仇恨衝突故事。黃河幫所以這麼做，一是消滅異己，獨霸黃河兩岸；二是要清算黃河幫、河西派、蜀山派、岷山派、西嶽派與雪山派之間的恩怨，三是黃河幫暗中為官府賣命，而蕭劍青等人則是李自成義軍中人，在政治上勢不兩立。

本書最大看點，是故事情節充滿神秘感，懸念不斷，吸引讀者層層揭秘，從開頭洛陽天馬鏢局的鏢車被劫，到蕭白駒的母親說她其實並非其生母，一直到最後蕭白駒、姚金鳳這對仇家戀人雙雙落水失蹤，小說始終都有懸念謎團。小說的另一看點，是姚金鳳、柳嫚兒、徐綺雲三個姑娘的個性故事，她們都愛蕭白駒，其中姚金鳳個性爽朗，與蕭白駒兩情相悅，只可惜誤會重重，情仇兩難。柳嫚兒自私自利，只知愛己而不知愛人，她對蕭白駒的情感攻勢，實是一種破壞力量。徐綺雲多次追隨蕭白駒出生入死，深愛蕭白駒，但尊重蕭白駒的情感選擇，同時維護自己的尊嚴，她對蕭白駒的片面愛情最為動人。此外，書中天馬鏢局東主龍大勇、小飯館老闆旺三子、「百眼通」柯卜靈等人形象，也值得玩味。

不足之處，一是雪山派與岷山、蜀山、河西、西嶽等派八月十五之約沒有如期舉行，這是漏洞。二是蕭白駒的生母去了哪裡？沒有交代。三是大內侍衛喬瑛從徐鴻鈞家裡盜走隱藏義軍首領的花名冊，徐鴻鈞無所作為。

《龍淵斬魔記》14

講述青城派弟子丁昭、趙小雲的歷險、奪寶、救難、愛情及抗暴反元故事。故事表層焦點是爭奪龍淵劍，深層焦點則是反抗蒙古異族統治，是謂「龍淵斬魔」。

小說的第一看點是故事情節曲折神秘，常常出人意料。進而，是書中情感故事，例如青城派的丁昭和趙小雲的愛情故事，邢雲娘與王少傑的愛情故事，以及鐵扇公子冷夢魂對丁昭的愛慕，千面觀音宋玉嬋和碧螺仙子宋玉鸞姐妹對趙小雲的欲望，都有可觀之處。進而，反抗元朝蒙古人統治，既是小說的歷史背景，也是小說的核心線索，結尾處

能為己治病，更讓人拍案驚奇。

小說也有弱點。首先，楊翠雲的丈夫從未學過武功，但卻誤殺了楊翠雲的養父，這一情節安排似有人為痕跡。其次，鄧之奇學文不成，又如何能成練武的天才？他從何處學到如此神奇的武功？小說中都沒有交代。

從整體看，《一劍霸南天》的故事很好看，作者敘事從容，文字簡潔乾淨，顯示了很好的寫作能力。為何沒有繼續寫作？我們不得而知。

七、田牧風小說《域外屠龍錄》

田牧風，原名周榆瑞（一九一七—一九八〇），字予遂，福建閩侯人，畢業於北京師範大學，曾任西南聯大外文系助教，一九四六年進入上海《大公報》，後在香港《大公報》任記者。著有《侍衛官日記》等，後還居英國。

《域外屠龍錄》[17]講述北宋名臣范仲淹後人范文玄漂泊波斯，以及多年後其子范光夏回國抗元故事。

看點一，是書中「域外」設計，即范文玄從水路由中國東海抵達波斯，而范光夏從陸路由波斯回到中原，涉及太平洋、印度洋及波斯、阿富汗、尼泊爾、印度及中國藏地等不同地域的風土人情，拓展了小說空間，豐富了小說景觀。

看點二，是書中「歷史連結」，書中重要人物多是歷史名人之後。范文玄、范光夏是范仲淹後人；韓錦楓是韓琦的後人；陸昭、陸存忠和陸存孝父子是陸秀夫的後人；青城四虎則都是《水滸傳》中名人之後：呂奇是小溫侯呂方之後，吳異是智多星吳用之後，林輝和林耀則是林沖的後人。讓虛構人物與歷史人物關聯不僅拓展了小說時間維度，也增強了人物的民族認同感。

看點三，是書中愛情故事。范文玄、謝瑤兩情相悅，卻得不到師父和范母的支持，只得忍痛分離；進而又因人禍（**元朝官府**）與天災（**大洪水**），更讓范文玄身不由己，漂泊波斯，從此天各一方。范文玄為報恩娶了波斯少女蘇碧雅，與謝瑤兩地相思，婚姻與愛情無法兼顧，錐心泣血之痛，讓人感慨唏噓。

看點四，是主人公形象。范文玄、范光夏父子是名人之後，從小接受嚴格的家訓，為人正直善良，有俠肝義膽，富有同情心，對敵人從不趕盡殺絕。另一共同點是性格內斂，為人靦腆，與年輕異性見面說話時動輒面紅心跳。這對父子的弱點也相似，即易受環境影響，易被命運支配，個性意志不強，似無自己的主張。

小說的弱點也很明顯。首先，是「域外」故事相當精彩，而「屠龍」故事則相對平庸。具體說，是頭三集故事，尤其是范文玄學藝經歷、愛情線索及漂泊命運，創意獨特，情節新穎誘人；而後三集故事，即范光夏回歸中土參加抗元經歷，就有些敷衍故事，隨意且平庸。從范光夏鬥青城四虎，直到范光夏鬥椰林島惡霸金面閻羅焦洪，都是以打鬥描寫為主、故事情節為次、人物性格又其次。

其次，范光夏奉父命回國抗元，是要為國為民，成為俠之大者。但他僅因朱元璋冷落就徹底改變立場與目標，置抗元大義於不顧，而追求「欲成基業，遠涉重洋」，這不僅是對范光夏——光復華夏——人生目標的扭曲和背叛，實際上，也是對人之常情的忽略和怠慢：范光夏怎能不顧父母，而隱居椰林島？

再次，書中（尤其是後三集）有不少細節問題可挑剔。例如，一、范光夏和韓錦楓的婚事是否要徵求父母意見？蘇碧雅的吐血症是否能夠康復？謝瑤和范文玄是否能夠在中原見面？這些重大問題，全都沒有交代，小說就匆匆結束了。

二、范光夏離開波斯時，虛雲和尚與無名頭陀留給他三個錦囊，在書中只用了兩個，第三個錦囊竟始終沒有打開的機會。

三、范光夏和韓錦得隱居高人白鶴翁所贈鐵盒，盒子裡是何物？有何用？竟始終沒有交代。

四、范光夏和韓錦楓在岳飛廟裡找到一冊《用兵秘笈》，但書中始終沒有見其用處。

五、范光夏和呂奇等人到溫州刺殺蒙古元鐵木耳，曾得高人幫助，此人是誰？書中也沒有交代。如此漏洞與缺陷，讓人遺憾。

八、尉遲玄小說《玉簫銀劍記》

尉遲玄，生平不詳。[18] 武俠小說僅見《玉簫銀劍記》。[19]

本書背景是明末清初，大將軍李定國護衛永曆皇帝逃亡緬甸，滿清平西王吳三桂步步緊逼，反清義士與吳三桂及其漢奸集團展開武力抗爭。故事主線是李定國之子、鐵掌黃衫華穆父的弟子李嗣興（李希明）的傳奇經歷。李嗣興擁有玉簫，碧烈娣擁有銀劍，他們的故事是《玉簫銀劍記》情節主幹，後半段是奪寶（諸葛亮留下的兵書秘笈和寶劍）傳奇。

本書最突出的成就，是塑造了紅娘子獨特形象。穿紅衣，騎紅馬，來去如風，與歷史上著名的紅娘子前後輝映。頗似梁羽生筆下的白髮魔女練霓裳，但她經歷更加坎坷，個性與心理則更為複雜，有更豐富的人文內涵。

紅娘子的性格特點，一是我行我素、敢做敢當、豪氣逼人；二是自尊強烈、自我中心、任性執拗，三是容易衝動、情緒化、瞬間變臉。證據是，一，她看上了李嗣興，就不斷追蹤，一定要把李嗣興追到。二，她與弟弟紅孩兒經常大打出手，紅孩兒說姐姐

「性格古怪」。三，她曾與貝英奇關係密切，後為李嗣興而驅逐貝英奇。四，她始終嫉妒碧烈娣，從而也不願拜見師伯（碧烈娣的師父）淨慈師太。雖然如此，她的形象仍是正面：首先是她行為潑辣但心地善良，喜歡與人打鬥但很少傷害人；其次，她對李嗣興一往情深，始終未變。再次，她有是非感，願意參與反清復明。

紅娘子奇特個性，來源有三。一是從小被人收養，進而嫁夫沖喜，入門即成寡婦。二是師父（其實是生母）淨慧心胸狹窄、我行我素而罔顧理性，影響了紅娘子。三是內心為自己身世、身分而自卑。最直接的證明是她常常借酒澆愁。

書中李嗣興，在碧烈娣、紅娘子面前左右為難，前者是妹妹，後者是姐姐，始終被動，書中尋找兵書寶劍的索引即「三心二意、七上八下、左右逢源」等語，可解釋李嗣興的心理狀態。書中碧烈娣出場時光彩照人，美貌、深情、純潔、天真，發現李嗣興與紅娘子關係曖昧，碧烈娣先嫉妒而後寬容。碧烈娣的結局出人意料，用銀劍自傷而逝，自殺是她自尊的表達。玉簫仍在，銀劍失傳，讓人悵惘。

不足之處，奪寶故事過於冗長，喧賓奪主，遭遇地煞教主、蛇怪、雞怪、屍怪、神秘兮兮的龍眠上人、瘋瘋癲癲的嗚咽道人和嘻哈和尚、心理有問題的小姑娘蕙蕙，以及怪蛇、怪雞、孔雀、白鶴、白鷹、老虎、巨型蛤蟆、巨蛇、獨腳怪、三角獸等怪獸，是傳奇景觀，離故事主線愈來愈遠，更淹沒了小說主題。

九、白祺英小說《劍馬縱橫錄》

白祺英，生平不詳。

其中篇武俠小說《劍馬縱橫錄》在《明報》創刊號上開始連載。《劍馬縱橫錄》講述成都吉星鏢局接了一支怪鏢，有人以一萬五千兩銀子的價格托保二十箱茶葉到杭州，局主鄧錫昌和其幼子鄧紹英一同上路。不料來到巫山，竟遭遇震三山韓大娘、妙香幫主彭炎德和松柏山青峰道人聯手劫鏢，他們認出裝茶葉的箱子是當年川東十三家首領李來亨裝珍寶秘笈的箱子，逼問鄧錫昌寶物在何處，鄧錫昌無言以對，與韓大娘打鬥又落於下風，緊急關頭，當年十三家二頭領萬靈掌施令期現身，才揭開這支茶葉鏢的秘密。

李來亨當年聯明抗清，在四川與湖北交界處建立根據地，號稱夔東十三家。清廷派大軍圍剿，十三家無法抵擋，終於失敗。這二十個箱子確實是當年十三家用來裝珍寶的，施令期和文則隆也確實找到了十三家的藏寶之地，並將寶貝運了出去。只不過，因為有清廷鷹犬盯梢，施令期設法將鷹犬引開，由文則隆將寶物運走，約定日後在杭州相見。不料文則隆在成都患病，逝世前托好友丁濟群將二十箱茶葉運往杭州。

茶葉雖不值錢，但其中隱藏了半斤紅葉，而這紅葉有顯影作用；原來李來亨等人將藏寶地圖及重要文件等用藥水寫在白紙上，需要紅葉顯影才可取得。韓大娘等人要劫奪此鏢，是要聚義反清復明，真相大白，危機解除，皆大歡喜。

這部小說寫得很好看，一個懸念接著一個懸念，讀者欲罷不能，或許正是當年金庸將其選為《明報》創刊連載作品的原因。

小說不足之處，是核心情節的設計有問題。例如，既然真正貴重之物是半斤紅葉，何必要用當年裝財寶的箱子裝茶葉惹人注目？何必用一萬五千兩銀子托運茶葉，弄得人人好奇，產生覬覦之心？其次，施令期探訪文則隆期間，裝扮成叫花子，四處打探，居然還有心教了兩個徒弟，未免違背地下工作規則。

最後，單行本的編排有點古怪，本書分為三節，第一節《奇鏢異犬》，第二節《煙雨戰巫山》，第三節《大聚義》，但結集本卻分為四集，[20] 其中第二節《煙雨戰巫山》竟占兩集。

十、雷子的《雪山神女傳》

雷子，生平不詳。已知作品僅《雪山神女傳》一部。

《雪山神女傳》[21]講述峨嵋派與雪山派衝突故事。雪山派創始人單天王曾在峨嵋學藝，峨嵋派視他為叛徒，馬長風為按門規誅殺單天王耗費了三十年時間。單天王決心與馬長風同歸於盡，希望一勞永逸地解決兩派仇怨，但馬長風的弟子為了維護峨嵋聲譽，下黑手在先，編謊言於後。單天王之女單雲裳並不想繼續與峨嵋為仇，卻不能不維護父親聲譽，一定要將編造謊言的華長雄、蔣忠、武家儀等人殺死，於是到峨嵋山找人；而摩陀和尚、維摩上人因要維護峨嵋派的聲譽，又不能不與單雲裳打鬥，終於釀成了單雲裳血洗峨嵋山的慘劇。

本書故事情節簡單，打鬥場面很多，打鬥動機明確，打鬥熱鬧而精彩。屬典型的技擊小說。

小說看點，是馬長風之子馬如玉和單天王之女單雲裳一見鍾情，他們曾相互拯救，卻無法化解父輩的矛盾仇怨。書中幾次寫到單雲裳逼迫馬如玉離開此地，讓人揪心嘆息。馬如玉對單雲裳一往情深，不惜挑戰並追殺同門，只不過，他的祈禱詞有明顯的學生腔：「女神啊，我願永遠在你的邊旁，女神啊，我願永遠保護你，和你一同生死，你是我的心，你是我的魂，你是我的一切，你……」

書中其他人物的心理刻畫，相對簡單，缺乏深度。馬長風要維護峨嵋聲譽而與單天王單獨決鬥，為何要在飛虎崖設置十二道埋伏？單天王要為女兒單錦霞報仇，為何會天真到讓馬長風親手殺死兒子馬如玉，而後與他同歸於盡？峨嵋山上慈雲、維摩等人，作為佛門高僧，為何也會像馬長風一樣斤斤計較於門戶虛榮，並發大嗔怒火？為何在單雲裳血洗峨嵋即殺了七十多個峨嵋弟子之後，才想到要化干戈為玉帛？

十一、唐斐的兩部小說

唐斐，本名吳羊璧，原名吳筠生（一九二九——），又名吳宜，生於廣東澄海，長於汕頭。一九四七年到香港，一九四九年入香港《文匯報》，一九九〇年起出任香港《壹週刊》文稿編輯，一九九五年七月退休。筆名有唐斐、雙翼、章玉、魯嘉、林泥、意妮等。著有武俠小說《龍鳳劍》、《兒女俠情》、《黃河異俠傳》、《綠野神刀》、《劍俠火娘子》、《蓬山奪劍記》、《龍山伏虎記》、《萬金榜》、《人在虎山》等。

下面介紹他的《兒女俠情》和《綠野神刀》兩部作品。

《兒女俠情》[22]講述史明心、薛棠棠行俠及情感故事。上半部講述他們聯手拯救呂留良案受害者遺孤，被官府鷹爪圍捕；後半部講述白狼胡檜等官府鷹爪試圖破壞武林正道泰山大會，最終被挫敗的故事。

看點一，前半部懸念不斷，危機重重。看點二是人物形象較為鮮明。史明心自負而落拓不羈，薛棠棠熱心且英姿颯爽，幾個反派人物也有特點，如秦驚虎貪淫好色，胡檜詭計多端，仇老道殘忍邪惡。看點三是史明心和薛棠棠的情感歷程。

最大看點是歐陽珠的成長經歷。她是鷹爪魔頭仇老道的弟子，從小受惡師薰陶，渾身邪氣，不分善惡。後拜史明心、薛棠棠為師，卻總是疑神疑鬼，懷疑師父和師母對她另眼相看，是邪氣未脫，實是心理自卑。長大後對師父史明心產生朦朧愛意，嫉妒薛棠棠。歐陽珠陷入沼澤段落，是重要隱喻。在後半部故事中，歐陽珠受仇老道的姐姐仇不青誘惑脅迫，面臨更大考驗，幸而她良知未泯，走對了關鍵一步，拯救了師母，也成全了她自己。

不足之處，是在下半部泰山故事中，薛棠棠明明沒有刺殺岳金剛，卻承認自己是殺人凶手；史明心明明和薛棠棠在一起，即能證明薛棠棠不在謀殺現場，可他居然對妻子大打出手，這不符合人物性格，也不符合情理。

《綠野神刀》[23]講述漢族青年蕭文義、徐志思在武林高手神刀俞十三的幫助下復仇、奪寶故事，敵手是康熙私生子允祈及其幫凶。

小說看點，是幾個主要人物形象。神刀俞十三因反清失敗而隱居三十年，故意將神刀磨成鈍口，意志消沉。蕭文義等人來找他幫忙，啟動了他的熱血，「兩個自我爭執」相當生動，最終還是和老友鄧一石來到會仙湖，成了拯救與復仇的領導人。俞十三的轉變有生活依據，更有心理依據；轉變過程層次分明，形象亮眼。書中其他人物，蕭文義深沉堅毅，徐志思多情脆弱，樂拜見義勇為，克麗莎心思細密，俞丁丁情竇初開，俱有可觀之處。徐志思從自私逃離，卻又出人意料地英勇犧牲，是書中最出彩的情節設計。

不足之處，一是蕭文義、徐志思的身分不明，既不像是普通村民，也不像是武林人物。二是允祈送給蕭文義、徐志思一千六百兩黃金，誣陷他們出賣劉家玉，不合常理。三是小說的情節結構有明顯裂隙，復仇故事突然變成奪寶故事，中間插入白梅詩社線索，人為編造痕跡明顯。

唐斐能編故事，只是在關鍵處常常留下編造痕跡，小說創作技藝不夠精湛。

十二、高天亮小說《刀下留痕》

高天亮，生平不詳。一說即萃文樓主。一九五九年前後開始武俠小說創作，武俠小說有：《鞭聲動南北》、《廣東梟雄傳》、《刀下留痕》、《新廣東梟雄傳》、《三俠鬧江湖》、《癡情女俠》、《刀下情仇》、《蒙面女俠》等。

《刀下留痕》[24]

講述奇門刀客岑白羽行俠、復仇故事。岑白羽幫助濟南宣威鏢局打退響馬，鏢局東主劉振將女兒劉幗英許配給他。濟南血滴子首領金八爺之子金亮海覬覦劉幗英美色，跟班于麟串通濟南府捕頭毛公甫陷害岑白羽；劉振騙女兒劉幗英，說要救岑白羽，須嫁給金亮海。宣威鏢局老鏢師屠雲和濟南府副捕頭梁道安救出岑白羽。岑白羽斬血滴子緹騎于麟雙腿、殺捕頭毛公甫全家、割知府嚴伯文雙耳。

岑白羽到紅葉山莊找金八爺父子報仇時，再度被捕。鏢師屠雲、響馬彭勇為拯救岑白羽而犧牲，梁道安投身於血滴子組織，再次救出岑白羽。血滴子首領雲中雁欣賞岑白羽武藝，查明案情，抓捕金八爺，為岑白羽洗清冤情，勸岑白羽加入血滴子。最後，岑白羽殺金八爺，娶劉幗英，接替金泰成為山東血滴子首領。

本書看點，是主人公岑白羽與眾不同的個性。首先，他好心報訊被冷落、應聘鏢行被低估，因而在響馬劫鏢時遲遲不出手。其次，他幫助宣威鏢局的動機也不純粹，是想親近美女劉幗英。再次，報仇時不顧任何人的勸阻，罔顧他人安全。又次，岑白羽號稱「刀下留痕」，即從不殺人，但殺秦天桂在先，殺捕頭毛公甫全家在後。最後，為了報仇而加入血滴子組織，與俠客作風大相徑庭。進而，書中屠雲見義勇為、敢於擔當、甚至不惜犧牲；響馬彭勇願打服輸、慷慨義氣；梁道安胸懷正義、慈父心腸，讓人印象深刻。

而書中惡人心思也細膩生動，更為難得。例一，金亮海覬覦劉幗英驚人美色，于麟提出讓他奪取劉幗英之際，金亮海第一衝動是興奮，第二層是覺得不妥，第三層才是理智臣服於欲望。例二，于麟要捕頭毛公甫陷害岑白羽，毛公甫第一反應是拒絕，第二反應是遲疑並徵求副手梁道安意見，最後才決定照做。例三，金八爺聽說兒子要奪人之愛，第一反應是震怒，耐不住妻子苦勸、兒子憔悴，最後才同意。例四，捕頭毛公甫找劉振說媒時，劉振的第一反應是驚詫，第二反應是拒絕，第三反應是心動，最後才決定參與陷害岑白羽的陰謀，其心理過程，真實而深入。

不足之處，是有些情節經不住推敲。例如彭勇出頭拯救岑白羽，並為此而光榮犧牲，這段情節頗為生動，細想卻有問題。因為彭勇是響馬頭子，而岑白羽是鏢局骨幹，雙方是天敵；更何況，岑白羽還曾破壞過彭勇策劃的劫鏢行動，且打敗彭勇。彭勇為何要為拯救岑白羽而不惜犧牲？書中缺少鋪墊。進而，書中還說有幾路響馬頭子也準備營救岑白羽，問題是，到底是哪些人策劃營救岑白羽的行動？他們為什麼要營救岑白羽？說不出充分理由，等於隨意編造。

十三、孫寒冰小說《鐵騎英烈傳》

孫寒冰，即香港著名武俠電影導演張徹，原名張易揚（一九二四—二〇〇二），原籍浙江青田，生於杭州，長於上海，滯留於臺灣，成名於香港。張徹是武俠電影史中宗師級人物，其生平及代表作資訊較多，不必在此細說。他曾寫過武俠小說，已知有兩部，即《冰霜劍華錄》[25]、《鐵騎英烈傳》[26]。

《鐵騎英烈傳》講述「華陰四小」或「華陰四俠」即顧詠清、周士貴、張皮綆、顧詠絮的故事，與太平天國歷史有密切關聯。其中，周士貴、張皮綆原是太平天國的童子兵，北伐失敗後拜顧嗚皋為師，後又去幫助太平軍。最後，周士貴冒忠王李秀成次子李容發之名而死（**以免清軍繼續搜捕李容發**）；張皮綆則繼續戰鬥，直至殺了清軍統帥僧格林沁，為太平軍報仇。張、周二人性格差異明顯：張皮綆面目清秀而身體壯實、頭腦靈活且心腸熾熱；周士貴沉默內斂而敦厚淳樸，命運多舛而不失英雄氣概。又，周士貴、張皮綆這兩個名字出現於太平天國檔案中，但這兩個人物的生平卻未見記載，[27]兩個人物形象屬於本書作者獨創。

大師兄顧詠清率領師弟妹走江湖，先殺沙通玄為大姐顧詠秀報仇，後幫太平軍專門對付清軍洋槍隊。面對洋槍洋炮，雖有幾次巧勝，卻終非其敵，顧詠清左臂炸斷、愛侶余采珠被炸得粉碎，武功蓋世的「小霸王」顧詠清，面臨武士時代的黃昏，冷兵器時代將一去不返。這是本書的重要思想主題。顧詠絮年齡最小，純真爽朗，周士貴、張皮綆都喜歡她，而她只喜歡機靈活潑的張皮綆，對老實巴交的周士貴不假辭色。周士貴犧牲後，她才開始後悔自己任性無知。

本書故事情節線索清晰，屢有出人意料之處，有一定的可看性和吸引力。書中白頭翁花稼田及其次子花勇為幫助太平軍先後獻身，其長孫花遇奇繼續戰鬥等情節，讓人印象深刻。作者情感顯然是偏向太平天國，卻並沒有因此對清軍將領作簡單矮化或醜化。僧格林沁固然粗暴殘忍，左宗棠卻老謀深算，派人將張皮綆和顧詠絮騙入地牢，卻又以禮相待，且還贏得顧詠清的好感。

本書不足之處，首先是在歷史故事與武俠小說之間，作者明顯偏重歷史，將武俠故事置於次要地位。作者對太平天國歷史檔案相當熟悉，也想將太平天國故事講述清楚，自不免言語滔滔，對與小說主線無關的內容也不忍放下，以至於武俠成色稍有降低。進而，雖然作者聲稱武俠小說對歷史事實與歷史人物應該不偏不倚、追求真相，但在這部書中，作者對太平天國的情感偏向其實相當明顯。書中太平天國人物，從李開芳、李容發、李秀成、張宗禹等將領，到陳十四、萬如意等普通童子兵，無不忠心耿耿、英雄熱血、光彩照人，不無美化之嫌。雖也寫到太平軍中叛徒，但沒有深描細寫，以至於形象模糊。相比之下，書中江湖反派人物如沙通玄師徒、尤其是烏髮叟石瘦竹師徒，形象顯得簡單扁平。

十四、何耿剛的兩部小說

何耿剛，生平不詳。出版過《風雷奪魄劍》和《五湖俠隱錄》。

《風雷奪魄劍》[28]

講述反滿抗清的江湖義士與雍正鷹爪之間的矛盾衝突。開頭是張熙被捕，祁北流前往營救，江湖義士雲集西安，為奪取張熙的頭顱而與朝廷鷹爪展開大戰。

小說看點，首先是史可法外孫女史明梅與史德威之子史小牛的命運。史德威罹難時，兩小傷痛難忍，史明梅責怪弟弟魯莽，小牛賭氣離開，直到殺了婁桐羅、周耀泉，報了殺父之仇後才願與姐姐見面。小牛賭氣，是少年烈性，也是孤苦者自尊。如此寫法，符合青少年心理，增加了小說的懸念，且拓展了故事空間。

書中情感描寫頗為可觀。史明梅與陶南軒一見鍾情，一路同行、雙劍合璧，情感由淺而深；有父師之命、媒灼之言，史明梅卻不願立即成婚。如此轉折，使得人物個性更加突出。馬應昭是史明梅的同門，對史明梅心生愛意，卻又自慚形穢；遇到何鐵鳳，一度徘徊於玫瑰與牡丹之間，其情感心思頗為生動。川陝總督岳鍾琪的女兒岳翠微，竟然與欽犯張熙傾心相愛，作為岳飛的嫡系後人，岳翠微與利祿熏心的父親岳鍾琪的價值取向截然不同。

書中武功打鬥設計，頗有匠心。武林人物武功層級分明；亮點卻是史明梅、陶南軒雙劍合璧，戰勝絕頂高手曹廷捷、明智上人，不僅讓「風雷奪魄劍」書名落到實處，且打破了年齡越大功力越高的習慣寫法，更符合人類體能實際。

不足之處，是史可法被殺時，史明梅由史德威救出，到雍正時代，卻說史明梅才十七八歲，其中顯然存在問題。

《五湖俠隱錄》29

講述漢族俠士與滿清康熙朝廷及其鷹爪的對抗故事，情節圍繞「洞庭藏寶圖」展開，由范興漢、郝秀珠、周詩清、楊紫鳳四人「接力」充當主人公。真正有意思的情節，是江湖叢林生態。例如川西大鹽梟鄒瑞彪見利忘義，卻又被同樣見利忘義的長江筏客祝家柏報應，最終鄒瑞彪、祝家柏分別被骷髏真人師徒打死。又如武師廖濟邨為了獲得《躡雲劍譜》、當上躡雲劍派的掌門人，竟與大內總管陸展鵬聯手，親手暗殺掌門師兄聶士炎，並製造官兵殺害聶士炎的假象。再如滿清將軍哈佛海托鎮海鏢局運送珠寶回關外老家，山賊頭領玉面狐要劫鏢，黃山三鷹又乘火打劫，黑白無常又算計黃山三鷹。可見見利忘義成了江湖普遍現象，且正是叢林生存法則。

另一看點，是玉面狐形象，此人風流淫蕩，橫行綠林，看似典型的壞女人；實則並非自甘墮落，而是屢遭男姓姦污迫害拋棄，從此痛恨並玩弄男人，招致惡名。最後得到醉月居士同情，改邪歸正，找回自尊。

書中東僧、西道、南漁、北樵、中仙子，似是金庸《射鵰英雄傳》中東邪、西毒、南帝、北丐、中神通的摹本。

不足之處是存在諸多敘事漏洞。范興漢父母被殺的詳情真相如何？范興漢要為父母報仇，為何光說不做？洞庭藏寶圖，一說是被陸展鵬所得，一說是范仲堅交給了法本禪師，書中自相矛盾；康熙率人到君山取寶，仍是不了了之。郝秀珠喜歡周詩清，卻成了范興漢的女友，而沒有說明原因。周詩清是順治之子，楊紫鳳的父母被順治害死，殺父之仇如何消泯？書中也沒有交代。

十五、東方豹小說《碧血金戈》

東方豹，生平不詳。小說僅見《碧血金戈》。[30]

《碧血金戈》講述方天龍人生奇遇、神州十友仗義伏魔故事。方天龍遊歷江湖，在衡山山洞中發現了崑崙派掌門人留下的金戈、秘笈，遺書要繼承衣缽者殺其忤逆弟子卓青林，而卓青林即赤髮尊者，恰是方天龍的第一個師父。侏儒神丐幫助他解決了倫理難題：讓他秘笈武功傳授給袁幗英、陳綠珠，讓她們去殺卓青林。不久，嵩山先覺大師得知青面真人邀集群魔，要襲擊青城岷山儒叟和祁連天一道人，先覺大師立即通知神州十友，分頭馳援青城、祁連山。方天龍參與青城之戰、祁連之戰，並得到美人、名師青睞，最後袁幗英、陳綠珠殺了卓青林，祭奠了雲陽子，方天龍與郭斐然、袁幗英與裴裴等人同日成親。

看點之一，是方天龍故事中隱含倫理衝突，卓青林雖是惡人，但於方天龍畢竟有養育之恩，殺，還是不殺？考驗主人公的心智與倫理品質。作者在倫理規則與個人選擇中找到平衡點，惡魔伏誅，而方天龍也就心安。

看點二，是沈麗瑩和龐奇的故事。沈麗瑩因皮膚黝黑，長相醜陋，輕薄男子直呼「醜女」，心理傷害自然不小；但她接受了醜陋的自己，進而抑制情感、疏遠青年男子，以免自取其辱；進而專心練武，保持內心平靜和尊嚴。沈麗瑩的自尊，讓人肅然起敬。有意思的是，小說最後，沈麗瑩因禍得福，即在祁連山戰鬥中感染蛇毒，面皮脫落，醜女變美，光彩照人，並與恆山醉叟的弟子鐵金剛龐奇成了一對。鐵金剛龐奇本是心智欠發達的渾人，跟隨恆山醉叟練功八年，只學得醉拳一套，只是簡單模仿而已。但在遇到武聖神駝，說他是練武的美質良材，一旦破蒙，心智開啟，便能發揮其天賦潛力，成為絕代高手。龐奇和沈麗瑩成為一對，他們的驚人突變也如出一轍，只不過一人是面貌從醜變美；另一人是心智從低變高。他倆的故事具有寓言價值，發人深思。

看點三，是侏儒神丐形象。此人是神州十友中最熱心且最活躍者，也是對方天龍人生命運影響最大的人。雖是侏儒，但品質高尚，形象高大。侏儒神丐為人詼諧活潑，不喜歡禮儀習俗，更難得的是「講究民主」，讓弟子發表與他不同的意見。典型例證，是其小弟子妙手空空謝佑君當眾說師父不對，他非但不生氣，且還加以鼓勵表彰。如此良師，讓人心儀。

看點四，是書中多線並行，形成蒙太奇結構。方天龍、袁幗英故事與司馬文、沈麗瑩故事交叉進行，馳援青城一路與馳援祁連一路齊頭並進，袁幗英去貴州梵淨山找赤髮尊者報仇，又分出袁幗英故事、方天龍故事。尤其值得欣賞的是，司馬文、沈麗瑩等四人在太岳山救助武聖神駝，本以為是一段插曲；但武聖神駝再度出現並保護萬壽果，表明作者有整體性設計，線索多而不亂。

不足之處，一是青面真人要襲擊岷山儒叟、祁連天一道人，何不迅速展開行動，而要提前洩露消息，讓神州十友馳援才開打？二是書中仙丹異果較多，雖傳奇可觀，卻有過分取巧之嫌。

十六、女作家梁楓的兩部小說

梁楓，本名梁慧珠（一九二六—二〇一七），另有筆名端木紅，原籍廣東中山，赴港後曾任記者、編輯、同時兼寫小說，是香港第一位女性體育記者及體育版女編輯，晚年移民加拿大。著有小說《嫁衣》、《一串小夢》、《風雨金鈴》、《千千愁》、《不羈的野花》、《風雨故人》等。武俠小說有《丹心奇俠》和《劍膽遊俠》、《雪嶺奇葩》和《雪嶺異客》（短篇）等。

《丹心奇俠》[31]

講述的是女俠飛山燕李紅霞追隨太平天國翼王石達開轉戰千里的故事。看點之一，是翼王石達開形象。他是政治家、軍事家，也是詩人、武術家，抱負遠大，仁心愛民，口碑載道。身處逆境而百折不饒，征塵滿面也難掩英武光輝，難怪李紅霞對他一往情深，而王紫蘭也對他情有獨鍾。可貴的是，作者同情太平天國運動，卻也對太平天國內訌事實及人物的局限或缺陷，如韋昌輝野心勃勃，洪秀全驕奢淫逸，洪氏諸王狐假虎威，都作了盡可能真實的呈現。

更大看點，是女俠飛山燕李紅霞。開頭幾回，寫李紅霞到巫山學藝事，枯燥的學藝過程被寫得生動有趣，可見作者筆力不凡。真空長老說李紅霞「膽夠大，心不夠細」，可以說是她最重要的性格特徵。

最大看點，是對李紅霞情感心思的精細呈現。李紅霞與師兄曹敏通同門學藝，一起成長，兩小無猜，曹敏通對李紅霞關懷備至，但這兩人卻有緣而無分。原因是李紅霞對石達開一往情深，石達開已有家室，只能認她為義女。面對心上人而只能以父女相稱，且須謹守父女倫理，對李紅霞是極其殘酷的考驗。

更殘酷的是，敵營中的王紫蘭對石達開情有獨鍾，石達開對王紫蘭也情不自禁，由於王紫蘭不會武功，李紅霞不得不克制自己的情感，多次拯救情敵王紫蘭。在片面愛情的驅動下，李紅霞與長相酷似石達開的張遠明示愛並訂婚，讀者以為這是她退而求其次，卻不知她是未雨綢繆。在絕境中，李紅霞讓張遠明替代石達開被捕就義。當得知張遠明早已洞悉她的算計，卻仍心甘情願地替主帥去死，李紅霞才發現張遠明不僅可敬，而且可愛。

這一情節，是這部小說中最富天才的設計。少女初戀，所愛常常是自己心造的幻象，幻象的光芒又常常遮蔽自己內心真情。李紅霞的情感突變，與其說是對石達開的失望，不如說是她的深層情感覺醒。真空長老早就說過，李紅霞膽夠大、心不夠細，只可惜，當她明白自己的真愛，卻為時已晚；她的真愛歷程，開始即是結束。

土司之子凌月楠和李紅霞的妹妹李碧霞，二人都有異裝癖，男子凌月楠喜歡著女裝，而女子李碧霞則喜歡扮小弟。二人的異裝癖都有心理依據。凌月楠表妹眾多，所以模仿，更是以異裝形態對土司父親強勢威權的逃避與反抗。李碧霞生於兩女之家，內心渴望並想像自己是男兒，能夠繼承李家香火。為了維護自我想像，她曾一度不認姐姐李紅霞；最終在姐姐的勸導下，才決定恢復女兒裝。

小說的敘事語言也很講究。若干回目採用疊字，如「僕僕征途異客悲失路」和「迷迷雲霧巫山練奇功」等等，很有味道。

不足之處，是有些情節經不住推敲。例如，反派一號人物王霸天身為青葉寨寨主，為何要投奔曾國藩與石達開為敵？

《劍膽遊俠》32

講述女俠飛山燕及其弟子柳玉春的故事。主要看點是柳玉春和歐陽傑的情感關係。兩人相愛，但卻阻礙重重。首先是身分的對立，一為鏢師，一為強盜，如同天敵；更何況歐陽傑還曾打傷柳玉春的二哥。其次是師門恩怨，柳玉春的師父飛山燕與歐陽傑的師父王霸天，一個要反清，一個是清廷鷹犬，早在年輕時就是死敵，不允許自己弟子與敵方弟子在一起。

再次是造化弄人，柳玉春和丁綠英是閨中密友，偏偏是丁綠英在歐陽傑失意時與之結婚生子，鳩占鵲巢，柳玉春不得不退避三舍。丁綠英知道丈夫歐陽傑與柳玉春兩情相悅，決心犧牲自己，讓有情人成為眷屬，但柳玉春卻要信守諾言，與歐陽傑終生以兄妹關係相處。本書可視為《丹心奇俠》續集，從《丹心奇俠》到《劍膽遊俠》，飛山燕、柳玉春師徒的情感命運如此相似，有情人不能成為眷屬，讓人感傷。

本書另一看點，是對歐陽傑心理的細緻描繪。歐陽傑由王天霸教育成人，師恩深重，不敢也不願忤逆。師父不許他與武林人交往，更不許他參加反清事業，與他的情感與意志相違，順從師父，於願相悖；忤逆師父，於心不忍，陷入自相矛盾的痛苦深淵。進而，他愛的是柳玉春，得到的卻是丁綠英，忠實於婚姻，於情相悖；追求愛情，則於心不忍，又是自相矛盾。書中歐陽傑始終處於情理矛盾的煎熬中，即便苦苦掙扎，也無法真正走出心理陰影。他的故事，讓人唏噓。

不足之處是，書中故事情節，有些交代不清，有些則不盡合理。如：丁綠英家的金銀細軟被歐陽傑劫走一半，既沒看到柳玉春討鏢，也沒看到丁綠英父親找鏢局要求賠償，這不合情理。又如，張家祥托保的那支鏢，到底是私產還是官銀？其中川疆雲貴地圖和天魔心經從何而來？要送往哪裡？為什麼塞外的老珠婆、天臺派的成則棟等人都知道其中有武學秘笈，而保鏢的柳玉春、劫鏢的歐陽傑等當地人對此竟一無所知？

結論是：《劍膽遊俠》成就不如《丹心奇俠》。

十七、馬雲峰小說《武夷畸俠傳》

馬雲峰，生平不詳。作品僅見《武夷畸俠傳》。[33]

《武夷畸俠傳》的前半部講述福建武林奇人之間的恩怨；後半部講述武林奇人共同與倭寇作戰故事。所謂「畸」俠，一是指身體畸形，例如神醫賽扁鵲甘佗是個駝子，獨眼書生胡奇只有一隻眼，曹鐵拐有腿部殘疾，等等。二是指心理的畸變，例如萬毒之王屠魯鱆的孿生哥哥屠天豹，好高騖遠而又不學無術，嫉妒弟弟超人天賦及其慈悲心腸，竟不惜冒名栽贓於親兄弟；又如千手神尼悟能師太，出家前對龍彬一見鍾情，龍彬卻愛上了她二師姐孫豔娘，出於嫉妒點了孫豔娘穴道，並將她置於馬夫同床，故意讓龍彬發現，導致龍彬對孫豔娘產生極大誤會，從此拒絕與孫豔娘見面，讓被害者孫豔娘生不如死。如此心理畸形，是人性的弱點，大大增加了故事複雜性和情節曲折性，讓人感慨唏噓。

其三，畸形亦有不正規、奇特之義，書中發明家神火飛鴉龍彬所發明的奪魄煙球、火焰箭等各種武器，屠魯鐔對惡性腫瘤診斷醫治和新藥的發明，百變魔君神奇的化妝術，曹鐵拐施展的催眠術，長髮人猿袁木魚的馴獸術等等，各種奇技藝讓人眼花繚亂，似把現代科技演化成古代傳奇。

本書最大看點，是神醫賽扁鵲甘佗形象。此人最大特點，是身體畸形而仁心溫厚。這體現在他的武功之中，其武功套路，是「續命拐」（**按：不同與「奪命拐」**），其中有「附子泄心」、「蘇子降氣」、「枳實導滯」、「當歸四逆」等招式，每一招式名稱，都在提醒或說明，他是治病救人的醫生，而非殺人害命的殺手。

甘佗的俠義精神，更多體現在行為中，最突出的例子，是他對獨眼書生胡奇的救死扶傷。胡奇雖然是崇安千戶的爪牙，曾抓捕小虎子、劫奪千年靈芝，屢屢與龍彬、甘佗等人作對，但在胡奇生命垂危時，甘佗仍不計前嫌，堅持救治。甘佗救死扶傷的仁義行為，終於感動了胡奇，讓他離開崇安千戶府，投身於俠義陣營。

此外，萬毒之王屠魯鐔形象也值得一說。作為北京名醫屠孟公之子，屠魯鐔不是惡人，而是一位心懷慈悲的醫藥學家。當他發現有人身患惡性腫瘤，就會向患者說明並贈藥醫治，很多人被他治癒，卻也有人拒絕治療而不幸身亡。萬毒之王惡名昭彰，被整個江湖汙名化，但他卻始終不出面澄清，不僅因為真正的作惡者是他的孿生兄弟，也因為他要專心研製新藥，沒有時間廢話。屠魯鱆的故事，既增加了故事情節的傳奇性、神秘性和複雜性，同時也是警醒：人類對世間善惡的認知，很可能迷惑於人與事的表面，而忽略真相。

不足之處，一是對楊七妹、小虎子、韋如龍、尉遲雲等年輕人形象刻畫稍顯簡單。二是一些人物的故事不完整。無名大師何以成為無名大師？神火飛鴉龍彬與孫豔娘是否重歸於好？八閩金龍韋一劍恢復健康後為何不去拯救兒子韋如龍？書中都沒有交代清楚。三是結尾稍顯倉促，通明道人之死有人為痕跡。

十八、石沖小說《劍底鴛鴦錄》

石沖，原名余揚新，另有筆名上官牧香（用以寫劇本及言情小說）。石沖的武俠小說有：《峨嵋雙秀》（四集）、《紅衣女俠》（六集）、《湘江大俠》（四集）、《翠鳳銀燕》（六集）、《少年遊俠傳》（五集）[34]，及《劍底鴛鴦錄》等。這裡只說《劍底鴛鴦錄》。

本書講述小鵬、小明兩少年歷險及奪寶故事。所謂劍底鴛鴦，則是指十四皇子和小萍。小萍是當年李崇岳家侍女，與十四皇子兩情相悅，雍正對小萍也一見鍾情，還捷足先登，娶了小萍。雍正登基後，小萍被封為貴人。小萍對十四皇子不能忘情，與雍正夫妻有名無實。雍正寡恩，偏對小萍一往情深，以小萍家人為人質，迫使小萍留在宮中。三人的關係已成死結，雍正捕殺十四皇子，小萍拼死護衛心上人，妒恨交加的雍正命侍衛對小萍殺無赦。小萍與心上人並肩作戰，終於逃出牢籠。雍正宣布，小萍三天內不回宮，就要殺盡她的家人。小鵬和小明用玉璽換取小萍家人自由，遂使有情人終成眷屬。

小說故事誘人，情節跌宕起伏。小說開頭，說荊良輔和小鵬隱居石龍灣，習文練武，身分成謎；繼而說大內高手來此，若即若離，危機四伏。荊良輔師徒前往少林寺，一路艱難險阻，懸念不斷。小鵬與師父離散，遇少林寺僧小明，兩小闖江湖，風波不絕，讓人惦記；卻又因小孩心性，嘻嘻哈哈，讓人開懷。

小說的真正看點，是人物心理活動的呈現。例如小鵬師徒被追捕過程中，發現有人在圍攻允禵和鷹主人，小鵬要去救援，荊良輔本想制止，又不願打擊小鵬的俠義精神，終於同意冒險，此一轉念，把人物心理展現得細膩而生動。又如，小鵬見鷹爪劉之濟中毒昏迷，是不管還是救人？最後還是決定對傷者以德報怨。又如，小鵬和小明相互賭氣的段落，把少年心性寫得活靈活現。又如，小萍對允禵情深刻骨，見魚青與允禵親密無間，禁不住妒火中燒。

小鵬和小明最後與雍正交易，用玉璽換取小萍一家及他們自己的生命自由，看似匪夷所思，卻有心理和政治邏輯的依據。兩小之所以能戰勝皇帝，固然是因為兩小不怕犧牲，置生死於度外；也因為他們給出了雍正不敢還價的理由：皇子允禵＋玉璽＋岳鍾琪的軍隊＝江山換主。雍正雖貴為皇帝，卻無法獲取小萍愛心，小萍離去了，雍正綺夢成空，正處在心情脆弱時刻，小鵬「江山換主」之說，小明「善哉，善哉」之聲，雍正寒熱交加，心驚膽顫，不得不從。這段故事，是武俠小說中極為少見的心理戰。若非知人知心，不可能寫得如此合情合理。

可挑剔之處是：少林弟子小明受苦修大師（鐵臂僧）之托，讓他取回拳經並傳承少林絕技，但直到小說結束也未見小明向允禵取回拳經。小說主要情節是歷險和奪寶，卻讓允禵與魚殼等江湖英雄聯手，號稱要開創社會正義大業，未免小題大做。少女魚青在北京西山樹林中被馬猴性騷擾，以及岳敬為她擠胸療毒等情節，有些無聊。

十九、楊劍豪小說《鴛俠盟》

楊劍豪，本名李欽漢，《香港商報》體育版編輯，生平不詳。已知武俠小說有《赤心紅俠傳》、《鴛俠盟》兩部。

《赤心紅俠傳》有明顯模仿金庸小說《射鵰英雄傳》痕跡，其中人物，紅霞像黃蓉，蘇丹似郭靖。因筆者所看版本有問題，[35] 難以作公正評說。

《鴛俠盟》[36] 講述李遜、李荻父子故事，一條線索是聯絡江南武林抗擊入侵江南的滿清勢力，另一條線索是父子兩人各自不同的情感波折。

《鴛俠盟》的看點之一，是其故事情節相當傳奇且誘人。李荻、李芹兄妹到天臺山找人，路遇許念清娶親、岳父祝天志將娶親隊伍拒之門外，喜樂與哀樂對抗，萬竹莊中迷霧重重，作者又不斷添油加醋，讓讀者難以釋手。

本書看點之二，是將情感線索和俠義線索巧妙縫合。李遜派李荻和李芹尋找白蝙蝠，並非為舊情重續，而是為抗清事業。李荻沒找到白蝙蝠，卻見證了許念清和祝長菁婚禮衝突，衝突的原因恰是因為祝天志得知許念清做了滿清鷹爪。王北雁、王南雁兄弟與李遜有殺父之仇，但哥哥投敵，弟弟不願投敵；得知父親被殺的真正原因後，這對兄弟的情感立場又有新的轉變。

本書看點之三，是書中有幾個人物性格頗為突出。李荻俠義仁厚、穩重沉著、寧願委屈自己也要成人之美，李芹率真清純、外柔內剛、可受苦受難卻不願受委屈，即給人留下明晰印象。書中祝長菁的性格更為突出，作為獨生女，從小養成自我中心及自以為是習慣，父親不許她嫁給漢奸許念清，並將她許配給李荻，她繼續與許念清私通，直到懷孕。後得知許念清果真是漢奸，不得不親手殺死對方，隨即香消玉殞。祝長菁的行另一個是郭螢的愛情故事。郭家女性只能招親而不出嫁。玄女送郭螢「雌莫邪」寶劍，遇到「雄干將」劍主人尉遲增，看到干將、莫邪劍緊緊黏連，須用男女主人的臂血和股血才能將它們分開，相信是註定姻緣，即答應尉遲增求婚，帶尉遲增、尉遲祺兄弟回家見父母。途中遇到道士吳靈素，郭螢心旌搖動，情思迷亂，策騎狂奔，尉遲增追趕時墜崖慘死。郭螢遂隨玄女修道，終生未嫁。這故事似是「命中註定」，其實是「年輕時不懂愛情」。

本書另一看點，是強烈的歷史感。本書歷史背景，是西漢末年，王莽建立新朝，但改革失敗，饑民遍野，民怨沸騰。馬武的遭遇，是歷史見證：官府在馬家搜出保命糧，竟要對他實施鑰刑，由其母親挖雙眼以代，這對母子只能到綠林山落草為寇；強盜山寨也嚴重饑荒，不得不到王匡（**歷史人物**）處就食；途中遭遇官兵圍剿王匡，王匡部及時轉移，而馬武部眾被官兵屠戮殆盡。進而，遲昭平師父郭螢是歷史人物郭解的後人；她的表哥赤眉軍領袖樊崇也是真實歷史人物。如此，小說虛實相生，即虛構人物與故事，也能透露生動的歷史真相。

書中還有其他看點，例如遲昭平找哥哥，是父親責備遲昭倫無用，導致他離家出走，最後自焚。又如見到美女遲昭平，官兵調戲她，說她是奸細；義軍也調戲她，同樣說她是奸細。這些細節，值得仔細分析和品味。

最後，是小說語言準確、生動、簡練，文筆秀逸動人。

不足之處，一是書中插入郭螢的愛情故事，長達六十多頁，占三分之一篇幅，有喧賓奪主之嫌。二是寫到遲昭平答應加入表哥樊崇的赤眉軍就結束，「赤眉女傑」沒有落到實處，有些令人遺憾。

廿一、童庚金小說《七絕地煞劍》

童庚金，原名屠光啟（一九一四—一九八〇），電影導演，浙江紹興人，南京國立戲劇專科學校畢業。一九三九年從影，出演過《葛嫩娘》，主演過《香妃》、《賽金花》等影片，一九四〇年與朱石麟合作導演《孟麗君》，後獨立執導《新漁光曲》。一九四二年加入中聯、華影，抗戰勝利後入中電三廠、國泰等影片公司任電影編導。一九五〇年遷居香港，先後在邵氏、新華、永華、亞洲、國泰等影片公司任編導，在香港導演過將近六十部影片，包括武俠電影多部，一九七三年退出影壇，逝世於美國。

《七絕地煞劍》[38]講述黃玉麟學藝復仇故事。可分為四大段落，前三個段落是講述主人公黃玉麟學藝經歷，黃玉麟先後有三個師父，一是玉清師太（三指神尼），二是玉清師太的大師兄長眉和尚，三是——正式拜師——是長眉師弟、玉清師兄無相僧人（李啟懷遠鏢局總鏢頭雷鎮護送反清義士李鼎的棺材及其妻、子回太湖故鄉，一路上遭遇仇家襲擊，李鼎之子李秋生多次被仇家抓捕，又多次被好心人救出。另一條是暗線，即滿清官府收買綠林敗類，誘捕反清復明領袖蕭鵬夫婦及其家人。簡單說，是李秋生遇險記、白馬山決戰記。

看點一，當年蕭鵬創建莫愁島十八罕寨、十八水寨，官府攻破莫愁島，很多人流落於綠林。綠林成分複雜，有好有壞，各人選擇不同，四川綠林蔡國亮、蔡全父子，白馬山喬七、喬五兄弟，洪澤湖鐵雄威、鐵寒英父女，人品與選擇就截然不同。

看點二，上官瑛、鐵寒英對李秋生的情感。上官瑛、鐵寒英在尋找李秋生的途中相遇，不打不相識，後結伴同行；最後鐵寒英主動放棄。上官瑛的哥哥上官瑾與蕭鵬的女兒蕭鳳英的情感發展，也頗為可觀。

看點三，是書中若干人物形象。例如，鏢師雷震的俠行義舉，就給人留下極深的印象。再如，書中假瞎子海底金針吳凱，性格詼諧，常常將黑眼珠藏起，對人翻白眼裝瞎子，並用於對敵時戲弄對方。假瞎子生具慧眼，反差巨大，也讓人印象深刻。又如，書中柴家堡少主人柴興，得知胡楊大名，鼓起好勝之心，前往白馬山懲惡揚威，對胡楊暗中協助卻找不到恩人，直到其叔叔柴玄提醒，才知道天高地厚，對胡楊心悅誠服。柴興雖然年輕氣盛，但並非自以為是，其成長過程，也讓人難忘。

看點四，是語言很生動，尤其是對話，夾雜北方口語，活潑俏皮，情趣兼備。

不足之處，是作者講故事的水準顯然不是很高，該交代的時候故意不交代，例如開頭一回數十頁，居然一直都不交代老鏢頭（雷震）和他身邊年輕人（袁遇奇）的名字！而在後文中，在反清領袖蕭鵬還沒有正式登場之前，就大說莫愁島十八罡寨、十八水寨，頭緒紛繁，讓人應接不暇，無法消受。再就是雷震講述袁遇奇的父親袁綱的遭遇（即黃獻淹覬覦美色而設計害人、袁綱夫妻慘死、袁遇奇從此成為孤兒事）寫得太多太細，與小說關聯性其實不大，是敷衍篇幅，有「眉毛鬍子一把抓」之嫌。最大不足是本書主人公。李秋生故事所占篇幅最多，其父親、祖父、曾祖父都是反清復明領袖人物，此人應該成為本書的主人公，但他對父祖反清復明事業似乎並不關心，缺少家國情懷，作為主人公顯然分量不足。

廿三、甘棠的兩部小說

甘棠，生平不詳。

已知武俠小說有《華山雙鳳》、《三鳳清霜劍》、《七絕劍》等。甘棠的武俠小說故事情節曲折，打鬥場景很多，敘事語言流暢，可看性較強。弱點是書中人物及其故事往往經不住仔細推敲，人為編造的痕跡很明顯。下面舉例說。

《華山雙鳳》[40]講述嵩山無我大師的弟子王劍青的情感糾結及其江湖歷險故事。情感糾葛是小說的核心情節，即年輕英俊的王劍青在華山程鳳兒、青城山大羅峰白麗紅、太白山千佛嶺東方淑秀三個年輕姑娘之間的情感糾結，加上東海萬花島齊慧、豫南三怪之千手觀音王鳳英的糾纏，讓王劍青窮於應付，苦不堪言。

小說結局出人意料，王劍青、白麗紅中了繆先謙的迷藥，情欲衝動之下發生性關係，東方淑秀趕到，王劍青又與東方淑秀發生性關係，清醒後覺得對不住程鳳兒，當場自殺。白麗紅、東方淑秀以王劍青未亡人身分將他的遺體運往嵩山，程鳳兒趕來後在王劍青遺體旁自殺。嵩山無我大師要白麗紅、東方淑秀到華山生活、侍奉華山二老，這兩個與華山無關的女性成了武林知名的「華山雙鳳」。

小說很好看，一是它的故事情節曲折迷離；二是武功打鬥情節很多——作者的寫作目的，似乎主要就是製造打鬥機會——白麗紅、程鳳兒、白曼紅等人都是喜歡惹是生非的角色，王劍青和她們在一起自難置身事外。小說的第三個看點，是小說語言生動流暢，敘事熟練而清晰。

不足之處，是編故事的痕跡明顯。王劍青在姐姐白麗紅、妹妹程鳳兒之間搖擺，感前者之義，感後者之情，但他卻並沒有在恩義和情感之間掙扎，而是不想作出選擇，一面說不會辜負她們的情意，一面又說他想出家，同時卻又對東方淑秀難以忘懷。當白麗紅千里追蹤，他百般躲避；當白麗紅無蹤無影，他又四處追尋；陪白麗紅前往青城山大羅峰見其母親家人，卻又要立即離開，且發誓此生再不入川，如此自相矛盾，表明他無主見、更無定見，甚至愛無能。但作者顯然不是要刻畫一個無主見或愛無能的主人公，不過是編故事而已。

小說出人意料的結局，正是作者硬編故事的確切證據，王劍青、程鳳兒先後自殺，白麗紅、東方淑秀甘做未亡人，實經不住推敲。隴東怪乞的毒氣彈到底是迷藥、毒藥還是春藥？作者似沒有仔細區分；隴東怪乞雖然心胸狹窄，脾氣火爆，性格古怪，但沒有任何跡象表明他是採花淫賊，他的毒藥變成春藥，豈非咄咄怪事？王劍青、程鳳兒自殺的老套悲情故事，不過是作者硬編的一場遊戲。

《三鳳青霜劍》[41]講述主人公崔超凡復仇、愛情、反霸故事，重點是崔超凡與胡翠蓮、程曼麗、白秋萍三個姑娘之間的情感糾葛。與《華山雙鳳》相比，《三鳳青霜劍》的敘事目的更為清晰，且三條故事線索也結構得更加緊密。另一不同點是，主人公崔超凡的愛情故事結局更加圓滿：「一鳳三凰佳人明月共團圓」。另一不同點是，爭霸元凶邛峽派掌門人紅髮道人最後投降認輸，得到善終。

與《華山雙鳳》相似的是，書中主人公崔超凡、胡翠蓮、程曼麗、白秋萍等人的性格及其情感故事，人為痕跡明顯，好看卻不耐看。

廿四、凌波的幾部中篇小說

凌波，生平不詳。所著中篇武俠小說有《混元十三寶》、《大俠天山熊》、《秘魔一劍》、《三元冷魂幡》、《五毒藥王傳》、《玄靈天磁掌》、《凌霄鐵燕子》等，都在香港《武俠世界》雜誌發表，且都是由香港武林出版社出版的。以下逐部說。

《大俠天山熊》42

講述洞庭湖君山的反清組織雙光堂弟子天山熊的傳奇故事。天山熊滿臉鬍鬚，心理卻軟弱。雙光堂被毀，他不去調查為何被毀、被誰所毀，也沒有去尋找心上人霍菁華，而是沉浸在傷痛中，有時清醒，有時糊塗。另一看點是九幽門。門主九幽姥姥因情郎負心而自毀面容，進而創造九幽門，專門救助受難的女性。只不過，入門者必須毀容。再一看點是霍菁華、奚小雪的情感心理，因為身分不同，年齡不同，遭遇不同，對天山熊的情感態度也有所不同。天山熊受傷不死，他將如何面對霍菁華、奚小雪？霍菁華、奚小雪兩人又如何面對天山熊？小說給出了開放的結局，讀者可按照自己的理解去設計。小說的弱點，是對天山熊傷情心理的敘述，多少有些人為痕跡。

《三元冷魂幡》43

講述荊雲遠學藝復仇故事。最大看點，是辛天遊與姜良素夫婦的原生家庭與婚姻家庭的矛盾，導致夫婦隔閡，以至於相互怨恨，辛天遊遠赴華山隱居，夫婦天各一方。姜良素醒悟自己誤解了丈夫，積極尋求修復夫妻關係之道，寫給辛天遊的遺書說明了一切。而辛天遊看到遺書時，姜良素已死，一切都無法挽回。另一看點是主人公荊雲遠的個性，赴華山求師卻不得其門而入，可謂苦其心志，勞其筋骨，餓其體膚，面對各種刁難打擊，都堅持下來了。如此意志品質，都被辛天遊女兒辛綠荷看在眼裡，小姑娘喜歡荊雲遠，是勢所必然。又一看點，是荊雲遠和辛綠荷刻苦訓練，合作創新，相互關心與體貼。

《五毒藥王傳》44

講述五毒藥王況象君治病救人故事。最大看點，藥王奇異的治療方式，即不斷折騰病人單生：迫他餓了一天，讓翠珊將他打傷，又讓追魂姥姥、耿氏雙傑繼續折磨單生，激他昏迷，最後竟要單生挑糞二十擔、喝毒藥、與藥王大戰三百回合……竟都是藥王治療寒毒的特殊手段，匪夷所思，堪稱奇妙。另一看點，是人物間情感關係的描寫。況翠珊嬌縱任性，藥王束手無策，祖孫之情溢於言表；單生幫助翠珊守護靈藥，讓翠珊心動臉紅，淡淡幾筆，寫出了動人的兒女之情。藥王與丐幫幫主單新似乎芥蒂很深，說起對方咬牙切齒，看對方遺書卻淚流滿面，凸顯出江湖異人的情感與風采。作品構思新穎，是凌波小說中最可愛的一篇。

《玄靈天磁掌》[45]

是《冷面金剛》續集，講述冷面金剛朱一葦的傳奇經歷與見聞。最大看點是盧用遭遇的真相。辛天雄將盧用逐出師門，實是培育弟子的另類方式，一是讓他保持童貞，也是預防門下弟子驕狂。其次，是朱一葦發現玄陰門弟子通敵線索，通過這條線索，暗示了朱一葦的身分和志向，也讓傳奇故事更有意義。又次，超級武功「玄靈天磁掌」，不僅有重大殺傷力，還能製造「磁場」，可「圍攻」多個對手，堪稱奇思妙想。遺憾的是，主人公朱一葦形象不夠生動。

《凌霄鐵燕子》[46]

講述鐵燕子燕叔甫的傳奇故事，表層是濟困扶危，深層是傷心往事。當年他愛上玄裳仙子雲蘭，而雲蘭卻與燕叔甫之友成親，其夫品行不端，被燕叔甫所殺。雲蘭痛恨燕叔甫，他人也認為燕叔甫重色輕友，燕叔甫遠赴西域。多年後，雲蘭才知當年的事實真相。如今燕叔甫在明、雲蘭在暗，拯救小翠、幫助虎子復仇、幫助譚祥與護鏢，燕叔甫和雲蘭卻再次擦肩而過，令人感傷。本書情節曲折，打鬥也很熱鬧，不足之處是若干細節有人為痕跡，例如燕叔甫和小翠談心事一段，讓人難以置信。

廿五、散髮生小說《離合神仙侶》

散髮生，本名曾紀勳，湖南人。早年到香港，曾開過幾間工廠，好酒、好京戲。業餘寫作成名，稿約不斷。一九六〇年代初期開始武俠小說創作，多發表於香港《武俠與歷史》雜誌及《星島晚報》、《工商晚報》、《散髮生真報》，馬來西亞《美里日報》、《詩華日報》也有其作品連載。

根據顧臻《散髮生武俠小說目錄》最新版，其作品有：《三朵白梅花》、《神仙船》、《魔劫鴛鴦》、《烏金園》、《彷佛仙蹤》、《冷劍磨情》、《撲朔妖星萬劍空》、《鬼火燎原》、《埋劍舞春風》、《魑劍狼牙》、《奼劍凝魂》、《亂祭墓前刀》、《戾劍蘭旂》、《離合神仙侶》、《五溪蠻俠傳》、《鐵棺謠》、《鳳劍龍駒》、《羽劍龍槎》、《百戒刀頭》、《霸劍仁風》、《迷劍沉星》、《催情劍》、《離塵劫》、《吳江雪》、《斷劍掩秋霜》、《冷劍春心》、《歡喜神仙》、《迷孕遊魂》、《關陵盜隱》、《敗陣誅仇》、《彩船會》及《顛倒恩仇一粟樓》等。

《離合神仙侶》47

講述大俠聞一知與花粉夫人這一對「神仙侶」離合故事。核心情節可以概括為兩件「衡山謎案」，一是大俠聞一知公開向滾鼓山邪派領袖王大儒借「爛羊頭」，似大俠公開挑戰邪道梟雄，有大量俠義中人前來衡山觀戰或助拳。結果卻一再出人意料，先是聞一知成為德明王妃進香時的「清山大臣」，繼而雙方莫名其妙地和解。另一謎案，是史柔玉在廣西桂林七星岩失蹤，卻死於衡山五虎幫迎賓館中。

作者借用兩件謎案揭露兩個重要事實，一是滾鼓山爛羊頭、黑風堡黑風帕、西安仙柯寨乾坤一炁罡毒功主人聯合成「桃花煞聯盟」，試圖爭霸江湖。一是此事背後官與官鬥、官與民鬥、民與民鬥的複雜社會現實圖景。

本書真正的與眾不同之處，是它的敘事重心並不是講故事，即並不是敘述案件然後解密或揭秘，而是借這個故事揭露武林人物的假面具，對官府、武林、江湖中人一律採取調侃、譏諷甚至嬉笑怒罵，撕開所有正人君子的偽裝——書中有一個神秘的「女俠聯盟」或「女性聯盟」，即假孟慕蘭—楊惜惜—孫二娘所代表的女性團體，多次聲言要剝開偽君子的假面具，同時也懲罰惡人。

書中最讓人印象深刻的人物，並非聞一知等主人公，而是小麻煩、冬梅及四學士即半邊學士文將起、半桶學士水將冰、半截學士胡不愚、半天學士方不正等人。小麻煩、小葉、小華等少男少女「童言無忌」，放肆地揭露成人的虛偽做作；冬梅則另為一路，以自嘲形式嘲弄他人，隨時隨地揭露人類心中的齷齪消息。四學士名號更是前所未見，以半邊、半桶、半截、半天為號，又以文將起、水將冰、胡不愚、方不正為名，他們牟利謀生，只求實利而不講禮義道德，斯文掃地而不以為恥。

他們是「真小人」，即並不謊言欺世，不假裝道學清高。四學士言語犀利，憤世嫉俗，似乎不僅針對書中人物，且針對故事外的現實人生。滾鼓山王大儒的弟子名為王阿豬、王阿狗、王阿牛、王阿羊、王阿貓、王阿鼠，人如其名，人畜難分。其中王阿狗出場最多，名言是：「文章和狗屁，不必分得太清」！

不足之處，一是有些細節未免過火，例如王阿狗用巨大尿壺裝「春漏鬧陽花」酒給玉山頹朱改顏喝，還說這春漏酒其實是王大儒女弟子的尿。二是故事情節不嚴謹。例如：是誰在七星岩綁架了史柔玉？是誰給史柔玉下毒？是誰將史柔玉帶到衡山？誰讓史柔玉死亡？楊惜惜所謂「女性聯盟」是些什麼人？最後去了哪裡？聞一知為何離開花粉夫人？聞一知與余姣姣如何結識？全都沒有確切說明。總之，本書長處不在於故事，而是借小說發洩憤世嫉俗言論。

張夢還說散髮生小說「比較怪異」，[48] 信然。

廿六、柳長春小說《迷魂灘》

柳長春，生平不詳。已知武俠小說有《鐵漢金刀》、《西域平魔記》、《迷魂灘》等。[49]《迷魂灘》講述圖們江迷魂灘南岸土匪山寨故事，包括與北岸山寨聯合搶劫、被北岸匪首騙入官兵包圍圈、虞志沖的妻子花娘遭強姦，虞志沖夫妻情變，虞志沖與龍俊生火拼、花娘逃難、虞志沖懺悔贖罪等情節。

本書看點，是書中虞志沖、花娘、龍俊生等人物形象。

南岸寨主虞志沖雄才大略，待人親和，處事公平，深得山寨上下喜愛，更難得的是老夫少妻相親相愛，土匪山寨看似世外桃源。但這不過是表象。當虞志沖受騙前往九重山劫黃金、陷入官兵包圍之際，左先鋒黃彥強姦了寨主妻子花娘；虞志沖發現花娘懷了別人的孩子，即羞辱並驅逐花娘，並與拯救花娘的龍俊生火拼，花娘逃難異國，土匪山寨頓顯暴戾，真相難堪。桃花源裡無花娘，虞志沖失魂落魄，繼而懺悔暴行，決心找到龍俊生、成全花娘為自己贖罪。虞志沖從英雄變成魔王，最終戰勝自己，成了更好的自己，故事發人深思。

花娘是小說中最具光彩的人物形象，年輕貌美且單純善良，接受養父虞志沖求婚，是她單純；竭力拯救被劫持的丹馬郡主，是她善良。被強暴後非但得不到丈夫的撫慰，反而被公開羞辱後驅逐，是她的劫難，也是她成長自決的機緣。

龍俊生是小說中最複雜的人物。此人武功、心智、品格無不出眾，是自告奮勇的官府間諜，用苦肉計混入土匪山寨中。有意思的是，他並沒有多少間諜行為，也許是因為知府白英時調任，無人聯絡；也許是他躊躇難決，因為他愛上了花娘。龍俊生對花娘的愛，與虞志沖的佔有、黃彥的好色欲望截然不同，是書中最重要且最動人的故事情節，生動展現了龍俊生的個性形象。當龍俊生和花娘在高麗皇宮中重逢，最終結為連理，是讓人欣悅的美好結局。

值得注意的是，龍俊生是間諜，但卻未採取間諜小說模式，並非講述間諜故事，也沒有利用他的間諜身分製造懸念與危機，而是平實地講述龍俊生、虞志沖、黃彥、花娘及土匪山寨盛衰故事。淡定從容的敘述，體現了作者的才氣和大氣。

《迷魂灘》的書名，也有雙重意義，表面上，迷魂灘只是圖們江上的一個地名，實際上，「迷魂灘」有明顯的隱喻和象徵性：虞志沖、黃彥、花娘、龍俊生乃至北岸寨主顏明、方戟等人，無不是「迷魂灘」中人，稍不留神，就會墜入人生危機，甚至難以拯救。現實社會中人，有誰沒有遭遇過迷魂灘？

本書的不足，是神眼太秀谷彤其人加入虞志沖山寨，並成為繼任左先鋒，想必是別有用心，但書中卻沒有將他的故事講完，小說結尾有些倉促。

廿七、慕容羽軍小說《雌雄劍》

慕容羽軍（一九二七—二〇一三），香港作家，少年時參加湘桂抗日戰場戰地服務，戰後完成學業並從事新聞工作，一九五〇年代到香港，曾在中學及大專院校任教，歷任《文藝新地》執行編輯、《少年雜誌》主編、《東海畫報》總編輯、中文《星報》總編輯、《工商日報》副刊主編，長期從事文學研究、創作，出版文學作品三十餘部。武俠小說有《雌雄劍》、《天涯俠侶》、《情泛安南宮》、《獨劍走天涯》、《海上英雄譜》等。

《雌雄劍》[50]講述雌雄寶劍傳奇，即「雌沉湖底，雄藏高峰。皇皇殿宇，雄峙林中；武林絕學，冀傳所宗」，雌劍被女俠白名柔所得，雄劍則被獵人華陽所得。華陽從虎口中救下了扶南王的小公主，而華陽的妻子卻把自己的女兒華銀鳳送入王宮。華陽殺妻尋女，遇女俠白名柔，並結為夫婦。主要情節是華陽先後五次到扶南王宮營救女兒銀鳳，每次都失意而歸，直到最後也無結果。

看點之一，太平天國領袖洪秀全及其妹妹洪宣嬌出現在小說中。他們都才十幾歲，跟隨其叔叔洪七投奔華陽的虎牢山山寨。他們身手不凡，更胸懷大志，信奉天帝，暗自訓練部屬，最後率部獨立。看點之二，書中還出現了法國商人、工程師兼冒險家摩納弗，此人善於設計機關陷阱，更善於收費服務。只不過，作者寫洪秀全兄妹並非為了歷史敘事，寫法國冒險家和商人也不是為了歷史敘事或文化比較，而純粹是為了傳奇，即以此增加小說的新鮮感和傳奇性。

小說有一定的可讀性。但故事並不完整：華陽要找女兒，最終也沒有找到；白名柔和華陽要去吳哥窟找到武學秘笈，也始終沒有去。進而，有些故事情節經不住推敲，例如白名柔、金童讓華陽招兵買馬，創建山寨，目的是什麼？作者並未考慮，既非為了搶劫謀生，也沒有讓這些人去攻打扶南王宮，似乎僅僅因為小女孩金童喜歡熱鬧。華陽和白名柔結婚，居然也是小姑娘做媒，近乎玩笑。

慕容羽軍雖是名作家，但武俠小說寫得並不算好，也許是作者對武俠小說沒有用心經營。作品雖發表在新派流行之後，但書中舊派痕跡仍十分明顯。

【注釋】

1 商清：《血濺銅沙島》，一九五六年一月一日至一九五六年七月五日在香港《文匯報》上連載，後由香港集文出版社結集出版，上下冊。

2 商清：《茅山俠隱》，一九五六年七月六日至一九五六年十二月三十一日在香港《文匯報》上連載，後由香港偉青書店出版（一九五七年一月初版。全書共三冊，十五章）。

3 東方驪珠：《紅娘子》，連載於香港《真報》一九五六年三月至六月十五日（顧臻提供）。

4 鍾山舊侶：《蠻荒劍俠傳》，連載於緬甸《自由日報》一九五八年八月七日至一九五八年十二月十三日（顧臻提供）。

5 東方驪珠：《瀛海異人傳》，共四集，二七九頁，香港，長興書局，未標注出版時間。

6 東方驪珠：《鴛鴦劍》，共三集，香港，南天書業公司，初版一九五九年六月至一九六〇年八月出齊。

7 東方驪珠：《禁宮仙蕊》，上下集，一三七頁，香港吉如圖書公司，一九六一年三月初版。

8 百劍堂主：《風虎雲龍傳》，一九五六年九月九日至一九五七年七月三十日在香港《新晚報》連載。後由香港三育圖書文具公司出版單行本，共四冊。

9 薩般若：《美人如玉劍如虹》，香港，藝美圖書公司，一九五六年十二月初版。

10 梁羽生的《浪淘沙》寫於一九五八年四月十五日，見風雨樓主：《神州奇俠傳》第一集第一頁，香港，偉青書店。

11 風雨樓主：《神州奇俠傳》，共六集，香港，偉青書店，無出版時間。

12 風雨樓主：《湖海爭雄記》，共八集，香港，偉青書店，無出版時間。

13 風雨樓主：《雪山恩仇記》，共十集，香港，偉青書店，無出版時間。

14 風雨樓主：《龍淵斬魔記》，共十二集，香港，偉青書店，無出版時間。

15 根據顧臻：《香港左派武俠小說目錄》，《一劍霸南天》三集，《東方豪俠傳》二十集。

16 我看的版本是香港藝聯書店版，封底有「一九五八年五月，港初版」字樣，小三十二開，二〇〇頁。

17 田牧風：《域外屠龍錄》，原載香港《新晚報》「天方夜譚」版，一九五八年十月五日至一九五九年八月三日，後由香港偉青書店出版單行本，共六集，廿四回。

18 高峰小說《掌風劍影錄》中有一則尉遲玄《玉簫銀劍記》的廣告，稱「本書乃某武俠小說名家以新筆名發表的新作品，具有新風格。」這或許是求證作者尉遲玄身分的一條線索。

19 尉遲玄：《玉簫銀劍記》，一九五八年六月一日至一九六一年二月十三日連載於香港《新晚報》，後由香港偉青書店出版單行本，共十八集（超過兩千頁），無出版時間。

20 我看的是四集合訂本，由香港光明出版社印行，無出版日期。

21 雷子：《雪山神女傳》，於一九五九年十一月十五日至一九六〇年三月十四日在香港《大公報》連載。共三集，香港，偉晴書店，無出版時間。

22 唐斐：《兒女情俠》，一九六〇年一月二日至一九六〇年五月十四日在《澳門日報》上連載一三一期，後由香港偉青書店出版單行本，共八冊，廿四回。

23 唐斐：《綠野神刀》，一九六一年九月十八日至一九六二年三月十八日在香港《新晚報》連載（共一百八十期），後由香港偉青書店出版，共六冊、十八回。

24 高天亮：《刀下留痕》，於一九五九年十月廿三日至一九六〇年三月十九日在香港《武俠世界》連載，後由香港環球圖書雜誌出版社，共四集，無出版時間。

25 孫寒冰：《冰霜劍華錄》曾於一九六〇年四月至同年十二月在香港《武俠與歷史》雜誌連載（顧臻提供）。

26 我看的是根據香港遠東書報社出版作品的影印書，共九集，連續頁碼六〇八頁（包括楔子、後記），未標注出版時間。

27 見孫寒冰：《鐵騎英烈傳．後記》（第九集）第六〇二—六〇八頁，香港，遠東書報社。

28 何耿剛：《風雷奪魄劍》，一九六〇年十月八日至一九六一年八月七日在《澳門日報》連載（三〇一期），後由香港偉青書店出版，共六集（冊）。

29 何耿剛：《五湖俠隱錄》，一九六一年八月八日至一九六三年七月十四日在《澳門日報》連載；香港偉青書店出版，共十七集（冊）、五十一回，未標注出版時間。

30 東方豹：《碧血金戈》，共七集（五五四頁），香港，鼎立出版社，一九六一年七—八月。

31 梁楓：《丹心奇俠》，共八集，香港，偉青書店，無出版時間。

32 梁楓：《劍膽遊俠》，香港偉青書店出版，共八集（冊）、廿四回，無出版時間。

33 馬雲峰：《武夷畸俠傳》，共十一集，香港，偉青書店，無出版時間。此書於一九六〇年十月三十日至一九六一年八月在緬甸《中華商報》連載，不知道是根據香港報紙轉載，還是根據香港圖書或作者手稿發表。

34 據香港環球圖書雜誌出版社版《劍底鴛鴦錄》封底「石沖著武俠小說」廣告。

35 根據顧臻《香港左派武俠小說目錄》，《赤心紅俠傳》正版由香港偉青書店初版，有十五集；而我看的版本是香港光明出版社版，全一冊，兩百二十頁，無出版時間。據顧臻考證，改本大約僅相當於報紙連載內容的前五分之一左右。

36 楊劍豪：《鴛俠盟》，插圖本全八冊，香港，偉青書店初版，無出版時間。

37 宋玉：《赤眉女傑》，曾在香港《明報》連載（一九五九—一九六〇），後由香港光明出版社出版單行本，共八集，無出版時間。

38 童庚金：《七絕地煞劍》，一九六一年九月至一九六二年五月連載於香港《武俠與歷史》雜誌，單行本由香港胡敏生書報社發行。

39 司馬山：《三劍揚天下》，共四集，香港，偉青書店出版，無出版時間。

40 甘棠：《華山雙鳳》，共十集，香港，武林出版社，一九六一年。

41 甘棠：《三鳳青霜劍》，曾於一九六一年二至九月在香港《武俠世界》雜誌連載，後由香港武林出版社出版單行本，共十四集，無出版時間。

42 凌波：《大俠天山熊》，曾連載於香港《武俠世界》雜誌第八十三、八十四期（一九六一年，二月十八日、二月廿五日），後由香港武林出版社出版，共四回，六十六頁。

43 凌波：《三元冷魂幡》，刊載於香港《武俠世界》第八十八、八十九期（一九六一年，三月廿五日、四月一日），後由香港武林出版社出版單行本，共四回，六十五頁。

44 凌波：《五毒藥王傳》，刊載於香港《武俠世界》雜誌第九十一、九十二期（一九六一年，四月十五日、四月廿二日）後由香港武林出版社出版單行本，共四回，六十六頁。

45 凌波：《玄靈天磁掌》，刊載於香港《武俠世界》雜誌第九十三、九十四期（一九六一年，四月廿九日、五月六日），後由香港武林出版社出版單行本，共四回，六十六頁。

46 凌波：《凌霄鐵燕子》，刊載於香港《武俠世界》雜誌第九十七、九十八期（一九六一年，五月廿七日、六月三日），後由香港武林出版社出版單行本，共四回，七十頁。

47 《離合神仙侶》於一九七七年九月六日至一九七八年十月廿六日在香港《星島晚報》連載，我看的是報紙複印本。

48 張夢還：《武俠小說名家大評介》，載香港《武俠世界》雜誌第四十年第廿三期，一九九八年七月廿七日出刊。

49 我看的《迷魂灘》是俠友自製書，橫排簡體字版，十一回加尾聲，二九八頁，封面有「香港長興書局出版」字樣。

50 慕容羽軍：《雌雄劍》，載香港《武俠世界》總第一九七〇期（一九九七年三月三十一日出刊），疑為舊作重刊，《武俠世界》社長沈西城說「純文學的文壇泰斗慕容羽軍，七、八〇年代也寫過《雌雄劍》。」（沈西城：《江湖再聚：武俠世界六十年》第一八七頁，中華書局（香港）有限公司，二〇一九年七月），具體時間待考。

第二十三章

黃鷹的武俠小說創作

黃鷹是一九七〇年代至一九八〇年代香港武俠小說史上的重要作家，因續寫古龍小說「驚魂六記」之《血鸚鵡》成名，被視為古龍的正宗傳人。實際上，他的寫作另有師承，即日本推理小說，網上稱黃鷹為「靈異推理派作家」。[1]此外，因「殭屍系列」小說與電影，他與余無語並列「鬼王」。黃鷹、龍乘風、西門丁並稱「香港三劍俠」，黃鷹是三劍俠中成名最早、名氣最大者。

黃鷹（一九四六—一九九一），[2]原名黃海明，祖籍廣東中山，生於北京，童年時去香港。中學時即開始嘗試武俠小說，一九六六年開始翻譯日本小說，一九六九年創作武俠小說處女作《七步斷魂針》，一九七四年開始寫「沈勝衣傳奇系列」第一部《銀劍恨》。一生創作小說八十餘部。有黃明、王明、盧令、黃鷹等筆名。

黃鷹從編譯日本小說開始寫作之路，一九六〇年代中後期在《武俠世界》上發表了大量編譯作品，諸如：《劍底恩仇》、《杉崎城風雲》、《江州浪士》、《妖劍》、《狂魔無影劍》、《魔劍無情》、《血風亂刃》、《七之影》、《劍難》、《霞流浪子》、《奪命劍》、《飛燕無雙劍》、《鬼劍》、《劍客風雲》、《霧蜘蛛》、《獨眼劍士》、《天下第一刀》、《凶劍》、《武林三殺手》、《黑煞星》、《奪命連環銃》、《劍鬼》、《白衣遊俠》、《仙劍屠龍》、《隱秘劍士》、《七步斷魂針》、《嘯劍令》、《忍者》等。[3]

他早年就在環球出版社工作，主要工作是為《武俠世界》及環球版圖書畫插圖（**署名盧令**）。其間創辦並主編《武俠小說週刊》。一九七〇年代末，被蕭若元招募到香港麗的電視臺工作。創作《賊贓》(一九八〇)、《名劍》(一九八〇)、《鬼打鬼》(一九八〇)、《粉骷髏》(一九八一)、《水晶人》(一九八三)、《洪拳大師》(一九八四)、《摸錯骨》(一九八五)、《時來運轉》(一九八五)、《茅山學堂》(一九八六)、《甜蜜十六歲》(一九八六)、《流氓英雄》(一九八六)、《殭屍番生》(一九八六)、《魔高一丈》、《義本無言》(一九八七)、《賭王》(一九九〇)、《笑傲江湖》(一九九〇)等數十部電影劇本,除編劇外,還曾擔任影視演員、導演、監製、出品人。

黃鷹的武俠小說,主要有「沈勝衣傳奇」系列、「驚魂六記」系列(其中《血鸚鵡》係古龍創意並寫了前五章)、「詭異江湖」系列、「皇家野史」系列、「殭屍」系列、「魔幻妖邪」系列等。以上各系列,下面都將專題介紹和評述。

一、沈勝衣系列述評(上)

沈勝衣系列包括以下廿九部作品:

一、《銀劍恨》
二、《十三殺手》

三、《白蜘蛛》
四、《相思夫人》
五、《畫眉鳥》
六、《鳳凰劫》
七、《無腸公子》
八、《天刀》
九、《紅蝙蝠》
十、《鬼簫》
十一、《鬼血・幽靈》
十二、《火蝶亡魂》
十三、《骷髏殺手》
十四、《銀狼》
十五、《死亡鳥》
十六、《玉蜻蜓》
十七、《黃金魔神像》
十八、《地獄刺客》
十九、《追獵八百里》

二十、《胭脂劫》
廿一、《七夜勾魂》
廿二、《無雙譜》
廿三、《魔刀》
廿四、《血蝙蝠》
廿五、《雷霆千里》
廿六、《銷魂令》
廿七、《風神七戒》
廿八、《屠龍》
廿九、《天劍》（單行本改名《風雷引》）[4]

上述作品，除《無雙譜》刊載於《武俠小說週刊》並由武俠世紀出版社出版外，其餘作品都刊載於《武俠世界》雜誌，並由武林出版社出版（其中有《火蝶亡魂》、《胭脂劫》兩篇未見出版）。這批作品的創作時間當在一九七四—一九八四年間。

沈勝衣系列是黃鷹武俠小說的成名之作，代表了黃鷹武俠小說創作的用心、才華、風格，也代表了黃鷹武俠小說觀念。

一九七九年，他曾寫過一篇《寫在沈勝衣傳奇故事再版之前》[5]表明在該系列第一篇《銀劍恨》寫作之前，作者對主人公沈勝衣作了相當充分的構想。不僅構想了人物的姓名、年齡、裝束、武功特徵，沈勝衣即「沈郎腰瘦不勝衣」、二十三四年紀、七尺長短身材、散髮披肩、左手劍；還構想了人物的前史：即曾與「一怒殺龍手」祖驚虹打成平手，戰勝過金絲燕、柳眉兒、雪衣娘、滿天星、擁劍公子等江南五大高手；且預留了人物個性與命運發展空間，簡單說，沈勝衣是從一個有為青年一度變成一個冷血殺手；經歷情感與婚姻重大挫折後，又變成一個遊劍江湖、助人為樂的俠客。從有為青年變身殺手，在《銀劍恨》中完成；而從殺手變俠客是更大更難的轉折，須經歷艱難痛苦的轉折歷程。

沈勝衣傳奇故事系列可以單獨看，但要想真正瞭解並理解沈勝衣的心理變化及人生轉折，必須把這一系列的前幾部聯繫起來看。

《銀劍恨》是沈勝衣故事的第一部。篇幅不長，只有兩章，第一章是《雨夜風蕭索，銀劍芒冷寒》，講述銀劍殺手孫羽受雇刺殺錦衣侯香祖樓，進而又受香祖樓雇用，去殺雇用孫羽殺他的人，即香祖樓妻子舒媚的情夫潘玉。小說第二章是《樓頭悲怨婦，殺手發雷霆》，孫羽見經紀人兼好友柳展禽，柳展禽說他愛上了有夫之婦，要孫羽去殺那個丈夫，成全他與有夫之婦的戀情。兩章故事的相似之處是有夫之婦及其情人雇凶殺夫，只不過，柳展禽要殺的人，正是孫羽即沈勝衣本人。

銀劍殺手孫羽竟是名聲鵲起的沈勝衣，是這部小說最出人意料的布局。小說另一發人深思的情節，是沈勝衣的妻子霍秋娥不耐貧寒，迫使丈夫去賺錢養家，愛妻的沈勝衣不得不去做殺手；但霍秋娥又不耐寂寞，在沈勝衣離家期間，又與富貴中人柳展禽暗通款曲，結果是，情人要殺丈夫，終被丈夫所殺。

第二部《十三殺手》，寫沈勝衣挑戰十三殺手。所謂十三殺手，是指一個分布在十三省的殺手集團的十三個頭目（殺手掮客兼省域領導人），吳省頭目柳展禽已在第一部小說中被殺。這篇小說開頭是沈勝衣面對浙省高歡，目的不是殺人，而是逼供，要找出十三殺手分別是哪些人。高歡說出不了和尚、蝙蝠先生、步煙飛、溫八、風林、張鳳、曹金虎、殷開山、放天龍、常三風等人，最後一個人未來得及說出，高歡被人射殺。高歡臨死前畫蟹鉗形，留下懸念，並引起重大誤會。

接著寫沈勝衣逐個刺殺不了和尚、誤會無腸君、殺張鳳、殺蝙蝠先生，以及最後在西湖西溪沙洲上殺放天龍等人，打鬥過程變化莫測，各有不同。

最值得注意的是兩點，一是沈勝衣終於知道高歡所畫並非螃蟹而是螃蜞即擁劍公子，此人曾被沈勝衣打敗，也正是此次西溪圍攻沈勝衣的策劃人。又傷又累的沈勝衣本來非死不可，但不甘受騙的風林用七步斷魂針射殺了擁劍公子。另一點是，沈勝衣沒有與十三號女殺手步煙飛為敵，因為她從未殺人，且對沈勝衣有明顯好感。步煙飛之所以加入殺手組織，是因為她的心儀對象是表哥柳展禽。

小說寫得很好看，留待讀者思考的核心問題是：沈勝衣為什麼要挑戰十三殺手？表層答案是，沈勝衣對柳展禽的仇恨難消，要把他的同類全都清除。深層答案是，沈勝衣失去妻子與家庭，也失去了人生方向，由於痛苦難消，要借挑戰十三殺手的路徑為自己撫平創傷：要麼對手死，要麼自己死。最深層答案是，作者要讓沈勝衣成為一代大俠，首先是要與自己的過去徹底告別，挑戰十三殺手，就是沈勝衣向過去徹底告別的方式，甚至可以說是一種儀式，這當然是出於作者黃鷹的總體安排。

第三部《白蜘蛛》，講述系列搶劫殺人案。應天府出了獨腳大盜，作案十七件，殺六十四人，共同點是用川中唐家的「銷魂蝕骨散」，並留下黑底白蜘蛛標記。七王爺限期三個月，現在兩個月過去了，老捕頭群七束手無策，蕭玲擔心哥哥巡按蕭放官職不保，請沈勝衣這個大俠來幫助捕盜。在第一樓中，步煙飛突然出現，對沈勝衣說，若想知道白蜘蛛消息，二更到城北天女祠見。沈勝衣前往天女祠途中遇襲，最後根據唐彪所獲書信捕獲巡按使蕭放的侍衛傅威，進而發現白蜘蛛竟然是退休後復出的大捕頭群七，幫凶是他的妹妹小鳳仙、妹夫侯昆。

小說的故事情節驚險刺激，但更重要的卻是單純少女蕭玲找沈勝衣破案這件事本身。在挑戰十三殺手之後，沈勝衣仍處於痛苦與空虛中，處在人生的十字路口，找不到人生方向，所以他吹笛舒悶、長歌當哭。蕭玲來找他去幫助破案，等於是給了他一個自我救贖的機會，且給了他一份工作、指出人生的方向。進而，美女蕭玲的敬慕和信任，不僅撫慰了沈勝衣心底創傷，更雕塑了他的靈魂——每個人都是社會化產物，每個人的社會形象都是由他人的眼光雕塑而成——沈勝衣百無聊賴，且不願讓蕭玲這樣的單純少女失望，於是跟著蕭玲來到應天府，參與偵破搶劫殺人案，從而為他的生活添加了實際內容，緊張刺激的破案過程也讓他暫時忘憂。

第四部《相思夫人》，講述謀殺、綁架及案中案。有人雇傭殺手費無忌刺殺沈勝衣，緊接著雇主將出面雇凶的心腹殺害（是要殺人滅口）。費無忌沒有殺死沈勝衣，卻殺死了與沈勝衣在一起的蕭玲。沈勝衣在凶手斷劍上發現費無忌之名，而費無忌卻被金獅綁架了，金獅告訴沈勝衣，若要見費無忌、步煙飛，就跟他去相思小築見相思夫人。

相思夫人是要雇傭沈勝衣假扮費無忌前往有情山莊，去破壞莊主多情劍客常護花的圖謀。為了步煙飛的安全，沈勝衣不得不扮費無忌來到有情山莊，結果出人意料，常護花找來金指、百變生、千手靈官、妙手空空兒、費無忌等人，說是要搶劫珠光寶氣閣，實際上卻是要利用相思夫人在有情山莊的臥底小翠，找到自己的妻子——相思夫人。

這個故事極其精彩，劇情反轉讓人擊節讚嘆，情理邏輯嚴絲合縫，且發人深思。這個故事須與第三部《白蜘蛛》聯繫起來看，否則有些情節可能摸不著頭腦，例如：蕭玲為什麼要找沈勝衣？而沈勝衣又為什麼要找步煙飛？巡按大人蕭放為什麼雇凶刺殺沈勝衣？這些疑問，都需要看過《白蜘蛛》（甚至需要看過《十三殺手》），才能找到確切因由。

第五部《畫眉鳥》，講述連環強姦殺人案。沈勝衣來到洛陽的第二天，就遇到了怪事：他的床上出現女屍。原來是近幾天洛陽發生了連環強姦殺人案，受害人是怡紅院珍珠、富豪賈仁義的女兒賈如花、獨行女鏢師胡嬌，以及洛陽首富張虎侯的獨生女兒張金鳳。當地捕頭邱老六、曹七無力破案，就把張金鳳的遺體移置到沈勝衣床上，拉他下水的目的是請他破案。故事情節複雜離奇，四個案件並非一人所為，前三起案件的凶手是賈仁義，張金鳳案的凶手則是飛夢軒掌櫃顧橫波、江魚、徐可等多人。賈仁義作案的原因，是要發洩對妻子柳眉兒的不滿，而顧橫波等人作案原因則是想侵吞首富張虎侯的巨額家產。

古龍的楚留香傳奇中也有一部《畫眉鳥》，黃鷹的同名作品雖然沒有古龍小說那樣出名，但其傳奇性不遑多讓，而其寫真性即對人性的刻畫猶有過之。值得注意的是，沈勝衣當年打敗過的五大高手，有三位即柳眉兒、雪衣娘、滿天星出現在這部小說中，最終分別被殺（**擁劍公子在《十三殺手》中被殺**），這些人物的出現，既是對沈勝衣「前史」的證實，也是沈勝衣與過去徹底告別，以新的形象走向未來。

《白蜘蛛》、《相思夫人》和《畫眉鳥》看似各自獨立，卻有共同特點，其一是沈勝衣參與這幾起案件，都是被人「綁架」：蕭玲請沈勝衣破案，是以少女的信任和敬慕綁架了沈勝衣；金獅和相思夫人則是以步煙飛的安危綁架了沈勝衣；而《畫眉鳥》更是當地捕頭邱老六、曹七以栽贓方式綁架了沈勝衣。

其二是，在這三個案件中，沈勝衣只是一個參與者，但卻算不上是破案的關鍵人，更不是破案的領導人。在《白蜘蛛》中，他雖然找到了傅威（**那也是因為唐彪保留的那封信**），卻根本就沒有懷疑大捕頭群七就是搶劫殺人案主凶白蜘蛛，是他將嫌疑人傅威交給

二、沈勝衣系列述評（下）

對一個傳奇系列而言，如何寫好下一個故事始終是一個問題。對此，作者本人也有明確認識：「值得憂慮的，只是這種以一個人物為重心的小說持續下去，重心不難會旁落，到時候，重要的已不再是沈勝衣這個人，而是所發生的事，吸引讀者的不再是人物的性格，而是橋段的曲折了。」[6] 這表明，作者對人物性格的重視程度，超過了對小說故事橋段，這很不一般。然而主人公個性發展空間畢竟有限，故事橋段與人物個性的競爭受多種因素影響，導致系列作品品質出現起伏波動，有些寫得很好，有些則寫得很一般。這裡無需對沈勝衣系列每部作品作梳理點評，只能選擇其中的部分作品，看這一系列的特色及其變化。

《鬼簫》

假如沒有鬼簫方玄與銀鵬丁佶、銀鵬丁佶與沈勝衣的兩場打鬥，幾乎可以說這是一部純粹的推理小說。案件是，新郎林方正、新娘耿香蓮在新婚之夜被殺於密室中。沈勝衣是破案人，其結案方式，與柯南道爾筆下的福爾摩斯或艾嘉莎・克利斯蒂筆下的神探白羅的經典結案方式，幾乎完全一樣。小說構思精巧，鬼簫方玄的出沒，以及半夜「鬼簫」之聲，使得故事氛圍既神秘又驚悚。

沈勝衣對林方正殺人而後自殺的動機的準確推理，是這個故事的最大看點：林方正出身於官宦之家，且向來具有潔癖，而他主動選擇且經過艱苦努力才獲得的新娘耿香蓮偏偏在三年前曾被人姦污，而姦污她的銀鵬丁佶還十分霸道，凡是他染指過的人或物都不容他人染指。於是，林方正在自己的新婚之夜設計了這場驚人的殺人、自殺案。

小說不僅揭示了作案人的心理病態，同時也刻畫了主人公沈勝衣的形象，他不僅武功高強、打敗銀鵬丁佶；且智力過人，偵破密室殺人案，其高人一籌之處，是不僅能在現場附近尋找痕跡物證，更能夠洞察人心。更重要的是沈勝衣的溫暖情懷，結案後，他提示林家兄弟編造銀鵬殺人的故事，以維護林家的聲譽和尊嚴；而沈勝衣與林家小妹林可兒的幾次對話，看似閒筆，卻能體現沈勝衣對她的關愛與呵護，體現人性，亦體現真正的俠義精神。小說情節單純而精巧，不僅有故事，更有人物個性與特殊心理，內容豐富，可圈可點。

《鬼血・幽靈》

這是個奪寶故事，卻與尋常武俠小說中的奪寶故事截然不同。首先，這部《鬼血・

幽靈》的掘寶人無面法師裝神弄鬼，神秘兮兮，龍棲雲隨即失蹤，像是神魔驚悚小說。其次，大俠沈勝衣被龍婉兒請來，並不是簡單地主持公道，而是作為職業偵探來探究事情的真相，這個故事更像是偵探故事。再次，龍棲雲雖然是海盜，但龍家大院裡的寶藏卻不是他的秘藏，而是另有藏家，只因為龍棲雲居住在此，藏家無法掘寶，才編造出鬼血與幽靈的謊話。

又次，龍棲雲不願放棄大院，被無面法師殺害；而無面法師又被追尋龍棲雲的傅青竹夫婦所殺，在得知大院裡有寶藏的秘密後，傅青竹夫婦才起了貪心，繼而裝神弄鬼。又次，西洋美女西門碧，竟對海盜龍棲雲一見鍾情，進而嫁給了龍棲雲。又因為水土不服，臥病在床，恰好堵住了寶藏密室的通道。最後，沈勝衣設計賣掉大院，引出「鬼血案」與投毒殺人案的真凶，即龍棲雲的結義兄弟傅青竹夫婦。

小說中無面法師形象值得特別注意，鬼血與幽靈之說都是由他虛構，且在斗笠之下竟看不到嘴臉真相，僧人裝扮卻未經剃度；不願被稱為和尚而強調自己是「法師」，目的是要龍棲雲相信他能出入幽冥世界。此人無面而且無名，成了一種普遍象徵，指代人類的貪欲。傅青竹夫婦，正是是「無面法師」的另一化身。

《死亡鳥》

包含兩個案件，一是報復殺人案，二是謀財害命案。兩案主凶相同，即極樂山莊主人極樂先生和百鳥院名妓彩鳳。兩人聯手殺害妓女孔雀並將其分屍，因孔雀透露了彩鳳風騷入骨、欲望無度的真面目，破壞彩鳳從良的機遇。進而，彩鳳誘惑天香樓主谷雲飛的心腹西門錦、西門華兄弟，讓他們伺機殺害穀雲飛，劫奪其五箱珠寶；其後彩鳳又殺害西門兄弟，將寶藏運往極樂山莊，欲與極樂先生共用。

沈勝衣偵破此案，過程驚心動魄，且曲折迷離，看點是，極樂先生愛鳥成癡，不僅愛鳥，而且扮鳥；偏偏揚州有一個妓院叫百鳥院，妓院中的所有妓女都以鳥命名。誰是「死亡鳥」？答案有多重。一是，本書第一個凶殺案中，被害的妓女孔雀，是死亡之鳥。二是，極樂先生扮演的那隻鳥就叫「死亡鳥」。三是，妓女彩鳳才是真正的死亡鳥，書中所有死亡——包括最後極樂先生和她自己的死亡——都與她有關。

為了出新，作者在故事情節上未免用力過度，例如，極樂先生為何要扮成大鳥抱著無頭女屍，在深夜街頭行走，故意引起沈勝衣、總捕頭查四的注意？作者在講述新奇故事的技術上更上層樓，而在人物形象刻畫——尤其是沈勝衣形象刻畫——方面就顯得有些內力不足。

《雷霆千里》

包括三段故事。第一段表面是除霸，實際是愛情故事。易菁菁與殺手黑貓兩情相悅，其父親易家堡主易金虹卻不贊同，為了消除父親對黑貓的偏見，決定將黑貓「改造」成俠客，故意招惹強盜世家杜氏兄弟，結果是黑貓死，沈勝衣做了他的替身。第二段是故事主幹，即白玉樓率領沈勝衣、紅梅、石虎、翁天義、柳百刀、雷方等人前往大理天鵬堡營救太平公主，直到將太平公主的遺體運回中原，遭遇司馬王朝的阻截。第三段是尾聲，司馬王朝對白玉樓一行圍追堵截，最終自取滅亡。

三段故事中，沈勝衣不僅是串聯者，且是關鍵人。所以，故事雖有三段，小說尚屬完整。小說看點，一是故事情節層層轉折，神秘誘人。二是書中有不少片段，如黑貓自殺後，沈勝衣抱著黑貓遺體與易菁菁、易金虹父女相遇，情感細膩動人。三是易菁菁自以為是、易金虹愛女情切，形象感人。四是白玉樓的領袖氣質、沈勝衣的俠義情懷、翁天義的怪癖、石虎的愚憨、柳百刀的自負、大理國師段無極的固執和犧牲、杜筠和司馬雙城母女盛氣凌人的形象。

《屠龍》

「龍」是指金龍堂主，屠龍卻不是刺殺他，而是要消滅黑道組織金龍堂。名捕頭查四抓獲了金龍堂主，卻又將他釋放，原因是金龍堂主的女兒紅綾願意以金龍堂骨幹花名冊交換父親自由。為了保密，查四沒有說出釋放金龍堂主的理由，以至於被革職，並招致武林敗類的報復行動，查四受傷，沈勝衣及時解圍，並替代查四去取金龍堂的花名冊。一路遭遇圍追堵截，被沈勝衣化解；金龍堂主以查四相要脅，查四寧死不屈；金龍堂再度圍攻，郭寬率人拯救，郭寬死於金龍堂主之手。金龍堂再攻擊，粉侯白玉樓率領侍衛高手及官兵擊退金龍堂主，得到了花名冊。金龍堂主誅殺下屬，導致內訌，金龍堂主終於倒在血泊中。

本篇看點，一層是故事情節緊張刺激，二層是金龍堂主自我膨脹形象及後宮男寵奇聞，三是紅綾、郭寬、查四、天殘門長老邱義等人組織規範與個人意志衝突中呈現出的個性形象。更重要的是，在這個故事中，作者為主人公沈勝衣重建了社會身分及社會關係——查四、郭寬、粉侯白玉樓都是沈勝衣的朋友——他是為友情和公義而冒險奮戰。小說的故事情節和人物形象的藝術平衡，可圈可點。

《風雷引》（即《天劍》）

是個復仇故事。中原無敵杜樂天當年追殺劇盜世家朱藻、朱雲亭父子，朱雲亭因為心臟在右而免於死，將妻子腹中的雙胞胎取出，教他們練武並復仇。這對雙胞胎兄弟，即殺手壁虎和俠客上官無忌。上官無忌娶杜樂天獨生女杜九娘為妻，目的是為了復仇。

由於杜樂天武功超群，上官無忌兄弟的復仇行動遲遲無法展開。柳伯威發出武林貼，號召武林同道誅殺楚碧桐，給這對志在復仇的兄弟提供了極好的機會。上官無忌殺了楚碧桐，壁虎號稱楚碧桐的好友，要為楚碧桐報仇，頭號目標當然是上官無忌，所以他誅殺上官高、上官雄、上官鳳兄妹，不會被杜樂天等人懷疑。若非沈勝衣在場，壁虎和上官無忌肯定會殺盡杜樂天一家。

小說看點是杜九娘及兒子上官雄形象。杜九娘成為悍婦，半是因為父親杜樂天的嬌寵，另一半是上官無忌與她結婚後既無性生活、更無夫妻感情，只能與叔輩周濟偷情，身分尷尬，情感空虛，導致心理變態。將情感全部投入到兒女身上，對兒女寵愛無度，成了她維繫人性的唯一選擇。上官雄驕縱輕狂，一半是青春期少年的典型特徵，另一半則是複製了母親的習慣行為。說起來，杜九娘、上官雄母子其實冤枉，他們雖然驕縱任性，但卻罪不至死。書名《風雷引》，原是劇盜朱藻喜歡演奏的樂曲，杜樂天同樣喜歡。其意義如同一個寓言，象徵了江湖中人的宿命。弱點是沈勝衣的作用不大。只是這個復仇故事的見證人。

三、長篇小說《天蠶變》系列

《天蠶變》是黃鷹小說中知名度最高的作品之一，既有令人眼花繚亂的故事情節，又有變化靈活的影視蒙太奇結構，還有短句分行且語句精煉的古龍筆法，是以得到不少讀者的喜愛。只是，這部小說是根據香港麗的電視有限公司的同名電視連續劇的創意改寫，有人認為這部作品不能算是黃鷹原創。[7] 實情如何？黃鷹在《天蠶再變》的《前言》中說：「多年前，曾經寫了一篇小說《天蠶變》，結構本來頗緊湊，但因為要改編為電視劇，補充了一些其他人的意見，非但結構因此而鬆散，部分甚至有陳舊的感覺，其後又由於某些原因一改再改，與原意出入頗大。」[8] 此說應該可信。

書名《天蠶變》有雙重意義，一是指一種非常厲害的武功，即武當派所習的天蠶變內功；一是象徵主人公雲飛揚，[9] 從一個醜陋的毛毛蟲蛻變成美麗的蝴蝶。小說講述主人公雲飛揚從一個不受人待見的私生子，成長為新一代武林絕頂高手的故事。這樣的故事，欲揚先抑，充滿曲折坎坷，最後觸底反彈，就格外激動人心。類似故事，以金庸《射鵰英雄傳》中郭靖的經歷為典型。

本小說所寫，是在複雜詭譎的武林衝突中的人生境遇。武林的矛盾衝突十分複雜，分為不同方面。第一方面即武當派與無敵門的衝突，武當掌門人青松道長每十年一次與無敵門主獨孤無敵比武，無敵門要征服武當派的野心昭然若揭。第二方面，是峨嵋派的年輕高手管中流為同門報仇，挑戰無敵門分舵，最終導致峨嵋派重大傷亡事件，幾乎滅門。第三方面，是逍遙谷即碧落賦一門，[10] 始終在暗中針對武當派，並且監視無敵門，其目的也與無敵門相同，即要稱霸武林。

在這一系列矛盾紛爭中，主人公雲飛揚原本是個無足輕重的小人物，他甚至不是武當派的正式弟子，而只是武當派的一個雜役，只是在業餘時間跟一個蒙面師父學藝；誰也沒有想到，這樣一個看起來無足輕重的小人物，最後竟成決定武林命運的關鍵人物。

小說故事情節曲折多變，跌宕起伏，頗為可觀。更可觀的是書中若干人物。

首先是主人公雲飛揚，此人命運多舛，人生坎坷，但卻心地善良、聰慧機智、刻苦耐勞、胸懷俠義、情感真摯。從小就不知道自己的父親是誰，只能跟母姓。青松將他帶回武當，卻又不能公開他的身分，因而不能正式接受他為武當門徒，只能在暗中教授他武功。雲飛揚只能做勤雜工，問題是人人都把他當作來歷不明的賤民。如此遭遇，十個少年可能會有八個被不公正待遇扭曲心靈，好在雲飛揚專心練武，並沒有心理變態。相反，他始終保持了與人為善及行俠仗義的善良本性。

如此遭遇，或許是「天蠶變」練習者所必經之路，即須置諸死地而後生。更大的打擊是，他所摯愛的少女獨孤鳳，不但是無敵門中人，且是他同父異母妹妹。即便如此，當他得知師伯燕沖天被殺後，還是挺身而出，維護武當派，最終殺死獨孤無敵，讓武當派重整旗鼓，也讓武林平安。

其次是傅玉書，由逍遙谷少主變身武當派掌門，是書中最出人意料的情節。傅玉書潛伏於武當派，目的是為祖父復仇。他殺害掌門弟子，當上武當接班人；進而殺害師父青松，又設計誘捕燕沖天，讓武當派弟子進攻無敵門，幾乎全軍盡墨。

傅玉書的復仇行為，極其陰險毒辣。值得注意的是，作者並沒有把傅玉書刻畫成復仇狂，更沒有把他當作十惡不赦的大壞蛋。他對倫婉兒始終有一份真情，證據是，當他祖父讓他殺害倫婉兒時，他沒有執行祖父的命令，而是讓倫婉兒逃亡，並生下了他們的孩子。對倫婉兒始亂終棄，受到命運殘酷報復，他在逃亡時捂死的嬰兒，正是他與倫婉兒的孩子。最後，當他偷襲雲飛揚時，被自己的妹妹傅香君所殺。這也是命運給予他的最後判決。此人的故事，讓人感慨。

再次是峨嵋派青年新秀管中流。剛出場時，他像紈褲子弟，帶著六寶、七安行走江湖，派頭十足，傲氣逼人，當然不會受人喜愛。但，當他得知一音大師及峨嵋派弟子被無敵門所殺，管中流毅然改變自己的作風，為了獲得陰柔內功秘笈而不惜紆尊降貴，無論黑白雙魔如何歧視折磨，總是逆來順受，這一行為表現出此人堅韌的一面。

為了當峨嵋派掌門，他毫不猶豫地殺了師叔海龍老人，表現他的刻薄；而與傅玉書比武爭盟主，又見其自負與野心。最後，當傅玉書和逍遙谷以壓倒優勢逼他投降時，他寧可與情人依貝莎一起自殺，顯示他自尊與傲骨。這一人物是一個複雜的人物，在書中的表現，既出人意料，卻又在情理之中。

又次是無敵門主的弟子公孫弘。到武當山作信使，給人的印象是飛揚跋扈，不可一世。但作者卻沒有寫他作惡，而是寫他多情。對師妹獨孤鳳一往情深，百般討好，即使獨孤鳳逃婚禮，他仍不惜違背師父旨意多次救助獨孤鳳。更出人意料的是，為保護師父逃亡，他捨命與雲飛揚相抗，結果死在雲飛揚手下。在他死後，雲飛揚將他的遺體抱入無敵門大堂，算是對他的一份禮敬。

又次是武當掌門人青松，多次敗於獨孤無敵之手而百折不撓；蒙面教授雲飛揚武功則表明他有私心，被傅玉書所騙，既是他認知能力局限，也是他善良和單純，最終為此付出了生命代價。無論作為武當派掌門人或是父親，他都是有缺陷的。但他的個性缺陷當能獲得同情與諒解，畢竟，青松道長是人而不是神。

獨孤無敵是書中的大反派。但他並非卑鄙小人，而是武林梟雄，有宗師氣象。證據是，他多次打敗青松，卻沒將青松置於死地，還下令不許傷害青松。這樣做，固然是擔憂燕沖天的報復，但也表現他的梟雄作風。進一步的證據是，在燕沖天、雲飛揚都練成天蠶變，眼見大勢已去，逍遙谷主天帝呼籲他和自己聯手對付燕沖天，獨孤無敵驕傲地拒絕了。

更讓人感慨的是，他想要獨霸武林，練習絕滅魔功，以至於無法與妻子過性生活，以至於妻子沈曼君與武當掌門青松道長有一夜情，還生下了孩子獨孤鳳，獨孤無敵非但沒有殺沈曼君，且把獨孤鳳當作自己的女兒養育成人。

試圖讓雲飛揚和獨孤鳳亂倫，當然是罪惡，卻也事出有因。更有意思的是，他因無錢支付殺手要價而惹禍上身，只得選擇向雲飛揚挑戰，即寧可死於雲飛揚之手，也不願死在天殺組織之手。也就是說，他實際上已經認同了死亡的結局，只是選擇死亡方式，以維護作為一派宗師最後的尊嚴。

本書不足之處是，其一，青松與表妹偷情是在當武當掌門之前，與獨孤無敵的妻子沈曼青偷情卻在他當了掌門之後，不但違規犯戒，還念念不忘，與青松的身分及個性不符。其二，天帝傳天威到武當山當火工盜竊武功秘笈，本身就有問題，而他盜走六絕秘笈，卻不盜走天蠶訣（**這些秘笈放在一起**），更說不通。其三，按武當派規定，天蠶變武功只能由掌門人修練，但青松讓燕沖天也修練這門武功；青松居然將天蠶變抄本送給情人沈曼君，這都說不通。更重要的是，天蠶變究竟應該如何修練才成？小說作者、電視編劇恐怕也說不清。

《天蠶再變》

是《天蠶變》的續書。作者重新設定了天蠶變武功來源，即來自西域魔教某個長老，具體是用魔教內功心法加上苗疆種蠱之法，創造出全新內功即「天蠶變」，並把這種內功心法用梵文刻在石頭上。前任武當掌門人（**枯木的師父、青松的師祖**）到苗疆，將這份石刻拓印下來帶回武當，對內功心法進行改造，變成了武當派的內功心法。

進而，作者也重新設定了天蠶變的修練方法，即分為三個階段，第一階段是修練魔教內功，第二階段是使用人面蜘蛛種蠱，第三階段是使用「移花接木」之法（**近似於金庸筆下的「北冥神功」或「吸星大法」**），使其內力速成。為了應對《天蠶再變》這個書名，作者構想了一個奇觀：雲飛揚的內力被薩高設法傳遞到孟都體內，雲飛揚內力盡失，但有天蠶變內力的種子，從而在失去內力之後並沒有從此變成廢人，而是經歷了「天蠶再變」，即內力重生。

《天蠶再變》的故事相對簡單。西域魔教長老薩高來到苗疆，找到石刻上《天蠶變》內功心法，又找到練武天才孟都，讓他學習天蠶變心法，要把他訓練成天下第一高手，並讓他為魔教稱霸中原武林作先鋒。孟都修練了基本功後，想要速成，薩高指點他使用移花接木之法，即強取中原武林高手的內功為已用。孟都的第一個目標是點蒼派掌門清虛，其後有對華山、青城、五台等派高手下手。

這樣做一舉數得，一是使得孟都的內力迅速增強，二是消滅了諸多中原武功高手，打擊了中原武林的自信心；三是無意中嫁禍於唯一懂得天蠶變的雲飛揚，從而容易引起中原武林的內訌。中原武林中人自以為是，認定雲飛揚就是殺人凶手，迫使雲飛揚不得不調查天蠶變武功的來源，設法為自己解脫。

雲飛揚來到苗疆，打敗了薩高和孟都，救出了被孟都俘獲的四川唐門老掌門唐百川。但薩高誘騙苗女貝貝將蠱母送入雲飛揚之口，從而控制了雲飛揚，並使用蠱術傳導，將雲飛揚的天蠶變內力全部輸送給孟都，不僅治好了孟都的內傷，且使孟都的內力得到極大提升，幾乎天下無敵。

在孟都破繭而出之前，四川唐門少掌門唐寧用暗器射殺了撒高。孟都欲強姦唐寧，唐寧自殺。孟都再赴中原，先後打殺了華山派劍先生、武當派長老枯木，又打敗武當掌門白石、少林百忍、青城玉冠、太湖總寨主柳先秋、洞庭君山紫龍王、點蒼鐵雁等人，迫使中原武林人臣服，並為他修建至尊殿。

與此同時，雲飛揚正在經歷「天蠶再變」，在至尊殿修建建成之日再戰孟都。他的功力仍然在孟都之上，魔教金髮人試圖用火槍射殺雲飛揚，但卻誤中孟都。雲飛揚再赴苗疆，毀滅了天蠶變心法石刻，西域魔教稱霸中原的夢想，再次破滅。

在形式上，《天蠶再變》更像小說而非劇本，故事情節線索相對單純。《天蠶再變》中的雲飛揚，已經沒有多少飛揚的少年意氣，而是多了一份歷盡滄桑的沉鬱蒼涼。作為一個青年人，他仍然有自身的弱點，在面對苗女貝貝、漢女唐寧的情感衝突時，幾乎束手無策。也正因如此，才會讓薩高通過貝貝種蠱所控制。雲飛揚雖然武功高絕，但心智與個性卻是普通人，從而無法擺脫命運安排，甚至覺得自己是命運的玩物。

孟都也值得一說，他是苗疆峒主的兒子，因有練武天才，被薩高精心培育成武學高手，而他也成了薩高的打手和工具。所以如此，一是因為孟都對漢人的歧視早有不滿，試圖以武功報復漢人，證明苗疆兒女優秀；二是因為他還年輕，自然渴望出類拔萃，成就輝煌。一開始，孟都似是殺人不眨眼的惡魔；但他再度進入中原後，除了面對華山劍先生、武當枯木等決心以死相搏者外，卻不以殺人為樂。此人有一個優點，那就是敢作敢當，從不隱瞞自己的所作所為，也沒有殺人不見血的複雜心機。實際上，他心地單純，只不過是誤入人生歧途。

苗女貝貝也值得一說。她是個極其單純的少女，不知江湖險惡，甚至不相信人間有惡人，即便惡人就在她身邊，她也以單純善良的心意去作別解。她對雲飛揚一見鍾情，就直接告訴雲飛揚並跟定了雲飛揚。為了在與唐寧的競爭中獲勝，受了師父薩高的誘騙，將蠱母下到雲飛揚體內，無意中害了雲飛揚；但她立即去找唐寧，為拯救雲飛揚而對唐寧低聲下氣，終於將雲飛揚體內的蠱母誘出，寧可犧牲自己，也不願讓雲飛揚抱憾終生。貝貝的情感行為，讓人印象深刻。

唐寧是另一種女孩，出身於武林世家，從小得到爺爺唐百川寵愛，加上容顏美麗、天資聰穎、武功過人，難免性格驕縱、自以為是、傲氣逼人。孟都擄走了唐百川，她以為是雲飛揚所為，於是對雲飛揚展開千里追蹤。甚至不給雲飛揚解釋的機會，即使明知不是雲飛揚的敵手，仍然不放棄報仇雪恨的初衷。長期的追蹤與對峙，終於意識到雲飛揚不是自己以為的那種人，後由恨轉愛，同樣熱烈而鮮明。與貝貝的競爭，成了她一生最艱難的考驗，發現雲飛揚與貝貝纏綿在床，立即轉身離去。得知雲飛揚在危難之中，又立即冒死前來。孟都覬覦她的美色，且以武功控制了她的身體，但她寧可自殺，也不願屈服，更不受玷污。

武當長老枯木也值得一說。他是武當掌門人弟子，因為不屑於師尊的行為，寧可自棄於武當，到深山峽谷中獨自隱居。他對雲飛揚說：「最初我是因為性子剛烈，討厭大部分的人性才跑到這裡來，一直到燕沖天下來，才發覺自己原來也有許多劣根性，一樣是那麼討厭，然後再發覺任何人都一樣，只要好根性多過劣根性便已很值得欣賞。」[11] 經歷了數十年的苦修與沉思，終於明白了人性的複雜。所以他毫不猶豫地說出武當派竊取魔教內功的秘密；當雲飛揚懇求他維護武當，他亦毫不猶豫地重出江湖，精心訓練武當弟子，孟都囂張而來，他就毫不猶豫犧牲自己，維護武當門下弟子的尊嚴。

他之毫不猶豫，表明他對人性已感悟透澈。「討厭大部分人性」，可能也是作者的一種心態，也是這部書的隱含主題。書中中原武林正派人物的身上，存在著被作者討厭的種種。從華山劍先生，到青城玉冠道長，從點蒼鐵雁到五台木頭陀，無不存在人類的劣根性。諸如自私自利、自以為是、自傲自大、頭腦簡單等等，好在，正如枯木所意識到的那樣，這些人身上也有好的因子，諸如自我反省、坦誠面對、不怕犧牲、同心同德。雖然這些人並不是決定中原武林命運的關鍵人物，他們的存在，豐富了故事色彩。

除了「人性多面」思想之外，這部小說還有另一個重要思想，即中原武林固步自封，不若西域魔教那樣兼收並蓄。小說結尾處，西域魔教金髮人與雲飛揚的一席對話，即充分表達了這一思想主題。這一思想並非針對中原武林，而是針對整個中原文化，本書的主人公雲飛揚甚至不知道「進步」是什麼意思。

本書也有問題。首先，雖然修訂了天蠶變武功來源，也說明了練功方法，仍未把這一武功說清楚，諸如「作繭自縛」、「替人做嫁」、「脫胎換骨」到底是什麼？還是有問題。其次，薩高把孟都培養成可以進軍中原的高手，為何不與西域魔教聯合行動？作者說來不及，顯然說不通，真正的問題可能是，若是通知了魔教總舵，讓魔教大舉進入中原，那就需要全面布局，需要作者花費更多心思。最後，把「西域」與「西洋」兩個概念混淆了。西域是指中國新疆及中亞地區，而西洋則泛指歐洲及北美。作者把西域魔教擴展為西洋魔教——證據是小說中出現的帶火槍的金髮人——主要目的當是要講述中國落後於西洋的寓言。

《雲飛揚外傳》（原名《天龍訣》）

作者當年有《前言．大風起兮雲飛揚》，說「這個人的傳奇故事先後我一共寫了三篇。《天蠶變》是寫雲飛揚的出身，成長，三戰獨孤無敵而終於成為一代高手。《天蠶再變》是交代天蠶功的來源，雲飛揚一生中的一段小插曲。再還有，就是這篇《天龍訣》，是寫雲飛揚的死，也可以說是《天蠶變》的續篇、大結局。」[12]香港麗的電視臺一九七九年的電視連續劇《天龍訣》亦可證明。此書在武林出版社再次出版時，才改為《雲飛揚外傳》。[13]

本書雖名《雲飛揚外傳》，雲飛揚卻很少出場。算起來不過寥寥數次，一是開頭在少林寺大戰白蓮教不老神仙，第二次是在仙桃谷中被猿長老軟禁，第三次是和徐廷封、小子一起上武當山救難，第四次是百花洲大會上揭露人尊真面目並幫助群雄脫險，第五次是在皇宮中殺天河上人並被粉羅剎所殺。作者選擇這個書名，不過是要借用《天蠶變》和《天蠶再變》等作品中雲飛揚的鼎鼎大名，要寫出這一武林名人的最後結局：救難、受傷、再救難、再受傷、最後救難及犧牲。

該書真正的主人公是安樂侯徐廷封。他不但貫穿小說始終，而且參與了從朝廷到江湖的每一次關鍵事件。徐廷封既是皇封世襲的安樂侯，又是崑崙派掌門人鍾大先生的弟子，他的雙重身分，使得他可以在朝廷與江湖間自由行動。

小說由三段故事構成，第一段是武宗皇帝與九千歲太監劉瑾之間的權力鬥爭，第二段是武宗皇帝與外藩寧王朱宸濠的較量，即「寧王之亂」，第三段是白蓮教人尊與武林正派的衝突，而人尊圖謀非江湖，而是江山，即取明朝而代之。三段故事雖然各有側重，卻有內在聯繫，在第一段故事即誅滅權閹劉瑾段落中，寧王朱宸濠及白蓮教與南宮世家都已出現，並且在這一政治衝突中扮演了重要角色。寧王朱宸濠一面給皇帝送龍袍密信，一面給劉瑾送「心藥」，試圖兩面討好並坐收漁人之利。白蓮教的天地雙尊不僅在京城製造了上百起童男童女失蹤案，且一度充當劉瑾的高級殺手。南宮世家的老太君也帶著五位兒媳來到北京，並在關鍵時刻協助寧王攻擊劉瑾部屬，決定了這場衝突的最後結局。到了第二段故事，寧王才一度成為主角，暗地裡招兵買馬，試圖篡奪皇權。

本書的反派一號人物是誰？是這部小說最大的看點。本書的頭號反派，既不是太監劉瑾，也不是寧王朱宸濠，更不是白蓮教的天地雙尊即苦海雙妖，而是直到小說最後才露出真面目的南宮世家的老太君——白蓮教人尊。如果要用一句話說《雲飛揚外傳》的內容提要，應是：白蓮教人尊苦心經營圖謀造反。

這部書的最大看點即最突出的敘事特點，就是伏流千里，直到小說最後才揭露頭號反派人物的真面目。小說開頭，白蓮教主不老神仙與少林寺心禪上人決鬥前，就已說及白蓮教教主之下有天地人三尊，天地雙尊早早出現，惟獨人尊失蹤多年，即使在教主出關時也沒有露面。實際上，人尊早已露面，且一直活動在小說故事中，只不過所有讀者都不可能想到，堂堂南宮世家的老太君，居然是白蓮教的人尊。

人尊不但躲在劉瑾的背後，躲在寧王的背後，更躲在南宮家老太君的人皮面具背後。所以如此，當然是因為她有出人意料的重大圖謀及旁人難以企及的深度機心。小說中最令人震撼的一幕，就是老太君讓藥人殺手處死南宮世家的最後一個男子南宮博；更驚人的是，最後才知道南宮世家的太爺、太君及五個兒子全都死於這位冒充老太君的人尊之手。所以如此，不過是利用南宮世家的錢財製造藥人殺手，同時利用南宮世家的聲譽欺騙世人。相比之下，白蓮教主不老神仙蓋霸天、白蓮教天地雙尊等人，都不過是普通江湖人，在政治謀略上遠不如人尊。

本書的結局令人震撼。武宗皇帝經歷了三次厄難，即劉瑾專權、寧王叛亂、白蓮教迷魂，三次都是徐廷封率人救險。但在白蓮教之亂解除後，武宗皇帝居然要毒殺首席功臣徐廷封。這一結局不僅出人意料，而且令人震驚。所以如此，與其說是因為徐廷封功高震主，不如說武宗皇帝喪失人性，以及傳統政治冷酷無情。此所謂飛鳥盡、良弓藏，狡兔死、走狗烹。更深層的原因是武宗皇帝心智平庸，追求淫樂，卻是自高自大的天子至尊，每次玩火都險些燒身，被徐廷封所救，都會刺激他脆弱的自尊。消滅功臣，不過是他維護自尊的病態方式。

書中人物，雲飛揚、徐廷封、鍾大先生、蕭三公子、無為大師、猿長老等，都給人留下一定的印象。不過，讓人印象最深刻的，應是南偷和小子師徒。

南偷和徒兒小子之間的關係引人注目，師父自稱老頭，徒弟就叫小子，雖有長幼之序，似尊卑界線模糊，兩人亦師亦友，隨時相互打趣，顯得非常特別。師徒相處及對話，無不十分生動。這種關係的描寫，或許是受到古龍小說中朋友間相互打趣的影響，引申到師徒關係中，卻有很好的理由。理由之一，是這兩個人的性格都很特別，師父南偷技藝超群且生性詼諧，既不願意被傳統禮法所束縛，更不願意因師徒規矩而束縛了徒兒的自由天性，所以就「創造」了這樣一種自由親切的師徒關係模式。徒兒小子以這種方式被教養，久而久之，也就習慣成自然。

小子天資聰穎，本性自由奔放，與師父相處能夠保持真我，令人羨慕。值得注意的是，這對師徒看似沒大沒小，其實小子對師父的愛和敬，比常人更深更誠。南偷不是偷盜者，而是走江湖的藝人，真正的身分卻是白蓮教主蓋霸天的弟弟蓋嘯天，因與哥哥的目標及志趣不同而離開白蓮教，被南宮世家老太君設計殺害，是因為人尊要掩蓋自己的真面目，追蹤調查者殺無赦。

說起來，南偷可算是人尊圖謀江山的第一個犧牲者。好在，他的徒兒小子繼承了他的俠義情懷，也繼承了白蓮教的碧玉令，最後學會了白蓮教的七煞琴音，清理了白蓮教門戶。小子是這部小說中最活潑可愛的人物，青春飛揚，個性灑脫，熱情洋溢，赤膽感人。南偷死了，雲飛揚死了，徐廷封死了，小子還活著。只要小子活著，江湖就有正氣。他與南宮明珠的愛情，也是這部小說中引人注目的情節線索。

書中的幾條情感線索，也值得一說。

一是，傅香君請求出家，師父苦師太卻堅決拒絕，說她塵緣未盡。苦師太是過來人，瞭解少女情懷，不希望弟子在沒有準備好的情況下終生面對青燈黃卷。傅香君去少林寺送信，再次見到雲飛揚，但雲飛揚再次身受重傷，並再次拒絕了她的愛。有意思的是，苦師太給鍾大先生寫信，托他成全傅香君與安樂侯徐廷封的姻緣，而傅香君在與徐廷封相處過程中，尤其是與徐廷封女兒憶蘭的相處中，悄然愛上了徐廷封。這種微妙的情感變化，是真實人性的生動表現。只可惜，徐廷封沒有珍惜這份愛，終於被皇帝毒害，有情人無法成為眷屬。

一是，崑崙派掌門人鍾大先生的女兒鍾木蘭與華山派蕭三公子兩情相悅，但鍾大先生卻將女兒許配給南宮世家的四公子南宮學，鍾木蘭只能屈己從父，嫁入南宮家。中國古代無數青年男女都有類似經歷，與眾不同的是，鍾木蘭出嫁不久，丈夫南宮學就被殺害，這對夫妻有名無實。蕭三公子深情不變，鍾木蘭無奈躊躇，在百花洲論劍時，她被人尊算計，不知不覺地落入人為陷阱中，求蕭三不要傷害她的父親，反而被父親斥責，怒火沖天的鍾大先生打傷了蕭三公子。到這時，鍾木蘭才下定決心離開南宮世家去照顧受傷的蕭三公子。只是，鍾木蘭仍沒有決心和勇氣與蕭三公子結為夫婦，只敢與心上人以朋友之禮相待。蕭三公子被粉羅剎殺害，鍾木蘭毀容為他報仇，她對蕭三公子的一片深情溢於言表。

一是，寧王朱震濠的女兒朱菁照從小就喜歡表哥徐廷封，但徐廷封對這位郡主卻不動心。在救了武當弟子陸丹後，對陸丹也有了情不自禁的好感。到底是愛徐廷封還是愛陸丹？恐怕朱菁照本人也說不出來，原因很簡單，因為她是少女且是郡主，驕縱任性卻未必真正瞭解自己心思。待寧王叛亂彌平，嬌生慣養的郡主淪落到無家可歸，這才一改驕縱習性，懂得珍惜也懂得了愛。只可惜，陸丹從迷惑中醒來，卻已是生命的終點，朱菁照本人也被親哥哥朱君照殘酷殺害。

四、「驚魂六記」之《黑蜥蜴》

古龍小說《血鸚鵡》，只寫了前五章，後廿五章由黃鷹代筆完成。「驚魂六記」的後五記，即《吸血蛾》、《黑蜥蜴》、《水晶人》（**又名《風雨奇譚》**）、《粉骷髏》（**又名

《羅剎女》)、《無翼蝙蝠》等全是黃鷹作品。《黑蜥蜴》是其中之一,小說發表後即被邵氏電影公司改編,由楚原導演成同名影片,於一九八一年上映。

「驚魂六記」的構成,是武俠+驚悚;而《黑蜥蜴》中又增加了懸疑+偵探+愛情線索,看起來新鮮別致。小說開頭的故事情節是:主人公龍飛與司馬怒決鬥後趕往鳳凰鎮見女友,途中遭遇及其後的所見所聞,簡直匪夷所思。棺材裡裝木偶,木偶與其女友一模一樣,而且還會講話;車夫如蜥蜴,荒院裡布滿了蜥蜴的木雕;屏風圖畫上的人物,上半身是人,下半身是蜥蜴,畫中美女腦殼裂開,腦髓和血被蜥蜴人吸取;小樓裡明明有人,轉瞬間消失無蹤……這一切看起來無法解釋。

作品的看點,卻不僅在其故事表層的神秘、驚悚與懸疑,更在於其深層真相灼人。其核心,是個悲劇愛情故事。一劍勾魂丁鶴與三槍奪命蕭立原是一起出生入死的好友,兩人都愛上了鳳凰鎮昔日大盜白風的女兒白仙君,白仙君偏愛文武雙全的丁鶴,而父親卻把她許配給性格豪爽的蕭立。白風亂點鴛鴦,造成了丁鶴、蕭立和白仙君三個人的不幸。丁鶴愛白仙君,不忍離去,終於娶了白仙君的表妹,而白風也將隔壁的院子送給了丁鶴。丁鶴與白仙君發乎情而止乎禮,只有一次醉酒相擁,被蕭立發現,蕭立從此墮入地獄中。蕭立愛白仙君,並有幸與她結為夫婦,且生兒育女,但白仙君別有懷抱,蕭立疑神疑鬼,並無真正幸福可言。正因如此,白仙君一生抑鬱,並於三年前辭別人世。

這個故事的關鍵,是蕭立懷疑妻子與好友私通,卻又找不到確切證據。只是好友丁鶴身上有形如蜥蜴的黑痣，而他的兒子蕭玉郎的身上也有同樣的黑蜥蜴胎記，於是黑蜥蜴就成了蕭立無法擺脫的夢魘。

假如蕭立有面對真相的勇氣，主動詢問妻子白仙君或好友丁鶴，或許能夠找出事實真相。但他沒有這種勇氣，不是因為他性格軟弱，而是因為他深愛白仙君，害怕失去白仙君。所以，直到白仙君死去，他仍在夢魘中。直到白仙君死後三年，黑蜥蜴的夢魘終於惡性發作，他要殺丁鶴的「孽種」蕭玉郎，要殺自己的白癡兒子蕭若愚，要殺情敵丁鶴和他的女兒丁紫竺，還要讓丁鶴的準女婿龍飛見證此事的全過程。於是就有這個《黑蜥蜴》的故事，即他以攝心術讓蕭玉郎雕刻黑蜥蜴，自己則扮作蜥蜴，在白仙君的雕像嘴裡放入黑蜥蜴，在蕭玉郎遺體的嘴裡放入黑蜥蜴……到處都是黑蜥蜴。

直到最後才得知此事的真相，是白仙君的侍女白三娘與姐姐自作主張，將丁鶴的兒子與蕭立的女兒調換撫養。此時，白仙君已死，丁鶴自殺，蕭立的一生被黑蜥蜴的夢魘所控制，醒來後人事全非，除了自殺，已別無選擇。故事結局，震撼人心。

世間魔怪，極少來自外界，多半是來自人的內心。在這個故事中，龍飛也曾遭遇類似的魔性。首先，是見到女友丁紫竺（應為蕭紫竺）的裸體雕像，足以讓他痛苦不安，雕像栩栩如生，必有人見過女友的裸體，不能不產生強烈的嫉妒情緒。其次，自己曾寫信約定見面日期，女友竟探親未歸，這就更讓他寢食難安，並讓雕像效應加倍發酵。

再次，聽說魔手蕭玉郎（應為丁玉郎）與丁紫竺從小青梅竹馬，且曾向丁紫竺求婚，這就讓木雕效應發酵到極點。好在，龍飛不是蕭立，他雖嫉妒不安，卻有勇氣調查真相，說起來並不難，那就是直接向當事人詢問。當丁紫竺說她沒有收到龍飛的信，說她不愛蕭玉郎，說她最近幾年從未見過蕭玉郎，龍飛的嫉妒心就消除了一大半；而當丁紫竺脫衣驗證，讓龍飛看到自己的身材與雕像的身材大不一樣，龍飛的嫉妒心就徹底消除了。讓人瘋魔的其實並非嫉妒本身，而是嫉妒心驅動的胡思亂想，胡思亂想具有魔性，足以讓人瘋狂。

由此可以證明，《黑蜥蜴》不僅故事好看，更難得的是寫出了愛情中人的瘋魔心理，顯現出作者對人性的深度洞察力。

五、「詭異江湖」系列的代表作

一九七〇年代末期，是黃鷹小說創作高峰，奇思妙想層出不窮，其中有「詭異江湖」系列，吸人眼球。這一系列包括《名劍》、《賊贓》、《五毒天羅》、《毒連環》、《風雲十七劍》、《骷髏帖》、《天下第一刺客》、《幻魔》等作品。下面說說其中的幾部作品。

《名劍》

此作是詭異江湖系列的第一篇。說的是當世兩把名劍，即花千樹的寒星劍、風萬里的齊物劍。花千樹的好友王十騎善於相劍，說齊物劍是一把凶劍，齊物劍的擁有者將不得好死。這種預言，當代讀者多半難以置信，但在王十騎的時代，這種對劍的直覺卻非同小可，所以花千樹將齊物劍送給了不懂武功的美女鉉姬。

王十騎的預言並非無的放矢，證據是，齊物劍的第一任主人風萬里死了，第二任主人花千樹死了，第三任主人鉉姬也死了。只不過，故事的結尾卻出人意料，第四任主人李驀然卻沒死，反而是寒星劍的臨時主人連環死於齊物劍下。

《名劍》其實是說名劍手的故事。花千樹、風萬里是老一代的名劍客，李驀然、連環是新一代名劍客。名劍客有好有壞，齊物劍的主人風萬里劫奪三十六萬兩鏢銀，殺死七十二條人命，終於被花千樹所殺。

這場比武，既是劍客較技，也是正邪之爭。李驀然用齊物劍與花千樹的寒星劍比武，是純粹的比武，所以，結果是寒星劍主人敗於齊物劍主人，那是因為李驀然更年輕，而花千樹的內傷一直沒有痊癒。李驀然與連環形成另一重對比，李驀然找花千樹比劍，純粹是想挑戰名家，讓自己成名。而連環要為師父風萬里報仇，本可明目張膽地進行，但他卻始終在暗中行事，目的不在為師報仇，更在於奪取寶劍。所以，到最後，連環被李驀然所殺，這不僅是技不如人，同時也是人不如人。

《名劍》也是愛情故事。首先是李驀然與言小語之間的愛情故事，兩人原是青梅竹馬，兩情相悅，但因李驀然跟師父古柳練劍十年，耽誤了提親的時間，言小語的父母等不及，將女兒許配給家世更好的連環，造成了有情人無法成為眷屬的愛情悲劇。

這是中國古代常有的愛情悲劇。只不過，這個故事稍有不同，若非李驀然一去十年無消息，言小語的父母也不至於將女兒另許他人。也就是說，言小語的父母並非李驀然愛情的阻礙，真正的原因，是所謂事業與愛情的衝突。李驀然是事業中人，把練劍置於愛情之上，這才是他失去言小語的根本原因。

十年後重逢，言小語已嫁做他人婦，往日的深情只能壓抑在內心最深處。言小語與李驀然之間，只能是發乎情而止乎禮，各自黯然神傷。言小語的丈夫連環心胸狹窄，雖無真情，卻要面子，始終想將李驀然置於死地。言小語向李驀然通風報信，讓連環無法容忍，他殺不了李驀然，只能將妻子言小語殺害。

書中還有另一段愛情故事，那就是花盈之對李驀然的片面愛情。作為天下第一劍花千樹的獨生女兒，花盈之對李驀然的好感溢於言表，自稱石頭兒，稱對方為雨點兒，即已表明了心跡。李驀然在客棧中與言小語相擁的一幕，被花盈之發現，花盈之負氣而去，是更加確切的證明。

書中還有第三個證據，那就是當言小語找到花盈之，想讓花盈之消除對李驀然的誤解，而花盈之卻根本不相信言小語，將她送回連環身邊。表面上，花盈之不相信言小語，是聽信了連環的謊言；實際上，花盈之的所作所為還有更深的潛意識動機，那就是對言小語充滿敵意，也就是把言小語當作情敵對待。這，也正是花盈之深愛李驀然的確切證明。假如花盈之沒有將言小語送回，或是連環沒有殺害言小語，花盈之與李驀然之間或許還有發展愛情的機會。但花盈之潛意識情感衝動行為，確定了她片面愛情的悲劇宿命。由於言小語之死，她不敢面對李驀然，只能悄然遠離至愛之人。

這部小說的主題，不是劍，而是「名」。無名氏、李驀然、連環等人要挑戰天下第一劍花千樹，無非是想成名。花千樹作為天下第一劍，早已知曉名聲的虛妄，所以他寧可隱居，以避免青年劍客的挑戰。只不過，青年人並不懂得名的虛妄，前赴後繼地追求名聲。李驀然也是如此，直到言小語去世，他才真正懂得，任何虛名，都無法彌補失去言小語的內心空虛。

這部小說的不足之處，是鉉姬與花千樹關係曖昧，未予說明。若花千樹真愛鉉姬，為什麼不與鉉姬一起隱居？若花千樹不愛鉉姬，為什麼又將齊物劍送給鉉姬，並且在發現李驀然攜帶齊物劍後，要去詢問鉉姬端的？說起來，鉉姬與李驀然的關係，也有些草率，救助受傷的李驀然是一回事，而與李驀然發生性關係則是另一回事。當然，年紀不大的鉉姬耐不住春閨寂寞，與健康帥氣的李驀然有一夜露水姻緣，也符合人的本性。問題是，若鉉姬真愛李驀然，為什麼在花千樹死後，又自殺在他靈前，為他殉情？無論如何，鉉姬這一人物總是有些概念化。

《名劍》被改編成電影，電影《名劍》是香港武俠電影史上的經典。[14]

「詭異江湖」系列中，《賊贓》、《五毒天羅》也值得一說。

《賊贓》

這部作品的故事情節曲折而精彩，不斷出人意料。小說的最大看點，並非連環報復殺人案主謀江飛霞，也不是月華軒珠寶盜竊者及其同夥，而是小說的主人公楊威。楊威和方聰是好友，也是歡喜冤家。楊威抓賊領賞，賊人的錢財卻總是被方聰提前拿走。原因很簡單，是因為楊威在抓捕對象前，總喜歡將賊人的圖像掛在床前，方聰在暗中窺視，當然很容易就發現楊威的下一個行動目標。

楊威的可愛，在於他本性醇厚，卻有點自以為是，還有點楞頭青。與方聰聯手做事，他總是占小便宜吃大虧，就連打嘴仗也不例外，他說他身高六尺一，方聰就說自己六尺三。但打嘴仗輸贏，並不影響他與方聰的友情。只可惜，在小說最後，作者竟安排可愛的楊威死於意外。否則，這兩人必能打出更高的知名度。小說發表不久，即被改編成同名電影。[15]

《五毒天羅》

故事很吸引人，黑虎寨毒氣事件即讓人震驚，寨主黑虎中毒後，反應讓人毛骨悚然。進而是柳東湖中毒，黑衣人追蹤天武牧場的龍山到百家集（**沈勝衣曾在此偵破「鬼簫」案**），再次施放毒霧，將毒霧的威力展示無遺，故事情節由此展開。

小說的真正看點是人物形象，首先是遊俠郭勝，不僅發死人財，做樓月香保鏢時亦錙銖必較，如同市儈；低開高走，俠義精神逐漸展開，令人印象深刻。其次是樓月香。作為牧場主樓天豪的獨生女兒，看似驕縱任性，抑或天真無知，在見識父親真相後頓時改觀，保護郭勝而與父親對峙，顯示其獨立意志。樓天豪是個梟雄，為稱霸江湖而不惜一切，最終卻敵不過父女親情，這一人物複雜而真實。此外，自我膨脹的三絕書生、屈從命運的三阿姨等人物，也很可觀。

六、「皇家野史」系列

黃鷹的「皇家野史」系列，包括《封神劫》、《亡命雙龍》、《虎穴》、《天衣》、《飛虹無敵》、《御用殺手》、《雁血飄香》、《碧血濺京華》、《九月奔雷》、《霹靂無情》、

《飛龍引》等作品，其中大部分作品是以明朝歷史為背景。下面說說其中的幾部。

《天衣》

明朝燕王與晉王爭權，派間諜混入對方陣營，故事情節神秘緊張，懸念迭起。燕王屬下殺手頭目天衣，遭旋風十七騎襲擊，暴露了敵方間諜孫豪；晉王府副總管張華則是燕王的間諜，武士領班司馬長風又被燕王暗中收買。小說的真正主人公是晉王府武士蕭展鵬。他是純粹的武士，對政治不感興趣，甚至厭惡官場作風，有意要退出官場。為晉王服務，是因為世襲職責，也覺得晉王有仁愛之心，值得效勞。勸朋友高歡幫忙，也是以「做點有意義的事」為由。他無法判斷燕王與晉王高下是非，卻有自己的道德立場，是真正的英雄和俠者，且為本書提供了觀察人間歷史的視角。

《九月奔雷》

可謂古代「反恐小說」。最大看點是實施恐怖報復的反派主人公天地會主司馬縱橫。因造反受挫而導致心理變態，為製造混亂和恐怖而無所不用其極。司馬縱橫的合作者歐陽絕，擅長機關和工程設計，內心陰暗空虛且充滿恐懼。內心充滿恐懼的人成為恐怖主義的幫凶，是值得研究的一個現象，此類人既不關心、也不懂得政治，只希望專長得到發揮；當技術發揮受阻，就會變得衝動而瘋狂。反恐領導人龍飛遊弋在朝廷與江湖之間，深諳政治和人情。他有二十四個義子義女，都是他的政治助手及武打幹將。萬花山莊莊主常護花之所以甘願成為皇家殺手，看似本人的政治選擇，實與龍飛義女香芸有關。

《飛燕金刀》

明朝燕王朱棣發動靖難之役，長興侯魏初、定遠侯盛百川派人救出建文帝，皇帝被人劫走，長興、定遠兩侯隨即改變立場，準備向燕王投降，他們說，自己只是政客，不是英雄。本書看點，是主人公孫鳳翔及其好友高遠、女友高飛燕的人生選擇。孫鳳翔原本只是個殺手，只因欽佩定遠侯盛百川忠肝義膽，才決定冒險拯救建文帝。其實在他和高遠看來，建文帝也好，燕王也罷，誰當皇帝都一樣。卻不料盛百川改變初衷，要向燕王投降。高遠為之斷臂，高飛燕為之犧牲，元寶及七重天山寨好漢也因義氣壯烈赴死，孫鳳翔內心難安，遂決定單槍匹馬拯救建文帝，不是為了承諾，是為了無愧於心：他是殺手，也是英雄。

《霹靂無情》

是個偵探故事，講述神武營的十三省總捕頭練青霞、大內禁衛統領長孫無忌，及大俠燕十三、嚴拾生等人聯手偵破毒氣案。故事分為兩段，前一段是歐陽天聰發明毒氣，試圖以此稱霸武林；後一段是神武營主管曹廷即日本人戶澤三四郎利用歐陽天聰製造毒氣，試圖逼迫朝廷撤除沿海軍隊，以便日本人大舉入侵。故事情節曲折多變，引人入勝，燕十三的好友嚴拾生，處處模仿燕十三，將自己的名字改為嚴拾生，以便與「燕十三」諧音，趣味盎然。

最大看點是少年皇帝，平時被姐姐常德郡主所左右，似不諳世事且性格軟弱，但在毒氣危機中竟一反常態，不僅意志堅定，且能洞察幽微，與此前判若兩人。不足則是燕十三的紅顏知己纖纖、盈盈，模仿古龍《楚留香》中的蘇蓉蓉、李紅袖、宋甜兒。更大不足是對曹廷身分來歷，他是日本人戶澤三四郎，如何成了山西曹家弟子？

《飛龍引》

嘉靖皇帝迷信道術，裕王與景王兩位皇子爭奪繼承權，看起來，裕王昏庸重功利，景王聰慧重道義，結局卻是景王自殺，裕王勝利——他並非當真懦弱愚昧，實是大智若愚，一直在扮豬吃老虎。首輔徐階看錯了人、選錯了邊，一直與裕王為敵，裕王還是將他納入麾下。故事的下半段，是徐階見風使舵，倒向裕王麾下，屠殺有功之臣金虎，讓方浪怒不可遏、祖驚虹滿懷義憤，決定刺殺徐階為金虎報仇。

本書看點之一，是政客徐階的作風與立場轉變，道義只是理想說法，成敗利害才是根本。政治沒有情義可言，政客本質亦是如此。小說的另一看點，是祖驚虹、方浪、祖秋霞三人團隊，即男友—妹妹—哥哥，亦即王爺府衛士—民間百姓—江湖浪子的組合。這一組合模式，在黃鷹作品中一而再、再而三地出現。《飛燕金刀》中的中孫鳳翔與高遠、高飛燕兄妹，《天衣》中的蕭展鵬與高歡、高飛燕兄妹，都是如此。

七、殭屍小說與「魔幻妖邪」系列

此外，黃鷹還創作了多部殭屍小說，如《殭屍先生》、《中國第一具殭屍》、《殭屍番生》、《借屍還魂》等。

且說《殭屍先生》：這是個喜劇故事。故事情節和敘述語言有明顯喜劇性，目的是娛樂讀者，讓讀者開心。開頭寫秋生遭遇老鬼，老鬼如精靈，讓秋生原地轉圈，戲耍秋生、文才和九叔，讓人對九叔的茅山法術將信將疑。九叔降伏老鬼的過程卻讓人發噱解頤。秋生、文才和九叔的關係，既是師徒，又如父子，也像冤家；他們之間的對話，如同說相聲。

故事中有鬼魂與殭屍，看點卻是人間色相，財主任老爺的父親所以變成殭屍，據九叔的解釋，是因為一次做生意受挫，心裡憋了一口氣不得出，這才死而不腐，變成殭屍。更深層的原因是，風水師將自家風水寶地告訴任老爺，任老爺卻用欺詐手段奪得風水寶地，風水師當然不會讓這塊寶地的風水顯發，而是堵死氣孔。任老爺的父親變成殭屍，也可以說是風水師的報復。

年輕的秋生性欲旺盛，與鬼魂小玉纏綿，誰說得清是夢境還是臆想？文才貪吃貪睡、既胖又懶，九叔不許他吃魚吃肉，只准吃稀飯且要他動作不休，說是為了治療殭屍毒，卻也未嘗不是治療他的懶病和肥胖症。捕頭武時威，身材高大威猛，說話卻帶童音，這其實是他靈魂的寫照。

小鎮居民也是不可忽視的角色。平時對捕頭武時威畢恭畢敬，當殭屍出現、武時威無能，他們對武捕頭態度即一百八十度大轉彎。平時對財主任老爺言聽計從，任家出了殭屍，他們竟要任小姐作捕獲殭屍的誘餌。聽說糯米能隔人氣，就會蜂擁去米店，將糯米搶購一空；導致鄰鎮米價上漲一倍，且還摻入籼米。故事生動幽默，諷刺入木三分。

黃鷹有魔幻妖邪系列，作品有《火龍》、《陰魔》、《武俠聊齋》、《天魔》、《妖魂》、《魔界》等。這一系列算不算武俠小說？有討論餘地。

《天魔》

這部小說最大創意，是將科幻與武俠故事嫁接。鳳棲梧的女友婷婷咬舌身亡而不死，又與他哥哥鳳生睡在一起，誰想得到，她的體內竟有外星生物寄居？鳳生、鳳棲梧兄弟及中原五義等人性格與命運的徹底改變，全都是外星生物惹的禍。故事神秘而驚悚，情節發展無法猜度，最大看點，是鳳棲梧的心智與個性。哥哥是鳥幫幫主，而他卻不是鳥幫成員，寧做獨立的人。當他發現女友婷婷與哥哥鳳生發生性關係時，雖痛苦萬分，卻保持清醒的理智，未被嫉妒或仇怨沖昏頭腦。為了不傷兄弟之情，寧可獨自承受失戀之痛。正因他保持清醒理性，才能夠找到恰當方式以應對未知。

中原五義之首曹廷也是非凡人物，得知鳳生即將偷襲胡子玉家，便將計就計，召集在世的四義到胡家布置陷阱。當他得知鳳生已死，鳥幫勢必大舉報復，他沒有選擇玉石俱焚，而是率人向鳳棲梧說明真相。這一選擇，不僅需要超人的智慧，更需要超人的膽略。

這個故事不僅是理智的故事，也是勇氣的故事。鳥幫鴿子群是一群有勇氣的漢子，中原五義門下其他人也同樣不乏勇氣——當曹廷說明將與怪物作戰，讓他們自主選擇去留時，其門下弟子無人選擇離開。無獨有偶，鳥幫的骨幹鐵雁在被怪物抓住時，鐵雁說：「別人能犧牲，我鐵雁為什麼不能犧牲？」這話鼓舞人心，遂有人類的最後勝利。

《火鳳凰》

又一部以鳳棲梧為主人公的小說。表面上，這是個奪寶故事，故事情節始終圍繞九幫十八會的財富展開。實際上是講述人心隨時局的變化而變化，演繹衝突與和解主題。蒙古兵大舉南下之際，九幫十八會決定擔起匹夫之責，奮勇抗擊侵略者，因而集中埋藏財寶，以資長期抗敵事業。無奈人心不齊，抗敵歸於慘敗，聯盟冰消瓦解。武老大心灰意冷，只想讓九幫十八會的財富各歸原主。元朝國師封神無忌發現九幫十八會首領已無意於聯盟反抗事業，亦立即改弦更張，決定讓九幫十八會分得財富，平安生活。

在民族衝突故事中，《火鳳凰》式和解結局極為少見，這可能會引起道德問題爭端，但書中衝突與和解主題，並沒有抹殺善惡界限，也沒有混淆道德是非，而只是提升了創作的認知複雜度。在抗擊蒙古侵略者的戰鬥中，奮戰與犧牲者仍然是英雄，逃命與苟活者之所以被諒解，不過是因為經歷生死考驗的武老大等人洞察了人性的弱點，不再非此即彼，更不自以為是。同一個于廷文，開頭是鐵骨錚錚的義士，結局是自私自利的普通人。在藏寶和奪寶故事中，武老大公正廉明，宋堅私欲膨脹，大多數人圖謀自利而隨波逐流，所有這些都是人性的正常值域內。真正高貴的人性，不僅在其自身的高貴，且在於能理解並寬容人類各種卑污。

武玉龍形象是最大看點，他背叛九幫十八會、暗地裡培植死黨、劫奪公共資材，並非對財富的貪婪，而是要反抗父親的權威，證明自己非凡，從而彰顯其存在價值。看似自負驅動，根源卻是自卑。在父親和妹妹生死存亡時刻，毫不猶豫地拯救親人，戴罪立功。武玉龍形象不僅彰顯了人性的複雜性，也為小說的情節發展提供了依據。

【注釋】

1 見https://baike.baidu.com/item/黃鷹/32394?fr=aladdin。

2 有關黃鷹的生卒年，有不同說法，一說是生於一九四八年，逝於一九九二年；網上也有人說黃鷹生於一九五六年。

3 引自俠聖（顧臻）：《黃鷹武俠小說目錄・代筆作品與未結集作品》（二〇一九年四月六日電子版）。

4 作品排序，是依據俠聖（顧臻）《沈勝衣傳奇故事系列一覽表》（二〇一九年五月十一日電子版・二〇二〇年五月十二日修訂版）。表中有作品刊載的具體期號，如第一篇《銀劍恨》刊載《武俠世界》第七四五期，最後一篇在《武俠世界》第一三七二—一三八一期連載。其餘作品刊載期號，在此不一一抄錄。

5 黃鷹：《銀劍恨・寫在沈勝衣傳奇故事再版之前》，無頁碼，香港，武林出版社，一九七九年冬季初版。

6 黃鷹：《銀劍恨・寫在沈勝衣傳奇故事再版之前》，無頁碼，香港，武林出版社，一九七九年冬季初版。

7 網上對此有諸多議論，這部作品的「創意權」有不少說法。

8 黃鷹：《天蠶再變・前言》第一冊，扉頁，香港，陳湘記書局「黃鷹小說專輯二」，無出版時間。

9 雲飛揚這個名字，源頭是漢高祖劉邦詩句「大風起兮雲飛揚」，直接來源當是古龍小說《白玉老虎》中大風堂「龍捲風神」雲飛揚。

10 碧落賦門，源頭是唐楚賢的《碧落賦》，直接來源當是古龍小說《大旗英雄傳》中「驚天動地數高手，俱是碧落賦中人」，亦即：「風雨雷電，武中四聖；日敵夜後，稱尊江湖。」

11 黃鷹：《天蠶再變》第一冊第九十五頁，香港，陳湘記書局版（無出版時間）。

12 黃鷹：《前言．大風起兮雲飛揚》，見諸陳湘記書局版《天蠶再變》（副標題為《天蠶變》第二部）第三集，但這一集的故事，其實不屬於《天蠶再變》，而是《雲飛揚外傳》的開頭部分。陳湘記書局出版的《天蠶再變》共有四集（包括這個所謂第三集和一個「續冊」，實際上此「續冊」與第三集內容相同），只有第一、第二兩集是《天蠶再變》，後兩冊都不是。本書沒有出版時間，因此無法準確標注。

13 黃鷹：《雲飛揚外傳》，香港，武林出版社，一九八五年夏季初版，共三冊。

14 電影《名劍》：嘉禾（香港）有限公司一九八〇年出品，編劇：劉天賜、盧自強、黃鷹、譚家明，導演：譚家明，主演：鄭少秋、徐少強、陳琪琪、田豐、魏秋樺、徐傑等。

15 電影《賊贓》：一九八〇年上映，編劇：黃鷹，導演：曾志偉，主演：姜大衛、徐少強等。

第二十四章

龍乘風的武俠小說創作

龍乘風與黃鷹、西門丁並稱「香港三劍俠」。

龍乘風，原名陳劍光，原籍廣東興寧縣，一九五二年生於香港，學歷是高中畢業。年輕時曾有機會當演員，也有機會成為歌星，但他卻選擇了小說創作。[1] 因為他自幼喜歡看武俠小說。一九七五年嘗試武俠小說創作，寫出《寺月島風雲》，署名龍乘風。一九七七年創作《雪刀浪子》，刊載於《武俠世界》第九三七期，一舉成名。

自一九七七至一九八三年間，龍乘風的「雪刀浪子系列」成了《武俠世界》的名牌。在此期間，他還嘗試了「獵刀奇俠系列」、「楚雪衣系列」。一九八五年，發表長篇小說《虯龍倚馬錄》，此後有《鐵血成吉思汗》（一九八八）、《鐵騎震武林》（一九九〇）等。

在創作武俠小說的同時，龍乘風還創作了大量民國動作小說，如《黑色彩雲刀》、《血戰黃金廟》、《血戰衝鋒黨》、《雙天至尊》、《鐵拳神槍奪命斧》、《黑幕英雄》、《神拳大盜》、《黑大亨》、《龍虎灘》、《蝴蝶王》、《黑雁》、《賊王血》、《獅斧》、《獵犬》、《爭霸》、《野馬》、《鴛鴦手》、《二龍幫》、《大帥夫人》、《怒闖黑擂臺》、《萬惡錢》、《上海灘》、《水晶島》、《霹靂佳人》等；以及當代動作傳奇「龍虎雙傑系列」，作品有《黑吃黑龍虎門》、《煞星與殺手》、《鬼眼黨》，等等。此外，他還曾嘗試過科幻小說寫作，出版《太空腦》（一九八七）。

龍乘風曾創辦出版社，一度風生水起，終於難以為繼，一九九三年曾一度失蹤。出版社欠《新報》廣告費，一九九八至一九九九年復出寫稿還債，後徹底失蹤。2

一、「雪刀浪子系列」概述

「雪刀浪子系列」是龍乘風最知名的小說品牌，也是《武俠世界》雜誌自一九七〇年代末至一九八〇年代初的一道風景線。

這個系列包括：

一、《雪刀浪子》(《武俠世界》九三七期)
二、《最後七擊》(九四一期)
三、《血濺黑杜鵑》(九四九期)
四、《熊族風雲》(九五二期)
五、《血洗黃金船》(九五六期)
六、《鐵馬魔車》(九六〇期)
七、《碧血紅鷹》(九六五期)
八、《飛鯊浩劫》(九七〇期)

九、《寶馬奇緣》（九七四期）
十、《銀狐魅影》（九七八期）
十一、《醫谷驚魂》（九九二期）
十二、《追擊九重霄》（九九七期）
十三、《龍鳳追魂簫》（一〇〇〇期）
十四、《長安之虎》（一〇〇八期）
十五、《唐門風暴》（一〇一二期）
十六、《五絕追魂殺》（一〇一六期）
十七、《鐵騎十七雄》（一〇二〇期）
十八、《血染霸王樓》（一〇二四期）
十九、《點將劫情天》（一〇二九期）
二十、《銅鼓鐵箭天尊令》（一〇四一期）
廿一、《將帥風雲》（一〇五〇期）
廿二、《風流殺手俏嬌娃》（一〇五四期）
廿三、《金殿狂龍》（一〇六六期）
廿四、《龍虎天尊》（一〇七四期）
廿五、《藏龍峽風雲》（一〇八〇期）

廿六、《龍捲風雲閣》（一〇八九期）
廿七、《決裂》（一〇九八期）
廿八、《旋風三俠》（一一〇八期）
廿九、《決戰九紋龍》（一一一六期）
三十、《伏擊》（一一二〇期）
三十一、《殺出狗牙嶺》（一一二八期）
三十二、《碧血洗廬山》（一一三二期）
三十三、《逐鹿中原》（一一四〇期）
三十四、《戰將行》（一一四二期）
三十五、《鶴舞神州》（一〇四七期）
三十六、《魔杖》（一一五四期）
三十七、《盜令驚魂》（一二〇三期）
三十八、《江東豪傑》（一二二八期）
三十九、《殺手之王》（一二三七期）
四十、《英雄手段》（一二四四期）
四十一、《霹靂武器》（一二五〇期）
四十二、《水月一刀》（一二五二期）

四十三、《紫氣嬌娃》（一二五六期）
四十四、《伏魔聖手》（一二六四期）
四十五、《君子報仇》（一二七〇期）
四十六、《百變奇兵》（一二七三期）
四十七、《龍鳳奇謀》（一二七八期）
四十八、《大冰原之魔》（一二八〇期）
四十九、《浪子奇行》（一二八四期）

一年多以後，應讀者和編者要求，作者又創作了幾部「雪刀浪子後傳」即龍城璧之子龍玉郎行俠江湖故事，包括：一、《初戰會群英》（一三六二期），二、《大盜奇迷》（一三七九期），三、《大盜唐意》（一四一〇期），四、《濟南奇遇》（一四一五期），五、《大漠來客》（一四三一期），六、《氣吞牛斗》（一四三八期）。[3]

「雪刀浪子」頭尾經歷了三百四十七周（當時《武俠世界》是週刊），六年多時間。具體說，第一部《雪刀浪子》刊載於九三七期，推算時間為一九七七年六月，最後一部《浪子奇行》刊載於一二八四期，推算時間為一九八四年二月。也就是說，這一系列小說創作時間為一九七七年中至一九八三年底。[4]

前期小說刊載時間，一般相隔為四—六期（周），平均約為每月一篇，但從《點將劫情天》與《銅鼓鐵箭天尊令》之間相隔十二周之久，繼而《風流殺手俏嬌娃》與《金殿狂龍》同樣間隔十二周，看似雜誌編輯的安排，實際上與作者創作的波動期或瓶頸期有關，《將帥風雲》及《風流殺手俏嬌娃》等小說的拼貼現象與明顯漏洞，即可證明。

這一瓶頸期延續時間不短，《伏擊》和《戰將行》仍在波動（詳見下一節）。而在《魔杖》與《盜令驚魂》之間相隔四十九周，而接下來《盜令驚魂》與《江東豪傑》之間相隔廿五周，足以證明作者無以為繼。直到《殺手之王》之後，才恢復正常，進入第二高峰期。

龍乘風喜歡古龍小說，雪刀浪子系列小說明顯受古龍小說的影響。具體說，雪刀浪子龍城璧是浪子遊俠，年輕英俊，氣度瀟灑，武功高絕，智力過人，俠氣充盈，情懷溫暖，很像古龍筆下的楚留香。而龍城璧團隊成員，也很像楚留香之友，當然不是直接模仿。另一證據是模仿古龍文體，敘事節奏很快，行文乾脆俐落，段落很小，分行很多，有時甚至一句話作為一段。例如《雪刀浪子》開頭：

「如果有人要將世人劃分成兩類，那麼世界上只有下列兩種人。

一種是聰明人。

而另一種，就是笨蛋。

在武林中，聰明的人很多，但笨人卻更多。

而且，有種人看來聰明絕頂，其實卻是個如假包換的大笨蛋。

同樣地，有種人看來好像僅勝白癡一籌，但他根本上一點也不笨，而是能夠聰明地控制自己的一生。

真正的聰明人，當然往往能夠得到更多的快樂，更多的幸福。

而那些笨蛋，永遠懵然不知自己的愚昧，拼命地去追求金錢權力，終而一無所有。

以上這些話，也許和本故事沒有什麼關聯。

但它卻好像是飯前的甘味小食，值得大家一同慢慢地去細細咀嚼。」[5]

引述以上這段話，不僅是要看其文體形式，也是要看其思想內容。這段話與《雪刀浪子》故事線索沒有直接關聯性，可視為雪刀浪子系列小說的一個重要的思想主題，甚至可以說是作者的一種創作宣言。這一宣言包括以下三個要點：一是為武俠小說創作增加新維度，即在正邪善惡維度之外，增加智愚維度，亦即增加了武俠小說人物的複雜度。二是表明在新一代作家筆下，善惡維度相對淡化，諸如《最後七擊》、《鐵馬魔車》等小說中，展示了黑道勢力及黑道人物之間的矛盾衝突，增加了武俠小說的遊戲特性。當然，由於龍城璧等人的存在，善惡主題雖然淡化，卻並未被智愚分野所取代。三是，龍乘風對人類智愚有自己的敏感與思索。

最典型的例子是《唐門風暴》。小說中有兩個人物，一個叫唐智，一個叫唐愚，表面上，唐智聰明過人，唐愚糊塗懵懂，真相卻是：唐智其實不智，唐愚其實不愚。唐智不智，首先是為篡奪唐門大權而創建罪惡門、罪惡谷，卻不知以「罪惡」為旗號實無法領袖武林。進而，他率領殺手劫奪醫谷的中草藥，損人而不利己，反而惹怒醫谷谷主許簸之，引來醫谷之友龍城璧等人；進而是自不量力地對杭州唐門，孤注一擲，結果一敗塗地，足以證明唐智不智。

唐愚則是另一種人。看似混沌蒙昧，卻有自己主見，寧可做自由自在的浪子而不願捲入唐門權力鬥爭漩渦。外號虎紋天王，故意化名貓殼，雖然我行我素，在唐門遭遇內部危機時卻毫不猶豫地挺身而出。唐愚不愚的例證是，他與唐箭上演一齣雙簧，即由水貓唐箭雇凶去殺貓殼唐愚，由此除掉罪惡谷九大殺手，並鏟平罪惡谷。

再如《君子報仇》：江南四俠遭遇冰天三妖襲擊，雲鵬天被打下懸崖。雲鵬天以為妻子季婉婉私通布天陽，勾結冰天三妖謀害親夫。二十年後，雲鵬天化名岳沖霄，將季婉婉的兒子劫走並養大，要讓仇家骨肉相殘。真相卻是，其一，與冰天三妖勾結的並不是布天陽和季婉婉，而是汪瀚青。其二，季婉婉當時已懷孕，之所以沒告訴雲鵬天，是怕影響鬥志和士氣。其三，布天陽與季婉婉成婚，卻有其名而無其實，因為布天陽原本是個太監。雲鵬天根本就不瞭解真相，卻自以為是地殘酷復仇，結果卻自食其果，讓自己的妻子親手殺死了自己的兒子！

上述兩例中人物，顯然都是龍乘風所說「看來聰明絕頂，其實卻是個如假包換的大笨蛋。」由此推而廣之，雪刀浪子系列中其他爭權者、復仇者、奪寶者、情欲衝動者，無不與之類似。其中有些人也許並非真正弱智，而是利令智昏，由此不難推論，權欲也令智昏、仇恨也令智昏、情欲也令智昏。

武俠小說千姿百態，不過是爭權、復仇、奪寶、情愛等幾種故事模型的演化，萬變不離其宗。雪刀浪子系列也不例外，有爭權故事，如《雪刀浪子》、《熊族風雲》、《唐門風暴》；復仇故事，如《最後七擊》、《醫谷驚魂》、《君子報仇》；奪寶故事，如《追擊九重霄》、《五絕追魂殺》、《鶴舞神州》；以及情欲故事，如《血洗黃金船》、《點將劫情天》等。雪刀浪子系列中多半為爭權故事，不少故事是爭權與奪寶、爭權與復仇或爭權與情欲交織而成。當然復仇、奪寶、情愛故事也有不少相互交織者，造成故事情節的多變性和複雜性。

龍乘風有超群的講故事技巧，其中最突出的技巧是善於製造並利用懸疑。舉例說，《雪刀浪子》幾乎可以說是一部懸疑小說。小說開頭，寫長安城外十里的小長安鎮風鈴閣酒館中，接連有人自殘，分別斬自己的拳頭、大腿，或割自己的鼻子、耳朵，用以付酒錢。這是怎麼回事？即成最大懸疑。隨著故事情節展開，龍城璧等人出現，懸念接連不斷，諸如：武林盟主東方無憂怎麼會內力全失？衛空空為何要殺東方無憂的好友殷世淵？任月嫦為何竟要龍城璧去殺自己的丈夫西門飄？司馬血究竟是不是千魔盟副盟主？千蒼大師究竟是什麼人？一個接一個懸念，將讀者牢牢抓住，直到小說最後，這些懸疑一一解開。

再如《將帥風雲》，開頭是二百多人追擊林晚塘，林晚塘嚴重受傷，誰要追殺他？即成最大懸念。繼而是白無浪和龍城璧保護林晚塘到醫谷就醫，中途遭遇攔截，懸念更大。繼而林晚塘死前對龍城璧說「我想你去死……」，懸念變成謎團。幸而龍城璧偵查發現林晚塘鞋墊上一朵小黃花，但卻不知是什麼花，決定去長安找花卉植物行家聞亦樂，沒想到聞亦樂家滿門被殺；翩翩公子陸青雲告訴龍城璧，說小黃花是金蝶兒，只死水湖畔才有，那正是琥珀宮老夫人隱居之地；龍城璧等突破鐵蚊隊圍堵，來到死水湖，卻只見一張寫著「十二月初一，將帥台下見」的字條。等到將帥台下決戰時，才真相大白，了斷恩仇。

以上兩例應能說明作者講故事技巧，掌握這一技巧，讓龍乘風小說生產能夠持續不斷。實際上，好技巧只能保證生產出好看的故事，卻不見得能保證生產出耐看的好故事。實際上，《雪刀浪子》的故事核心，即武林盟主東方無憂讓龍城璧等人刺殺千魔盟主西門飄，以及千魔盟副盟主諸葛拜試圖消滅火雲宮，只是尋常而已。而《將帥風雲》的人物關係，有不少地方實際上經不住推敲。只不過，大部分武俠小說讀者都喜歡閱讀並經歷奇聞與懸念交織的過程。

雪刀浪子系列小說，最大看點當然是雪刀浪子龍城璧，其次是「龍城璧團隊」的幾個核心成員，即「偷腦袋大俠」衛空空、殺手司馬血、醫谷谷主許簑之、胖子酒徒唐竹權，再次是其後陸續加入的周邊成員，如唐老人、丐幫弟子丁黑狗、神醫時九公，乃至來自海蛟島的「中原大法師」智智、仁仁、勇勇。

需要說明的是，上述團隊成員是按故事情節需要分別出現在不同的作品中，只有龍城璧在每個作品中都會出現。值得注意的是，龍城璧只在《雪刀浪子》、《血染黃金船》、《浪子奇行》等少數作品中作為主人公。在大部分作品中，龍城璧及其團隊成員都只是重要配角——這些小說各有其敘事主人公。而在《鐵馬魔車》、《紫氣宮嬌娃》、《君子報仇》等小說中，龍城璧及其團隊成員連重要配角也算不上，只是一般配角，甚或龍套打手。

這一系列的創作目標是製作生產好看的武俠故事，而非以刻畫生動人物形象為主旨。即便是商標人物龍城璧，也只是一個類型符號，即他是個浪子。雪刀浪子系列最後一篇《浪子奇行》有一篇長達八頁的前言，即《龍乘風與龍城璧》，核心之說只有一句：龍城璧並不是個君子，原因很簡單，因為他是個放浪不羈，從來不喜歡約束自己的人。[6]詳細論證是在另一部書中：

「龍城璧就是一個這樣的人，他有俠骨柔腸的一面，但卻絕不等於是婦人之仁。而最重要的，就是他絕不迂腐。所以，他可以和那些附庸風雅之士剪燭夜談，也可以跟屠狗之輩狂飲高歌，大塊朵頤，把最討厭的繁文縟節全都拋諸腦後。這才是真真正正的雪刀浪子。」[7]

龍城璧到底是怎樣的一個浪子？書中「浪子奇行」不夠多，要靠讀者想像。

二、「雪刀浪子系列」部分作品點評

《雪刀浪子》

雪刀浪子龍城璧、醫谷谷主許簌之受武林盟主東方無憂之托，誅殺千魔盟主西門飄，為武林除害。千魔盟副盟主、天竺殘宗宗主諸葛拜更加神秘且為禍更甚，最終亦自取滅亡。作為系列的第一部，主要看點當是龍城璧、許簌之、衛空空、司馬血等「龍城璧團隊」核心成員首次登場亮相。

《最後七擊》

公爵堡霍八太爺霍驚山與五鵬山莊主人彭獨公為爭奪地盤而勢不兩立，復仇者段飛鷹揚言要殺彭獨公，找到了接近殺父仇人霍八太爺的機會。實際上，段飛鷹正是霍八之子，被段南之妻鳳琴娘子劫走並訓練成復仇工具，讓他們父子相殘。最後七擊，擊中的是人的貪欲和蒙昧。

《熊族風雲》

葉一郎被人追殺，老熊王死，黑、白熊王爭權，人們以為真正合法繼承人是老熊王弟子小熊，不料小熊竟是七色地獄組織的創始人。真相是，老熊王選定接班人是九幻刀神呼延黑，小熊怒傷老熊後創建七色地獄，為的是培植自己的勢力，同時證明自己。他證明了：權欲薰心時，人在地獄中。

《血洗黃金船》

黃金船主人秦四公子覬覦唐竹君美色，出價黃金十萬兩購買彩玉雙獅球作聘禮，又讓自己的寵姬岑蜜兒色誘誣陷龍城璧。進而誘龍城璧等人登上黃金船，擬將他們全部炸死，結果事與願違。小看點是蘇少蒼復仇，中看點是龍城璧探案洗誣，大看點是富豪秦四公子相信黃金萬能，結果自取滅亡。

《鐵馬魔車》

鐵馬山莊被焚，鐵馬生死未卜，老牛角、老書蟲、龍城璧先後失蹤，魔車教肆虐江湖，武林中風聲鶴唳。看點一是魔車教等級森嚴，有大小魔車、金銀魔車、黑白魔車及黑魔車之分。看點二是帶頭抗擊魔車教的，居然是紅衣幫幫主紅衣天尊端木不殘。看點三是長武幫主元應開跟著兒子當和尚的那份父愛。看點四是魔車教主、紅衣教主都亡於貼身人。

《醫谷驚魂》

魔船上岸是一大懸疑，「三十七月」、「三十八月」之說是又一重懸疑。殺手白無浪復仇是一條線索，海魔教主賀譽復仇是另一條線索。仇恨背後是愛情，萍姑對時九公是一種愛，賀譽對冷碧橋的愛是另一種。小說以蒙太奇方式將霸權、復仇、愛情組合成一道風景，危機終於解除，故事耐人尋味。

《追擊九重霄》

馬家大屋主人馬象行遭受無妄之災，是因為他藏有西域高那族權力信物百馬圖，更是因為人心莫測：妻妹花如珠如是，好友莊帥更如是。莊帥是「裝帥」的諧音隱喻，居住在九重霄，貌似隱士仙人，心在叢林地獄中，因為野心，他要殺師兄霍一笑；因為貪心，將好友馬象行逼入絕境。龍城璧等人的俠士行為，不僅解決危機，查探真相，也是一種對比參照系。

《唐門風暴》

唐門風暴起源於唐門，故事卻從唐門之外演繹，罪惡谷九大殺手被殺，是故事起點。唐智自恃聰明過人，卻沒當上四川唐門的接班人，於是另闢蹊徑，創建罪惡門，將平安谷改為罪惡谷。看點一，唐智其實不智，正如唐愚其實不愚。看點二，野心即罪惡之源，唐智如此，唐散夫婦亦如此。

《五絕追魂殺》

湘北神刀堡、八義樓、萬鼎鏢局先後被毀，獅王山莊倖免於難，真相卻在千里之外的駱駝城。鮑天冰多次雇人刺殺龍城璧，目的竟是要與他成親。成親的動機不是愛情，而是為獲得羅剎宮《五絕追魂殺》秘笈。獲得秘笈的目的，則是爭霸武林。情節曲折離奇，主題簡單明瞭：貪心和野心扭曲靈魂。書中高人鶴弒父令人不寒而慄，感恩復仇的書僮阿畸則讓人熱淚盈眶。

《血染霸王樓》

幽靈谷、金星城、邊家村、霸王樓並列武林。幽靈谷主設計陷害霸王樓主，派佘黑入主邊家村，派非殺不可策反金星城十八傑，最後幽靈谷主血染霸王樓，功虧一簣。這是個精彩故事，也是一個生動寓言：幽靈、幽靈谷、谷主無影幽靈，是人類心理深處的原始遺存；終敵不過龍城璧、高霸等人代表的友情、愛情、俠義、公正及人類對自由與文明的追求。

《點將劫情天》

情天山莊主人柔腸劍聖沈多情，綁架了飛雲幫幫主楚飛雲，要脅其子楚北橋拿《忘情寶鑒》贖人。表層看點是爭霸、奪寶、情欲交織的懸疑故事，深層看點是人類情感蒙昧及其內在衝突：沈多情是一種典型，賭命怪醫是另一種典型。沈多情以為忘情即是無情，最後敗於有情的龍城璧，自殺身亡；賭命怪醫救死扶傷，其古怪行為背後，畢竟是有情。

《將帥風雲》

琥珀宮侍衛隊長段雄河殺主篡權，派人追殺總管林晚塘。離家多年的琥珀宮老夫人約段雄河在將帥台下決戰，結果段雄河死於合作者梅姥姥之手——她就是老夫人。故事的核心情節經不住推敲，段雄河、老夫人形象也有概念化之嫌疑。唯故事情節可觀，即龍城璧探查林晚塘死亡真相的凶險歷程。這是雪刀浪子系列的第廿一個故事，作者可能遭遇創作瓶頸。

《風流殺手俏嬌娃》

書名誘人，開頭銀琴公子和鐵琴郎湖上鬥琴情節十分吸引人，風流殺手李藏珍為拯救俏嬌娃上官芳舞而自斷右臂更震撼人，妓女疊鳳一心為淫賊哥哥復仇情節也讓人感慨。只可惜爭霸主題老套，爭霸人物也流於概念，天南魔帝西門烏雲如何要脅無雙堡上官潛武、上官芳舞兄妹這一關鍵情節沒有說清，故事情節顯得隨意而紊亂。

《決戰九紋龍》

苗楚飛擺擂臺挑戰九紋龍，不僅因為相互有仇，更因為有人挑撥操縱。操縱者是司空世家主人司空無意，旨在消滅潛在敵手，爭霸武林。司空無意最終死於九紋龍之手，證明失道寡助。遺憾的是對主人公九紋龍形象未加精細刻畫，而龍城璧開封遇險、孤芳小築刺客等情節枝蔓則與主線關係不清。東方秋雪與呂玉芳、九紋龍的三角關係並不成立。

《伏擊》

開頭奇異誘人，接下來的情節讓人目不暇接，但核心設計卻有問題：胡鳳山當年為何要加入天君門，打敗其父親魔王之王？年華老去的地帝為何要背叛老戰友天帝？老井父親亡故多年，為何不安葬而把棺材放在船上，讓魔王之王藏身？作者的編造，經不住推敲。胡鳳山、翟天鷹通過易容互換身分，看似精巧，實際上人為痕跡明顯。

《殺出狗牙嶺》

桑機宇練成了「天地人殭屍大法」，要把瘋子變成超級殺手，以對付大師兄蒼道人，進而稱霸武林。看點一，是抓瘋子與護瘋子兩方的激烈衝突。看點二，是阿妍對沈別離愛情，過程驚心動魄，且最終成了結局突轉的關鍵。看點三，鑄大師、顧一傑、上官婉婉三人發瘋的原因：或為權，或為名，或為情。延申看點是，試圖利用瘋子的人，是不是也瘋了？

《戰將行》

小說一句一行，多條線索形成蒙太奇結構，講述東洋浪人錦兵中衛重建北聖門，與唐武宮為敵，試圖爭霸武林。唐武宮創始人唐君武年事已高，將武王神令交給侄子唐老人，最後唐君武逝世，龍城璧殺了錦兵中衛。很像是作者成名前的舊作，理由是，作者一味追求熱鬧，很多重要情節都沒說清楚。

《鶴舞神州》

是個反霸故事。丁招魂稱霸武林，一瘋老人、七星門主、神鶴門主、天雷老人合作研製出一套專門克制丁招魂的武功，即《鶴舞神州百變譜》，丁招魂收買內奸，消滅了神鶴門、七星門、天雷山莊。不甘奴役的武林人與丁招魂展開前赴後繼的鬥爭，直到惡霸伏誅。「鶴舞神州」似有為自由而戰的隱喻，只是並非作者的預設。

《魔杖》

木魔盟為禍武林，龍城壁團隊與之對抗。誰也沒想到，木魔盟主竟是武林人拼死保護的武林盟主之子蒲投鷹，而武林盟主蒲六竟是木魔盟的創始人。小說看點之一，是權杖即魔杖，權欲扭曲人心。看點之二，是人既是天使、也是魔鬼，書中人物如蒲六父子、梅神姥姥、秦改、沙桃兒等，都是兩面人。

《紫氣宮嬌娃》

蓬萊教弟子曾宗揚發動政變，教主樓東來戰死，海蛟島主高一沖保護樓東來幼女桃桃兒攜武功秘笈《蓬萊寶典》出逃，被曾宗揚追殺，結果惹起眾怒，曾宗揚及蓬萊教灰飛煙滅。看點一是書名香豔，實如倪匡小說《俠義金粉》。看點二是高一沖的弟子智智、仁仁、勇勇，如金庸筆下桃谷六仙。看點三是樓東來的私生子袁南亭自取滅亡的變態心理。

《伏魔聖手》

伏魔聖手門主圖謀稱霸武林，與師兄老不空主持的長樂盟針鋒相對。也可以說是一雙鹿皮手套的故事，手套中藏有破解「長樂四絕」的武功秘笈。看點一是針對沈匡湖的陰謀。看點二是智智、仁仁、勇勇三人的插科打諢。看點三是書名《伏魔聖手》的名實之辨，伏魔者是梟雄，聖手其為魔爪。

《君子報仇》

雲鵬天化名岳沖霄，將季婉婉的兒子劫走並養大，目的是讓其父子相殘。但真相出乎意料，雲鵬天的復仇計畫，結果是讓自己的妻子親手殺死了自己的兒子。看點是，無知導致盲目，仇恨讓人瘋狂，醒來後只能自殺。

《百變奇兵》

鬼老闆收買天殺令主翁千雪之子翁百澈，劫持天殺之神，目的是要聯合武林邪惡力量，攻打法外天牢，最後鬼老闆被龍城璧所殺。看點一是萬載愁的經歷與見聞。看點二是小混混方寶樓變身百變盟主。看點三是天滅組織、法外天牢的奇妙構想。看似遊戲，實為寓言。

《龍鳳奇謀》

海中鯊譚海為爭霸武林，囚禁了玉龍幫幫主田振烈夫婦，而讓小林和紅葉易容代之，以便他操控武林，最後陰謀敗露，自取滅亡。看點一即是匪夷所思的「龍鳳奇謀」。看點二是小林形象，職業是小偷，行為如浪子，骨子裡有俠義。看點三是小林與紅葉的愛情故事，淡雅而清新。

《大冰原之魔》

仁心堡主葛豔陽野心勃勃，試圖一統武林，號召武林黑白兩道追殺大冰原之魔韋雪魂，最後兩大絕世高手同歸於盡。葛豔陽、韋雪魂勢不兩立，且名實相悖，仁義無雙葛豔陽有令人恐懼的黑暗陰險，冰原之魔韋雪魂卻心地潔白而純粹。真正值得信賴的，是老鸚鵡、司馬血這樣人性健全的自由人。

《浪子奇行》

是雪刀浪子系列的最後一篇。毒花侯白一芳設計讓許竅之中毒，進而俘獲時九公，進而脅迫司馬血魔教中人，目的是要當魔教南宗宗主。只可惜人算不如天算。與此同時，白一芳揚言要殺龍城璧、奪唐竹君。看點是唐老人變身「多事狂生」，一路跟蹤龍城璧，考察其浪子奇行，終於許婚。作者真正目的，是讓龍城璧與唐竹君結婚歸隱，從而結束「雪刀浪子系列」故事。

三、「獵刀奇俠系列」

獵刀奇俠系列，是指以獵刀第四代傳人司馬縱橫為主角的系列小說，包括《獵刀奇俠》、《鐵鳳師》、《勾魂金燕》、《獅吼神兵》、《縱橫天下》、《魔島驚魂》、《鐵劍紅顏》、《好漢群英》、《火拼毒強人》、《馬王群英會》、《大漠奇遇》等十幾部，創作時間應在一九七八至一九八二年間。[8] 第一部《獵刀奇俠》發表時，雪刀浪子系列正是《武俠世界》的熱門作品，作者構想獵刀奇俠故事，當是未雨綢繆。

《獵刀奇俠》故事有前後兩部分，前一部分是司馬縱橫受騙並受傷，獵刀也被他拋入黑底湖中，黑白教、七煞幫先後將黑底湖列為禁地，相互拼殺。後一部分金箭幫主葉天印拯救了九玄洞，段獨腿治好了司馬縱橫，水丐海千里在黑底湖中找到了獵刀並交給司馬縱橫，於是他們聯手，先滅七煞幫，後滅黑白教。

小說看點是司馬縱橫上當受騙和恣逞意氣。上當受騙是指他把敵人方板當作盟友，結果受傷更受挫；任性使氣是指他在雲雙雙任性時，他也針鋒相對，結果再次受傷。此時他還非常年輕，不過廿一歲，缺乏江湖經驗，更不懂異性心思。這樣的寫法真實而生動，與龍城璧截然不同。郝世傑是個妙人，他將弟子取名為雲雙雙、焦四四、高六六、侯八八，他們的心智水準與身世相符，也是書中看點。

小說結尾是司馬縱橫和雲雙雙成親，郝世傑師徒都成了司馬縱橫團隊成員。不足是，郝世傑和雲雙雙的關係沒有說清：若是父女，為何雲雙雙姓雲？若是師徒，為何最後又說郝世傑「身為岳丈大人的郝世傑又焉能不醉呢？」[9]

接下來是《鐵鳳師》，講述富二代顧玉鵬控制八指魔教教主杜蠻，試圖稱霸武林，鐵鳳師、司馬縱橫等人與之鬥爭故事。小說對八指魔教層層揭秘，令人印象深刻，更大的看點當是主人公辣手大俠鐵鳳師形象。一是辣手辣口，如他罵魔教供奉極樂道人：「雖然你看來像個道人，但聲音卻像個太監，而背後的四個女人，卻像是鴇母帶著的婊子。」[10] 如此故意傷人，目的是激怒對方，製造殺機。二是機智過人，如他識破假皇甫義，以喊「殺」聲為司馬縱橫製造殺機。三是俠義為懷，如，郝世傑中了毒針，顧玉鵬要他束手就擒，換取解藥，他毫不猶豫地照做。書中杜蠻形象也值得一說，作為魔教繼承人，卻非真正的魔女，最多也不過是「野蠻女友」。作為單純少女，當顧玉鵬下毒控制了她母親，她就只能被顧玉鵬掌控。好在她情感真摯，幫助了鐵鳳師，改變了自己的命運。

《獵刀奇俠》和《鐵鳳師》的特點，是主人公個性與故事情節相輔相成，雖然還不是人物驅動情節，至少是故事與人物相得益彰，有別於雪刀浪子系列故事。相比之下，鐵鳳師的形象比司馬縱橫更突出，心智更成熟，也更有領袖氣質。在這個俠義團隊中，應該以誰為核心？是個需要認真思索的問題。我們看到，作者（或許是《武俠世界》的編者）選擇了「獵刀奇俠」司馬縱橫，並且不知不覺中走回老路，即以故事驅動人物，只是把獵刀奇俠作為一個品牌商標。

典型的例子是《勾魂金燕》，小說講述英雄幫爭霸武林，司馬縱橫、鐵鳳師與英雄幫對壘。小說開頭十分精彩，但核心情節卻是：當勾魂金燕林靜靜要刺殺葉梧秋、怪和尚，拯救者並非鐵鳳師、司馬縱橫，而是英雄幫女殺手殺人桃。也就是說，司馬縱橫、鐵鳳師成了配角，這就與雪刀浪子系列沒什麼不同。

《鐵劍紅顏》也是如此，衛天禪將謀奪岳父巨額財產，殺了岳父一家，成立神血盟，一心爭霸江湖。衛夫人死裡逃生，劍客唐千里隨行，創造了十九招刀法秘笈藏在鐵劍中，並將鐵劍送給了衛夫人。最後是唐千里的弟子秦斬獲得了師父的鐵劍秘笈，學會了專門對付衛天禪的刀法，殺了衛天禪，報了仇，也為武林正道立了大功。司馬縱橫雖有不俗表現，卻不是關鍵人物，鐵鳳師更不足論。

《好漢群英》頗為熱鬧好看。好漢堂與義氣幫勢不兩立，義氣幫不義氣，司馬縱橫和鐵鳳師幫助了好漢堂，但「好漢群英」中最亮眼者，卻是好漢堂瀕臨滅絕之際挺身而出重建好漢堂第十分舵布大手，和大幻教主的女弟子葉雪璇。

《馬王群英會》講述謝家馬場舉行賽馬會，及總管呂忠等人陰謀奪取謝家馬場的故事。賽馬會前的綁架危機及賽馬會後的打鬥，相當精彩。而謝五太爺因長子謝清來沒有子嗣而歧視虐待，十一歲少年張虎牙跳井救人，與謝清來相互關懷、師徒情深等情節線索，更令人印象深刻。即使沒有鐵鳳師、司馬縱橫參與，這個故事也會照樣上演。

作者目標是生產精彩故事，每個故事都有各自主人公，由於要以獵刀奇俠為商標，作者不得不在每個故事中給司馬縱橫、鐵鳳師等人安排角色，讓他們參與故事發展。

這個創作路子，與雪刀浪子的創作路子如出一轍。由於雪刀浪子的品牌更老，名聲更大，獵刀奇俠系列無法與之競爭，最終難以為繼。假如在《獵刀奇俠》之後，作者專心於司馬縱橫的「成長」，即讓人物驅動故事情節，這個系列的面貌及其命運當然會截然不同；退一步說，假如選擇鐵鳳師為團隊核心，讓他的成熟心智和辣手個性得到充分發揮，讓故事情節與人物形象相互驅動，這個系列也會有完全不同的走向。遺憾的是，作者沒有這樣做，或許也做不到。

四、《大俠楚雪衣》

「大俠楚雪衣」系列包括《大俠楚雪衣》、《天地譜》、《神弓霸王》、《風帝雲後》、《萬里爭雄》等五部作品。[11] 稱這些作品為一個「系列」其實有問題，因為它們的故事情節是連續的，即這五篇作品是講述一個相對複雜的故事，說它們是一部「組合式長篇小說」，可能更合適。有意思的是，這些小說集中出版時，仍沒有按照長篇小說處理，而是分為兩部書，即《天地譜》和《風雲門》。[12]作者是在嘗試中篇小說的新寫法，還是嘗試長篇小說寫作？我們不得而知。

書中主人公是江東大俠楚雪衣。楚雪衣的名字頗為講究，筆者的推測是，此名為楚留香的「楚」、西門吹雪的「雪」和沈勝衣的「衣」組合而成。[13]此人與雪刀浪子龍城璧頗為相似（**只是衣服顏色不同**），有意思的是，書末出現的丐幫長老康竹泉，似是由雪刀浪子系列中唐竹權略加變化而來。康、唐形似，竹權與竹泉同音。

故事梗概是：太湖幫幫主被害，有人誣陷水青蓮是凶手，雲裡天駕馬車帶水青蓮逃亡至沐雪鎮，不斷被人追殺，阿浪、藍婆婆、楚雪衣則救人。水青蓮要到山海關附近的望關口鎮找大漠飛鷹齊展，齊展也在找水青蓮。兩人於五年前就想合作創作一套《天地譜》，既是簫譜，也是武功。

在此地，繼續被人追殺，楚雪衣亦受傷又中毒。追殺他們的人是血雲教，教主是雲後。楚雪衣送向蓉回衡山向家堡見向漸，向漸說他的武功也來自風帝、雲後的師父十面尊者。太湖小軒，華七公奪得池月銀簫，交給水青蓮。上官辟邪讓楚雪衣將十面風雲璽送到險關，交給風帝。最後是風帝與雲後在洛陽大決戰，雲後奏琴，風帝吹笛，勢均力敵；水青蓮、齊展同時吹簫，雲後聽簫停琴痛哭，並隨風帝而去，血雲教從此覆滅。

故事雖有五篇，其實只有三大段落，第一大段是水青蓮逃亡並尋找齊展；第二大段是《天地譜》因緣及好事多磨；第三大段是風雲門秘史，十面尊者創立風雲門，有風帝和雲後兩個弟子。雲後與風帝不睦，十面尊者不滿，以至於將掌門印信十面風雲璽交給了上官辟邪（楚雪衣的師父），讓他在十年之後交給風帝或雲後。如此才引出無數衝突。

作者善於製造奇聞與懸念，確保故事情節引人入勝，真正的看點是：楚雪衣與向蓉戀愛，梅巧萼向段世之逼婚，梅美黛救助心上人段世之，以及出人意料的結局即水青蓮、齊展合奏《天地譜》感化雲後，讓雲後與風帝重歸於好。

書中楚雪衣的經歷曲折，其個性形象也還鮮明，但卻比不上他的師父上官辟邪，更比不上少年阿浪。阿浪是個孤兒，是藍婆婆的弟子，也是個練武天才。小小年紀就能將成名已久的黑蝴蝶上官飛、湯清揚等人打殺。因此藍婆婆要將他推薦給武功更高的上官僻邪，於是將他逐出師門，由此引發他與上官僻邪之間的諸多有趣情節。藍婆婆被東方藏殺害，湯清揚和段世之卻說是楚雪衣所殺，阿浪從根本不相信，到到將信將疑，到憤懣離開，這段情節符合年輕人的個性心理。

這部小說的明顯缺陷，是敘事拖遝，對話太多。小說開頭的幾大段談話，加起來竟長達三十餘頁。雖然對話是在交代情節，作者罔顧水青蓮生病咳嗽而雪天野外不可長留，令人難以消受。進而，書中不少情節經不住推敲。例如楚雪衣明知方紫秀是追擊水青蓮的凶手之一，竟委託她照顧中毒的上官僻邪和阿浪。

又如，楚雪衣明明被人打碎了膝蓋，卻能施展輕功追蹤丐幫小熊兒（即向蓉）。又如，十面尊者將本門的十面風雲璽交給上官辟邪，而上官辟邪居然將玉璽交給鷓鴣山莊的高翼收藏，實在毫無道理。又如，向蓉之父向漸下落不明（被血雲教抓捕），楚雪衣答應向蓉要救她父親，但他卻始終沒有行動，最後還是方紫秀幫助向漸脫險，豈不損害楚雪衣形象？總而言之，對話拖遝到令人難耐，情節經不住推敲，表明作者駕馭長篇小說的能力尚待提高。

五、《虬龍倚馬錄》與《岳小玉傳》

長篇小說《虬龍倚馬錄》，[14] 講述十三四歲少年岳小玉的傳奇經歷。岳小玉與同伴金德寶無錢去大飯館吃，決定去朱員外家偷玉山羊賣錢，從此捲入江湖爭端中，不斷歷險。岳小玉雖是小城無賴，但卻聰明伶俐，且鴻運當頭，總能逢凶化吉，接連遇鐵老鼠、郭冷魂、諸葛酒尊、公孫咳、公孫我劍、許不醉、歐如神、布北斗、江東五傑（或江東五癡）、布狂風、尤小玉、練驚虹等武林名人的青睞。

郭冷魂被血花蓮掌打傷，覺得自己命不久長，將武功秘笈《可勝則勝譜》送給岳小玉，笑公爵公孫我劍則強行收他為徒，最出人意料的是武林惡人「茹毛飲血鬼獨夫」、「六親不認斷腸人」練驚虹竟要認他為義子，且讓他接替自己成為血花宮主人。書名《虯龍倚馬錄》中的「虯龍」，是指血花宮的權杖即虯龍令；書名中的「倚馬」，則是血花宮秘笈《倚馬可待經》。

首先要討論的問題是：《虯龍倚馬錄》和續集《岳小玉傳》[15]是什麼關係？即：《虯龍倚馬錄》是不是一部獨立的小說作品？按連載時的書名說，這應該是兩部書，它們應該是正傳和續集的關係，一般人也是這麼理解，盜版書也是這麼說。[16]

假如此說成立，那就有大問題，因為《虯龍倚馬錄》中有太多未完成的情節及未解之謎。諸如：玉山羊究竟是什麼寶物？為什麼有那麼多武林人爭奪它？真假玉山羊究竟是怎麼回事？岳小玉的父親岳老石究竟是什麼人？岳老石武功不俗，為什麼不教兒子岳小玉武功？為何不把自己的真實身分告訴岳小玉？他離開岳小玉之後去了哪裡？武林皇帝布北斗為什麼不住在自己家，而讓許不醉長期居住在公主府？布北斗、布狂風父子之間究竟發生過什麼？布狂風和萬如意之間究竟發生過什麼？容三公子、慕容雪、展獨飛三人之間究竟發生了什麼？展獨飛已被一白衣女子劫走，白衣女子是誰？結局如何？

更重要的是，岳小玉被尤小玉劫走時，提龍王府主人萬層樓領導的神通教眾正在圍攻鐵眉樓，十六幫會的增援剛來到鐵眉樓，此戰結局如何？據布狂風說，神通教可能是明攻鐵眉樓、暗襲血花宮，五盾會首領龍眉決定放棄鐵眉樓、增援血花宮，實情如何？

結果如何？岳小玉和師父公孫我劍在血花宮碧血樓臺黑石堂練武時，神通教已兵臨城下，結果又如何？

此外，練驚虹的師姐尤小玉臨終前說，武林中還有一個更隱秘的組織叫「恨天」，似乎為害更烈，那是怎樣的一個組織？領導人是誰？它與血花宮是什麼關係？與神通教又是什麼關係？這些疑問，在《虯龍倚馬錄》中都沒有答案，其中重要的故事情節要到《岳小玉傳》中才見分曉。

如此，怎麼能說《虯龍倚馬錄》是一部獨立而完整的小說作品呢？按故事情節看，這兩部書分明是同一個主人公的同一個故事，可是作者卻用了兩個書名，而且在《岳小玉傳》的開頭數章，也並不是緊接著前一部書的情節續寫，而是另起爐灶，講述起青年劍客方孟海與其青梅竹馬的女友樓丹楓在長安重逢，並捲入另一起迷霧重重的血案中。即便萬如意、練驚虹出現，一時也無法看出此書與《虯龍倚馬錄》的關聯性。為什麼會出現這種情況？關涉龍乘風小說創作的重大問題。

《虯龍倚馬錄》篇幅不短，實質性故事內容卻不多，故事情節進展緩慢，大部分篇幅是由對話填充。岳小玉幾乎每遇到一個人，都會展開長篇對話，少則數十行，多則數百行。無論對話者的身分、場合、心境是否合適，作者都要抓住機會讓人物對話。最典型的例子是，小說最後部分，尤小玉將岳小玉劫持到血花宮，此時尤小玉已經身負重傷，生命垂危，作者仍安排她與岳小玉作數百行對話。

其中固然有一部分內容與本書的情節秘密有關，例如有關練鷺虹的表妹「不開花女后」葉大娘及「天恨」組織的資訊——這些訊息是否還有更好的透露方式則另當別論——等等，但其中也有令人匪夷所思的話題，例如五十多歲的尤小玉竟與十三四歲的岳小玉談論她美不美的話題，岳小玉說她比不上楊貴妃云云。五十多歲的尤小玉不僅是話癆，似乎還有話癖，大有「不對話毋寧死」的勢頭，而她也果然是在說完話之後立即死去。這顯然不是人物的自主行為，而是作者的安排。

為了增加對話，作者在書中專門安排了江東五癡——自稱為江東五傑——密底算盤常桂珠、葫蘆不悶胡不法、扇卷神州白世儒、玲瓏妙手舒一照、鐵杖如山鮑正行這五個寶貝，專門負責對話，毋寧說是專門負責製造廢話。這五個人的特點，是逮誰跟誰抬槓，且他們之間還相互抬槓，一件沒有爭議的事也會被他們製造出話題來「理論一番」，以至於花頭百出。

往好裡說，這幾個人的對話，增加了小說的娛樂性趣味；而另一面則是大大延緩了小說敘事節奏，影響小說故事情節進展。如果把這幾個人的對話內容刪除，小說可能要減少一半以上篇幅。進而，如果將岳小玉與書中人物的對話刪除，小說內容更要減少四分之三乃至五分之四的篇幅。也就是說，製造大量對話，是作者生產長篇小說的首要秘訣。

作者生產長篇小說的第二秘訣，是隨時、隨地、隨意增加輔助線。長篇小說與中短篇小說的最大不同，並不是篇幅更長而已，更重要的是結構的藝術。正如手藝尋常的瓦工可以蓋一間茅棚，甚至可以蓋起一兩間平房；但若要蓋一座大型建築如宮殿或高樓，那就非懂得結構技藝不可，否則不僅不能成型，且還有隨時坍塌的危險。長篇小說當然不像高樓或宮殿那樣會隨時坍塌，但若沒有事前的整體性構想與設計，則很難成型。

龍乘風是否懂得長篇小說結構技藝的重要性？對此不便簡單武斷。只能說，龍乘風的這部長篇小說確實缺乏整體性構思與設計，以至於只能不斷地節外生枝、枝外再生節，即不斷地增加新人物、新線索，這些新線索中，有些或與故事情節主線有所關聯，有些則是純粹的輔助線。岳小玉的幸運奇遇主線中涉及的人物，即鐵老鼠、郭冷魂、諸葛酒尊、公孫咳、公孫我劍、許不醉、歐如神、布北斗、江東五癡、布狂風、尤小玉、練驚虹等等故事段落，一半以上都是這樣添置出的輔助線。

其中最典型的例子，是武林皇帝布北斗劫持岳小玉並與他談話至死（談完話就死）、尤小玉劫持岳小玉並同樣與他談話至死。作為《虯龍倚馬錄》續書的《岳小玉傳》開頭，之所以將迫在眉睫的鐵眉樓危機、血花宮危機置於不顧，且將主人公岳小玉虛懸起來，而去敘述新人物方孟海和樓丹楓在長安捲入神秘案件，同樣屬於有意增加輔助線。

值得注意的是，當作者放下主人公岳小玉的線索，講述方孟海和樓丹楓的故事時，岳小玉的線索就成了懸念；而當《岳小玉傳》第四章中主人公岳小玉出現時，方孟海和樓丹楓，及其長安血案的線索被放下便又成了懸念。如此，增加輔助線就成了作者製造懸念的一種重要手段，只要作者最後設法將這些線索縫合或拼接起來就成。也就是說，作者在輔助線與主線之間建立必要的聯繫，就能將輔助線變成小說的組成部分。不僅這部作品如此，龍乘風的大部分中篇小說，其實也是如此。

只不過，在長篇小說中，這樣做的缺陷會被放大。將諸多輔助線拼接成懸念叢生的複雜敘事迷宮，固然不失為一種創作方法，但有經驗的讀者能夠看出，如此長篇如同將為建築搭建的腳手架也納入建築景觀之中，相當礙眼。

為什麼會出現這種情況？不僅牽涉創作技法，也涉及創作觀念和創作能力。龍乘風掌握了編故事的技巧，但卻未能深入「文學即人學」的藝術堂奧。故事編制與小說創作的區別，是在對筆下人物的理解與尊重，以及作者與筆下人物的權力邊界的清晰劃分。故事或小說中人物固然都是由作者設計並創作呈現，其作品的成色，體現於作者對筆下人物的態度，作者的義務是讓人物成型即成為他們自己，即便是虛構人物，一旦成型，作者就應尊重其生命意志及個性特徵，而不能濫用作者權力對筆下人物任意塗抹。

《虯龍倚馬錄》、《岳小玉傳》的主人公岳小玉，其形象來源當是《百變奇兵》中的少年小混混方寶樓，這個小傢伙的經歷與岳小玉相似，是由一個小混混變身大人物，當了百變盟主。他們的共同始祖，當是金庸小說《鹿鼎記》的主人公韋小寶。

小混混變身大人物的故事，是讀者喜聞樂見的傳奇類型，龍乘風著迷於此並多次嘗試——《大俠楚雪衣》中的少年阿浪則步其後塵，只可惜沒有真正成型——問題是，金庸小說中的韋小寶「四海通吃」的原因，固然是作者設定，卻也符合韋小寶性格發展邏輯，還揭示了古代中國社會及中國文化的人際關係之秘；而岳小玉「人見人愛」，從鐵老鼠到練驚虹等十幾個武林人將岳小玉當作寶貝疙瘩，則全部都出於作者的設定。練驚虹曾透露他對岳小玉另眼相看的原因，是收到了相面如神歐如神的信，說岳小玉這小子將來必成大器云云。其他人為何重視岳小玉？作者為何如此設定？讀者不得而知。

武俠小說是傳奇，傳奇有不同品級。通常品級是為傳奇而傳奇；更高品級是既傳奇又傳真，即傳奇故事依據真實人性；最高品級是集傳奇、傳真、寓言三位一體。追溯《虯龍倚馬錄》、《岳小玉傳》中江東五傑或江東五癡形象的來源，不難發現與《獵刀奇俠》等作品中郝世傑的弟子焦四四、高六六、侯八八，以及《紫氣宮嬌娃》中來自海蛟島、自稱「中原大法師」的智智、仁仁、勇勇，有明顯的「血緣」關係。而這些人物的始祖，當是金庸小說《鴛鴦刀》中的太岳四俠，以及《笑傲江湖》中的桃谷六仙。

四四、六六、八八、智智、仁仁、勇勇及江東五癡都不過是新奇有趣而已，而金庸筆下的太岳四俠則直指人類虛榮心，桃谷六仙則不止於人類的蒙昧與天真，且是專制政治的溶解劑、偽君子的顯形液，有重要的寓言價值。倪匡小說《俠義金粉》中也有一個人見人愛的人物，即六歲幼童白棗兒，每個接觸她的人都會情不自禁地產生憐愛之心，其中有深刻寓言。

龍乘風還有不少非系列作品，如一九七〇年代末的《龍舟閣風雲》、《黑色彩雲刀》、《黃金戰袍》、《陰手陽拳》、《冰島殲霸戰》，一九八〇年代中後期的《北極三王》、《鐵血成吉思汗》，以及最後的《鐵騎震武林》等等，都是很好看的傳奇作品，但也都是招式新奇繁複，而「內力」有所不足。

【注釋】

1 參見龍乘風：《太空腦・作者簡介》（書末，未標記頁碼），香港，博益出版集團有限公司，一九八七年二月。

2 顧臻先生專門向西門丁先生詢問過龍乘風失蹤資訊，確認龍乘風兩度失蹤，至今無法取得聯繫。

3 這份作品目錄，錄自俠聖（顧臻）的《龍乘風武俠小說目錄》（二〇一九年十二月九日電子版）。本章中有關龍乘風作品的歷史資訊，大多來自這份目錄。特此說明並致謝！

4 在這一系列最後一篇《浪子奇行》完成時，作者寫了一篇前言《龍乘風與龍城璧》，文後標注寫作時間為「一九八三年平安夜」。

5 龍乘風：《雪刀浪子》正文第一頁，香港，武林出版社，一九七八年夏。

6 龍乘風：《龍乘風與龍城璧》（係小說《浪子奇行》前言），載《江南少帥》（含《浪子奇行》）第一—八頁，香港，武林出版社，一九八五年夏季初版。

7 龍乘風：《伏魔聖手》第二七〇頁，香港，武林出版社，一九八四年夏季初版。

8 其中第一篇《獵刀奇俠》刊載《武俠世界》第九八八期，《大漢奇遇》刊載於第一二二四期，推測時間為一九七八年至一九八二年間。武林出版社的單行本，並不是嚴格按照發表先後即時出版。

9 龍乘風：《獵刀奇俠》，見龍乘風：《陰手陽拳》第三三四頁，香港，武林出版社，一九七九年秋季初版。

10 龍乘風：《鐵鳳師》，見龍乘風：《勾魂金燕》第三十三頁，香港，武林出版社，一九八〇年春季初版。

11 這五篇作品分別刊載於《武林世界》第一三八四期、一三八六期、一三九二期、一三九四期、一三九八期，寫作時間當為一九八五年末至一九八六年初。

12 龍乘風：《天地譜》和《風雲門》，都由香港武林出版社出版，初版時間分別為一九八六年春季、夏季。

13 楚留香、西門吹雪分別是古龍小說《楚留香傳奇》、《陸小鳳傳奇》中人物，沈勝衣則是黃鷹小說「沈勝衣傳奇系列」的主人公。

14 龍乘風：《虯龍倚馬錄》，刊載《武俠世界》第一二八八期—一三二五期，共連載三十八期，時間是一九八四年三月至年末。

15 龍乘風：《岳小玉傳》，刊載《武俠世界》第一三三六—一三七一期，共連載四十六期，時間是一九八四年末至一九八五年末。

16 大陸曾出現過《岳小玉傳》和《岳小玉傳續集》兩種書，作者署名是臥龍生。

第二十五章

西門丁的武俠小說創作

西門丁是一九八〇年代香港最重要的武俠小說作家之一，與黃鷹、龍乘風並稱為「武俠世界三劍客」或「新三劍客」，[1] 先後在新加坡《南洋商報》、香港《武俠世界》雜誌分別舉行的讀者調查中，名列讀者喜愛的武俠小說作家前茅。[2]

作者筆名有西門丁、南宮烈、葉展彤、王一龍、端木翊斐、高健庭、唐煌、石鎮、宗淵詞等。除《武俠世界》外，還在香港《文匯報》、《晶報》、《新報》、《天天日報》，香港《娛樂週刊》，《澳門日報》及新加坡《聯合早報》等報刊上發表作品。《晶報》小說類讀者調查，西門丁排名第一；《南洋商報》讀者調查，西門丁排名第一；《聯合早報》讀者調查，西門丁排名第二（**僅次於金庸**）。

西門丁原名王余，一九四九年生於福建泉州，一九五九年隨母親赴香港。自幼喜愛閱讀，初中時曾與同學合作成立文學社，自費油印文學社期刊，前後共出十一期。輟學後，邊打工邊學畫，後曾與友人聯合創辦過廣告公司、貿易公司。一九七八年創作《仇謎》，載香港《武俠小說週刊》，一九八〇年以中篇小說《小鎮風雲》投稿《武俠世界》被刊載，繼而寫《天魔舞步》（**發表時改為《玉面魔燕》**），及雙鷹神捕系列第一部《龍王之死》，從此一直是《武俠世界》的名牌作家。

一、西門丁小說創作概述

香港環球出版社出版過西門丁小說一百三十餘種。西門丁本人有一份包含一百八十部作品的詳細目錄。[3] 按年代分，一九八〇—一九八九年共有一百四十三部作品，絕大部分是八—十萬字的中篇，也包括若干兩萬字左右的短篇和數部十八萬字左右的小長篇。一九九〇—一九九九年，有廿六部作品。[4] 二〇〇〇—二〇〇九年，有十一部作品，不過其中大部分是長篇，且近半數為八十萬字左右的超長篇。

不同時期，作者嘗試過不同的類型小說創作，分為不同的系列。例如，一九八〇—一九八二年間，重點是「雙鷹神捕系列」。作品包括：《龍王之死》、《虎父犬子》、《雙鷹會江南》、《血洞房》、《玉佩疑雲》、《刺客驚龍》、《毒人毒計》、《魔障》、《陵墓驚魂》、《連環殺》、《玉佛謎》、《泥菩薩》、《無影針》、《隱身凶手》、《粉羅剎》、《霜葉恨》、《神玉璧》、《大毒宴》、《筆筆恩仇情未了》、《活骷髏》、《白幽靈》、《失屍記》、《泣血鳥》、《翡翠雙姝》《血洗英雄心》、《連環案》、《滅門》、《青冥錢》、《血雨紅燈》、《迫虎歸山》等。一九八五年應編者約，又寫《宮廷風雲》、《囊中秘》、《麒麟鎖》、《奪屍》等。

一九八二年底至一九八三年，有驚悚武俠・湖海驚魂系列：《拘魂使者》、《體變》、《水晶宮》、《觀海觀》、《刺符》、《玉觀音》、《殭神》、《活死人》。

一九八二年至一九八五年間，有「山貓王森」系列（作者署名高健庭），包括《山貓王森》、《勇闖虎山》、《誓不低頭》、《花瓶奇案》等近二十部。[5]

一九八六年和一九九三年，主要是「殺手傳奇系列」：《蝙蝠・烏鴉・鷹》（一九八三）、《最後一劍》、《雙龍闖關》、《第三類殺手》、《殺手血》、《白首夢》、《無面人》、《石像之謎》、《黃雀》、《無情殺手有情人》、《殺手悲歌》、《十三號殺手》、《盟主》、《屠獠計畫》、《殺手之父》、《最後的刺殺》、《太監・頭陀・劍》、《殺手・魔鬼・如來佛》、《無畏殺手》、《銀杏山莊》、《龍虎雙雄》、《鳳凰劫》等。

一九九八年至一九九九年，有「魔域傳奇系列」，包括《魔域明珠》、《刀掩黃沙》、《瀚海情刀》、《風雨江湖路》、《寶刀蕩魔》等。

西門丁長篇小說創作，時間自一九八三年至二〇〇七年。作品包括：

一、《蝙蝠・烏鴉・鷹》（一九八三）

二、《埋劍出江湖》（一九八三）

三、《胡姬》（一九八三）

四、《鐘聲魅影》（一九八四）

五、《毒神仙》(一九八四)
六、《關門弟子》(一九八四)
七、《宮廷風雲》(一九八四)
八、《魔域赤子》(一九八五)
九、《簫劍情仇》(一九八七)
十、《爭霸》(一九八七)
十一、《烽火孤雛》(一九八八)
十二、《刀光千里》(一九八八)
十三、《龍鳳錯》(一九八八)
十四、《最後的刺殺》(一九八八)
十五、《太監・頭陀・劍》(一九八九)
十六、《烽火大俠》(一九八九)
十七、《倚刀雲燕》(一九八九?)
十八、《武林謎圖》(一九八九)
十九、《巨龍幫》(一九八九)
二十、《鳳棲梧桐》(一九八九)
廿一、《英雄夢》(一九八九)

廿二、《劍寒脂香》（一九九〇）
廿三、《丐幫之主》（一九九〇）及續集
廿四、《天下第一幫》（一九九二）
廿五、《鳳凰劫》（一九九四）
廿六、《雲海血河》（一九九四）
廿七、《迷城飛鷹》（二〇〇〇）
廿八、《英雄淚》（二〇〇〇）
廿九、《韓鐵衣傳奇》（二〇〇一）
三十、《英雄何處》（二〇〇三）
三十一、《迷窟潛龍》（二〇〇四—二〇〇五）
三十二、《金紙扇》（二〇〇五—二〇〇六）
三十三、《新蝙蝠・烏鴉・鷹》（二〇〇六—二〇〇七）[6]
當然還有大量獨立中篇小說、短篇小說、配詩極短篇小說。[7]

西門丁小說創作有以下主要特點。

其一，是多類型嘗試。

不僅在武俠小說中嘗試復仇、奪寶、伏魔、除霸、奇情等多種武俠小說故事類型，且嘗試偵探＋武俠，如「雙鷹神捕系列」；武俠＋犯罪，如「殺手傳奇系列」；武俠＋

間諜，如《迷城飛鷹》、《金紙扇》；武俠＋劍仙，如《女媧古琴》等。

進而，除武俠小說外，還嘗試過多種小說類型。包括：民國偵探故事，如「山貓王森系列」；當代玄幻故事，如《魔曲》、《天經》（**小說封面標記為「科幻小說」**[8]）；推理故事，如《連環案》（**作者署名高健庭**）；殭屍故事，如《鬼鎮捉妖》（**封面標記為「奇門鬥智」**[9]）；上海千門故事，如《奇謀妙計奪掌門》；靈異故事，如《冤鬼索》、《大海的召喚》、《夢境成真》、《一報還一報》、《還情》、《報夢》等；剿匪故事，如「黎明剿匪系列」（**作者署名王一龍**），包括《天譴》、《玉觀音》、《虎口鴛鴦》、《喜臨門》等。西門丁曾戲稱自己是（**古龍小說人物**）西門吹雪的哥哥西門嘔血，[10] 雖係幽默，亦是實情。

其二，是系列現象與品牌意識。

西門丁小說有諸多系列，除上述雙鷹神捕系列、湖海驚魂系列、山貓王森系列、殺手傳奇系列、魔域傳奇系列外，其長篇小說中也有系列現象，如「齊雲飛傳奇系列」，包括《胡姬》、《鐘聲魅影》、《毒神仙》、《龍鳳錯》等；「杜一非傳奇系列」，包括《巨龍幫》、《鳳棲梧桐》、《英雄夢》、《劍寒脂香》等。此外還有燕高行故事系列、指神沈七郎傳奇系列、風小月故事系列、江湖風險系列、黎明剿匪系列、烽火遊龍系列等等。其中，有些系列成了知名品牌，而有些系列則不那麼成功，因而續作不多。

系列現象多是品牌意識的產物，即力圖創造出知名品牌，並利用品牌效應作小說生產與行銷。這種想法和做法，有其利亦有其弊。從商業行銷角度看，這是市場競爭的有效策略，武俠小說作為商品，要滿足讀者消費和市場競爭，這樣做無可厚非。從文學創作角度看，其中存在商品生產與文學創作的內在矛盾。有利於即時消費的品牌系列作品，在文學史的視野下，會有不同觀感與評價。品牌系列能夠保證作品／商品的品質底線，卻會成為作家的藝術想像與創新的無形束縛。西門丁小說中的系列現象，是作者的主動追求與偏好？是雜誌編輯的策略和要求？抑或是作者與編輯協商的結果？尚待深入研究。從西門丁創作實踐看，三種情況都可能存在。

其三，是偵探偏好及其思想特徵。

西門丁的偵探偏好十分明顯，「雙鷹神捕系列」、「山貓王森系列」，還曾在香港《文匯報》開設「每月一個推理故事」專欄（**作者署名唐煌**），都證明了這一點。在其他作品中，作者的偵探偏好也經常顯露，例如獨立作品《粉盒奇案》[11]，故事主幹即是探案故事。在「殺手傳奇系列」中，《蝙蝠‧烏鴉‧鷹》、《鳳凰劫》等都有偵查真相情節。長篇小說「齊雲飛系列」和「杜一非系列」，主人公雖非職業偵探，卻就常常要承擔凶案偵查任務。更重要的是，這一現象體現了作者的思想特徵。

簡單說，凶案—偵查—真相，或懸疑—探索—真相，這種偵探思路，實際上成了作者常用的故事構想方法。這一構想方法，體現了作者小說創作的智性特徵，如果把「思想」一詞拆分為思索、想像兩部分，即可見西門丁小說構想是思索驅動想像，與黃鷹以想像帶動思索的構想特徵截然不同。進而，偵探故事兩側，一側是凶案故事（是獨立類型），另一側是推理故事（是另一獨立類型），西門丁的神捕故事顯然更側重於前者，少有純粹的偵查推理。

所以如此，一是因為作者寫的是武俠小說，而非推理小說；一是因為作者的思索重點不在案件偵破的技術層面，而在案件表象背後的人性及個體心理動因。西門丁小說看似重在行動而非（技術性）思考，實際上他的小說飽含思想性，體現於人物行為動機及案情設計中。由於以思索驅動想像，西門丁的小說作品少有神奇想像，是以扎實綿密見長，不僅好看，而且耐看。

二、「雙鷹神捕」系列小說述評

「雙鷹神捕」系列是西門丁小說的第一大知名品牌。

這一系列總共有三十四篇作品。首篇《龍王之死》寫於一九八〇年七月，講述江南總捕頭千面神鷹管一見破案；第二篇《虎父犬子》寫於同年八月，講述江北總捕頭神眼禿鷹沈鷹破案；第三篇《雙鷹會江南》寫於同年九月，講述南北雙鷹聯手破案。

這三篇小說建構起「雙鷹神捕」系列的基礎，首先是確定管一見、沈鷹形象，即前者有髮、後者禿頭；前者喜茶、後者喜煙。共同點是，他們既是官方總捕頭，同時也接受民間委託，且要價高昂；若是委託人貧窮，雙鷹神捕就收費低廉，甚至免費。另一共同點是，他們都是單身大叔。其次是介紹兩人的團隊成員，如管一見團隊有神算高天翊、快劍皇甫雪、夏雷、風火輪、端木盛等；沈鷹團隊有公孫良、顧思南、蕭穆、雲飛煙、陶松、郎四、葛根生等。再次，是創造雙鷹聯手破案的機會，兩人既相互競爭，又合作互補。

雙鷹聯手破案的故事包括：《雙鷹會江南》、《刺客驚龍》、《陵墓驚魂》、《粉羅剎》、《大毒宴》、《滅門》、《泥菩薩》和《迫虎歸山》。編輯曾要求作者寫一百篇故事，但作者寫到第三十篇《迫虎歸山》時（一九八二年），決定讓雙鷹被迫退休。[12] 兩年後，即一九八五年，應讀者和編者所請，作者又續寫了四個故事，成績平平。

「雙鷹神捕系列」中，幾乎每個故事都案中有案，探案過程無不曲折而凶險，結果大多會揭露凶手的內心秘密病因或既往人生芥蒂。下面是部分作品點評。

《龍王之死》

是「雙鷹神捕」系列的開篇之作，太湖龍王項天元被殺，其子請江南總捕頭管一見調查。龍王三子項平南及其多名下屬被殺，是「降龍伏虎」組織所為，而其創始人竟是龍王長子項平東。項平東弒父殺弟，原因是龍王有意廢長立幼，導致兄弟鬩牆。小說情節懸疑重重，過程凶險，結局觸目驚心，偵探與打鬥結合，神捕鬥智又鬥力，熱鬧與品味兼具。

《虎父犬子》

江南四俠中的秦雪嶺、虞子清先後被殺，其好友楚英南、宋玉簫請江北總捕頭沈鷹破案。故事情節曲折迷離，原因是案中有案，應陽天自殺是因為殺了好友程萬里。兩案的共同點，一是為掩蓋小過而犯殺人大罪；二是兩凶都受盛名之累，應陽天是「及時雨」，梅任放是「賽孟嘗」。「虎父犬子」之說，是江湖中人對梅氏父子的評價。梅任放因為擺闊養士，是所謂「虎父」；而其子梅百侶量入為出，竟成「犬子」。書名有反諷意味，也暗示了犯罪因由。

《雙鷹會江南》

大江幫大幫主鐵凌威、三幫主莫朝天死於密室，二幫主姚百變逃亡。凌傲霜、姚百變都是嫌疑人，但鐵凌威夫人梅傲霜請來管一見，姚百變請來沈鷹。此為密室謀殺案，密室暗道的盡頭，是受害人的情感秘密暨案情轉捩點，布局相當精彩。凶手分別是鐵凌威的情人、妻子凌傲霜，因由涉及江湖恩怨、權力鬥爭和情感戰爭。假如能充分展現兩位神捕的競爭與衝突——他們的委託人有不同立場——小說可能會更加精彩。

《血洞房》

歐陽鵬夫婦新婚之夜被殺，莊主歐陽長壽又死於書房中，嫌疑人司馬城在家人慘遭報復後，請到神捕沈鷹。沈鷹發現：莊主是自殺，原因是發現兒媳竟是自己的私生女；歐陽鵬夫婦是他殺，原因是黑道組織金玉堂故意挑起歐陽莊與司馬莊火拼，以便漁翁得利。血案發生後，莊主夫人與護院領班私通，此人恰是金玉堂臥底、殺歐陽鵬夫婦的真凶。歐陽莊主風流一生，有此惡報。

《玉佩疑雲》

捕頭皇甫雪的孀娘霍水仙被殺，叔叔皇甫懷義失蹤，請來管一見。發現皇甫懷義殺妻，原因是丈夫性無能而妻子懷孕。皇甫懷義詐死，找到並殺死妻子的姘夫，又被岳父霍傳世殺害。霍傳世當年也曾因懷疑衛夫人不貞，而製造了衛家血案，最後得知真相，自殺謝罪。兩案都是嫉妒殺人，皇甫懷義因練武嗜殺而性無能，因性無能而心理變態，令人震驚。小說有寓言價值。

破案過程曲折迷離，難解的是當年被百度強姦的蔣玉梅對真凶的情感態度：「是情非情，靈臺不明；是緣非緣，苦海無邊」。這是說百度，是說她自己，還是說所有人？

《泥菩薩》

有人分別送內裝炸藥的泥菩薩給管一見、沈鷹，雙鷹未死，卻被官府抓捕。雙鷹要在逆境中找出元凶，自證清白。雙鷹得以脫身，關鍵是偵破了刑部尚書蘇振邦幼子綁架案。真相是：大內總管黃山松害怕被雙鷹取代，脅迫多位官員聯手陷害雙鷹。官場中人爭權，讓人不寒而慄。本故事說明，雙鷹神捕是官場另類，如泥菩薩過江——自身難保。

《無影針》

杜家寨主杜金鼇在金盆洗手、女兒訂婚、女婿接任掌門儀式上被害，管一見恰好在場，查出真凶，竟是死者徒弟、女婿、接班人南宮雙湖。南宮雙湖的真實身分，是被杜金鼇殺害的章鷹之子章永傑。破案過程照例緊張刺激，真正看點是管一見被流星塢大寨主邱春梅弄得意亂神迷——他倆還有後續故事。

《隱身凶手》

三聖堂大堂主百空大師被殺，沈鷹破案，真凶竟是與百空、雪松子合創三聖堂的劉志邦，緣由是他已買官，要顛覆三聖堂。凶手能隱身，是因沒人懷疑。故事中神捕沈鷹不僅差點辦成錯案，還生平第一次被俘。

《粉羅剎》

神捕沈鷹三次接受委託：一是接受巨鯊幫副幫主魯少風委託他調查殺手三劍公子凌宇陵追殺香車夫人的原因；二是水月莊分莊主唐橋委託他調查香車夫人的下落；三是接受魯少風和寇安江聯合委託，調查香車夫人失蹤、水月莊主被殺的真相。看點是沈鷹和管一見兩次犯錯，一是把香車夫人當嫌犯，二是當面揭露水月莊主陶澎性無能，導致陶澎自殺。這種寫法很新鮮。

《神玉璧》

谷圓月的未婚夫袁石家遭禍，未婚夫失蹤，找沈鷹破案。真相是兩位親家袁成表、谷仲衡為爭奪對方手中的神玉璧、《嫦娥奔月圖》而詐死弄鬼。人為財死、鳥為食亡，兩人如此做法雖逾常軌，倒也不難理解。谷圓月的純情、袁石紈褲，武林萬事通包知天、包通天形象，是本書真正看點。

《大毒宴》

管一見為下屬端木盛、小青舉行婚禮，賀者上千人中毒。作案者是南海三劍，動機是發洩對中原武林的不滿。這理由不很充分，但千人中毒的場面及破案過程還是相當精彩可觀。

《血洗英雄心》

神捕管一見被江蘇布政使嚴信陷害，目的是為大內總管黃山松出氣。真正看點，是管一見在與鄱陽湖匪首邱春梅的情欲關係中掙扎過程。

《連環案》

鏢局古董掉包案、北宮望《鬼斧神工》失竊案、河南巨富楚騰金庫失竊案，事主向沈鷹求助。最大看點是案犯秦龍飛的心理動機。

《滅門》

蕭志英、黃雙河、趙守道、白兆基四家先後遭滅門之災，好友相互猜忌，只得找神捕沈鷹。元凶是昔日五行盟副盟主索峻。看點一，是昔日盟主龔熊自稱半死老人，表明惡的一半已死，留下一半懺悔前半生。看點二，是滅門災禍促使趙守道、黃雙河成長改變。

《青冥錢》

有人被殺，身邊青冥錢上有另一個名字，大家以為是凶手，其實是下一個被害人。此類案件連續發生，是精彩布局。真正看點卻是凶手嚴令坤、嚴孝德父子的所作所為和心理隱秘。

《血雨紅燈》

武林世家連續發生滅門案，案前會有詭異紅燈籠出現。真相是：迷戀香妃的武林才俊，率人製造自家滅門案。這故事匪夷所思，卻並非荒唐無稽，人類因欲成病，所在多有。

《迫虎歸山》

皇帝授意、長沙王策劃、大學士蔡楝梁參與、揚州知府穆揚鐵相助，設下陷阱誘捕雙鷹，而後以「濫殺無辜」的罪名，逼迫雙鷹主動退隱山林。這結局符合雙鷹神捕的命運邏輯。另一原因，是作者累了。

三、「雙鷹神捕」之《霜葉恨》

紅花莊少主范經天被殺。適逢賀鐵騎率人搶劫紅花莊，少俠石飛慶、谷超遠和紅花莊總管蒙白聯合抵抗劫匪，莊主范長春及紫雲夫人、青葉夫人先後趕到，紅花莊倖免於難。捕頭高天翊前來借宿，范長春請他偵查殺害范經天的凶手。紅花莊總管蒙白不見蹤影，有很大的做案嫌疑。高天翊在贛州城外發現受傷的谷超遠，谷說他是奉范長春之命來贛州找九環金刀禤騰達詢問旋風鐵騎消息，又說石飛慶去了邵陽。高天翊趕到邵陽，發現石飛慶已被殺。管一見接下案子，率人趕到紅花莊偵查一番後趕回贛州，在禤騰達府中再次救了谷超遠，並抓獲了賀鐵騎、馬從車，賀鐵騎說，他們追殺石飛慶、谷超遠，是被蒙面人脅迫。管一見趕往嶺南找范長春的仇人翁一生，又到八面山白雲寺找坐雲和尚，找到紅花夫人的紅葉書籤，獲得案情的關鍵線索。

回到紅花莊，翁一生正與范長春對峙，終於真相大白：莊主范長春正是殺害紅花夫人、范經天的凶手。原因是，當年他到嶺南找翁一生報仇，紅花夫人追隨其後，誤服春藥而與翁一生有一夜情，並懷上了范經天。最後，翁一生帶走了范經天遺骸，范長春則選擇出家。

捕頭高天翊投宿紅葉莊，既逢命案，又逢搶劫，接受莊主委託破案，是順理成章。高捕頭東奔西走，不僅發現此案複雜離奇，且還有案中案，只得請上司神捕管一見出手。高天翊也有偵探經驗，卻缺乏神捕的關鍵洞察力。

本案的關鍵證據，一是唐代杜牧的詩句「霜葉紅於二月花」，一是紅花夫人當作書籤的經霜紅葉，紅葉上刺下了她對情人的懷念。范長春大約是看了紅葉書籤上的文字才發現妻子紅葉夫人另有所愛的秘密，而管一見也是在看到霜葉刺字之後，才找到破案的關鍵線索。假如紅花夫人沒有遇到翁一生，自然就不會愛上他，當然也就沒有范長春嫉妒殺人的故事。問題是，紅花夫人是已婚之婦，怎麼會愛上丈夫的仇人翁一生？紅花夫人與翁一生是在誤服春藥之後才發生性關係，為何竟從此不能忘情？

答案可能是：懷上並生下翁一生的孩子即范經天，是一個因素；而更重要的因素，應是看到翁一生對自己的妻子林霜葉一往情深，而自己的丈夫則沾花惹草，娶了自己之後又娶紫雲、青葉，相比之下，范長春與翁一生真有天壤之別，而活著的自己也遠遠比不上死去的林霜葉。紅花夫人是在發現了另一種情感參照系之後，再也無法滿足與人分享情愛的淺薄生活，由此產生「霜葉恨」。

本故事是嫉妒殺人案。紅花莊主范長春發現自己的妻子紅花夫人不僅另有所愛，且自己的長子范經天居然是別人的骨血，遂精心謀劃了此案。先殺害了紅花夫人，後毒殺了紅花夫人的兒子范經天——此人喝了「天虹魔花茶」之後中毒發瘋自殺，應是范經天將天虹魔花置於紅花夫人的茶葉盒中——范長春本人則有不在現場的證明。值得注意的是，范長春追求風流人生，娶了紅花夫人之後，又娶了紫雲夫人、青葉夫人，並把三位夫人居住處命名為紅花莊、紫雲莊、青葉莊，三位夫人相處和諧。范長春非常得意於此，但這位風流人物卻沒有將心比心的能力，雖善於用甜言蜜語哄騙三位妻子，卻沒有體察夫人情緒心理的能力。自己風流快活，卻不顧夫人內心的真實感受；一旦發現夫人另有所愛，就嫉妒成狂，不僅要殺妻、殺子，而且還要將范經天的好友石飛慶、谷超遠都一起殺害。

值得注意的是，范長春與翁一生結仇，是因為范長春的弟弟范長青被翁一生所殺，而范長春又去殺了翁一生的妻子林霜葉。翁一生殺范長青，是因為發現范長青強姦婦女，所以，翁一生說，范長春風流、范長青下流。風流和下流雖有界限，但並非總是涇渭分明。可以說，范長春、范長青兄弟實互為參照。

或有人問：范長春做案，又要請神捕管一見破案，豈不是自找麻煩？在小說中，管一見回答了這個問題，范長春自知不是仇敵翁一生的對手，希望借神捕管一見之手除去翁一生。他請神捕探案，不過是借刀殺人之計。所以，管一見曾一度拒絕接受此案，並向對方聲明自己只探案，不替委託人殺人。

四、「殺手傳奇系列」述評

「殺手傳奇系列」是西門丁最出色的小說系列，其中精品最多。原因之一，是這批小說創作於一九八六、一九九三年，恰好是西門丁小說創作的兩大高峰期——一九八〇年代末至一九九〇年代初，西門丁的小說創作出現了一個疲憊期或瓶頸期，一九九三年重上巔峰——下筆如有神助。原因之二，是殺手小說比神捕小說更少束縛，不用考慮系列要求，可以自由揮灑。原因之三，是殺手通常最接近死神，作者對殺手命運的思考也最深，從而最能體現作者的心智與情懷。

下面是分部作簡單點評。

《蝙蝠·烏鴉·鷹》

是殺手系列小說的第一部。蝙蝠是烏鴉訓練出的殺手，卻從未見過烏鴉的真面目，更不知道烏鴉背後還有鷹。蝙蝠都是孤兒，第三代蝙蝠共有七人，分別以紅、黃、綠、藍、紫、黑、白等七種顏色為代號。主人公陸無涯（綠）人性未泯，為情而動，決定反抗命運，自主人生，遂追殺烏鴉，與鷹決鬥。誰也沒想到，大俠韓師道，竟然就是鷹。

陸無涯的痛苦讓人感同身受，七位蝙蝠個性突出，紫玉花、白若冰、韓如玉三位少女的人生更讓人唏噓。

《最後一劍》

主人公老五也是個典型的殺手。受命殺太監王振，非為道義，是為金錢。為達目的，他毫不猶豫地殺幫忙的喜安，殺俠客郭連城；又受命去殺俠客邵興武，發現對方竟是自己生父，只好將最後一劍刺向自己。殺手固然可惡，更可惡的是雇主尚雲道長。此人偽善，雇凶殺好友郭連城，是為競爭武林盟主；雇凶殺另一好友邵興武，則因對方娶了他的單相思對象為妻，他不僅將其兒子邵揚文（即老五）盜走，並讓殺手兒子去殺自己的父親。

《第三類殺手》

胡虎自幼被義父司徒不樂流放在虎島，與虎、蛇為伴，習虎、蛇之技，不通人情世故，成了前天魔教主胡萬年的殺人工具，是為「第三類殺手」。天魔教兩任教主胡萬年、司徒不樂這對表兄弟的情感、霸業之爭，決定了胡虎的命運；胡虎的回歸之路坎坷曲折，成就精彩的世間奇聞。

《鐵觀音》

是個殺手＋偵探故事。十八名殺手圍攻行動失敗，九號殺手鐵觀音虞美玉竟被殺手同行追殺，遂與天水幫右護法方斗山聯手追查真凶，雇主竟是「被害者」巫溪。故事新穎，情節緊張刺激，真相出人意料。作者嘗試分段書寫，如同電影的分鏡頭，從多個角度講述，藝術效果上佳。鐵觀音虞美玉的形象生動。

《無面人》

小林與一般殺手不同，一是他公開殺手身分，二是他只殺那些該殺的人，三是殺人酬金與朋友共用並接濟貧困。故事要點是童真不真。因童真交友不慎，被千面屠夫卜流仁利用，剝了他的面皮並取而代之，童真成為無面人。正是他雇傭殺手小林，揭露童真非真的真相。無面人，既是事實，也是象徵。

《石像之謎》

司徒明夫人楊映紅墓地上的十八座仲翁，竟是楊映紅追求者的雕像。崆峒掌門弟子俞永生為抗擊瓦剌的義軍籌集資金，做了職業殺手，最終發現自己殺了愛國英雄，而將酬金送給了賣國賊，詐死的司徒明恰是漢奸集團首腦。另類殺手偵探故事中，包含另類愛情故事，石像正是人性的表徵。

《黃雀》

螳螂捕蟬、黃雀在後。書中老黃雀正是殺手的掌控者。故事的主線，是殺手唐斐、宋遠與老黃雀鬥法。老黃雀讓唐斐和宋遠刺殺惡霸魏錦龍、大俠韋卓邦，無論成敗都會讓失控殺手死無葬身之地。老黃雀還向鐵雁鏢局告密，進而喬裝張軍親自出手，結果自取滅亡。書中出現端木盛之子端木越，讓殺手故事與雙鷹神捕故事建立聯繫，也讓這個殺手故事更加複雜而曲折。

《殺手悲歌》

小說的主題十分鮮明：殺手沒有未來，只有無盡悲歌。小說中卞子謙（化名丁謙）、柳鐵堅（化名邵啟龍）、索世雄三代殺手之王的故事，就是最好的證明。無論是改正或是隱身，都會因當過殺手而被人追蹤脅迫，最理想的結局也不過是與惡魔元凶同歸於盡。索世雄為保住殺手之王聲譽，不賭不嫖不酗酒，首次涉足花叢的童男表現，讓人莞爾，也讓人心疼。

《屠獠計畫》

孟晉、孔以恕、岳豐鎮等愛國者，脅迫殺手俞浩南去刺殺遼國太后與大將軍，殺手謝鐵柳、飛鳳等參與其事，結果因叛徒馮霍而功虧一簣。實質上是行動策劃人不懂暗殺，更不尊重殺手。俞浩南與飛鳳相愛而未成婚，就已為國犧牲，愛情和生命如同煙花，絢麗而後寂滅。另類殺手悲歌，讓人感嘆，且發人深思。

《殺手之父》

殺手米盛想改變其殺手身分，殺湖海幫副幫主蘇立鼎而借用其身分，卻不知湖海幫幫主何戴天正是「殺手之父」老農夫，更不知何戴天還有替身即其胞弟何戴地。故事情節出人意表，殺手米盛、豆茂、麥浪、苗青等人的命運令人感慨，殺手之父何戴天當然也不得善終。名醫諶卓雄，自號漸癒子，癡心於醫學而有佛心，推動情節發展並改變故事結局，具有象徵意義。

《最後的刺殺》

黃蜂殺手集團的十一號殺手唐郎的最後一次暗殺任務，是刺殺金國吏部侍郎梁乙匡，過程一波三折，情節出人意表。刺殺雖然成功，卻逃不過敵方追殺。十七姐白冰冰和十八妹柳青青都愛唐郎，結果一死一離散。本書故事精彩，作者後來將這個故事整合進長篇《新蝙蝠‧烏鴉‧鷹》之中。

被作者整合入《新蝙蝠．烏鴉．鷹》中。

《太監．頭陀．劍》

是《最後的刺殺》續作。黃蜂殺手團老闆如來佛告訴唐郎，說自己是白冰冰的父親，要唐郎參與刺殺金國大內太監總管金希凡行動。黃蜂殺手團精英盡出，金希凡也派出大批高手圍捕殺手團，雙方鬥智鬥勇，相互追殺，故事懸念迭起，情節曲折迷離。後被作者整合入《新蝙蝠．烏鴉．鷹》中。

《殺手．魔鬼．如來佛》

兼容殺手、偵探、伏魔、除霸類型。武林九大門派被天道盟滲透，有人出鉅資招募殺手，要求是找出天道盟首領及九大門派中的內奸。樂滿天、韋勤、曹先梅等多人參加招募考試，考試過程已令人驚奇，偵查過程更是曲折迷離，主人公出生入死，終於證實丐幫幫主曹先擢就是天道盟的盟主「佛祖」。曹先擢的梟雄野心，源於不屑九大門派固步自封且庸庸碌碌，原因讓人震撼。「劍林五閒鶴」在武林危機時刻挺身而出，讓人欽佩。樂滿天並非殺手，而是名門俠士，其個性光彩令人遐思。

《無畏殺手》

殺手楊開心與眾不同，只殺證據確鑿的可殺之人，因經常救濟貧困，人稱大俠。此案中，楊開心殺錯了人，立即對此案展開調查。撥開重重迷霧，終發現當年的強姦案係華山派掌門胡樹華的孿生哥哥胡樹英所為，胡樹華不願揭露哥哥身分真相，甘心為哥哥的罪行埋單。小說的成就，是塑造了楊開心這一另類殺手形象，其「開心」的秘密，在於他有敢於求真、敢於擔當的道德勇氣，無愧乎「無畏殺手」之名。胡氏家史及兄弟殊途的秘密，亦讓人驚嘆。

《銀杏山莊》

殺手丁毅奉命刺殺柳露蓮，卻被對方所救，追隨柳露蓮千里尋夫，卻發現其丈夫田鷺飛已是銀杏山莊莊主的乘龍快婿。丁毅的經紀人阿密，正是銀杏山莊的莊主萬振仁。萬振仁想做江湖霸主，田鷺飛攀上高枝，其妻柳露蓮遂成刺殺對象。怕丁毅無法完成任務，便派出殺手徐飛羽；丁毅保護柳露蓮，就派出更多殺手，使得書中殺手層出不窮，如同殺手技藝展覽會。在驚險曲折的故事背後，丁毅開始反省自己、思索人生、從殺手變成愛人的經歷，十分動人。

《龍虎雙雄》

捕快是殺手的天敵，但本書中捕快岳秦嶺和殺手蕭逸飛卻多次並肩作戰，共同對付權閹魏忠賢及其走狗，演出「龍虎雙雄」，是一大看點。岳、蕭身分對立，且都愛上皇甫一香，天敵加情敵的對壘，形成另一看點。岳秦嶺是顧思南和雲飛煙的弟子，雙鷹神捕的弟子皇甫雪、郎四、夏雷、風火輪等「老熟人」紛紛出現，形成第三個看點。第四看點是，蕭逸飛瀟灑飄逸的個性，不僅讓皇甫一香著迷，也讓讀者喜愛。

《鳳凰劫》

這部小說講述鳳峰生、洪小凰的悲劇人生故事。職業殺手鳳峰生受雇殺人，卻莫名其妙地被人追殺，為了自救，不得不偵查雇主身分，從而展開一系列歷險偵查。結果是真相灼人：鳳峰生、洪小凰的父母都在人世，但兩人卻從小成為孤兒，一為殺手，一為妓女兼殺手經紀人。更可悲的是，洪小凰與鳳峰生相愛成親，懷孕後才得知，夫妻竟是同父異母兄妹。如此結局，當然是父輩造孽。洪世英、馮毅分別是紅鷹、黑龍兩大殺手集團首領，似能主宰一切，卻無法主宰自己的人生。書中人物，無不受盲目欲望驅使。鳳凰劫的緣由，發人深思。

五、「殺手傳奇」之《無情殺手有情人》

《無情殺手有情人》[13]與古龍小說名作相印成趣，即：多情劍客無情劍，無情殺手有情人。小說也名副其實，寫殺手岑三郎的情感蘇醒和發展過程，可謂絲絲入扣。作為殺手，岑三郎無論如何都想不到，自己竟然會被全然不懂武功的農婦許巧娘所救，許巧娘對他如待親人，溫暖的情感竟能融化殺手內心的冰層。更想不到的是，許巧娘的丈夫齊荊恰恰是被自己所殺，如此恩仇，讓岑三郎震撼，也讓他愧疚，更讓他深思。發現待自己如同親姐的許巧娘一家被人殺害，岑三郎的震驚和憤怒就可想而知。他要與殺人凶手鐵羅漢拼命，自然不難理解。

另一條重要線索，是書中兩個殺手的愛情故事。女殺手刁嬋與岑三郎的第一次約會並不成功，原因很簡單，因為當時岑三郎還是個道地的殺手，不能亦不敢與任何人建立情感聯繫。第二次相聚是刁嬋救了岑三郎，最後仍黯然別離，原因是岑三郎尚未正式脫離殺手生涯，怕給刁嬋和自己帶來不幸。待到他們第三次相見，才終於獲得團圓結局，是因為他們之間情感既深，而岑三郎的自由意志亦已堅不可摧，因而不惜與老闆鐵羅漢決鬥，亦不惜責罵刁嬋的母親沒有人性，總之他將要為愛情和自由而戰。他要戰勝宿命，自主人生，這結局十分提氣。

女殺手刁嬋的命運加倍令人同情。因為她是被自己的母親訓練成殺手，母親不僅是她的師父，也是她的經紀人和老闆，如此宿命更加無法擺脫。更可怕的是，母親還向她灌輸一個信念，即：男人沒有一個好東西。所以，刁嬋號稱「三不留」，即一不留名、二不留情、三不留線索。奇妙的是，刁嬋的情感天性，並未被殺手生涯徹底泯滅，對殺手岑三郎一往情深，而且無法自拔。於是，他主動約會岑三郎，雖未獲得如意結果，她也不改初衷。進而，她追蹤岑三郎，拯救了岑三郎，並盡心盡力地侍候岑三郎養傷，充分表現出愛意溫情，終於讓岑三郎在不知不覺中愛上了她。只不過，岑三郎尚不敢表白情意。

待到第三次見面，情況就完全不同了。刁嬋不敢設想挑戰母親、挑戰命運，徹底擺脫殺手職業，過上普通人的正常生活，對岑三郎的愛，不過是希望在殺手生涯中獲得短暫的撫慰或麻醉。但岑三郎卻不是這樣，一旦心靈自由，就勇敢追求自主人生，向師父、岳母發起挑戰。最終，命運幫助了岑三郎和刁嬋，讓他們的愛情和人生如其所願。

這個故事中最驚人的秘密，是殺手之父鐵羅漢即澹台雕，竟然就是刁嬋之母余曉君的丈夫，亦正是刁嬋的父親。只因為澹台雕移情別戀女殺手韓明，離開余曉君，才使得這對有情人先後成了無情的殺手，而且還把自己的女兒和徒弟也都訓練成了殺手。這個故事中的四個核心人物，即澹台雕、余曉君、刁嬋、岑三郎全都是殺手，也全都是有情人。只不過，澹台雕的情感淺薄，余曉君的情感偏激，因為有情而先後成為殺手，而殺手生涯卻扭曲了他們的情感心靈。好在，他們並非無可救藥，岑三郎責罵他們沒有人性，這話如同針灸，讓余曉君首先恢復良知，決定犧牲自己保全女兒的生命；澹台雕亦追隨其後，願意以自己的死換取女兒、女婿的生。澹台雕、余曉君雙雙自殺且相擁而逝，讓人感慨萬千。

書中還有若干看點，例如雙劍莊莊主齊弦、張菁菁夫婦雖享有俠名卻作奸犯科，實情敗露後又試圖殺人滅口。又如，真假蔣肖龍，其實是澹台雕為殺害不聽話的殺手岑三郎而布下的陷阱，直至岑三郎與真蔣肖龍相遇，才明白其中究竟，這一段是書中最精彩的情節設計。又如，在一般殺手故事中，正派中人似乎無人干涉，而在這部書中，王布衣、公孫隱等正派人士卻主動追捕殺手余曉君及澹台雕，顯示了武林正義的力量，並由此表明了作者的立場。

六、長篇武俠小說述評

西門丁長期從事中篇小說創作，形成思維慣性與定勢，頗不利於長篇小說創作，所以，西門丁不少二十萬字左右的作品，骨骼仍如中篇。進而，作者習慣於系列小說批量生產，也不利於長篇小說的創新構思。所以，西門丁的長篇武俠小說嘗試期較長。但西門丁克服重重困難，終於修成正果。西門丁雖然不以長篇武俠小說著稱，其長篇小說成就仍不容忽視。下面選擇一些作品作簡要點評。

《魔域赤子》

將孤兒凌浩田的人生經歷套入奪寶故事框架中。一切都與「神鼎真經」相關，過程驚險曲折。書中大俠凌天鳳名不副實，萬高樓改邪歸正，酒鬼伍鐘介乎正邪之間，給人留下印象。問題是，主人公凌浩田遭陷害的經歷，小說結尾大多數人物為奪寶而瘋狂自相殘殺，都與金庸《連城訣》近似。小說中不少人物召之即來，人為痕跡明顯。

《簫劍情仇》

是江湖爭霸故事，七大邪派高手組成的統一盟為禍武林，直到最後被殲。統一盟七位領袖，由低到高，漸次登場，氣勢愈來愈大，既神秘，又合理。而武林白道自顧自，被統一盟各個擊破，連武當派、少林派也被征服，讓人震撼且感慨。真正看點是愛情故事。主人公秦君燕對其小師妹莫紫薇的單相思，固執成病，最為可觀。秦君燕、展劭與莫紫薇的愛情三角，與楊興家、冷霜梅、秦君燕的愛情三角，相互關聯成故事懸念。虞雪練與郭丹青相愛，因年輕氣盛至鴛鴦分離，是《斷腸曲》的原版故事。最令人驚愕的愛情，卻是唯我尊對銀月娘娘一往情深且終生不渝。另一看點是秦君燕形象，雖不令人喜歡，但卻真實且有一定深度，寫出了成長的艱辛。若將這一過程寫得更深更透，當然會更好。

《烽火孤雛》、《刀光千里》、《烽火大俠》

是三部曲，也可以說是一部書，講述主人公余顧南成長經歷、仗義江湖、保家衛國故事。三部曲故事的情節，可觀之處不少。遺憾的是，受金庸小說影響明顯，也寫華山論劍，且有東雁、西鴻、南龍、北虎，似《射鵰英雄傳》翻版。「西天老神仙」拓跋齊天的弟子馬屁連天，如《天龍八部》中「星宿大仙」丁春秋再世。第三部寫余顧南抗遼、金，助義軍，找方菱，報私仇，烽火主題突出，大俠行為明顯，但主人公形象卻不如受盡磨難而堅貞不屈的方菱，也不如飽經滄桑的小郡主耶律玉，甚至不如血骷髏中的幾位英雄。

《龍鳳錯》

講述明永樂皇帝太子失蹤，主人公齊雲飛重出江湖，幫助錦衣衛尋找綁架者，最終找到並顛覆試圖恢復趙宋王朝的建隆幫。本書特點是將武俠、偵探、歷史相結合。書中有不少看點。例如小煞星陶秦變身為「犬魔」郝耕，利用狗群作案，頗有象徵意義。書中大俠甘泰陽、殺手司空業、武士田中郎等人形象，增加了故事的複雜度。遺憾的是，齊雲飛探查太子失蹤案，從黑石村全真觀開始，竟一路順風，顯然是作者刻意安排，更大的問題是，永青子及建隆幫中高手，成了獵人齊雲飛追逐的兔子。兔子不高明，獵手的高明如何體現？

《武林謎圖》14

融合了奪寶故事、爭霸故事、復仇故事、情愛故事乃至偵探故事等多種故事模式。長龍幫主駱致遠得到武林謎圖，想當武林霸主；主人公楚天翔卻要復仇並除霸，追尋駱致遠的過程如偵探查案，與朱乙乙相愛則經歷曲折。書中武打描寫，也有特色，長龍幫的正邪大戰，複雜程度極其罕見。小說故事情節曲折，變化多端，讓人目不暇接。最終駱致遠讀不懂「無招勝有招」寓意，因感「荒謬」而發瘋，有深刻的寓言意義。不足之處是駱致遠懷有武林謎圖十二年，突然詐死，其中存在漏洞。楚天翔做巨蛟幫幫主，也缺乏依據，有人為痕跡。

《倚刀雲燕》

本書講述陳萬里與溫柳煙的亂世兒女情。陳萬里的困境是，自己來自草原，父親陳拓疆更是瓦剌高官。溫柳煙的困境是未婚夫李應星突然出現，面臨兩難選擇，只好離家出走。當中原武林人誤認陳萬里為漢奸時，溫柳煙為他辯護，且和他同行，一起接受命運挑戰，最終結局圓滿。故事情節曲折精彩，書中「竹林四閒」、「武林三癡」形象，令人印象深刻。陳萬里與父親陳拓疆的衝突與和解，亦感人至深。不足之處是陳萬里在明、蒙衝突中，沒起到關鍵作用。最大的不足，是書中陳萬里的身分、處境，與梁羽生

《萍蹤俠影錄》的張丹楓太相似。

《巨龍幫》

是武俠偵探故事。張鶯被人姦殺，現場有杜一非的玉佩，張鶯的哥哥張建、未婚夫凌展雲找杜一非報仇。杜一非要洗清冤屈，展開調查，終於查出真凶是詐死的巨龍幫主上官光明。巨龍幫主為掩蓋其好色殘忍，詐死另創玉兔幫，囚禁謝英，嫁禍杜一非，有更大圖謀一統江湖。故事情節神秘曲折，緊張刺激，充滿懸念。被誣者杜一非、受難者謝飛紅、犯罪者上官光明的形象生動可感。小說邏輯謹嚴，結構完整，作者的長篇小說創作漸入佳境。

《鳳棲梧桐》

講述有婦之夫葉桐與有夫之婦何小鳳的婚外戀故事。武當、華山、崆峒掌門等老一代率弟子攔截這對戀人，而杜一非、鳳千千、凌展雲、張建、畢駒等年輕一代則支持他們，武林新老兩代的價值觀衝突，形成奇觀。「鳳棲梧桐」結局如何？是書中最大懸念。有婚外戀經歷的白尚書、韋娘幫助何小鳳和葉桐，韋娘勸郝力源逼迫何小鳳的丈夫金尚孔放棄追截，結局出人意料。本書開頭、結尾雖不無可討論之處，故事情節主幹仍然可觀。

皇宮中諸多美女成了「龐德女郎」。盜扇成功，發現龍鳳吟非真心為國，而是與司禮太監勾結假公濟私，欲將盜扇勇士團隊滅口，結局是驚人逆轉。風仗雨身世特殊、能力與魅力兼具，形象生動可感。遼國皇姑耶律芙蓉、韓曉雪、段飛紅、王三槐、馬八腿等人形象可圈可點，參與盜扇行動的其餘勇士，來自不同門派，立場各有不同，個性風貌清晰。小說情節驚險曲折，敘事肌理細密，主題發人深思，是難得的武俠長篇佳作。

七、長篇小說《迷城飛鷹》

《迷城飛鷹》[15] 是西門丁長篇小說代表作之一。這篇小說的時代背景，是宋、金、西夏對峙時期，宋國與金國合作滅了遼國，但大宋國運衰頹，已非金國之敵。其時，有一批武林人組織義軍，抗金救國。無錫倪家是武林世家，家主倪揚譽未雨綢繆，將自己第十一子倪立訓練成間諜，深入西域迷城。

迷城是城主東方永亮與副城主宗本源、周翔合作創建，目的是要創造出超級武功，稱霸中原武林。東方永亮收集了各大門派武學秘笈，其中最重要的是漢朝武學秘笈《衛青武學旨要》，這是一部武學理論著作，能夠將其理論轉化為武功，即可天下無敵。東方永亮召集了眾多武林高手研究各派武學秘笈，將研究者分為銀牌學士、金牌學士、太學士三個等級，只有太學士一級的人才能接觸《衛青武學旨要》。十一少倪立混入迷城，有三大目的：師父周全要他拿到《衛青武學旨要》，父親倪揚譽要他炸毀火藥工廠，義軍代表倚翠要他拿到火藥的配方。倪立經歷重重磨難與驚險，慢慢達成三大目標，最終破壞了東方永亮稱霸武林的陰謀，勝利逃出了迷城。

小說採取層層揭秘的方法講述故事。首先講述無錫倪家十一少倪立，在金陵秦淮河畔的妓院賭場裡廝混了三年，人人都知道他是個花花公子。此次因倪家遭難、房舍變成焦土，銀票無法兌現而被賭坊抓獲，送到西域迷城。一開始，讀者以為是一個花花公子蒙難故事，很快就發現，倪立竟是有所為而來。而他成為著名的花花公子，竟也是由倪家父子精心布局。銀票不能兌現，是故意讓倪立被抓，因為金陵的這家賭坊，本就是西域迷城的一個據點。而倪家被火焚，則是倪揚譽不願面對大宋官府貪婪，寧可將家財奉獻給義軍，故意焚燒了倪家庭園。再後來，作者才逐步交代，倪立到迷城，身負三大重任。他如何在迷城立足？如何完成任務？完成任務後如何脫險？就成了這部小說的三大主要懸念。

由於倪家十一少的形象深入人心，而且有上述三大懸念，讀者對他的命運產生了強烈好奇與關注。倪立在迷城中的生活，即使是一飲一食、一言一行，都有奇妙的吸引力。倪立在迷城中比武獲勝，從而成為銀牌學士，開始研究武功秘笈；由於成績突出，很快就被晉升為金牌學士；因為他對武學研究方法上有超人的貢獻，最終被晉升為太學士，開始接觸《衛青武學旨要》，故事情節高潮迭起。

既然迷城中有諸多武林秘笈，覬覦它的人自然不會少。因而小小迷城之中，有各國間諜混入，包括大宋的倪立、西夏的魏普、金國將軍的女兒完顏海棠。完顏海棠來迷城，並非奉金國官府指派，而是為了她的情人即遼國貴族耶律大德的復國大計，來此盜竊武功秘笈。城主為了安撫並監視才華出眾的倪立，故意將先化名大盈、後化名郭蓮的完顏海棠許配給倪立，並要他們立即成婚。倪立與完顏海棠夫婦從敵對到相愛的過程，是這部小說的重要情節，看點多多。

完顏海棠肯為耶律大德不惜犧牲，對情人自然忠貞不二，對倪立自然不屑一顧且敵意明顯。而倪立對假扮妓女倚翠的義軍領袖梅凌霜一見鍾情，對郭蓮自然不會有任何好感。但他們奉命成婚，不能不假裝歡喜恩愛，小倆口相互提防、鬥智鬥勇，假笑真哭，日久生情後終成恩愛夫妻的過程，是這部小說的一大看點。

小說的另一看點，是倪立一系列「化敵為友」的故事，不僅情節曲折、故事精彩，更重要的是，轉化敵友的過程，突出了倪立的個性形象。

典型例證，是他與魏普的關係，倪立和魏普都是在金陵賭坊中被抓獲的，按理說，同是天涯淪落人，應該相互幫助。但魏普對倪立的敵意很深，表面原因是魏普的才華遜於倪立一籌，對倪立有嫉妒之心；深層原因是，魏普是西夏國間諜，與大宋間諜倪立目標相同而立場各異，存在根本利益的衝突。倪立不明原因，只能不斷探索，在天山採雪蓮時，魏普導致倪立跌落懸崖，生死未卜，魏普回到迷城後被打入水牢。而倪立既知魏普的真實身分，竟然主動為他求情，使得魏普獲釋，從此魏普和倪立成為合作者。合作的基礎，是他們有共同的對手即迷城城主。

再如與顧映紅的關係轉化。太學士顧映紅是典型的女武癡，她癡心練武，是因為對男性的失望與憤恨。顧映紅平日對所有男性都不假辭色，對有風流十一少倪立更加沒有好感。倪立提議分組討論高深武學，被迷城管理層採納，故意將倪立與顧映紅分為一組。如此分組，當是深知顧映紅癡迷武學且一貫鄙視男性，不可能與倪立結成同盟。

出人意料的是，顧映紅很快就對倪立產生好感，原因之一是倪立尊重女性，更尊重前輩；原因之二，是倪立的聰明才智及對武學的理解遠在顧映紅之上；原因之三，是倪立請顧映紅當兒子的義母，嬰兒的笑容激發了顧映紅的母性本能。顧映紅成為倪立的鐵桿擁躉，說明倪立個性出眾，情商超人。

再如與聶雲的關係轉化。倪立因破解高深武功課題成績突出，被破格提升為迷城副總管，分工監管火藥場。火藥場老大聶雲身分特殊且個性老辣，他的地盤不容他人置喙，此前監管火藥場的副總管董明對聶雲束手無策。倪立上任後，要求熟悉每道工序，聶雲卻要比武決定，發現倪立的武功超乎想像。更超乎想像的是，倪立得知聶雲患職業性癆病，需要天山千年雪蓮才能醫治，立即提議去天山尋訪雪蓮，並親自上陣，冒險找到雪蓮。

繼而，倪立為火藥場工人的健康著想，提議工人搬到通風處居住，且每十天休假一天。從此，聶雲和火藥場工人都把倪立當作自己人，不僅將火藥配方告訴倪立，還是成功突圍的主力。更為感人的是，當聶雲知道救命雪蓮被城主所截，自己康復無望，毫不猶豫地自斷經脈，為突圍爭得良機。性格古怪的聶雲，受倪立精神感召，成了真正的義士。

小說的另一看點，是對倪立的武學思想的清晰呈現。倪立在天山採雪蓮時不幸摔下懸崖，卻因禍得福，獲得彈劍居士的武功秘笈，且與師父周全重逢。兩人研究彈劍居士的武學，其中有一段話，呈現了作者對武學的深入思考。周全說：

「你知道為何彈劍居士不能成功嗎？因為他沒有對手切磋及試招。你有基礎，因為迷城給你不少武林絕學，先讓你學習，再讓你破解，這是一個過程……天下間，有立必能破，端視你的能力而已……無招之所以能勝有招，因為他沒有形式，他沒有立，又怎能破之，所以這才是最上乘之武技！」（第十八回）

另一看點是迷城中的辛氏五兄弟，名字分別為辛勤、辛勞、辛苦、辛甲、辛酸。倪立問辛苦，為什麼要叫這些看似不吉利的名字？辛苦說：「父親要兒子勤力耐勞、吃苦呷酸，也是為了兒子將來活得踏實一點，老奴不覺得不好。」（第十二回）這一解釋讓人印象深刻。辛氏五兄弟看似不近人情，卻是義軍的臥底，也是倪立突圍的聯絡人和主要骨幹，他們出場不多，卻讓人難以忘懷。

《迷城飛鷹》當然並非十全十美。小問題是，第十一回和第廿三回的回目完全相同，都是《互逞機心》。大問題是，魏普與倪立有難以共存的矛盾衝突，不僅自己要獲得武功秘笈，而且要阻止對方獲得秘笈才對，倪立當然也是如此。更何況，兩人不僅國族對立，且是情敵。進而，魏普是西夏間諜，而妻子翠芳卻是大宋義軍志願者，夫妻之間亦有矛盾衝突。魏普和倪立、魏普與翠芳，應是既密切合作、又衝突，書中缺少衝突環節，不僅降低了小說情節的複雜性，也降低了魏普形象的深度，且使小說失去了真正的衝突高潮。

八、長篇小說《新蝙蝠・烏鴉・鷹》

《新蝙蝠・烏鴉・鷹》[16]創作於二〇〇七年，是根據《蝙蝠・烏鴉・鷹》、《最後的刺殺》及《太監・頭陀・劍》三部小說的故事情節改寫而成。

主要變化是：其一，主人公為陸無涯，化名綠無堤、法號無垢。其二，對蝙蝠殺手作重新命名。第一代殺手三人，分別為天蝙蝠、地蝙蝠、人蝙蝠。第二代殺手為九人，以顏色命名，老大赤如火、老二黃河浪、老三綠無堤（即陸無涯）、老四藍關雲、老五紅曉彤、老六青山翠、老七黑七郎、老八紫玉花、老九白若冰。第三代殺手以五穀命名，如豆盈倉、麥青苗、米滿谷、稻香香、粟豐收等；第四代殺手則以樹木為名，例如魏槐、唐梧、楚楓、燕榕、趙杉、燕梅、秦柏等等。

其三，新書中，蝙蝠集團增加了一個層級，即在烏鴉之上，增加了一個「鴉神」，鴉神之上才是老鷹。新書中老鷹，是大宋皇宮侍衛統領洪承志，他成立暗殺組織並訓練殺手，原是奉南宋皇帝的指令行事。其四，是時代背景改為元初。

本書最大看點，是對主人公陸無涯人生故事的加工整合，使得殺手命運故事更完整，「殺手悲歌」主題更加扎實鮮明。第一段故事中，陸無涯的目標是努力完成任務。第二段，是在即將完成任務時，設法讓自己獲得解藥，好好地活下去，即必須設法保護自己，讓烏鴉不敢殺害自己。第三段，當他得知烏鴉殺害了自己的親人，讓自己變成孤兒殺手，目標變成找烏鴉報仇。第四階段，在消滅了烏鴉和鴉神後，設法尋找安身立命之處。本書第三十四章至第三十六章是新增部分。講述陸無涯殺死韓師道，也失去了第三任妻子韓如玉。既悲又悔，去雪竇寺出家。第五段，再次被老鷹逼迫去殺人，只不過此次刺殺的對象不是正人君子，而是漢奸趙璧。第六段，即最後階段，是陸無涯主動與老鷹洪承志合作，前往邯鄲刺殺元朝大內總管金希舜。

在六段故事中，陸無涯雖然始終在殺人，但主觀態度不斷變化。

第一個變化，是在奉命刺殺俠客高天揚時，因對烏鴉有反感，且知高天揚是俠道人物，遂為高天揚出謀劃策，讓他詐死，騙過烏鴉。這表明，陸無涯並非冷血殺手，而是有自己的思想感情。

第二個變化，是與烏鴉鬥法，以揭露烏鴉秘密為要脅，迫使烏鴉提供解藥，獲得生存權利。

第三個變化，是對烏鴉和鴉神反戈一擊，先後殺死了兩隻烏鴉和一個鴉神。

第四個變化，是在刺殺趙璧時，發現趙璧並非死心塌地的漢奸，而是胸懷漢民百姓，所以不殺趙璧，趙璧是中風而死（與《最後的刺殺》中兵部侍郎梁乙匡不同）。

第五個變化，是與老鷹合作，自願承擔刺殺金希舜的重任。這不僅是為自己贖罪，也是作為一個自由人為民族立功。

在文明社會中，職業的殺手通常是社會之敵，難以被文明社會所接受。這個故事中的殺手陸無涯等之所以被同情，首先是因為他們不是自覺自願地受雇殺人，而是被迫殺人，即因為他們是孤兒，從小被雇主收養並被培養成殺手，成年後不得不奉命殺人，以報答烏鴉的養育之恩。進而，殺手在完成合約後，多半會被烏鴉殺人滅口，蝙蝠殺手的命運就更加值得同情了。

進而，第一代殺手池靖平說，殺手之所以成為孤兒，是因為烏鴉殺害了孤兒的父母家人，即孤兒是被烏鴉有意製造出來的。亦即，烏鴉不僅不是恩人，恰恰是蝙蝠殺手的仇人。如此，蝙蝠殺手的命運就加倍值得同情。最後，陸無涯領著一班已獲自由的殺手自願參加刺殺金希舜的行動時，殺手成了英雄，對殺手的態度必然會徹底改變。

這部書的整合，不僅表現在殺手命運故事方面，也表現在陸無涯的情感經歷書寫方面。在新版故事中，主人公陸無涯一共娶過四個妻子，即白如冰、紫玉花、韓如玉、紅曉彤。如此安排，當然有其商業性目的，即套用「〇〇七女郎」模式，確保主人公在每段故事中都有漂亮女郎相伴，以吸引讀者。好在，書中雖有多位「陸無涯女郎」，但白如冰、紫玉花、韓如玉、紅曉彤等，是先後嫁給陸無涯。更重要的是，她們成為「陸無涯女郎」，都有其合理因由。雖然第二代殺手中的三位女性殺手全都愛陸無涯，看似有些人為痕跡，但她們都是殺手，生活圈子有限，在殺手同門之外沒有社交圈，所以愛上同門是勢所必然。

其次，這些女殺手都想在完成任務後繼續生存下去，而陸無涯是所有殺手中能力最強、生存下去可能性最大的人，所以，她們愛上陸無涯，理由就更加充分。進而，從陸無涯方面看，白如冰為他擋下有毒暗器，臨死前要嫁給他，他不能不答應。而在他們新婚之夜，白如冰即死去，徒掛夫妻之名；紫玉花暗戀陸無涯多年，且與他一起出生入死，在不知解藥真假的情況下，要嫁給陸無涯，陸無涯又怎能不答應？陸無涯與紫玉花度過了極為短暫的夫妻生活，紫玉花就死去了。基於末日隨時會降臨基礎之上的愛情和婚姻，本就與眾不同。

陸無涯的第三段婚姻，同樣是迫於無奈，韓如玉愛上陸無涯並不稀奇，因為陸無涯是她從未見過的那種人，且在追求陸無涯的過程中，潛意識中很可能包含了對父親的恐懼和叛逃。在陸無涯角度說，韓如玉被黑七郎強姦懷孕，若不與她結婚，而她得知被強姦真相，很可能就無法活下去。也就是說，陸無涯與韓如玉結合，是為了挽救韓如玉。遺憾的是，韓如玉得知父親竟然是製造蝙蝠殺手悲劇的罪魁禍首後，咬舌自殺了。

再說最後一次婚姻，紅曉彤對陸無涯並無暗戀，但在合作執行任務的過程中發現陸無涯與她以前的想像完全不一樣，逐漸愛上了她，這也不稀奇。更何況，紅曉彤胸部受傷，陸無涯不得不為她塗藥、換藥，二人成為同命鴛鴦，可謂勢所必然。

本書中對陸無涯練武過程的詳細描寫，也是一大看點。書中延續了此前殺手故事的脈絡，交代了殺手受訓的科目，即起初是學拳腳，再是學內功、刀劍槍棒，接著是各式暗器及輕功，兼學治傷、瞭解藥性，隨即要學毒藥、下毒手段，接著又要學習跟蹤術、埋伏術、易容術、口技、騎馬術、泅水、駕車等等，甚至男的要學御女術，女的則要學媚男術。還要逛花街、學書法、學樂器，等等。

在新版故事中，作者提出了一個非常重要的假設：殺手武功都是殺人的武功，即實用殺招，不成體系。陸無涯雖多次成功殺人，但他算不上頂尖高手，因他的武學套路訓練不足。因此，在書中，作者讓第一代蝙蝠殺手池靖平對黃河浪指出這一點，並將軟劍、軟劍秘笈送給黃河浪，黃河浪死前又轉增給陸無涯，讓陸無涯對自己的武功局限有理論認知，而後再重新學習與訓練。

進而，在陸無涯入雪竇寺之後，雪竇寺方丈法光又傳授他達摩祖師的伏魔掌法及其內功，使陸無涯的內力有了更加扎實雄厚的基礎。進而，陸無涯還向靈隱寺方丈靈法大師請教軟劍技藝，接著又向師兄池靖平再請教。進而又在大雨之中感悟對付「八方風雨」的武功技法。進而，法光大師又讓他琢磨「三才陣法」。

同樣重要的是，陸無涯在與駱長奔、洪承志、金希舜等軟劍高手的打鬥中，不斷吸取經驗教訓，不斷提高技藝水準。總之，本書主人公陸無涯在成名之後，武功仍在不斷進步中，這是此前的殺手故事中所不曾有過的。

書中對其他殺手的個性，也有專門的設計。在第九章中，白如冰議論自己的師兄弟：「老大自高自大，急躁又囂張；老二人最善，可惜心計及城府差了幾分；五姐恃寵生嬌，有本領有計謀，但自以為是、眼高於頂；老四為人太過悲觀；老六最聰明，也最善變，但眼神不正，又好色；老八最怕死……」綠無堤脫口道：「為何漏了老三和老七？」白如冰說：「老三跟老七最讓人看不清。」若非作者有專門設計和清晰認知，無法寫出這段對話。

本書細節方面有不少小錯。例如，本書的歷史背景是南宋末年至元朝初年，書中白雲山莊中卻有人說：「朝政在嚴嵩的把持下……」（第三章）。又，書中有時把殺手老二黃河浪錯寫為「黃入天」（第十四章）。又，書中把殺手青山翠，經常寫成青山歸（第五十五、五十六、五十八章）。又，陸無涯和紅曉彤居住的地方，已經改為揚州；但寫到陸無涯和紅曉彤重逢時，仍說他們結婚居住地是蘇州（第五十六章）。又，書中把老鷹洪承志錯寫成洪茂恩（第五十六章）。

【注釋】

1 西門丁口述，顧臻、渠誠整理：《記香港作家西門丁》，王振良主編，張元卿、顧臻編：《品報學叢》第二輯，第一三九頁。天津，天津出版傳媒集團、天津古籍出版社，二〇一六年一月。按，「香港三劍客」之說，最早是臺灣臥龍生先生提出的，與「臺灣三劍客」即臥龍生、諸葛青雲、司馬翎相對。

2 沈西城：《西門丁談武俠小說》，原載《武俠世界》二〇〇三年，四十五卷四十九期，《品報學叢》第二輯第一四八—一六六頁轉載。在《南洋商報》調查中，西門丁排名讀者喜愛榜第二，在金庸（《鹿鼎記》）之後，梁羽生之前。

3 這份一百八十部作品目錄是西門丁先生親自抄錄並贈予筆者（現由顧臻先生保存），目錄並不全，如作者第一部小說《仇謎》、大名鼎鼎的《蝙蝠．烏鴉．鷹》及在香港《文匯報》專欄「每月一個偵探故事」等都沒有列入。

4 一九九〇年代西門丁小說創作量明顯下降，部分原因是作者於一九八七年與人合辦旅遊公司，從一九九〇年起，旅遊公司業務量大增，作者常常要親自帶旅行團出差。

5 「山貓王森系列」是民國偵探故事系列，因不在本書討論範圍之內，故不抄錄全部書目。

6 這裡採取簡便的長篇小說界定方式，即十八萬字及以上篇幅的作品即為長篇小說。又，目錄中的時間是指作者寫作該作品的時間。又，目錄中包含了《蝙蝠．烏鴉．鷹》、《最後的刺殺》、《太監．頭陀．劍》、《鳳凰劫》等四部殺手傳奇系列作品（另一部作品《殺手．魔鬼．如來佛》接近但未達到十八萬字，故未列入）。《倚刀雲燕》一書不在這個目錄中，該書一九九〇年夏由香港環球出版社出版，推測為一九八九年寫作。

7 這些作品的具體篇目，可參考西門丁口述，顧臻、渠誠整理的《記香港作家西門丁》，《品報學叢》第二輯第一三九－一四七頁。

8 西門丁：《魔曲》、《天經》均由香港武林出版社出版，初版時間分別是一九八五年春季、一九八五年夏季。

9 高健庭：《鬼鎮捉妖》，香港，環球出版社，一九九一年夏季初版，共一冊。

10 西門丁：《魔曲．前言》共七頁，無頁碼，香港，武林出版社，一九八五年春季初版。

11 西門丁：《粉盒奇案》，香港，武林出版社，一九八二年春季初版，共一冊。

12 西門丁說曾對沈西城先生說：「因為編輯部不時收到讀者對《雙鷹神捕》叫好聲，後來鄭重便要我寫一百個故事，可是我寫了二十五六個故事後，便漸覺乏味，於是在第三十個故事裡面，讓雙鷹覺得心灰意冷，而退出江湖。」見沈西城：《西門丁談武俠小說》，原載《武俠世界》二〇〇三年第四十五卷四十九期，引自王振良主編《品報學叢》第二輯，第一五三頁（全文載一四八－一六六頁），天津，天津古籍出版社，二〇一六年。

13 西門丁：《無情殺手有情人》寫於一九八七年四月，發表於《武俠世界》，香港環球出版社一九九〇年冬出版單行本。

14 《武林謎圖》寫於一九八九年，連載於香港《天天日報》，後由香港環球出版社出版（一九九一年夏）。

15 西門丁：《迷城飛鷹》，香港，武俠世界出版社，二〇〇一年九月版。

16 《新編蝙蝠．烏鴉．鷹》曾在《武俠世界》第二五五六－二六〇八期連載，書前有《作者前言》，說此次改寫是應廣州影視製片人兼導演段飛宇的啟發，作者本人也早有此意云。第一―三十三章是《蝙蝠．烏鴉．鷹》的改寫，第三十七―五十章採用了《最後的刺殺》的故事情節，第五十一―六十章則採用《太監．頭陀．劍》的情節。

第二十六章

溫瑞安的武俠小說創作

溫瑞安被稱為金庸、古龍之後，武壇上最閃亮的一顆巨星。[1]溫瑞安，原名溫涼玉（一九五四——），另有筆名龍音、舒俠舞、王山而、項飛夢、溫晚、柳眉色、風鈴草等，祖籍廣東梅縣，生於馬來西亞霹靂州。一九七三年赴臺灣深造，一九八一年到香港，一九八三年獲得香港合法居留身分。

溫瑞安是武俠小說家，同時還是詩人、散文家、文藝評論家。出版過詩集：《將軍令》、《山河錄》、《楚漢》；散文集：《狂旗》、《龍哭千里》、《天下人》、《神州人》、《中國人》、《不讓一天無驚喜》、《水性楊花》；評論集：《回首暮雲遠》、《談〈笑傲江湖〉》、《析〈雪山飛狐〉、〈鴛鴦刀〉》、《〈天龍八部〉欣賞舉隅》；非武俠類小說集：《鑿痕》、《浮名》、《吞火情懷》、《暴力女孩》、《她男友的女友》、《他在臉上開了一槍》、《殺青》等。

一、溫瑞安武俠小說概述

從一九七〇年寫《追殺》、一九七一年寫《亡命》起算，溫瑞安寫作武俠小說已有半個世紀。如今雖然寫得不多，但他還沒有宣布封筆。五十年來，溫瑞安已出版過武俠小說數千冊，包含不同版本，如《四大名捕會京師》就有五十多個版本；也包括一部作品的多個書名，如《戰將》、《闖將》、《悍將》、《鋒將》、《勇將》、《笑將》等都是《將軍劍》的分冊書名；又如《猿猴月》、《走龍蛇》、《猛鬼廟》、《白骨精》、《鬼關門》、《鐵布衫》、《杜小月》、《金鐘罩》等分冊，其實是一個故事，屬四大名捕系列的一個分支；而《四大名捕鬥將軍》（**又名《少年四大名捕》**）則多達數十冊並有數十個書名。[2]

這裡要打破常規，不抄錄溫瑞安武俠小說全部書名（**好在網上基本上都能查到**），只說溫瑞安武俠小說系列，主要包括：四大名捕系列；白衣方振眉系列；神州奇俠系列；布衣神相系列；遊俠納蘭系列；七大寇系列；七幫八會九聯盟系列；說英雄・誰是英雄系列；以及方邪真系列、武俠文學系列（**中篇故事為主**）、現代武俠系列（**當代社會背景**）等等。

其中，四大名捕系列是溫瑞安小說的第一大系列，也是最著名的系列，作品多達百數十冊；神州奇俠系列作品也不少，除「正傳」即《劍氣長江》、《兩廣豪傑》、《江山如畫》、《英雄好漢》、《闖蕩江湖》、《神州無敵》、《寂寞高手》、《天下有雪》外，還有「外傳」《血河車》，包括《大宗師》、《逍遙遊》、《養生主》、《人間世》；「後傳」《大俠傳奇》，包括《剛極柔至盟》、《公子襄》、《傳奇中的大俠》；「別傳」《唐方一戰》。白衣方振眉系列則屬小系列。

溫瑞安的武俠小說創作，可以一九八九年為界，分為前後兩個階段。前期是溫瑞安小說從模仿到獨創、探索、創新階段，幾乎所有系列都是在一九八九年之前就已完成或奠定基礎；而一九九〇年以後的創作則是繼續開發成名品牌。

一九七〇至一九八九年，還可以細分為嘗試期（一九七〇—一九七六）、成熟期（一九七六—一九八〇）、巔峰期（一九八〇—一九八九）。一九九〇年以後同樣可以分為高原期（一九九一—一九九六）、斷續間歇期（一九九六至今），由於武俠小說陣地減少、結婚生子及商務活動[3]等原因，溫瑞安武俠小說創作呈間歇斷續狀態。

溫瑞安素有壯志雄心，努力自成一派，致力於探索創新。他說：「什麼是新？寫前人沒寫過的就是新；寫前人寫過的，但用不同的方式寫也是新；寫前人寫過或沒寫過的，但用自己領悟的方式去寫，更是新。」[4]是以，他提出過「超新派武俠小說」、「武俠文學」和「現代武俠」等新概念——「現代武俠」偏重今之俠者的故事，「超新派」偏重形式與技巧創新，「武俠文學」偏重內容與品質升級。

除了小說文體形式及語言文字排列上的種種探索之外，溫瑞安在武俠人物類型方面也有自覺變化與探索，寫捕頭（四大名捕、女神捕），寫奇俠（蕭秋水、方振眉），寫相士（李布衣），寫遊俠（納蘭），寫殺手（唐斬），寫大寇（沈虎禪），寫平民英雄（王小石），不僅寫遍江湖角色類型，且在不斷追尋誰是真英雄。

溫瑞安天資聰穎，才華橫溢，充滿奇思妙想，且善於講故事，其小說——尤其是前期小說——可讀性一流。

一九九〇年後，溫瑞安小說有幾點重要變化，一是試圖整合四大名捕、七大寇、說英雄、七幫八會九聯盟等多個小說系列，讓不同系列的知名主人公彙聚一堂，不僅是名牌會展，更想構成前所未有且龐大無比的「溫瑞安武林世界」。另一變化，是作者創作思路及小說故事情節受自由聯想、文字遊戲因素的影響，文本資訊中「噪音」增多，故事情節常常被作者的議論和聯想所打斷、懸置甚至改變路線。從正面看，這也是作者的創新探索與嘗試，古之小說，本就不止是故事，而是包含神話、傳說以及作者的思考、議論和聯想。

這些改變，也帶來了負面影響。整合武林、群英薈萃的結果，帶來了作品時代背景方面的混亂，南宋的人出現在北宋故事中。[5]自由聯想和文字遊戲的恣意發酵，以及由系列整合帶來的「林莽效應」，使得作品中的「冗餘資訊」大量增加，枝蔓叢生，大群資訊團相互碰撞引發「資訊爆炸」如漫天煙花，雖然璀璨奪目，過後仍是空無。還有一個副作用，是作品越來越長，且常常超出作者的掌控，以至於無法結束——溫瑞安有不少小說「未完成」，固然有刊載媒體方面的客觀原因，顯然也有作者對作品故意「不加約束」的主觀原因。

寫於一九八五至一九八八年的系列《江湖閒話》特別值得注意。書中故事由對話組成，有「說書」之妙；更重要的是《大俠蕭秋水》、《神相李布衣》、《冷血的血》、《追命的命》、《鐵手的手》、《無情的情》、《白衣方振眉》、《黑衣我是誰》、《張炭的炭》、《唐寶牛的牛》、《遊俠納蘭》、《雷損的損》、《戚少商的傷》、《息紅淚的淚》、《蘇夢枕的夢》、《沈虎禪的禪》、《諸葛先生》、《刺客唐斬》等，堪稱溫瑞安小說世界「名人堂」第一批入選者，相關小說的重要性不言而喻。

二、「四大名捕」系列（一）：《四大名捕會京師》

四大名捕系列是溫瑞安小說的第一品牌。

作者最早寫作和發表的《追殺》和《亡命》也正是四大名捕故事。這一系列成名之作是《四大名捕會京師》，寫於一九七四年末至一九七六年五月間，由五個獨立中篇組成。一是《凶手》，寫冷血；二是《血手》，寫追命；三是《毒手》，寫鐵手；四是《玉手》，寫無情，五是《會京師》，寫四大名捕共同破案。

武俠小說引入偵探、推理元素，前有古龍的《楚留香傳奇》。四大名捕偵破奇案，身分更合適，故事也更順理成章。書中五個故事都是名捕破案，卻有不同側重點。《凶手》其實是復仇故事，《血手》揭示人性的貪婪。《毒手》講述造反與平叛故事。《玉手》是江湖武林爭霸故事。《會京師》則寫十三名殺手及其政治陰謀集團被偵破而至覆滅故事，既涉及「江山」安定，也有「江湖」恩怨——這批殺手正是導致無情家破人亡的元凶。

有意思的是，在第五個故事開始前，還有四個小故事（小小說），即冷血殺大盜十二把刀，追命殺殺手薛過，鐵手阻止薛過人，無情殺採花大盜歐玉蝶。這四個小故事，再次強調了冷血的劍、追命的腿、鐵手的手和無情的暗器，更主要的目的當然是再次分別介紹四大名捕，加深印象，並讓他們成為整體。

《四大名捕會京師》的最大看點，是人物形象的塑造。主人公冷血、追命、鐵手、無情都是諸葛先生的弟子，個性卻迴然有別。冷血最年輕，性格堅毅，冷酷倔強，孤傲不群，長於劍法，準確凶狠，一劍致命。追命年齡最長，性格隨和，滑稽詼諧，腿法超群，長於輕功。鐵手豪邁剛勇，沉著機警，內功第一，鐵拳無雙，最具英雄氣概。無情氣質抑鬱，滿懷憤懣，情感脆弱而意志堅韌；雙腿殘疾，內力平平，輕功奇詭，智力超群，最為神奇。書中其他人物，如諸葛先生，及反派柳激煙、楚相玉等，都值得稱道。

本書的缺陷，一是殺人太多，追捕對象無一不死。名捕是執法者，而非劊子手，「冷血追命，鐵手無情」固然痛快，卻與其名捕身分不符。進而，如此殺戮，勢必影響四大名捕智慧風貌的展現。二是第五部《會京師》中四大名捕沒有會於京師，且他們將凶手、嫌犯全都殺了，人證、物證都被他們滅失，陰謀集團的主持人究竟是誰，卻沒有搞清楚，足見這幾個名捕缺乏職業素養。

三、「白衣方振眉」系列

寫於一九七〇—一九八〇年代。[6]白衣方振眉是蕭秋水的弟子。《白衣方振眉》是一個系列，包括《龍虎風雲》、《長安一戰》、《小雪初晴》、《落日大旗》和《試劍山莊》等。故事都不長，但每個故事的主題與形式都不相雷同，都很精彩。

《龍虎風雲》講述方振眉幫助試劍山莊莊主司徒十二對抗試圖稱霸武林的長笑幫。戰勝長笑幫主已是難得，而能使「大俠我是誰」成為忠實朋友則更難。

《長安一戰》講述方振眉為保護官餉及藏寶圖《上清圖》而與魔頭袁笑星師徒決戰。護衛官餉、維護國家利益的戰鬥，展現了白衣之俠的不同側面。

《小雪初晴》講述方振眉與西南「一龍三蠱」的恩怨。故事情節迷霧重重，不是明刀明槍打鬥，而是詭異恐怖的「蠱」之戰；方振眉在故事最後才露面。

《落日大旗》講述方振眉抗金故事，救虞允文，赴擂臺賽，大勝金國高手，逼金沉鷹自殺。讓宋王旗幟飄揚在擂臺上。是愛國主義的正氣歌。

《試劍山莊》講述方振眉激勵青年武士言鳳江、汪勁草，鼓起信心和勇氣，戰勝強敵故事。

《白衣方振眉》系列的最大看點，是人物形象刻畫。主人公方振眉謙遜灑脫、俠義樸實。救人厄難，能為一個農夫的牛犢子與強敵周旋。慈悲為懷，很少殺人（很像古龍筆下的楚留香）。仗義行俠不是他的「職責」，而是他生活方式。方振眉身邊的「哼哈二將」，即沈太公和大俠我是誰，像古龍筆下楚留香身邊的姬冰雁、胡鐵花，但有明顯不同：沈太公年紀大、輩分高、武功高、心氣更高，自傲於世，豪邁不服老，對方振眉卻是真心喜歡、愛戴、敬重，可見此老童心猶存、真摯坦蕩、有赤子衷腸。大俠我是誰總是一襲黑衣，自從與方振眉及沈太公交友，從此不再孤獨。這兩人性格鮮明，聽他們對話，是一種享受。

其他如《龍虎風雲》中的試劍山莊莊主司徒十二的豪邁；含鷹堡少堡主郭傲白少年得志的傲氣；長笑幫幫主曾白水的梟雄品質；曾白水女兒曾丹鳳倩女柔腸；司徒輕燕、司徒天心的天真爛漫……都給人留下了深刻印象。

另一看點，是系列故事有不同特色。《龍虎風雲》如詩畫長卷，《長安一戰》緊張激烈，《小雪初晴》神秘曲折，《落日大旗》正氣凜然，《試劍山莊》空靈秀逸。從方振眉出場情形看，《龍虎風雲》中方振眉是絕對主角；到《長安一戰》則沈太公與我是誰登場，方振眉的篇幅小了一半；至《小雪初晴》、《落日大旗》，方振眉的篇幅則不足四分之一；而《試劍山莊》則乾脆神龍見首不見尾，只有記憶中的白衣人，讓人猜想和回味。《試劍山莊》是難得的藝術佳作。

又一看點，是採取雙線敘事，進而將兩條線索切割成若干小段，再加以蒙太奇組合，相互交織，場景時空快速轉換，製造緊張懸念，藝術效果驚人。

四、「神州奇俠」系列

「神州奇俠」系列寫於一九七七年至一九八〇年，包括《劍氣長江》、《躍馬烏江》、《兩廣豪傑》、《江山如畫》、《英雄好漢》、《闖蕩江湖》、《神州無敵》以及《寂寞高手》、《天下有雪》等。講述大俠蕭秋水與權力幫鬥爭故事，篇幅超長，名氣也不小，有一定的可讀性。

看點一，主人公蕭秋水的形象設計。他是一位真正的俠者，卻又是一位「不合時宜的人」，不該恨他的人恨他，不該罵他的人罵他；朋友和兄弟雖多，卻常常被孤立，內心孤獨。有意思的是，頭號大敵即權力幫的幫主李沉舟卻是他的「知音」。這一形象十分奇特，且有深意，是作者獨創。

看點二，「神州結義」，青年人笑傲江湖的雄心壯志、夢想銳氣，都寫得頗有聲色。

個體形象不見得特別突出，但結義群體的青春氣息、英雄氣概、初生牛犢不怕虎、天下事無不可為的群體英雄特徵，給人留下了深刻印象。也許融入了作者的實際生活體驗，寫起來格外生動真切且得心應手。

看點三，小說中的黑道與俠道的區別，不似其他武俠作品中那麼黑白分明。蕭秋水與權力幫作拼死搏鬥，卻得不到武林同道的理解和支持。武林中一盤散沙，內訌不斷，「窩裡鬥」的熱情遠超抗擊異族入侵的決心。武林中多自私自利、貪生怕死、明哲保身的人，總有堂而皇之的理由為自己辯護，以保住自己俠道聲譽和大俠頭銜，這種現象讓人觸目驚心，發人深省。

看點四，蕭秋水的不少朋友和兄弟紛紛離去，甚而背叛，甚而暗殺結義大哥。書中「桃園結義夢想」破碎，揭露了江湖人生殘酷真相。從中，可以看到人性的弱點與世俗的卑污：得勢時車水馬龍，失勢時門可羅雀，是常見現象。

「神州奇俠」系列的弱點與不足也很明顯。

其一，這個系列只有一個故事。這故事缺乏整體構思，重心不突出，主線不明晰。作者始終在信天遊，寫到哪裡算哪裡，依靠寫作時的靈感指引，從而枝外生節、節外生枝，枝蔓多而雜亂。

其二，這個系列雖然篇幅超長，真正突出的人物形象卻不多，只能以故事情節拖帶人物活動，蕭秋水與唐方的愛情線索寫得勉強，因旁生枝蔓喧賓奪主。

其三，同一故事分成若干部，每部另有書名，有的上下冊竟也各有書名。一個長篇故事竟擁有十幾個書名，讓人眼花繚亂，更讓人莫名其妙。

所以如此，一是因為作者寫作長篇小說的技巧尚不成熟，處於摸索和試驗階段。二是作者將身邊人物及現實生活植入小說中，影響了小說自身的肌理。

五、《殺人者唐斬》

本書寫於一九八一年五月。由一九七二年的短篇小說《結局》發展而成。講述王寇、唐斬兩位刺客故事，包括「燈籠行動」即刺殺魏忠賢心腹許顯純（替身）；「劉橋夜宴」即唐斬和王寇聯手刺殺蕭佛狸、蕭笑父子；唐斬刺殺朱國禎、王寇刺殺朱延禧；王寇與唐斬聯合刺殺許顯純；王寇與唐斬相約比武，唐斬殺王寇。

小說的每個段落都很精彩，結局卻令人迷惑：王寇和唐斬是什麼樣的人？他們相互合作刺殺閹黨走狗許顯純，為什麼最後要相互刺殺？參考答案是：一，他們都是刺客，為職業競爭而相互刺殺。二，他們為水小倩爭風吃醋，所以相互刺殺。三，作者要寫反武俠小說的小說、反英雄的英雄故事，殺手都是功利主義者，為達目的不擇手段，甚至罔顧道義與良知。

王寇之名，即「成則為王、敗則為寇」，是王是寇端在成功與否。他們都參加了刺殺魏忠賢心腹許顯純的行動，但也分別刺殺了忠臣義士朱國禎、朱延禧，以為參加了刺殺壞人的行動者就一定是好人，或以為刺殺忠臣義士者一定是壞人，那只是簡單化的刻板印象，王寇和唐斬這樣做只是為了生計和生存——他們是職業殺手——與其道德品質無關。他們是什麼人，在《殺手的夜宴》一章中可以找到線索：二號殺手蕭佛狸父子設計刺殺頭號殺手顧曲周；王寇和唐斬又聯手刺殺了蕭佛狸父子，無非是為自己爭得生存空間。最終他們相互刺殺，是因兩人都要做頭號殺手，一山容不下二虎，不死不休。

《殺人者唐斬》寫唐斬、王寇，目的當是要寫出不一樣的武林人物，寫出殺手的冷酷真相。《江湖閒話》中有《刺客唐斬》，講述唐斬受訓及殺同門、殺師父的經歷——他的師父曾殺了自己的父親——進一步說明殺手無情。

作者為什麼要寫這樣兩個人？答案一，是基於探索與創新追求；答案二，則需到作者的入獄經歷中去尋找，這段經歷讓作者看到了此前難以想像的人間真相——香港導演鍾少雄根據《殺人者唐斬》改編導演的同名影片，[7] 讓唐保家（**即唐斬**）入獄而後成為殺人者，主人公的內心變化即能印證作者的創作動機。

《殺人者唐斬》很好看，但非上佳之作，其重要性在於與作者經歷的關聯。

六、《俠少》與《刀叢裡的詩》

這兩部小說並非系列作品，卻有內在關聯，有重要的研究價值。

《俠少》寫於一九八一年。講述青城派弟子關貧賤短暫而抑鬱的人生故事。關貧賤原名關福財，因家境貧寒而被人稱為關貧賤、「小賤種」，簡稱小賤。為參加俠少選拔而下山歷練，始終身不由己，不斷上當受騙，最終死於非命。書中俠少的共同點，是揚名心切，缺乏道德良知，為揚名不惜弄虛作假，因無知輕信而以悲劇收場。關貧賤是真正的善良和智慧種子，關貧賤死，唯一亮色滅失。

俠少人生本應是少年詩篇，何以成了「青春殘酷物語」？原因是「吟哦五子」以及「武學功術院」將他們培育成無道德、無知識、無智慧的人——滕起義有智慧但無道德，而關貧賤有道德卻無知識——俠少故事含有文化批判與反思。「八月十五殺韃子」是漢民族歷史的壯麗篇章，因為滕起義，卻讓人寒噤。寫《俠少》時，作者出獄不久，從此告別俠少時光，所以小說基調很冷，情緒憤懣低沉。

本書不足是關貧賤形象的內在矛盾，作者說他「直而不鈍、勇而不莽、剛而不厲、樸而不愚」（第廿五章），但對贊全篇、王慽陽二人既不溝通，更不防範，終於被刺殺，這不是「樸而不愚」，而是真愚。這樣的表現，實在不符合此人的心智水準和行為邏輯。

《刀叢裡的詩》寫於一九八七年底至一九八八年底。講述「詭麗八尺門」門主龔俠懷蒙冤故事：龔俠懷心憂外患上書抗敵，卻因「妖言惑眾，通敵賣國」而被捕。

看點一，門中骨幹忙於爭權內訌，非但不營救，甚而落井下石；積極營救是葉紅、飲冰上人、泥塗和尚等與龔俠懷有過節的人。

看點二，敘事時間點為大雪、小寒、雨水、穀雨、小滿，既是時間順序，又表現龔俠懷艱難時日；而從寒冷到溫暖，與「刀叢裡的詩」互詮，具有寓言性。

看點三，是敘事簡練，有大量「留白」。例如龔俠懷被捕情形，是由葉紅談話及旁觀者證詞敘述。又如，龔俠懷的紅顏知己嚴笑花，通過她與陸倔武的對話表明，她要犧牲自己而營救心上人。再如龔俠懷在獄中的消息五花八門，有說他死了，有說他寧死不屈，也有說他屈打成招，不僅讓人惦記，更寓意真相難明。

本書是作者當年被捕入獄經歷的噩夢重溫及象徵性書寫。難得的是，作者「怒向刀叢覓小詩」，書中道義光輝溫暖人心。遺憾的是，作者的憤怒情緒仍未澄清，對未參加營救者未作設身處地的感知，「一個也不原諒」的激憤情緒限制了小說的深度。

七、布衣神相系列

即《神相李布衣》故事集，包括即：《取暖》、《死人手指》、《殺人的心跳》、《葉夢色》、《天威》、《賴藥兒》、《翠羽眉》、《刀巴記》，寫於一九八一年七月至一九八三年一月間。

小說最大創意，是李布衣身分設計。此人的「神相」之術，不僅懂得相面、看掌紋；且對人的心理有驚人的洞察力。以神相身分遊走江湖，既為謀生，也為掩飾（**他是官府通緝的義軍領袖李鬍子之子**），更為遊俠，有巨大的傳奇空間。以下逐一說。

《取暖》

本篇是神相李布衣登場故事。他感到前面有殺氣，但還是勇往直前，這是李布衣生命歷程的總體象徵。最大亮點，是李布衣的洞察力展示，從暗器銘文看穿唐骨的偽裝，更看出孤女小珠是鷹爪頭目蕭鐵唐所扮。

《死人的手指》

本篇講述李布衣到「大方門」，幫助武師方信我起死回生故事。方信我裝死，騙過了兒女，也騙過了古長城、劉破，卻被李布衣察覺。另一看點，是方信我子女的個性：方離厚重懂禮而優柔寡斷，方休正派堅定而傲慢魯莽、方輕霞質樸天真而刁蠻無知，與劉破之子劉幾稀、劉上英形成鮮明對照。

《殺人的心跳》

講述白道飛魚塘和黑道天欲宮「金印之戰」前夕，白道選手接連被殺，李布衣找到元凶心魔高末末並將其擊斃。故事看點是，黑白道相互滲透，白道領袖沈南星不辨忠奸，孟晚唐文過飾非，傅晚飛受屈蒙冤，李布衣仗義助情敵（李南星）。弱點是出場人物太多，影響了李布衣出場時間和形象展示。

《葉夢色》

是「金印之戰」故事續集，講述飛魚塘請出葉氏兄妹、藏劍老人、白青衣、飛鳥和尚、枯木道人破五遁陣，李布衣打敗纖月蒼龍軒，卻被「自己人」藏劍老人所傷。最大看點是故事情節發展的不可預料性，步步驚心。李布衣和葉夢色、米纖的情感敘述，也很動人。弱點是追求傳奇，有炫技嫌疑。

《天威》

是「金印之戰」故事再續。前段是傅晚飛背李布衣前往神醫賴藥兒處求醫途中被截擊，後段是李布衣、葉夢色、飛鳥、枯木、白青衣分別破土、金、火、木、水陣。看點一，是江湖中出現無數模仿者，魯布衣就殺了三十一個布衣相士。看點二，是李布衣的面相、手相、物相知識及觀察技能的充分展示。

《賴藥兒》

講述天欲宮少主人有病，綁架賴藥兒前往診治，神醫賴藥兒、鬼醫諸葛半里、仙醫呂鳳子、名醫余忘我齊聚。看點之一，是賴藥兒形象，二十四歲即滿頭白髮，為救情人之子而犧牲自己。看點二，是神醫、仙醫都治不好自己的病，鬼醫更因醫不好母親而改變人生觀，頗具象徵意味。看點三，李布衣出場不多，仍有突出貢獻。說服勾漏三怪的段落，就是最好的證明。

《翠羽眉》

講述刺客柳焚余愛上了暗殺對象方輕霞，而被黑白兩道追殺故事。方輕霞愛上綁架者，固然有「斯德哥爾摩症候群」因素，也是性格使然。李布衣拯救了柳焚余和方輕霞，卻要追究柳焚余殺方信我、古長城的罪責，是情、理、法矛盾衝突的展現。柳焚余與殺手翟瘦僧同歸於盡，是故事最佳結局，也是對「手相」的奇妙諷喻——柳焚余的生命線很長，有磨難但不會早死——性格決定命運。

《刀巴記》

講述綠林總瓢把子樊可憐覬覦茹小意美色，誘姦茹小意，還讓其夫項笑影作偽證，李布衣通過測字，「刀巴」即「色」，洞察真相，打敗惡人，拯救無辜。本書看點，一是探究情感忠貞的極限；二是茹小意自殺而不死，「仿佛，在花之上，欄桿之上，月亮之上，有天意在關懷人間。」三是織姑因妒成恨的幽暗心理，值得專門分析探討。

八、「四大名捕」系列（二）：《談亭會》等四個故事

《談亭會》、《碎夢刀》、《大陣仗》、《開謝花》是「四大名捕」系列中的重要作品。[8] 一是為四大名捕命名：冷血冷凌棄、追命崔略商、鐵手鐵游夏、無情成崖餘；二是將四大名捕定位於「四個有本領的平常人」（**溫瑞安語**），以此建構四大名捕的形象，

捕捉他們的情感心理，使他們形象更真實且更豐滿。這四個故事中，《碎夢刀》和《大陣仗》是冷血、鐵手聯手破案，《談亭會》是追命、無情聯手破案，《開謝花》是追命和冷血聯手破案，內容更豐富了。以下具體說。

《談亭會》

講述追命、無情聯手偵查系列姦殺搶劫案故事。看點一，是故事情節層層揭露，西鎮主人藍元山挑戰北城主人周白宇、南寨主人殷乘風，敖近鐵、司徒不、元無物、葉朱顏等人試圖而代之，奚採桑、梁紅石、休春水、居悅穗製造系列姦殺案，外因是貧富不均，內因是人性弱點。看點二，是周白宇與霍銀仙的一夜情，代價慘重。看點三，是殷乘風的妻子伍彩雲，與奚採桑等人組成「七姑」聯盟，結果是與虎謀皮。看點四，是無情化妝結案，令人驚奇。

《碎夢刀》

講述習家莊主習笑風裝瘋，吸引名捕冷血、鐵手注意，從而奪回習家莊控制權故事。故事情節曲折離奇而又嚴絲合縫，習笑風由裝瘋變成了真瘋，最後被碎夢刀所殺，出人意料，寓意明顯。看點一，是鐵手遇到小珍、冷血遇到習玫紅的情感心理活動。看點二，是習笑風、習秋崖、習玫紅三位世家子弟遭遇命運變故及環境壓力時的不同表現。看點三，即碎夢刀寓言。

《大陣仗》

講述鐵手、冷血聯手偵破當地捕頭一陣風郭傷熊被殺案，牽連出富貴之家搶劫殺人案、霍玉匙強姦案，找出幕後元凶即牽連出轉運使吳鐵翼與唐門特使唐鐵蕭故事。看點一，是名捕的本職工作，偵查和推理過程驚險誘人。看點二，是習玫紅得到冷血呵護，重回舒適區，成長再次停滯。看點三，是鐵手和冷血兄弟間的友情表現，讓人感動。看點四，是唐鐵蕭和吳鐵翼組合的大陣仗，吳鐵翼逃之夭夭。看點五，是霍煮泉、霍玉匙父子犯罪故事，發人深思。

《開謝花》

講述追命和冷血聯手破獲吳鐵翼、趙燕俠合作種毒製毒案。看點一，是吳鐵翼逃亡案與大蚊裡毒蚊案的巧妙串並，成就精彩故事。看點二，是吳鐵翼的女兒吳離離誤導追命，合情合理。看點三，是習玫紅的精彩表現，迷路細節如畫龍點睛。看點四，是神劍蕭亮報恩行為，增加了故事的複雜度。看點五，是小說的開放式結局，吳鐵翼仍然在逃。弱點是，吳鐵翼與趙燕俠合作，說是要爭霸天下，多少有些過分。

九、「遊俠納蘭」系列

這一系列是作者又一次創新嘗試，試圖刻畫不一樣的人物：遊俠納蘭。

一九八二年寫《歌中山》和《古之傷心人》，一九八六年寫《婉拒的白鳥》、《誰殺了他妹子》、《麻煩》、《父子》、《不勝寂寥的小花》和《晚菊》，一九八九年寫《空中追空》、《誰不怕誰》、《不死不散》、《怪鳥怪飛》和《馬上上馬》、《凶手追凶》、《王不見王》、《幫手斷手》、《亮劍棄劍》、《出刀奪刀》、《跑腿廢腿》及《納蘭一敵》。前十二篇結集為《遊俠納蘭》（**又名《古之傷心人》**），後八篇輯為《納蘭一敵》（**又名《馬上上馬》**）。一九九〇年寫續篇《此情可待成追擊》。

遊俠納蘭系列的主人公並非納蘭一人。《歌中山》、《古之傷心人》的主人公是納蘭，《婉拒的白鳥》的主人公其實是白癡白曉之，《誰殺了他妹子》主人公是豪俠章大寒，《不勝寂寥的小花》和《晚菊》主人公是方柔激；《父子》的主人公是無名氏，《誰不怕誰》、《不死不散》、《怪鳥怪飛》的主人公是橫山十八，《馬上上馬》、《凶手追凶》的主人公是章大寒，《王不見王》、《幫手斷手》的主人公是王千一，《亮劍棄劍》、《出刀奪刀》的主人公是方柔激，《跑腿廢腿》、《納蘭一敵》是納蘭。總之，遊俠納蘭有時是主角，有時是配角，有時是旁觀者。這表明，作者是在不斷嘗試，主人公不斷變化，是嘗試遊俠的不同類型。

在文體風格上也在不斷變化，《歌中山》、《古之傷心人》寫得唯美清純，《婉拒的白鳥》寫得傳奇，《誰殺了他妹子》寫得本色，《不勝寂寥的小花》和《晚菊》寫得浪漫，《怪鳥怪飛》則試圖寫成寓言。《馬上上馬》是回文標題，此後則是「仿回文」，也算是創新試驗。

只不過，創新嘗試的結果不那麼理想。根本原因是遊俠納蘭的個性有內在矛盾，身分是遊俠，氣質卻像文藝青年：山中聽歌，憐憫動物，多愁善感，癡迷「文字禪」等等，即是證據。進而，在系列故事中，作者始終未呈現他的生平檔案，情感生活也未開掘，甚至人生目標也缺乏充分理由。方柔激、章大寒、白曉之的形象看似突出，相互間的差異也明顯，卻遠不如四大名捕那樣深入人心。原因是，白癡白曉之有太多人為痕跡，方柔激太做作，章大寒太簡單。更大的問題是人物越來越多，顯得十分「擁擠」，淹沒了真正的焦點人物。

《此情可待成追擊》、《傷心快活人》、《夢中做夢》、《夢追憶夢》、《我那些小悔不值一提》、《你的悲喜與我無關》等篇，最大亮點是納蘭與方柔激比武，「啟動」這個傷心麻木人。問題是，方柔激竟沒想為自己和宋眠花報仇，足見這一「好色酷人」內心冷漠和紊亂；另一不足是方柔激找仇小丫報仇尚未完結。

十、「七大寇」系列

「七大寇」系列中有珍珠，可惜未製作成項鍊。《淒慘的刀口》作於一九八二年，《戰將》作於一九八三年，《祭劍》作於一九八四年，到一九八七年寫《闖將》、《悍將》和《鋒將》時才有「系列」構想，即「七大寇·沈虎禪大傳·將軍劍」，但到二〇〇〇年才有續作《勇將》和《笑將》，《愛將》寫於二〇〇五年。作者稱還有《吹將》、《發將》、《殺將》、《激將》、《將軍！》，至今仍未完成。以下對其中重要作品作簡要述評。

《淒慘的刀口》

講述捕頭門大綸等人率人伏擊沈虎禪故事，情節主幹是東天青帝任古書門下內訌，過程變化莫測，結局出人意料。看點一，是圍攻者各有因由，卻錯把方恨少、唐寶牛當作沈虎禪，沈虎禪暗度陳倉。看點二，是寫出沈虎禪、方恨少、唐寶牛的生平與個性：沈虎禪十三歲開始復仇殺人，方恨少「書到用時方恨少」，唐寶牛牛氣沖天，勇往直前。

看點三，是青帝門的內訌，權力欲望衝破倫理堤壩。看點四，是任古書詐死，驗證沈虎禪的能力和魅力。缺點是青帝門三弟子、三供奉的動機和行為有些簡單化。

《祭劍》

講述沈虎禪濟困扶危故事。萬古燒、秋映瑞、古錦藏三人詐騙、強姦、殺人，對報訊人劉歲奇和受害者家屬邵星舞趕盡殺絕，誣陷邵星舞姦嫂殺父，要殺他「祭劍」。邵星舞、劉歲奇入獄避難未果，幸得沈虎禪懲惡救人。看點一，是「俠少」與官府中人草菅人命的惡行。看點二，是沈虎禪調查真相而後鋤強扶弱的俠義行為。《祭劍》可為「七大寇」造勢，人間是非混淆，官家俠少不如草寇英雄。單獨看毫無問題，若就「七大寇」言，則沈虎禪是俠而非「寇」。

《將軍劍》

講述沈虎禪籌集善款拯救災民，竟投靠將軍楚衣辭，直到第四部《鋒將》，才透露「將軍計畫」即綁架將軍換取被綁架的張炭。看點一，是故事情節曲折迷離。看點二，是打鬥場景驚險刺激。看點三，是有沈虎禪執行任務過程，一半客觀記述，一半事後彙報及評論，頗有新意。

《勇將》和《笑將》

《勇將》、《笑將》講述方恨少、明珠和唐寶牛、翡翠共同歷險故事。唐寶牛、方恨少歷險也是「七大寇」故事的重要組成部分，且增加另外兩塊拼圖，即東北五澤盟、南天門兩大勢力的衝突與博弈。問題是，沈虎禪的「將軍計畫」故事懸置，這兩部屬於節外生枝。進而，作者對萬人敵神秘化處理，恐怕不合邏輯。最大問題，是書名文字遊戲，只怕也迷惑了作者本人。

作者說七大寇系列還有一部《黑白道》，但沒有完成。

十一、方邪真系列：《殺楚》與《破陣》

《殺楚》寫於一九八五年底至一九八六年五月間，在香港《明報》等多家報紙連載，本屬四大名捕故事。十二年後，溫瑞安寫《破陣》，說是「方邪真系列」。作者聲明該系列還有《傲骨》、《靜飛》、《驚夢》等幾部，但未完成。

《殺楚》講述追命到洛陽偵查孟隨園一家滅門案，偶遇洛陽小公子池日暮被襲事件（「殺楚」案），與劍客方邪真一起拯救了池日暮，方邪真捲入洛陽四大家族即蘭亭池家、小碧湖游家、妙手堂回家和千葉山莊葛家的爭權奪利衝突中。最後追命破案，而方邪真加入蘭亭池家。

本書看點一，是方邪真的個性形象。其特點是特立獨行、重情尚義、身世神秘，心地純真如文藝青年，頗具吸引力。

看點二，是洛陽四公子即四大家族之間的矛盾衝突。所謂四大公子家族，實質上是黑社會組織，爭當洛陽第一家，不過是要壟斷本地區經濟利益。家族內部也有紛爭，「殺楚」案與劉是之陰謀前後呼應。

看點三，是追命破案。串並孟隨園滅門案和池日暮遇襲案，並讓凶手斷眉自暴凶手身分，堪稱妙招。

看點四，是書中其他人物形象，例如池家智囊劉是之，回家少主回絕自取滅亡的表現，足為自大與自私者戒。缺陷是方邪真殺劉是之，有人為痕跡。

《破陣》寫於一九九八年，講述方邪真在洛陽遭受回家、游家、葛家明暗圍攻與襲擊故事。作者策劃「方邪真系列」，第一目的是要將方邪真故事、洛陽四大家族故事整合到「溫瑞安武俠世界」版圖中。第二目的是深化和細化洛陽四大家族故事。第三目的才是方邪真復仇、情感及其命運。《破陣》有戰陣、（命運）疑陣、心陣三大構想，若真正實現，必為佳作。

只不過，一九九八年的溫瑞安，早已習慣於隨心所欲，作品最終寫成什麼樣子，作者本人也未必知道，要看寫作時有怎樣的靈思與聯想。書中寫回百應與其屬下冗長對話，寫馬面殺手沈淒旋病態殺人細節，情節停滯不前，明顯可見作者靈思不暢。《破陣》中寫得最好的人物並非方邪真，亦非四大家族中人，而是殺手蝴蝶夢（胡蝶夢），此人任性追逐性欲滿足、追逐神經刺激而致內心空虛；只會自以為是，卻無法感受他人的感受，更無法理解他人的理解，讓人震驚。

方邪真系列難以為繼，根本原因是主人公方邪真實是現代文藝青年的投影，甚至是作者的精神化身，與白衣方振眉、神相李布衣、遊俠納蘭、大寇沈虎禪以及平民英雄王小石等人一樣，剪影千變萬化，卻是萬變不離其宗。

十二、「四大名捕」系列（三）：《逆水寒》

《逆水寒》寫於一九八四年末至一九八六年初，講述鐵手追捕逃犯，適逢官兵圍剿連雲寨，鐵手抓住官兵主將冷呼兒將軍，放走連雲寨主戚少商、穆鳩平等人，而後束手就擒。他準備犧牲個人生命，維護王法的尊嚴。但在黃金鱗、顧惜朝等官員手中，王法不過是權力鬥爭即打擊異己的工具。於是，鐵手作出進一步選擇，即辭去捕頭之職，去重建連雲寨——得到皇帝允許——試圖創造出一個公平正義的小社會。

看點一，是捕神劉獨峰形象。出身豪門、愛潔成癖、氣度不凡，忠於王法，恪盡職守，有超群武功和智慧。即使知道戚少商有重大冤屈，還是要把他帶回京師。一是聖旨難違，二是與傅尚書有交易，三是要維護「捕神」形象，捕神所代表的不是正義，而是政治與正義的平衡，有時不得不扭曲真相。劉獨峰不是壞人，也非義士，而是現實官場中人。在他迴光返照之際，才徹底地擺脫官場政治的束縛，超然於利害得失之上，努力爭取公平正義，讓其生命價值昇華。

看點二，書中有不少鮮明人物形象。殷乘風有喪妻之哀，脆弱性格表露無遺。無情的機智與多情，唐肯的豪邁與義烈，雷卷的病弱自卑與堅毅自傲，都有可觀之處。「天棄四叟」劉學平、吳雙燭、巴奇、海托山四人面對逃亡群雄，劉學平主張幫官兵殺悍匪，吳雙燭主張抗官兵，巴奇怕惹麻煩，海托山既想報恩又怕麻煩、既顧惜性命又有豪情衝動，態度差異明顯。郗舜才護送無情進京，文章率人攔截，各位部將在激烈打鬥時的瞬間心理，小說中也捕捉得精準，敘述也很生動。

看點三，息紅淚與戚少商的愛情故事一波三折，結局出人意料，作者對人物情感心理把握準確。息紅淚決定嫁給對她一往情深的赫連春水，而把戚少商當作兄長，因為息紅淚並非平凡女子，個性極強，情感熱烈，既敏感又自尊，需要的正是赫連春水這樣的男人。戚少商懷有大志，風流自賞，招花惹草，實非息紅淚的良配。赫連春水專注和深情，正是戚少商所缺少的，息紅淚已飽經滄桑，到關鍵時刻，怎能不大徹大悟？此外，無情對唐晚詞的暗慕，戚少商為失去息紅淚而深感失落，沈邊兒與秦晚晴的露水情緣，都很生動感人。

看點四，小說敘事結構有可取之處。情節始終雙線並行，其間又穿插相關人事，組成完整的故事結構。鐵手的逃亡是小說的主線，無情的遭遇是平行線；捕神劉獨峰故事線，雷卷和戚少商的相逢、離別、再相會故事線，群豪各自逃亡故事線，沈邊兒與秦晚晴、雷卷與唐晚詞、息紅淚與戚少商，和赫連春水與高雞血等人情感故事線，交織成一個敘事網路，層次分明，且與主體結構密切相關。

十三、「七幫八會九聯盟」系列

這一系列由若干中短篇小說組成，最早一篇《雪在燒》寫於一九八六年，多年後作者命名「七幫八會九聯盟」，並作相應的序列整理。可作單品看，[9] 也有共同點，即反映江湖世界及其人生百態。標題奇妙誘人，作品品質參差，難作整體評說，不妨分而述之。

《請借夫人一用》

講述韋青青青綁架斬經堂總堂主張侯夫人梁任花為人質的故事。書名及主人公韋青青的名字同樣奇特，故事情節及其結局都出人意料。主題是愛與友情的一場大考：張侯愛妻子，卻缺乏理解，更不懂尊重，顯然不及格；夏天毒、三師伯捉影叟樓獨妙這兩個公證人背叛公證人立場，更背叛做人原則，成績更差。韋青青及友人蔡過其成績優異，而梁任花則令人同情。

《請你動手晚一點》

講述戰焰焰與師嫂高曾花偷情被發現，高曾花殺了戰焰焰，等待丈夫戴沖寒懲罰的故事。戴沖寒為本門利益不斷戰鬥，導致性無能或愛無能，從而導致妻子偷情，而本門長老為維護面子而要處死偷情者，值得三思。本篇最大亮點，是由戰焰焰、高曾花、戴沖寒的內心獨白組成。

《殺親》

講述多老會總堂主虞永晝殺父故事。殺父是倫理危機，怨父恨老情緒背後是心智缺陷，虞永晝自作聰明，盲目自信，「永晝」的理想，只不過是想當然。結果螳螂捕蟬、黃雀在後，虞永晝被其心腹白晚和妻子盛小牙聯手殺害。倫理維護老人專制，而殺親則證明年輕人自大和愚蠢，多老會故事值得深思。

《晚上的消失》

講述多老會長老司馬問、司一切發起「除惡」計畫，殺篡權者白晚而重新掌權故事。上個故事「鋤暴」，這個故事「除惡」，都是宣傳口號，陽謀背後是陰謀，專制制度導致人性畸形。沒有智慧交流與協商，只能訴諸武力。虞永晝打開潘朵拉魔盒，殺人者人恆殺之。最大特點是當權者以「我們」口吻說話。不足是說「傷寒拳」能夠「百步殺人、千步傷人、萬步制人」，這是什麼拳？

《殺了你好嗎》

講述「小螞蟻」集團領袖方狂歡殺了豹盟盟主張傲爺的獨生子後逃亡、愛情及背叛故事。表現了方狂歡的性格局限：相信張傲爺會放下殺子之仇是心智局限，不願生活在謝豹花強勢陰影下是心理局限，愛謝豹花但更愛自己是情感局限。方狂歡是個英雄，卻也只是「小螞蟻」，人性弱點真實，讓人感嘆唏噓。

《愛上她的和尚》

講述玉石商人李詩歌，愛上了街頭藝人林投花，殺了情敵利端明，不得不出家，成為善哉和尚的故事。林投花嫁給梁牛，又被鷹盟盟主仇十世佔有，善哉和尚試圖刺殺仇十世未果，被迫加入鷹盟做了種花人。善哉和尚種花、愛花、護花，他對林投花的片面愛情，讓人感動；無論叫李詩歌還是叫善哉，他都是雅士。

《愛上和尚的她》

緊接上一個故事，講述林投花復仇、弄權故事。林投花從賣藝女變成了母蜘蛛，渴望愛卻已失去愛的能力。不足是林投花寫得過於簡單，有人為痕跡。

《絕對不要惹我》

講述「小螞蟻」成員方怒兒復仇與愛情故事。方怒兒不惹事，但不怕事且不怕死，杜愛花歷盡苦難而不失善良之心，盛小指純潔而有靈性，讓人印象深刻。不足之處是溫心老契背叛張傲爺缺乏合理解釋。

《雪在燒》

講述林晚笑受辱與復仇故事。白衣大俠龍喜揚欺世盜名，林晚笑以智勝力，故事新鮮別致。寫於一九八六年，那時還沒有七幫八會九聯盟之說。

《戰僧與何平》

太平門脅迫戰僧去殺何平，戰僧拒絕；下三濫下令何平殺戰僧，何平執行。戰僧「不負天下，寧負本門」，何平則「寧負天下，不負本門」（本人），真性情與偽君子對比鮮明。書名是文學名著《戰爭與和平》的戲仿，武功「四十一仰五十七伏」、「三十七抽二十九送」，「下三濫」何家的焚琴摟、煮鶴亭及長派、矮派、方派、圓派之說，遊戲成分未免太多。

《傲慢雨偏劍》

講述偏激奇劍創始人敖曼余的人生故事，此人特立獨行，結果不得善終。小說寫法新穎，諸葛先生派人調查敖曼余死因，追尋真相。敖曼余形象有作者自喻，書名是文學名著《傲慢與偏見》的戲仿。故事與七幫八會九聯盟關聯不明顯。

《山字經：「老字號」溫家野史》

講述溫蛇死後，妹妹溫汝、後妻李吻花邀人爭奪《山字經》秘笈故事，結局是溫蛇之子溫詩卷不戰而勝。情節曲折多變，寓言淺顯直露。

十四、「說英雄・誰是英雄」系列

這一系列包括《溫柔一刀》、《一怒拔劍》、《驚豔一槍》、《傷心小箭》、《朝天一棍》、《群龍之首》、《天下有敵》、《天下無敵》，作者說還有兩部，一部是《天下第一》，另一部是《天敵》（**大結局**），但至今未見。以下分別說。

《溫柔一刀》[10]

完成於一九八六年。講述王小石和白愁飛結伴到開封加入金風細雨樓，捲入金風細雨樓與六分半堂衝突故事。看點一，是王小石這一草根英雄形象。看點二，是白愁飛清高自傲，與王小石形成鮮明對比。看點三，是溫柔的心理與個性，不過與《碎夢刀》等小說中的習玫紅難分彼此。看點四，小說語言神采飛揚，不過有時也發揮過度。真正值得注意的，是作者提出的問題：什麼樣的人，才算得上是真正的英雄？

《一怒拔劍》

寫於一九八六年十月至一九八八年七月。講述蔡京和傅宗書脅迫王小石刺殺諸葛先生，白愁飛奉蔡京之命殘殺武林同道故事。看點一，是白愁飛的心理變化軌跡。看點二，是王小石個性與才能的進一步展示。看點三，是張炭、唐寶牛、方恨少、溫柔、朱小腰等人的個性表現。看點四，是樂極生悲陳不丁、喜極忘形馮不八夫婦的形象。看點五，是花枯發弟子張順泰與趙天容的對比。

《驚豔一槍》

此書第一篇《王小石的石》寫於一九八九年，講述王小石將計就計刺殺傅宗書故事；其後幾篇寫於一九九一年至一九九二年初，講述天衣居士、諸葛小花和元十三限等人的往事及現實衝突；直到最後一篇，王小石才再次出現。第一篇中王小石個性突出，敘事節奏明快，情節緊張刺激，精彩紛呈。元十三限與天衣居士相互算計及驚心動魄的打鬥，固然很好，但卻「走題」了。而唐寶牛、朱大塊、張炭和蔡水擇等人插科打諢，敷衍拖遝，實為冗餘——若刪除也不會影響故事整體。更大問題是，書中寫的是元十三限的傷心小箭，並非驚豔一槍。

《傷心小箭》

寫於一九九一年至一九九三年，講述白愁飛在金風細雨樓發動政變，最後死於非命，蘇夢枕臨終前任命王小石當樓主故事。看點一，是白愁飛的狼子野心大暴露。看點二，是蔡京養奴不養狼。看點三，是王小石重情尚義不畏風險。看點四，是蘇夢枕犧牲自己大翻盤。看點五，是書中人物「叛變」成為常見景觀。看點六，是採用了電影蒙太奇手法，分切情節，四五條線同時展開。缺點是，雷媚最後一刺有人為痕跡，標題必「機」如同兒戲。

《朝天一棍》

寫於一九九三年至一九九四年，講述王小石等拯救因毆打皇帝和宰相而被判死刑的唐寶牛、方恨少，而後再次逃亡江湖的歷險故事。故事圍繞三大懸念展開：一是救還是不救？二是如何救？三是救人以後如何脫身？真正看點，卻是溫柔的成長及與王小石情感關係發展。另一看點，是唐寶牛因朱小腰犧牲而消沉，又因朋友王小石面臨危機而振作。缺點是，羅白乃、班師之師徒插科打諢太多；王小石被神化，背離了草根英雄的初衷。

《群龍之首》寫於一九九六年，戚少商執掌金風細雨樓，故事仍熱鬧好看，但這部作品及此後續作新鮮感減少，有一定的可看性，但不耐看。

十五、「四大名捕」系列（四）：未完的故事

作者在一九九〇年後的主要工作，是不斷開發四大名捕名牌的新產品系列，四大名捕故事形成一片藤曼糾葛的熱帶雨林。最大遺憾的是，很多新系列都未完成。

例如《鬥天王》系列之《縱橫》與《風流》，[11] 前者寫鐵手、龍舌蘭追查連環案，後者卻擱置案件，寫方青霞帶龍舌蘭、小顏（顏夕）逃亡故事，故事未完。

又如，《破神槍》系列之《妖紅》、《慘綠》，[12] 講述鐵手前往山東神槍會偵破神槍會一言堂主孫疆的女兒孫搖紅被綁架案，找到孫搖紅的《飄紅小記》，發現驚人真相，鐵手卻被刑部陷害。《豔雪》、《惡花》未出，結局不得而知。

又如，貪官吳鐵翼從《大陣仗》中開始逃亡、《開謝花》中再次逃脫，到《捕老鼠》、《打老虎》[13] 展開大規模追捕，在《猿猴月》、《走龍蛇》、《猛鬼廟》、《白骨精》、《鬼關門》、《鐵布衫》、《杜小月》、《金鐘罩》[14] 等集中繼續追捕，卻仍未抓獲。什麼時候才能抓獲吳鐵翼？只能耐心等待。

在這些作品中，《捕老鼠》和《打老虎》值得一說。這兩集講述鐵手來到陝西，與當地官員一起合作抓捕吳鐵翼故事。參與抓捕貪官吳鐵翼的地方官員，竟全都是貪官，即

捕老鼠者全都是老鼠，讓人震驚且發人深思。故事情節出人意料，精彩不斷，結局更讓人目瞪口呆：吳鐵翼寄存的寶物箱中沒有財寶，只有石塊。如鐵手所言，吳鐵翼不可能真正相信莊懷飛，只是把莊懷飛當作犧牲品，以便自己暗渡陳倉。

《捕老鼠》和《打老虎》的最大看點，正是捕頭莊懷飛形象及其故事。書中大部分情節都在講述此人故事——通過他本人、鐵手、吳鐵翼的女兒離離等人回憶——莊懷飛形象逐漸清晰而十分獨特，此人名字莊懷飛即「壯懷遄飛」，有凌雲壯志且本領超群，卻命途多舛，總也不能如願，原因是他有情有義且特立獨行，不願同流合污。

吳鐵翼照顧過他母親，所以他願為吳鐵翼保存贓物，不讓其他貪官染指。諷刺的是，他連「只想幹一宗不傷天害理只犯法的案子，想當一個不負人不負己但又能逍遙法外的犯人」的理想也無法實現，反而導致母親慘死，情人反目，忠心部屬犧牲，只得與杜漸、暴老跌同歸於盡。

莊懷飛並不想殺人，更不想傷天害理，只想要感恩圖報，而後遠走高飛去過幸福的日子；但他並不知道，在武功縣當捕頭，老母在左，戀人在右，那本身就是幸福。他以為是自主選擇人生道路，卻在不知不覺間成了官場潛規則、個人欲望及老鼠吳鐵翼手中的玩偶。老鼠乎？老虎乎？鐵手相信莊懷飛不是壞人，但卻也難說他是一個真正的好人，畢竟，他身為捕頭，卻為罪犯吳鐵翼服務。問莊懷飛是怎樣的人，不如問：莊懷飛的性格和命運如何形成？莊懷飛的人生之謎，如同寓言。

十六、「四大名捕」系列（五）：少年四大名捕

所謂「少年四大名捕」系列，原名是《四大名捕鬥將軍》，第一─十六集寫於一九八九年，後被命名為《少年冷血》；第十七─三十二集寫於一九九〇年，即《少年追命》；第三十三─四十四集寫於一九九〇─一九九一年，即《少年鐵手》；第四十五─六十五（外加《遍地風流》）寫於二〇〇四、二〇〇五及以後，即《少年無情》。

這一系列從驚怖大將軍暗殺結義大哥、連盟盟主冷悔善（冷血之父）開始，進而屠殺盟友、下屬，連環「驚怖事件」使得「驚怖大將軍」名副其實。讓他人驚怖的真正原因是他自己內心深處充滿驚怖：深怕他人篡權。這是專制時代當權者瘋狂心理現象，可謂「獨夫綜合症」。三個月大的冷血被人救走，經歷九死一生，後歸諸葛先生門下，練成武藝後開始向驚怖大將軍復仇。

如果只寫冷血復仇，這部書堪稱佳作，但作者硬要把四大名捕全都納入小說中，於是枝蔓叢生。例如《少年無情》出現在鬥將軍現場（現在進行時），進而寫少年無情調查黃泉寺案（過去時），聞到一股濃烈香氣後，又寫無情與仇烈香相識經歷，即一點堂戰役

（過去完成時）。《遍地風流》中，一點堂戰役尚未結束，無情還沒有回到黃泉寺查案現場，更沒有回到門將軍現場，走得太遠，以至於無法回頭。

由於四大名捕的年齡有差異，要維持「少年四大名捕」故事，只能將追命、鐵手、無情的「少年時」與「現在進行時」交織，於是故事沒完沒了。

書中對冷血、追命、鐵手的形象刻畫，新意其實不多。

故事沒完沒了，一是由於作者恣意聯想，以至於故事情節跟著聯想走，例如「三鞭道人」故事，從「三鞭」即長鞭、短鞭、髮鞭，聯想到「三變」，居然也變成故事情節。二是沉迷於文字遊戲，例如酒井法子——「走井法子」——水遁，竟又成一段情節設計。三是聯想加文字遊戲，例如第五十八集第五章中寫任怨心理活動：

日後，人家再論武林中絕頂人物之時，會提到：金字招牌方任俠、山東神槍會長孫飛虹、淮陰張侯、自在門韋青青青、元神元十三限、六扇門諸葛小花、七絕神劍、絕滅王楚相玉、叫天王查叫天、九大關刀龍放嘯、常山九幽神君、血河派歸無隱、洛陽溫晚、六分半堂一門三傑（**雷震雷、雷陣雨、雷損**）、金風細雨樓蘇幕遮父子、迷天一聖關木旦、少林天正、武當太禪，以及近日崛起江湖的獨戰天下燕狂徒，以及逐漸侵蝕統領長江七十二水道的朱大天王、雖初起但有崢嶸之勢的天下七子、禪門正宗的懷抱天下五神僧、蜀中唐門唐老太爺和唐老奶奶之外，嘿嘿，也一定得提我的名字。

這是典型的「集束資訊炸彈」，要看懂，須自製「溫瑞安小說名人辭典」，且要不斷查證對照，否則只能發昏發呆。

《少年無情正傳》寫於二〇一二年，完成四十七回，故事未完，甚至尚未開始。主線是溫夢豹及各路捕頭偵查系列投毒案、馬車遺屍案，看點是採用交叉蒙太奇結構，分寫凶案現場，頭緒複雜紛繁，迷霧繚繞。缺點是，雖知飛飛姑娘（**牛翼飛**）作案是為無情復仇，鋪墊無情出場紅毯，但寫到四十多回傳主還未登場，這鋪墊未免太長，《少年無情正傳》名不副實。

【注釋】

1 葉洪生、林保淳：《臺灣武俠小說發展史》，第四五三頁，臺北，遠流出版事業股份有限公司，二〇〇五年。

2 溫瑞安小說專家笑商在《溫書北漸笑商談》、《溫書南頓》、《穿越已成往事》等長文中，對溫瑞安小說作品的版本作過詳細考證——當年曾發表在網上（舊雨樓、六分半堂論壇、個人博客）——我看的是顧臻轉發的電子文檔。本文中有關溫瑞安小說的版本資訊，大多參考了笑商的上述文章，特此說明並致謝。

3 一九八九年，溫瑞安創辦《溫瑞安武俠週刊》，又成立「自成一派合作社」，致力於拓展商務空間。

4 溫瑞安語，轉引自江上鷗：《獨闢蹊徑的溫大俠》，《溫柔一刀》第十頁，昆明，雲南人民出版社，一九九五年。

5 《神州奇俠》、《四大名捕》、《說英雄・誰是英雄》的時代先後就有明顯問題，參見吳明龍：《劍挑溫瑞安・代序一》，香港，敦煌出版社，一九九二年。

6 《龍虎風雲》的初稿寫於一九七〇－一九七一年（重寫及定稿於一九七四年）；《試劍山莊》寫於一九七三年，《長安一戰》寫於一九七四，《落日大旗》寫於一九七五年，《小雪初晴》則寫於一九八一年。

7 電影《殺人者唐斬》，由司徒慧焯、張炭編劇，鍾少雄導演，張豐毅、關之琳、莫少聰主演，一九九三年出品。

8 《碎夢刀》寫於一九八一年底，《大陣仗》、《談亭會》和《開謝花》寫於一九八二年初。

9 笑商在《溫書南頓》卷上第十六節《風塵情事》中，就把這一系列作品當作「獨立」作品看待。

10 《溫柔一刀》曾獲首屆中華武俠小說大獎銀劍獎。

11 《縱橫》完成於一九九四年八月，《風流》完成於一九九六年七月。

12 《妖紅》完成於一九九五年四月，《慘綠》完成於一九九七年三月。

13 《捕老鼠》、《打老虎》完成於一九九七年六月和七月。

14 《猿猴月》完成於一九九七年八月，《走龍蛇》完成於一九九八年七月，《猛鬼廟》和《白骨精》完成於一九九九年四月和十一月，《鬼關門》和《鐵布衫》完成於二〇〇〇年四月和十一月，《杜小月》和《金鐘罩》完成於二〇〇二年六月和七月。

第二十七章

黃易的武俠小說創作

黃易的武俠小說獨樹一幟，進而獨領風騷，以穿越與玄幻為標誌，引領兩岸三地武俠小說創作新潮。黃易的武俠小說不僅使萎縮已久的武俠小說市場重新振作，且在生活節奏日益加快、閱讀碎片化成為常態的背景下，以動輒數百萬字的超長篇武俠小說吸引廣大讀者，不斷重演「一千零一夜」的奇蹟。

黃易（一九五二—二〇一七），原名黃祖強，生於香港。一九七三年入香港中文大學藝術系美術專業，一九七七年畢業，獲「翁靈文藝術獎」。大學畢業後在中學教書一年，後入香港藝術館擔任二級助理館長。一九八六年底開始武俠小說創作，被《武俠世界》雜誌刊載，希望小說結集出版卻被婉拒。托朋友將《荊楚爭雄記》向博益出版集團投稿，回答是武俠小說除金庸、古龍外，沒有市場空間，建議作者寫科幻小說。黃易寫了第一部科幻小說《月魔》，獲得出版家賞讚。遂接連創作多部科幻小說。[1]

一九八九年，黃易辭去香港藝術館工作，從事專業創作。

黃易並未忘情於武俠小說。一九九二年創辦黃易出版社有限公司，全力創作並推廣《覆雨翻雲》和《大劍師傳奇》，開始引人注目。一九九四年《尋秦記》出版，終於扭轉乾坤，在武俠小說全面萎縮時代，擠出了一片出版發行空間。其後他的武俠小說風行網路，在香港、臺灣和大陸擁有大量讀者。隨即盜版蜂起，雖讓黃易受了不小商業損失，卻是黃易小說大受歡迎的確證。

黃易作品很多，除了數十部科幻小說，[2] 還有一部雜文集《文明之謎》（一九九五）。

這裡只討論他的武俠小說。

一、黃易武俠小說創作分期

如果把《破碎虛空》作為黃易小說創作的起點，從一九八七起始至二〇一七年黃易逝世，他的武俠小說創作有三十年時間。黃易從事武俠武俠小說創作三十年，從作品成色及其發展曲線看，可以分為五個階段，即：嘗試期、準成熟期、高峰期、休整期、恢復期。

以下分別說。

(一) 嘗試期

時間是一九八七年一九九一年，創作《破碎虛空》、《荊楚爭雄記》、《烏金血劍》。

黃易嘗試期的第一部重要作品是《**破碎虛空**》。

這部書的創作理念，來自佛家的「明還日月，暗還虛空」，認為宇宙的本質並非日月星辰等有形的物質，而是無形的虛空，這是非常了不起的思想。把這一思想觀念引入小說創作，是勇敢但冒險的嘗試。

小說中有兩類人，一類是求道者，即追求武道和天道究竟的人，例如傳鷹、八師巴、蒙赤行、厲工、令東來等；另一類是世俗中人，蒙古人要侵略漢人，漢人要抵抗蒙古人，前者有思漢飛，後者有祁碧芍等。小說雖然將求道者和蒙漢衝突兩條線索縫合成一個故事，但因重心是傳鷹求道，漢人抗蒙故事只能簡寫，從而不能詳細展開，失去了諸多故事看點。武俠小說的讀者所好，是世俗中人能夠理解的故事，而不是形而上的「道」。

更大的問題是，書中求道者形象，難以讓人共鳴。典型如主人公傳鷹，書中說他在父母去世時沒有悲傷，就讓人瞠目。進而，書中的傳鷹曾被白蓮玨色誘、又對美貌的祝夫人、會彈琴的高典靜、維吾爾少女婕夏娘和婕夏柔姊妹、漢人女英雄祁碧芍等人有欲望意動，但結果終於無情。

尤其是祁碧芍，熱切希望與他共同抗擊蒙古侵略者，為漢族人民排厄解難，傳鷹無情地拒絕，不僅是對一個相愛的女性無情，更是對千百萬同胞的無情，這不僅讓人難以共鳴，甚至會讓人反感。再如厲工，他的師弟畢夜驚和烈日炎都被漢人所殺，厲工出山時，信誓旦旦地要找漢人高手令東來、傳鷹報仇，最後卻與傳鷹攜手同行，去朝拜令東來，這一思想轉折，作者設定為求道之心使然，書中卻沒有給出令人信服的解釋。

道家有言：人法地、地法天、天法道、道法自然。自然無情，即「天地不仁，以萬物為芻狗」。問題是，人法地，但人不是地；正如地法天，但地也不是天。人畢竟是人，地畢竟還是地。對道的追求，固然需要克制本能欲望，但若徹底否定和捨棄人的本能，進而徹底否定和捨棄人類情感，這個故事如何讓人共鳴？簡而言之，《破碎虛空》作為武俠小說，概念化弊端明顯，故事難以動人。

接下來是《**荊楚爭雄記**》。

小說講述郤桓度復仇故事。滅門—復仇，是武俠小說的基本故事模式。本書是將主人公復仇故事，置於春秋末期楚國內部權力鬥爭與吳楚爭雄的歷史背景下，故事情節環環相扣，相對圓滿。主人公郤桓度作為郤宛的幼子，只喜練武，不修兵法，自幼混跡於脂粉堆中，這樣的人怎能逃脫滅門大難，並承擔起復仇重任？形成故事的最大懸念。

好在他天資聰穎，如渾金璞玉，在激烈碰撞與琢磨之下，開始閃爍異彩。郤桓度不懂兵法，於是將劍法運用於戰場並克敵制勝；他要提高劍法技巧與打鬥能力，又反過來將兵法運用於劍法之中，使其武功飛速提升。郤桓度的情感經歷也頗有特點，開始是對絕世美女、襄老寵妾夏姬情不自禁地迷戀，結果是對夏姬當機立斷，去征服夫概王之女、桀驁不馴的舒雅，並與之相親相愛。情感轉變的過程，即主人公心智發展的過程。

本書最大的創意，是讓虛構主人公郤桓度變身大軍事家孫武。不足之處也正在於此，這樣的寫法實有取巧之嫌。這一設計，使得故事情節相對簡單，郤桓度復仇故事與他的成長經歷不成比例。郤桓度與孫武甚至沒有真正交集，就完成了由楚之郤桓度向齊之孫武的變身。

這一變身，本當是主人公命運的重大關鍵，因小說講述的重點是復仇，而非人物成長和蛻變，所以對郤桓度在齊國的半年生活，即郤桓度蛻變成孫武的關鍵時段，竟予以省略。如此省略，固然使小說的情節簡化，節奏加快，但同時也使得郤桓度這一人物的成長經歷出現明顯斷層。此時，作者學會了講故事，但還沒有學會更好地講述故事，所以，《荊楚爭雄記》算不上是真正的好故事，只能算是此後的好故事的習作與草稿。

接下來是**《烏金血劍》**。

一九九〇年，參與香港TVB《烏金血劍》電視劇故事大綱編寫，後將其寫成小說。由小說改編電視劇是一回事，由電視劇改寫成小說是另一回事。固然有現成的素材和結構，必然要受電視劇拍攝可能性及可操作性的限制。

《烏金血劍》融合尋寶、伏魔、謀反、抗暴、偵探和愛情故事元素，有一定的可看性。主人公風亦飛生活在森林邊緣，如同自然的精靈，在身體、心理、個性上都與尋常武俠人物有所不同。更重要的是，作者將自己對自然天道的思考和想像賦予了他，使他在短時間內完成從自然之子到英雄超人的蛻變。蛻變之所以發生，一是天賦異稟，二是天生好運（**食異果**），三是得慕農、蕭長醉（**蕭良**）、鐵隱、宋別離等當世高人的無私幫助。

這部小說的不足之處非常明顯。首先，是小說空間太小。全部故事情節都發生在雲上村與川南王城之間，不僅空間局促，且人為痕跡明顯。其次，是時間太短，故事情節未免匆忙。在短短數月中，風亦飛從一個不懂武功的青年，變為可用驅劍之術殺死武林超一流高手歐陽逆天，學技速度讓人難以置信。再次，是「玄幻邏輯」的演繹，概念化痕跡明顯，「陰陽璧合大法」也太過簡單，更讓人難以置信的是故事的結尾，當唐劍兒死後，風亦飛竟抱著女友遺體跳下懸崖，難道他也要像《破碎虛空》的傳鷹那樣走向虛空？風亦飛是自然之子，卻非修道人。讓他跳下懸崖，去追尋「心中的桃花源」，多半是人為操縱的結果。

實際上，書中唐劍兒與風亦飛的情感故事，也有人為痕跡。唐劍兒是川南首富唐登榮的女兒，美貌如花，武藝不俗，如何能一眼看中採藥為生的山林小子風亦飛？且還一而再、再而三地主動追求，如何可能？惟一解釋是，作者如此設定，人物如同玩偶。而這樣做，與小說人物必須「自主」的藝術原則明顯相悖。黃易自己說：「只有將自主權交回書中人物的手裡，那些人物才能從書中活過來，說他們會說的話，做他們會做的事，絲毫不可勉強。」[3] 寫作《烏金血劍》時，他還沒有能力做到。

（二）準成熟期

時間是一九九二年至一九九四年，創作了《覆雨翻雲》和《大劍師傳奇》。之所以要將這兩年劃分為一個單元，首先，是因為黃易出版社有限公司於一九九二年成立。其次，是因為這兩部作品的成就及其影響，肯定超過此前的三部作品，卻又不如《尋秦記》以後的作品，稱其為「準成熟期」作品比較合適。

《覆雨翻雲》的創作起始時間應該早於一九九二年，第一卷切口較小，此後展開的是巨幅傳奇歷史畫卷。小說採用電影蒙太奇形式，具有驚人的複雜性。更可喜的是，隨著作者講故事技巧的成熟，本書吸引力及可看性俱佳。

小說共廿九卷，前兩卷講述怒蛟幫故事，一是怒蛟幫的代際衝突，二是乾羅山城、尊信門與怒蛟幫的衝突。隨著六十年來武林第一高手魔師龐斑的出現，大有一統江湖黑道的趨勢，故事情節複雜度陡然上升，且出現了蒙太奇結構形式，即便在短短的一章之內，也會有多個不同場景的連綴，使得小說故事情節的頭緒愈來愈複雜紛繁。

在怒蛟幫、尊信門、乾羅山城之外，又出現了魔師府、邪異門、魅影派、萬惡沙堡、雙修府等黑道組織，同時白道門派組織如西寧、長白、少林、武當、古劍池、雁蕩宮、入雲庵、丹青派、菩提園、書香世家，以及超然於白道幫派之上的慈航靜齋、淨念禪宗等組織陸續出現。繼而，魔師龐斑的弟子方夜雨率領蒙族武士、藏族喇嘛、色目人、花刺子模人、女真人等多民族高手出現在中原武林中。再加上來自高麗的盈散花、來自東瀛的水月大宗等等，形成了多民族甚至多國別武林高手博弈格局。

由於龐斑的大弟子愣嚴是朝廷錦衣衛大頭領，方夜雨團隊與朝廷錦衣衛的關係密切。而朝廷中也分為錦衣衛系統、御林軍系統、鬼王（**威武王**）府系統，以及藍玉集團、胡惟庸集團、燕王朱棣集團、天命教暨皇太孫朱允炆集團。怒蛟幫早在朱元璋打天下時就與其分道揚鑣，朝廷成立「屠蛟小組」，目標是消滅怒蛟幫。但鬼王虛若無、朱元璋、燕王朱棣卻先後利用韓柏，讓戚長征、浪翻雲等怒蛟幫骨幹成為打擊藍玉集團、胡惟庸集團、天命教與皇太孫集團的有生力量。錯綜複雜的派系網路，讓人眼花繚亂，隨時理清故事的頭緒和線索就非易事，更何況蒙太奇形式，還使得敘事複雜度成倍增加。

世事如棋局，誰是下棋人？本書的主人公韓柏、風行烈和戚長征，並非下棋人。很多人看似棋手，實是棋子。例如丞相胡惟庸，他以為自己是棋手，實際上卻是天命教的棋子。皇帝朱元璋，在大棋局中，也是天命教主單玉如的棋子，他與自己兒媳通姦生子，又將私生子立為皇位繼承人，無不是天命教棋局中的步驟。無論是胡惟庸、朱元璋，還是天命教主，最終都死於命運的棋局中。

真正下棋人是命運，和懂得命運的人。例如虛若無，作為智者，他一直在旁觀棋局，反而能夠通觀棋局，成為最重要的棋局支招者。主人公韓柏，與金庸筆下的韋小寶頗為相似，在變化莫測的人生經歷中，不斷磨礪「混世」才能。好在他本性醇厚，雖被播下「魔種」，卻能與「道胎」融合。因為只想混世，所以並不把功名成就放在心上，不似烈士梟雄。虛若無將女兒虛夜月託付給他，是看準他「傻人有傻福」。其福氣源於知足常樂，不會成為欲望的奴隸。他無心做下棋人，也不會永遠做棋子，而是自由出入於天下棋局，既是棋局參與者，也是棋局的鑒賞人。

書名《覆雨翻雲》，意思是變，覆為雨、翻為雲。小說由怒蛟幫內亂故事，一變而為黑道乾羅山城、尊信門對怒蛟幫的入侵，再變為江湖黑道與白道之間的衝突與競爭，三變為朱明王朝與元朝餘孽及邊疆少數民族的衝突，江湖衝突變成江山動盪，無不是變。還有最後一變，即浪翻雲和龐班的攔江島之戰，武通天道，破碎虛空。書中人物的正邪善惡，也在不斷演變中，乾羅、赤尊信、封寒，乃至乾虹青、易燕媚的人生選擇和個性風貌的變化，即是典型例證。對覆雨翻雲的氣象描繪，即對「變」的捕捉和描述，是本書的重要主題。

對兩性關係的描寫，介乎情色之間，是本書的一大看點。

本書也有明顯弱點。韓柏成為主人公，就有明顯人為痕跡。獨行盜范良極與韓柏成為至交好友，人為痕跡更加明顯。戚長征在怒蛟幫面臨危機時，居然離開幫主去殺馬峻聲，顯然是作者刻意安排。更大的問題是，言靜庵、靳冰雲、秦夢瑤等慈航靜齋高人，離凡人太遠。言靜庵周旋於龐斑、浪翻雲等絕世高手之間，色相頻露，如此寫法，看似神奇，實際上脫離了對人性的書寫，純粹出自臆想，無法感動人心。

秦夢瑤的臺詞和行為，只是按作者編好的劇本表演，看不到真實人性的意動。她傷癒後回到慈航靜齋修寂滅之道，韓柏和讀者一樣莫名其妙。龐斑和浪翻雲，也是半人半神。雖然令人敬仰遐思，卻無法令人真正親近並感動。浪翻雲與紀惜惜、憐秀秀兩位青樓才女的關係，完全不像怒蛟幫的武士所為。本書最大的問題，是作者想像恣肆，充滿原創性——黃易小說的幾乎所有重要元素都出現在這部小說中——書中議題太多，只怕作者也說不清要點。

就小說創作而言，這部作品仍處在「準成熟」狀態。

這一階段，黃易創作的另一部作品是《**大劍師傳奇**》。

與《覆雨翻雲》相比，《大劍師傳奇》的故事情節更加明晰也更加單純，作者的敘述技巧也更加熟練，小說結構更加嚴密而完整。本書的故事情節線索十分明晰，講述主人公蘭特逃亡、復仇、尋寶、伏魔、拯救人類的艱難歷程。

這是一部奇書，空間和時間都與尋常武俠小說截然不同。武俠小說是寫古代中國故事，而這部書中所寫，既非古代，亦非中國。大劍師蘭特的時代，是文明毀滅後的時代；空間則是聞所未聞的帝國本土、大洋洲、小洋洲三塊大陸。小說中的帝國、魔女國、閃靈國、夜狼國、淨土國、大洋洲黑叉國、紅魔國等等，都是完全陌生的地名。如此，本書大大拓展了玄幻武俠小說的時空。值得一提的是，本書使用第一人稱敘事，讓主人公蘭特以「我」的口吻講述自己的故事。這一大膽嘗試，不僅敘事形式新鮮，更便於展現敘事主人公的思想、情感及其微妙心理，擴展了武俠小說敘事表達的可能性。

小說有諸多看點。首先，是它的傳奇情節，即主人公蘭特的冒險經歷。

蘭特從幾乎不可能逃亡的帝國逃亡出來，然後到魔女國，然後到閃靈族聚居地，再到夜狼族居住地，再穿越沙漠到淨土國，幫助淨土國居民抗擊夜叉人的侵略，並順手消滅了第一個大仇人帝國大元首。而後重歸帝國故土，幫助魔女國復國，驅逐帝國的入侵者，並且重新分配了帝國與鄰國的土地。繼而到大洋洲，在紅魔國征服了巫師狂雨，找到了巫帝存身的地穴磁場，而後再回淨土國，接著是追擊巫帝，而又被巫帝所追擊，直到沙漠腹地的廢墟，即父神所在地，與巫帝作最後決戰。這一連串的故事，無不充滿凶險，懸念重生，對讀者的吸引力不言而喻。

小說的第二個看點，是主人公蘭特身分變化及品質不斷提升。小說開頭，蘭特僅僅是個逃亡者。進而找到人生目標，即成復仇者。進而見到魔女百合，變成了情人，從而心智升級，開始對自身命運和世間事物的深入思索。進而，年加暗示他是淨土瑪祖預言中的聖劍騎士，即淨土的拯救者，而要當聖劍騎士，必須按照聖劍騎士的身分要求自己、塑造自己，學會像聖劍騎士那樣去思考問題、處理矛盾糾紛。

在這一過程中，蘭特的視野、心胸、氣質和精神境界，有了關鍵性變化。此外，他還是「巫師」和超人。所謂「巫師」，是以情欲拯救人類並改變人類，從而能「師巫之長以制巫」。進而，為了與巫帝對抗，蘭特必須不斷升級，學會吸收太陽能、吸收月能，進而將太陽能、月能、魔女刃的異能、人類體能、智慧、愛能等多種能量融會貫通，成為前所未有的超人。

第三個看點，是情色描寫。主人公蘭特與諸多女性有性愛關係。作者給出了主人公蘭特豔遇及豔福的理由。其一，文明重建時期的人類，如同原始人類，性關係十分開放。其二，這是戰爭時代，男少女多，到處都是戰爭寡婦，人類的性觀念、性行為、性關係自然與和平時代不同。其三，人類之愛是克制巫帝的有效手段。由此，蘭特形成了一種類似性愛宗教般的特殊價值觀。

第四個看點，蘭特與馬（飛雪）、狗（大黑）的關係。作者將白馬、黑狗當作兩個重要角色進行刻畫。大黑和飛雪都是「蘭特家族」中重要成員，馬、狗、人的關係成了書中動人篇章。人類文明重建，意味著地球生物圈的重建。書中的「犬馬之勞」表明戰馬和黑犬也在為人類文明重建貢獻了自己的力量。

第五個看點，是書中兩大反派即帝國大元首和巫帝的形象。帝國大元首是「半人」，另一半是什麼？是半獸？半機械？半魔？誰也說不清楚。當他被蘭特打敗，臨終前恢復神智，也恢復了人性，並懺悔前塵往事。我們才知道，他原本是父神製造，專門對付巫帝的，但他不是巫帝敵手，反而被巫帝作了神經軟體改裝，變成了令人髮指的大惡魔。真正的大反派巫帝，並非人類，而是人面毒蜘蛛。

但巫帝卻非自然生物，而是因環境污染變異物種，牠無法自立，只能在特定磁場中才能生存。進而，牠把具有異能的公主作為宿主，從而對人類天性由堅決排斥轉為有條件接受，有了一絲人性。正因如此，蘭特才有與牠交流協商的可能。在持續不斷的對抗中，蘭特對牠的態度也有關鍵性的改變。開始是勢不兩立、不共戴天，必欲將牠徹底毀滅而後快；最後則是與牠協商，在盡可能的情況下，保留其物種，只不過要進行某些品質改良。也就是說，蘭特不僅要將其「愛的宗教」在人類中推廣，且要推廣及生物圈。蘭特接受帝國大元首的懺悔，又與巫帝達成妥協，其行為與意義，與一般武俠小說有明顯的區別。

本書當然有不足。例如，書中性愛描寫過多，且大多缺乏新鮮感。眾多女性「一見蘭特，欲令智昏」，易帶來「意淫」之譏，更是女權主義者眼裡的男權「罪證」。再次，蘭特與魔女百合、西琪、公主母女的性愛關係，也有悖於人類倫理。進而，第一人稱敘事雖然有可取之處。卻也降低了小說敘事的複雜度，因為「我」是大劍師、聖劍騎士、地球拯救者、人類大救星（**同時也是著名「淫棍」**），這樣的人說自己的故事，很像自吹自擂，讓人感覺古怪。

總體上說，這是一部成熟的小說。把這部小說列入「準成熟期」，一方面是因為它的創作時間與《覆雨翻雲》差不多，更重要的原因是，有關這部小說，有兩個問題要討論。一、它是不是武俠小說？二、如果它是武俠小說，那麼它是科幻武俠小說，還是玄幻武俠小說？對此，見仁見智，都很正常。

（三）高峰期

黃易武俠小說創作的高峰期，是一九九四年至二〇〇五年間，創作了《尋秦記》、《大唐雙龍傳》、《邊荒傳說》三部佳作。高峰期的界定標準，是作者靈感爆發而不斷創新，作品成熟自圓且各有風貌。《尋秦記》等三部作品，符合這一標準。

大河盟軍師阮修真與古代顓城沒有關聯，但他心智超人、精通卜卦，連卜三卦都是「三鬼齊動」，讓他改弦更張，與烏子虛合作，從而擺脫危機。

假如沒有鬼神因素，這個故事也可能很精彩。其中有大盜、有皇家殺手、有一心要為父復仇百戲團奇女子，有京城與岳陽城名妓，有大江盟主之類的江湖梟雄、有隨時準備起義的英雄，更有有權閹鳳公公篡權，有地方官立功心切而誘迫謀反……人物各具個性，相互關係錯綜複雜，他們的衝突故事必定可觀。

只不過，作者的選擇，不是政治衝突現實，而是魔幻時空的生命流轉。其中有不少問題沒有解決。例如，作者讓雲夢女神施展鬼神力量，將主人公烏子虛誘迫到雲夢澤來，究竟要達到什麼目的？若是為了情人團聚，就不該引來那麼多人，造成如此大的風波，更不該讓烏子虛死去。進而，烏子虛之死，是他自主選擇，還是又一次鬼使神差？兩者意義大不相同，但書中未加解釋。

進而，烏子虛之名，顯然是「子虛烏有」的簡化，即此人子虛烏有，實際上不存在；書中的烏子虛，只是象徵符號。問題是，他到底象徵著什麼？雲夢城之謎到底有什麼意義？書中也未加解釋。進而，古人相信鬼神及前世今生之說，作者或許相信，或許只是一種製造魔幻的手段；廿一世紀讀者則只能將此類魔幻當作童話看，如何讓讀者相信這個童話？

最後，作者寫此玄幻童話，確有寓言意義——書中雲夢女神說：「每一個生命，每一段旅程，都有其使命和意義，只是我們不瞭解，才會為失敗而沮喪，為死亡而悲泣。你所置身的人世，只是生命的一種形式，在這種形式之外，還有無數的生命形式，等待你去經驗，等待你去品嘗。」（第六卷第十章）這一說當然有思想意義，問題是，這一思想主題如何實現？答案是混沌。

實在說，《雲夢城之謎》雖不無奇思妙想，但總體上卻不如人意。這意味著，黃易的創造力和想像力有下滑跡象，作者可能進入了創作瓶頸期。證據是此後停筆數年之久。所以，黃易的這段休整期，可以理解為創作瓶頸期。

（五）恢復期

時間是二〇一二年至黃易病逝（二〇一七年四月五日），創作了《盛唐三部曲》即《日月當空》、《龍戰在野》、《天地明環》（未完成）。

二〇一二年，黃易開始推出新作，進入創作恢復期。新作是「盛唐三部曲」，即《日月當空》、《龍戰在野》、《天地明環》。三部曲其實是一部書，因為是講述同一主人公的連續故事，三部書的主要故事內容都是講述「龍鷹傳奇」。

在《大唐雙龍傳》的結尾，作者早已埋下了伏筆，陰癸派掌門人婠婠讓小女孩明空給徐子陵送鮮果，明空是武曌之「曌」的拆分，這個小女孩，應該就是《日月當空》中的女皇武曌即武則天。問題是：黃易為何沒有在《大唐雙龍傳》結束後立即撰寫龍鷹與將玄幻引入武俠小說創作，最大的作用是擴大武俠小說的想像空間，僅此一項，即功莫大焉。武俠小說中素有超越常規的想像，金庸筆下段譽的「六脈神劍」、古龍筆下的小李飛刀，恐怕都不是任何一位真實的武術家所能。但這不能算是玄幻，因為其中畢竟沒有像黃易筆下的燕飛那樣可以借武功打鬥「打開仙門」。玄幻元素的加入，也增加了武俠小說的趣味，使得它的「童話性」更為突出。

(二)破碎虛空

破碎虛空，是黃易小說最重要的概念，也是貫穿黃易思想始終的重大主題。他曾寫過一篇思想隨筆，標題就是《破碎虛空》，他在該文中發表了他對這一主題所作的思考要點，例如：「星體在宇宙浩瀚無邊的空間裡只占微不足道的位置，虛空才是宇宙的本質，星體不斷起始生滅，虛空卻是恆久不變，假設我們給盲目投進天空裡，我們幾乎千億世也不可能撞上一顆天體。」「禪偈曰：『明還日月，暗還虛空。』我們只看到發亮的星體，以為那才是宇宙的代表，其實虛空才是宇宙的真我。」「『破碎虛空』，只有當虛空破碎時，我們才能超越宇宙，脫繭而去。」[5]

黃易的第一部武俠小說也以《破碎虛空》為書名，作者顯然是想把自己對這一主題的思考落實在小說構想中。其後《大唐雙龍傳》、《邊荒傳說》及《盛唐三部曲》中，破碎虛空仍然是書中求道者的理想目標。其要點包括打開仙門、虛空玄想、追求永恆，這不是什麼迷信，也不僅是藝術想像，而是基於藝術想像的生命哲學和宇宙玄想。黃易小說中人打開仙門的方法各不相同，但求「道」即追求永恆的精神卻貫穿始終。只不過，破碎虛空並非明白通透的學理，只能基於想像，有模糊成分，頗適合藝術表達。

（三）道心種魔

出現在《覆雨翻雲》、《大唐雙龍傳》及《盛唐三部曲》中，是求道者「以武道求天道」的重要路徑。道心種魔旨在平衡魔種與道心衝突，是黃易小說的核心議題。魔種實為個體生物本能，道心則是社會理性規範；前者是本我，後者是超我。人類生命進化過程，始終在魔種與道心的糾結中，有時道高一尺、魔高一丈，有時魔高一尺、道高一丈。以道心克制魔種是人類數千年追求的目標。但解決問題的可行路徑，是魔種與道心的張力平衡，即讓人類靈性自我統帥本我與超我、魔種與道心，這也許是人性最大的秘密。

（四）輪迴轉世

出現在《雲夢城之謎》、「盛唐三部曲」等小說中。輪迴轉世是人類早期的一種美妙設想，但對於黃易而言，這一主題卻有深刻的哲學內涵。黃易曾寫過《輪迴》一文，專談他對這一問題的思考，他說：「輪迴或者是對付不公平的靈丹妙藥。人一出生便不平等，富貴貧賤，聰明愚蠢。可是假設人類能不停輪迴，經歷各種不同的生命形式，消受可愛或可恨的不同生命，那只是生命輪流轉，再沒有公平或不公平的分別。只有那樣，才能真正全面地去體會生命。人類再不用恐懼其存在到墳墓而止。」[6]

在《雲夢城之謎》、「盛唐三部曲」等小說中，作者生動講述了生命輪迴現象，當是對上述主題的文學落實。黃易用此，是為此生此世的生命審思，也是揭示一種情感心理現象。當假設變成「現實」，讀者對生命的理解角度就會截然不同。

（五）穿越

首先是指身體穿越時空，其次是指心靈與思想穿越時空。

黃易的名作《尋秦記》，講述主人公項少龍從廿一世紀穿越到西元前三世紀戰國時代，即指身體穿越時空。值得追問的是，書中的穿越究竟是科幻還是玄幻？如果是純粹的科幻，至少要交代現代科學家做時空穿越實驗的後續工作，努力把項少龍從戰國時代接回來才對，但書中對此沒有下文。似乎這些科學家只要將項少龍送到古代去就算完成任務。因此，這至少是不徹底的科幻，即不以科學為重點，重點是穿越本身。穿越也可以是魔幻的。黃易雖然只寫了一部穿越故事，但實際上《大唐雙龍傳》、《盛唐三部曲》等小說中仍有穿越——稱之為「軟穿越」或許更合適——即把二十世紀及廿一世紀的思想觀念送入一千多年的唐代主人公寇仲、徐子陵、龍鷹的心靈中。

（六）超人

黃易小說的另一顯著特色，是講述超人故事。超人，即超凡脫俗之人，亦即異於常人之人，所以有人稱之為異人。

超人故事與玄幻特點有相關性。在某種意義上說，超人即求道之人。《破碎虛空》中的傳鷹、令東來、八師巴、蒙赤行、厲工等，都屬此類，與追求世俗事功之人有所不同，他們雖說也會捲入世俗事務，但內心追求的終極目標卻是修道並求道，與書中的其他人如祁碧芍、思漢飛等人截然不同。書中的衝突也就分為三類，一是超人與俗人的衝突，二是俗人與俗人的衝突，三是超人與超人的衝突。

《破碎虛空》提供了超人的基本模型，此後的小說，無論怎樣改變，都只不過是這一模型的變體而已。《覆雨翻雲》中的浪翻雲和龐班，以及來自慈航靜齋的言靜庵、秦夢瑤，顯然都是不同凡俗的超人。《烏金血劍》中得到烏金血劍的風亦飛，也進入了超人行列，行為心思與俗人不同。

《尋秦記》中的項少龍是不是超人？是個可以討論的問題。看起來，他不過是個穿越者，即從廿一世紀軍營穿越到戰國時代，他的一言一行都是凡人。只不過，與兩千兩百多年前的戰國時代人相比，作為廿一世紀特種兵翹楚的項少龍，體質和軍事素質本就是超人，而他的兵器知識和文化理念更是遠遠超出了戰國時代，於是成了不是超人的超人。

項少龍的文化素質，在廿一世紀的人群中或許只能算是勉強及格，他的先秦歷史知識僅止於一部有關秦國的電影，但他在兩千兩百年文化寶庫中信手拈來的一句話，都能引起戰國時代好學者的震驚。

《大劍師傳奇》中的蘭特，顯然是超人。《大唐雙龍傳》的兩個主人公寇仲和徐子陵雖然是揚州的小流氓，但他們得到了《長生訣》，獲得了超人基因或模因，他們的奮鬥經歷正是作為超人的成長過程。他們雖然多次被打敗，但他們的傷痛自癒能力卻早已是超人。徐子陵一心向道固不必說，即便是一意追求世俗事功的寇仲，到最後也放棄了帝王霸業，回歸求道者行列。《邊荒傳奇》的主人公燕飛，與建立南北朝的霸業追求者劉裕、拓跋珪截然不同，他能打開仙門，最終也破碎虛空。《盛唐三部曲》的主人公龍鷹，與僧王法明、道君席遙、慈航靜齋的端木菱，乃至女帝武曌，都是嚮往永恆且追求永恆的超人。

超人與武俠小說中尋常的大俠有所不同，他們雖然也會為公益事業而戰，但他們的終極目標卻是求道。超人即超級英雄，非但打不死，而且多半無師自通、隨時隨地能獲得知識和智慧，隨時隨地能補充能量。黃易小說中的超人形象的成色雖然各有不同，但他們都符合成人童話的規則，能滿足讀者的期許。

（七）情色

黃易的若干武俠小說中，情色描寫較多，以至於一度曾被稱為「ＹＹ（意淫）作家」[7]。黃易小說的情色描寫是從《覆雨翻雲》開始的，這部小說的年輕主人公韓柏，就擁有眾多的「韓柏女郎」：花解語、柔柔、朝霞、左詩、秦夢瑤、虛夜月、莊青霜、韓寧芷、七夫人撫雲、盈散花、秀色、媚娘、夷姬、翠碧、小菊等等。與韓柏並肩作戰的戚長征，是毫不隱諱的好色之徒，不僅征服了鷹飛的情人水柔晶，還與丹青派掌門寒碧翠、湘水幫主尚亭夫人褚紅玉、宋玉的妻子韓慧芷、古劍池派的薄昭如等人結為夫婦。

就連最不好色的風行烈，也先後與慈航靜齋的靳冰雲、雙修府的谷倩蓮、雙修公主谷姿仙、白素香、小玲瓏等五位處女發生過性關係，後四者作了他的妻妾。繼而，在《尋秦記》中，「項少龍女郎」的名單也很長：美蠶娘、婷芳氏、春盈、夏盈、秋盈、冬盈、舒兒、素女、烏廷芳、趙雅、趙妮、趙倩、翠桐、翠綠、善柔、善致（趙致）、田貞、田鳳、紀嫣然、楚國王後李嫣嫣、琴清等等。在《大劍師傳奇》中，「蘭特女郎」的數量亦不遑多讓：西琪、華茜、麗清郡主、魔女、采柔、妮雅女公爵、紅月、龍怡、凌思、雁菲菲、寒山美、美姬、榮淡如、素善、魔女百合、戴青青、小風后寧素真、倩兒、連麗君、花雲祭司、沙娜、沙豔、公主……等。

值得注意的是，在《覆雨翻雲》、《尋秦記》和《大劍師傳奇》之後，《大唐雙龍傳》、《邊荒傳說》和《雲夢城之謎》等小說中，幾乎不再有情色內容。對此，黃易有過解釋：少年時看武俠小說，很愛看男女情事的描寫，但往往是點到即止，為什麼不可以把界線推過一點呢？或許基於這個心態，加上點實驗性的精神，我在《尋秦記》對男歡女愛有更深入的描寫，但後來就不想重複，修訂的時候更將這些內容刪除，提供另一個選擇。修訂本在香港、臺灣地區都賣得不錯。8

然而，《盛唐三部曲》卻又捲土重來，「龍鷹女郎」的陣容最為壯觀：人雅、麗麗、秀清、美修娜芙、奚王妃姿娜、奚王侍衛長泰婭、上官婉兒、狄藕仙、青枝、花間女夢蝶、閔玄青、明惠、端木菱、花秀美、（南詔）丁娜、丁慧、丁麗、丁玲、花簡寧兒、康康、惠子、苗大姐、小圓、依娜、貝貝、丹丹、小香、沈香雪、（柔然）皇甫嬋善、（秘族）萬俟姬純、（龜茲）花秀美、獨孤倩然。

這種情形，需要解釋。首先，黃易的閱讀經驗和閱讀期待，具有一定的代表性。其次，好色及意淫，是人性之常，只不過多數人秘而不宣。再次，玄幻武俠中的情色描寫，固然是小說的佐料調味品，卻也是對人性隱秘欲望的公開揭露。又次，黃易書寫情色，固然是要彌補少年時閱讀小說的遺憾，卻也是基於對人性隱秘的猜想，從而對好色與意淫權力的張揚。又次，黃易中止情色描寫，或許是迫於「YY作家」的社會壓力，或許是進行另一項實驗，即看看沒有情色描寫會如何？又次，作者最後重寫情色，說明他想明白了，非如此無法充分表現邪帝龍鷹的形象特點，也說明作者對廿一世紀讀者的理解力和寬容度有新的估價。

（八）生命審思

生命審思，包括對生命本性的審察、感受、思索和想像。黃易曾說：「玄幻在科幻以科學為本的基礎上，展現出另一種新境界，指示人類文明發展的一個可能方向，假設科幻著眼於『外太空』物質科技的馳想；玄幻卻是回首作人類自身的深省，窺探人類心靈內無盡的『內太空』。」[9]這話有討論的餘地，如：玄幻是否比科幻更高級？是否能指出人類文明發展的可能方向？科幻作品是否不能探索人類心靈的「內太空」？這些都是疑問。但有一點是肯定的，這段話是黃易夫子自道，表明他在其玄幻作品中力圖探索人類心靈世界。對生命的豐富想思，正是黃易小說的重要特色之一，同時也是其作品讓人產生共鳴的魅力所在。

在《覆雨翻雲》中，作者大寫情色，固然不無意淫因素，卻也有其實驗性，那就是對生命本性即欲望本能的探索與辯護。如書中不捨大師說：

「男女交合乃天經地義之事，否則人類早絕種了。我和凝清每晚都享盡男女之歡，我不但不覺沉淪，靈台反達至前所未有的澄明境界，可知天道應不止禁欲一途。」（**第二十卷第十一章**）

所以，對主人公韓柏來說，「肉體的交接乃人之常情，愈放恣便愈能盡男女之歡，無話不可言，無事不可做。」（**第二十卷第八章**）

這些話不只是「好色之徒」的自我辯護，而是為生命本能辯護，亦是對人性的探索。

在前輩武俠作家中，黃易最喜歡的作家是金庸和司馬翎，更偏好司馬翎。因為「司馬翎偏重於人性和哲理，與奇詭的布局。」[10] 黃易的書中，同樣充滿了對人性的感知、想像和思索。例如《覆雨翻雲》中浪翻雲說：

「每個生命都是一段感人的故事。代表著人在這苦海無邊的俗世間苦中作樂的努力。在大多數時間裡，我們都在渾渾噩噩中度過，夢幻般的不真實。只有在某一剎那，我們受到某一事物的引發和刺激，精神才能突然提升，粉碎了那夢幻的感覺，清楚地感覺到自己的存在，眼前的一切再次『真』了起來，成為畢生難忘的片斷，亦使生命生出了意義。」(第廿九卷第八章)

在其後的書中，隨時隨地能找到類似的生命審思亮點。黃易筆下的主人公多為靈性突出之人，其突出特點就是有意識且有能力對自己的生命本性及生命歷程作出審察、感受和思索。項少龍、蘭特、寇仲、徐子陵、燕飛、龍鷹、符太等等，莫不如此。他們故事，也就多了一個心理內省維度。

黃易書中最重要生命審思主題，是魔種與道心的衝突與融合。自從《覆雨翻雲》中出現「道心種魔大法」，魔種與道心的衝突就一直是黃易小說生命審思的核心議題。只不過有時候這一議題十分明顯而突出，有時候稍為隱晦玄秘。懂得心理學的黃易，以玄幻方式演繹闡釋佛洛伊德思想，可謂別開生面。

生命審思是黃易小說最大看點，卻也有其問題，最大的問題是在許多主人公的審思中看到作者黃易的精神身影。有時候，人物思想與人物身分並不十分匹配，例如《覆雨翻雲》中的韓柏、《大唐雙龍傳》中的寇仲、徐子陵，其僕人或小流氓的身分與其哲人靈思，顯然有不小的距離，恐怕讓人難以置信。

《尋秦記》中項少龍因為改變了生存環境，不得不作生命審思，這就合情合理。《雲夢城之謎》中生命輪迴，作者直接發議論，那也沒有問題。最好的例子，當數《天地明環》中龍鷹讓符太記錄的《醜醫實錄》，這是符太（**也是龍鷹和作者黃易**）最自然、最真切、最生動也最深刻的生命審思。

（九）歷史

香港中文大學的《中大校友》雜誌上曾刊載過一篇訪問記，標題是《科玄歷史武俠小說創始人——黃易》[11]，這一標題突出了黃易小說的另一關鍵點，即歷史元素。把歷史元素融入武俠小說中，並不是黃易首創，金庸、梁羽生的小說早就這麼做了，這正是「新派武俠」的一個特點，目的之一，是讓讀者覺得可信，即增強小說的可認同感。

目的之二，則是要重新講述歷史，例如梁羽生小說《龍虎鬥京華》和《草莽龍蛇傳》中對義和團歷史的正面書寫，金庸小說《碧血劍》中對李自成形象的正面刻畫等。黃易的武俠小說中，大多有明確的時代背景，《荊楚爭雄記》講述春秋末期故事，《覆雨翻雲》講述明朝初期故事，《尋秦記》講述戰國後期故事，《邊荒傳說》講述東晉末期故事，《大唐雙龍傳》和《盛唐三部曲》講述隋朝末年及唐朝早期的故事。

黃易最成功的小說中，都有明確的時代背景，歷史景觀在黃易小說中的重要性不可忽視。只不過，黃易的目的並不是要重新書寫歷史，而是要把武俠故事講述得更容易接受。用他自己的話說：把小說的時空安置在歷史裡某一波瀾壯闊的時段，為的是與那時代的政經文化結合，就像一艘遠洋船定下起點和終站，至於在航程裡發生什麼事，則可任由想像力作天馬行空的構想和深思，最重要的是能否創造出一個自圓其說的動人天地。[12]

黃易的《尋秦記》、《大唐雙龍傳》和《盛唐三部曲》等，都是讓主人公深入朝廷，直接參與歷史，但其目的並非歷史重評，亦非歷史解構，甚至也不是一般意義上的歷史重構，只不過是把歷史人物、事件、年代等諸多歷史元素作為武俠小說的路標，便於他講述天馬行空的——玄幻性的——武俠人生故事。

黃易對中國古代歷史顯然下過很深的功夫，從春秋、戰國、兩晉南北朝到隋唐、明代的歷史人物及其大事件，無不講述得頭頭是道。雖然他是借歷史作為路標，對歷史卻也不乏真知灼見，例如在《大唐雙龍傳》中寫到李世民多民族融合的「新漢人」觀念與宋缺的純血統漢人觀念的對比；《盛唐三部曲》中寫到武則天才能卓越而後繼無人，無論是武氏兄弟，還是李唐王子，都無法令人滿意。這樣的書寫，於平靜細碎中揭露歷史的重大關節，見解深度未必比不上專業的歷史學者。當然，應該沒有人把黃易小說當作歷史看，甚至也不應當作歷史小說看，他寫的是武俠小說，而且是玄幻武俠，如前所述，他只是要借用歷史的路標講述精彩故事。

沒有歷史座標，黃易也能講純粹武俠故事。例如《大劍師傳奇》，就是一部沒有明確歷史背景的奇幻武俠小說，小說的故事非常完整，而且相當精彩。只不過，這部小說在黃易武俠小說中的名氣和影響不如《尋秦記》、《大唐雙龍傳》、《盛唐三部曲》那麼大，甚至比不上《覆雨翻雲》，其原因值得專門討論。它沒有歷史背景，一般讀者找不到識別與認同標識，或許就是其原因之一。

（十）遊戲性

黃易小說最後一個重要特點，是遊戲性。據報導，黃易其實是一個標準的電腦遊戲玩家，而且還是高手中的高手。他任何類型遊戲都玩，但還是較偏愛策略類，所有經典知名的遊戲全逃不過他的手掌……黃易說：「一個遊戲只要好玩，有創意就是好遊戲！一款遊戲只要容易上手，然後又有深度，便是一款好遊戲，值得一玩。」[13] 要證明黃易武俠小說是一種文字遊戲，並沒有多大意義，文學本就是一種文字遊戲。值得注意的是，黃易有自己的「遊戲哲學」，即生命是過客，人生是遊戲，人是遊戲的參與者。[14]

遊戲性，即黃易小說想像的出發點。例如，歷史上，楚國郤宛之子伯嚭逃亡至吳國，而在《荊楚爭雄記》中，說郤宛之子郤桓度變身大軍事學家孫武，說孫武死在宋國。如此隨意改寫歷史人物身分，只能在真正的遊戲中才能被理解和接受。

更有甚者，在《尋秦記》中，說嬴政早已死去，出現在秦國的嬴政其實是趙盤；說長大後的秦始皇焚書坑儒，是為了要在各國史書中抹掉有關項少龍的資訊；還說項少龍的兒子名叫項羽，暗示日後亡秦的主帥是項少龍的兒子。這是典型的「戲說」。

更的好證據是，在《邊荒傳說》中，邊荒人宣傳「劉裕一箭沉穩龍，正是火石天降時」，利用「天坑」發展旅遊，任青緹對劉裕說：「這個遊戲便叫『誰是真命天子。』屬於尋寶遊戲的一種。」（第廿五卷第二章）《大唐雙龍傳》中，寇仲對徐子陵說：「……此亦是這個爭天下的遊戲最逗人之處。我知你不滿視爭天下為遊戲，但在我而言，生命本身亦不過是遊戲一場，並不存在尊重與否的問題。只有當作是遊戲，我才可以玩得有聲有色。」（第廿七卷第六章）

指出黃易小說的遊戲性，既可以探討黃易小說中的遊戲規則、遊戲程式的設計，更重要的是探討黃易小說創作的遊戲心態。這種遊戲心態對小說創作肯定會產生極大的正面效應，不僅有助於天馬行空的想像，更重要的是追求飛翔的想像與實實在在的歷史書寫之間的最大張力。遊戲心態及遊戲程式設計也可能會有一定的負面效應，那就是其中策略性遊戲的智力設計，不利於作者情懷的自然發揮。

三、《尋秦記》

《尋秦記》是黃易的成名作，也是黃易小說中知名度最高、影響力最大的作品之一。黃易以玄幻小說知名，但這部小說卻並不玄幻，至少是有幻無「玄」。小說講述主人公項少龍從廿一世紀被科學家以時光機器送回兩千多年前的戰國時代。

這並非玄幻，應屬科學幻想。主人公參與了戰國歷史，卻沒有改變戰國歷史進程與結果。如作者在書中所說：「某一程度上，項少龍其實是為歷史盡忠。一切早給命運之手安排好了，而他只是一個忠實的執行者。」（第廿二卷第一章）

本書作者對戰國時代的歷史，顯然作了扎實的功課。若非如此，就不會有這樣真假難辨的歷史外殼。書中玲瓏燕鳳菲曾對項少龍說：「直至來秦見過嬴政後，妾身才明白為何先後有商鞅、公孫衍、張儀、甘茂、樓緩、范睢、蔡澤、李斯、呂不韋、項少龍眾多人才，甘為秦室所用。而趙國空有李牧、廉頗而仍連場失利，信陵君落得飲毒酒而死，韓非則在韓國投閒置散，燕人無自知之明，齊人奢華空想，楚人耽於逸樂。東方六國大勢去矣，我鳳菲何必要枉做小人，還得賠上性命呢？」（第二十卷第八章）作者按此說書寫各國情形，近乎史實。

本書的看點，不是歷史外殼，而是傳奇故事情節。其精彩之處，是讓主人公項少龍自始至終都在生存危機中。項少龍從廿一世紀來到西元前三世紀，時空迥異，危機重重，不僅需要適應，更要隨時迎接挑戰。美蠶娘被地痞欺負，要與她相廝守，就不得不與地痞大打出手。被烏氏牧場的執事陶方雇傭，不僅要面對內部的競爭，更要面對外部馬賊灰胡的堵截。來到趙都邯鄲後，立即成為烏氏家族內部紅纓公子連晉、烏廷威等人的眼中釘，若非烏應元慧眼識英雄，項少龍在烏家必無立錐之地。好在項少龍身強力壯，且受過廿一世紀特種兵的嚴格訓練，有格鬥特長，且受過墨家鉅子元宗訓練，劍法一日千里，所以終能戰勝連晉。

但一個危機剛剛終結，另一個危機立即開始，項少龍成為趙王的侍衛，從此捲入趙國宮廷鬥爭。送公主趙倩出使魏國，是一段危機；帶朱姬（趙姬）、嬴政（趙盤）回秦國，是又一段危機；受朱姬之命回趙國，假扮董馬癡殺將軍樂乘、抓巨鹿侯趙穆，是更大的危機；回到秦國後，被呂不韋設計陷害，捲入秦國宮廷政治與軍方的複雜鬥爭漩渦，更是危機重重，讓人難以喘息。其後，項少龍追殺田單至楚國，獨自逃亡到齊國；以及回秦後不僅要面對呂不韋、嫪毒的反叛，還要面對秦王的滅口，情境不同，對手不同，危機一浪高過一浪。

小說的第二個看點，是項少龍形象及其成長歷程。他是廿一世紀特種兵中的佼佼者，形象英俊，身材高大威猛，訓練有素，精力超人，在戰國時代的武力競爭中有明顯優勢。諸如利用現代知識發明新式武器，創造新式格鬥方式，從而戰無不勝。

他的更大優勢是，因為來自廿一世紀，通過《秦始皇》這部電影，對戰國風雲及其歷史走向有「先見之明」。雖無其他專長，但他有廿一世紀青年的平均素養，憑其隻言片語，就能打動人心。典型的例子，是他隨口說出阿克頓勳爵的名言「絕對權力導致絕對腐敗」，贏得智慧美人紀嫣然的芳心。項少龍背誦先秦以後的名言警句而讓人震撼欽佩，例子舉不勝舉。作者並未誇大項少龍的心智水準和知識素養，而是帶著調侃口吻，講述主人公的「才子」風貌及「先知」神話。

更難得的是，展示了主人公項少龍心智成長和個性變化的歷程。小說開始時，項少龍穿越來到戰國時代，進入了陌生環境，需要適應；同時又因失去了現代社會規範及軍紀的嚴格約束，如同「解放」，他的表現像是不負責任的頑童，欲望賁張，行為恣肆，幾乎百無禁忌。那時候，項少龍除了生存下來並與更多美女做愛之外，別無他想。

隨著他率領烏氏牧場順利遷徙到秦國，尤其是面對呂不韋的陰謀陷害，使得他不得不考慮如何面對更大的生存危機，學會克制自己的本能欲望，並在複雜且劇烈的政治鬥爭中再度社會化，使這個來自廿一世紀的頑童在戰國時代長大成人。進而，隨著他建立更大的功業和名聲，他開始有了更加豐富的內心生活，也學會了自我反省，更逐漸樹立了自己的人生目標。

其標誌是，對大自然越來越熱愛，對戰爭和權謀愈來愈厭倦，對自由而平凡的家居生活愈來愈渴望，並且決心為實現自己的人生理想而努力奮鬥。此時，主人公項少龍再也不只是歷史的被動參與者，而是成了特定歷史情境裡的積極奮鬥者。從一個廿一世紀的職業特種兵，變身為戰國時代的力求歸隱者，這也是成長。

從本質上說，項少龍是廿一世紀人類文明的產物。如果沒有穿越，在廿一世紀的軍人生涯中，項少龍或許永遠會是一個習慣於訓練、打架、泡妞和罵長官的戰士，一個長不大甚而不願意長大的頑童。正因為來到了戰國時代，陌生的歷史社會及其生活環境，使得他要不斷思索自己何去何從，由此獲得了自我反省、自我認知、自我建構和自我實現的機會，從而長大成人。另一方面，又因為他畢竟來自廿一世紀，人類文明的價值觀諸如自由、平等、博愛、和平等等早已有所認知，從而讓他成了戰國時代的奇人、俠者和英雄。雖然項少龍是經過嚴格訓練的戰士，到戰國時代可謂是如魚得水，但他對充滿血腥殺戮的戰爭逐漸失去了興趣，廿一世紀的文化「模因」變得更加活躍而積極，從而使得他成了那個時代不可再得的超人與俠者。他的俠義精神，來自他的人道精神價值觀。

項少龍的人格成長歷程，伴隨著人道精神的不斷提升。開始時的項少龍，是個恩怨分明、睚眥必報的情緒衝動之人，對灰胡、連晉、趙穆、囂魏牟等人的刻骨仇恨即是證明。但是後來對韓國韓闖、楚國李園、魏國龍陽君，乃至呂不韋屬下第一殺手管中邪等人的態度，卻截然不同。在對抗五國聯軍的戰爭中，他冒險私自釋放了戰俘韓闖，可視為一個標誌性事件。此時的項少龍，已能把人際關係與國際關係作出明確分別，不把國別戰爭與個人仇怨混為一談。正因如此，他才能在楚國與自己的政敵兼情敵李園合作，幫助莊氏重掌滇國政權，粉碎春申君的陰謀，成功地刺殺田單的替身。

進而，當他遭遇龍陽君下毒、韓闖出賣、李園再耍陰謀之際，他能夠充分理解其不同的立場，只有對人性弱點的感嘆和同情，而沒有怨恨。最突出的例子，是他將情敵兼政敵管中邪擒獲後，非但沒有殺他，甚至也沒有羞辱他，而是出人意料地讓他帶著妻子呂娘蓉去楚國。

書中最讓人難忘的段落，是項少龍率兵攻取中牟，又被趙國名將李牧打敗後千里逃亡，而後化名沈良，作為玲瓏燕鳳菲樂舞團的馭者，最終保住了樂舞團，順利回歸秦國的情節。千里逃亡故事所以精彩，一是讓項少龍作為特種兵精英的野外生存能力得到了最大限度的考驗和展示。二是讓項少龍在極度危機中經歷龍陽君下毒、單美美感恩等種種奇遇。三是讓項少龍跟隨鳳菲樂舞團離開魏國，逃出三晉官方的搜索包圍圈。

在鳳菲的樂舞團中，項少龍有兩大明顯變化。其一，是面對鳳菲、董淑貞、祝秀真、幸月、小屏兒等眾多投懷送抱的美女，雖未做到無動於衷，卻始終克制著自己的情欲，未與任何一個美女發生性關係。其二，是不惜自己冒險，也願意無條件地幫助樂舞團的成員。在這段故事中，我們不僅看到了項少龍的成長，同時也看到了他的自我實現。

本書的另一看點，是故事中的情色線索。項少龍從廿一世紀來到戰國時代的趙國，第一站就是美蠶娘的床上——這一場景的象徵意義不言而喻。書中「少龍女郎」的數量，不下於聞名世界的「龐德女郎」。所以如此，原因之一，是先秦時代，文明初興，性愛與婚姻風俗在形成過程中，大多數女性要依附男性生存，在社會風俗中常常將女性作為禮物相互贈送，主人公有較多性愛的機會。其二，是主人公項少龍是個年輕的特種兵，身強力壯，性欲旺盛，因受社會風尚及嚴格軍紀的雙重約束而不得不克制自己，一旦有性愛自由環境，自然有如此表現。儘管如此，項少龍並非一匹濫交種馬。他與異性的性關係並非毫無基礎，更非毫無節制。面對趙王后韓晶、平原君夫人、秦莊襄王的夫人朱姬（趙姬）等王后級美人，就沒有染指。

在項少龍的性關係史中，趙雅和善柔的故事值得專門討論。趙雅是趙國公主、是趙括夫人，年輕守寡，性關係極其紊亂，且對項少龍多次背叛。但最終還是來到咸陽烏氏牧場，死在項少龍懷中。在趙雅，一是紊亂性愛無法滿足心靈，二是無顏面對烏廷芳等人，三是對項少龍刻骨銘心，卻不敢相信對方會不計前嫌。在項少龍，一是美色誘惑，二是本能嫉妒，三是舊情難忘，且理解對方的身世遭遇，從而充滿悲憫憐惜。在這一性關係中，有深刻的人性揭示。

善柔是齊國貴族，是善蘭和善致（趙致）的姐姐，劍聖曹秋道的弟子，田單和趙穆的仇人。為了報仇，她將自己的性欲和愛情置於次要地位；為了報仇，她也願意犧牲色相，公然以董馬癡的妻子自居，卻又不讓對方佔有自己。此人最突出的特點，是有其獨立的人格意志，看起來像是現代女權主義者。她愛項少龍，卻不甘依附，即便有了性關係，仍然要保持獨立性。在刺殺了假田單之後，她不甘在項少龍身邊眾星伴月，而是獨自回到齊國，與解子元結婚生子，並對這個丈夫嚴加管束。與項少龍重逢之後，她也不因自己的選擇感到尷尬或自卑，而是把項少龍當作朋友和親人。先秦時代未必沒有這樣的女性，當然要到二十世紀或廿一世紀才能被理解和接受。

本書的另一看點，是嬴政的雙重掉包。朱姬（趙姬）夫人身邊的嬴政並非真正的嬴政，真嬴政被她送給別人收養。而真嬴政早已夭折，項少龍只好將趙奢與趙妮之子趙盤當作嬴政，帶到秦國。也就是說，後來的秦始皇，竟然不是秦莊襄王之子，而是趙國人趙盤。這樣寫，固是戲說，卻有人性依據。首先，朱姬作為人質的母親，為了確保兒子的安全，不敢將真兒子留在身邊，而寄養於他人，這完全符合人之常情。其次，如果真正的嬴政已死，而項少龍又需要借用呂不韋的力量率領烏氏家族回到秦國；同時他對趙妮、趙盤母子感情很深，趙妮已死，他有責任將趙盤養大成人，讓趙盤假扮嬴政，可謂最佳選擇。

讓虛構的主人公將虛構的趙盤帶到秦國，變身真實歷史人物嬴政即後來的秦始皇，是這部小說最大的創意。有這一虛構，本書才算是真正的傳奇。「黃易版嬴政」即趙盤與項少龍的關係，頗值得一說。

一開始，趙盤是個典型的問題少年，其母親趙妮找項少龍當他的家庭教師，師徒間有尖銳對立。項少龍用強制方式征服了趙盤，而後恩威並濟，讓趙盤口服心服，以至於不自禁地將項少龍當作了父親的替代品。趙盤出言懇求項少龍與其母交歡，就是最好的證據。當趙妮被殺，徹底變成孤兒的趙盤對項少龍的依戀進一步加深；當項少龍將趙盤帶回秦國，讓他擺脫趙國壓抑而充滿危機的環境，進而讓他變成秦國儲君嬴政，項少龍在趙盤心裡的父親地位就更加鞏固。

趙盤與項少龍關係的第一道裂縫，是項少龍沒有如他所願地與朱姬建立性愛關係（**所以如此，是因為項少龍對秦莊襄王有好感，從而有心理上的倫理禁忌**），從而呂不韋找到可乘之機，讓嫪毒進入皇宮，變成朱姬的面首，這讓趙盤如骨鯁在喉。趙盤與項少龍關係的破裂，是由於呂不韋散布嬴政不是秦莊襄王之子的流言，即將正式登上秦國王位的趙盤，不能容忍知道他真實身世的人存在，不僅派人去殺害嬴政的養父母，並要對項少龍及其家族殺人滅口。

趙盤要殺項少龍，是因為他已成年，且已從一個逃亡少年變身秦國君主，政治功利的權衡超過個人內心情感。趙盤不得不殺項少龍，為解開這一矛盾死結，作者使用了高超的藝術技巧，讓趙盤發現其母親趙妮的靈牌，從而下令放棄追殺。在與李斯的對話中，趙盤找到了徹底「抹殺」項少龍的方式，那就是日後焚書坑儒。

這一情節段落，不僅解決了趙盤與項少龍不能並存的矛盾，也為中國歷史上著名的焚書坑儒事件找到了一個有趣的解構性詮釋。這一解釋也進一步提醒讀者，這部書所講述的不是真實歷史，而是虛構的武俠傳奇故事。由於歷史是當權者書寫，任何古代史書中都有諱言甚至虛構，誰敢說有關秦國歷史中沒有諱言、沒有虛構？如此說來，黃易版嬴政故事雖屬戲說，卻有藝術趣味且有思想價值。

項少龍與呂不韋的關係，是本書的一大關鍵。項少龍及其烏氏家族從趙國回歸秦國，是與呂不韋合作達成。項少龍將朱姬和嬴政安全地從趙國帶回秦國，作為交換，呂不韋在秦國為烏氏家住安排落腳之地。此時，呂不韋與項少龍站在同一立場，擁有同一目標，即讓嬴政（趙盤）成為秦國王位繼承人。問題是，在項少龍率人從趙國將趙穆成功俘獲之後，呂不韋竟設計將項少龍置於死地。從此，項少龍與呂不韋就有了不共戴天之仇。

呂不韋為什麼要這樣做？當然是呂不韋看到項少龍能力太強，害怕喧賓奪主，所以要將他殺害才放心。更重要的原因則是，身為大商人的呂不韋，絕不能眼看著另一大商戶烏氏家族在秦國落地生根，成為他的競爭對手。

烏氏家族與呂不韋的競爭，不僅是商業競爭，也包括政治權力競爭——書中呂不韋、烏氏家族、蒲鶮、仲孫龍等幾大商業鉅子，無不捲入本國的政治權力鬥爭之中，不僅要尋找權力靠山，而且要製造當權者。製造並栽培嬴政，就是呂不韋最重要的一筆冒險投資，他當然要防止其他人也跟著這樣做。所以，他要未雨綢繆，將立足未穩的烏氏家族打垮。由此說來，呂不韋陷害項少龍，就不是一個偶發性小機率事件，而是必然性選擇。

本書也有不足。最細微的不足，是在項少龍穿越時空後，作者沒有注意他的頭髮。

作為職業軍人，肯定是短髮，創越到戰國時代之後，他的髮型肯定會讓人感到奇怪。另一不足，是項少龍穿越之後，再未提及廿一世紀事，特種兵部隊及馬克研究所的科學家如何面對穿越事故？是否曾努力將項少龍從戰國時代帶回來（試驗開始時，馬克曾說只需要他去一小段時間）？更重要的是，假如廿一世紀召喚項少龍回歸，項少龍將會如何選擇？他會選擇擁有大群嬌妻美妾的戰國時代，還是選擇回歸廿一世紀？他的心理和情感將有怎樣的矛盾衝突？這些，作者沒有作出設計，因而無法獲得這些有趣問題的答案。

四、《大唐雙龍傳》

《大唐雙龍傳》講述寇仲、徐子陵成長、成才及參與爭霸天下故事。全書六十三卷，長達四百三十餘萬字，是篇幅最長的黃易小說，也是黃易最知名的小說之一。

寇仲和徐子陵是兩個虛構人物，作者成功地讓他們躋身於隋末爭霸天下的英雄之林，最終成為聞名天下的超級明星，成功要訣在於「遊戲」二字。作者設定的是「通關遊戲」，是否能夠通關，不僅是要獲勝避負，多數時候更關乎他們的生死。

寇仲和徐子陵面臨五條戰線的通關遊戲。具體說，其一，是要面對普通的江湖幫派，例如海沙幫、巨鯤幫、彭梁會、大江會、巴陵會、竹花幫、鄱陽會、鐵騎會、飛馬牧場，以及弘農會、京兆聯……等數十個幫派。

其二，是面對爭霸天下的各種勢力，諸如瓦崗寨、王世充部、宇文家族、獨孤家族、李淵家族、宋氏家族、杜伏威部、輔公佑部、竇建德部、李子通部、蕭銑部……等近二十個割據的政治軍事勢力。

其三，是要面對魔門兩派六道，即陰癸派、花間派、邪極、滅情、真傳（分為道祖真傳和老君觀）、補天、天蓮、魔相的勢力，尤其是要面對邪帝石之軒和陰癸派的祝玉妍和婠婠，還要面對域外大明尊教的魔門勢力。

其四，是要面對異族的勢力，諸如東突厥的頡利、突利，西突厥的統葉護可汗、國師雲帥，以及吐谷渾的伏騫、靺鞨族的拜紫亭及其國師伏難陀、室韋族的夫妻惡盜深末桓和木鈴、以及契丹之友別勒古納台和不古納台兄弟、回紇族菩薩……等塞外多個遊牧民族的複雜衝突。

其五，是寇仲和徐子陵決心幫助李世民，即要面對李淵家族中的太子李建成、王子李元吉等勢力，看起來這只是李淵家族的接班人之爭，實際上李建成、李元吉勢力中，包含了江湖幫派勢力、爭霸勢力、邪門勢力、異族勢力的複雜組合。

寇仲和徐子陵在這些複雜壓力中打通關，一方面險惡重重，另一方面也驚喜連連。上述不同維度或不同戰線本身，也是矛盾重重，相互制約，寇仲和徐子陵正是利用不同戰線中的複雜狀況，聯合可聯合的力量，對抗不得不對抗的勢力，被聯合者不見得就是永恆之友，而對抗的雙方也不見得是永恆之敵。在不同情境下，敵友關係時常轉換，更增加了通關遊戲的複雜性和不可預測性，使得小說的故事情節十分精彩，極具吸引力。

小說的主要看點，是作者對寇仲、徐子陵這兩個主人公的形象設定，主要包括，其一，他們出身卑微。其二，他們天資超群。其三，他們重情感恩。其四，他們個性互補，友情牢不可破。其五，他們福大命大。下面具體說。

寇仲和徐子陵是揚州城裡的兩個孤兒小混混，出身十分卑微。其生活的起始目標，不過是每天都要考慮如何填飽肚子。而寇仲竟要爭霸天下，如何把不可能變為可能？就成了這部小說的最大懸念。而主人公從小流氓成長為大英雄，如《灰姑娘》故事，成了讀者最大的期待。正因為他們出身卑微，所以他們看世界的角度與眾不同，能帶來與眾不同的人生感受與人世解讀。例如，饑餓、傷痛、挫折、失敗、侮辱，是他們的家常便飯。只要不死，就不怕沒有翻本的機會。

書中對寇仲和徐子陵最重要的一個形象設定，是他們天資超群。若非如此，他們就不可能成為超級英雄。他們的武功不斷提升，固然有羅君綽、李靖、宋缺等人的指點，跋鋒寒、侯希白等人的啟發，更重要的是他們以超群的智慧無師自通，不斷練習、不斷感悟、不斷研討、不斷提升。寇仲和徐子陵武功升級，是書中重要的敘事線索。其中有多個節點，諸如學習《長生訣》，學習飛鳥和游魚，觀測井中月，學習了魯妙子的兵書，自創「井中八法」，等等。

書中第三個設定，是主人公重情感恩。寇仲、徐子陵可謂是武俠世界中最重感情的人。證據之一，是他們對羅君綽，終生如對親娘。進而愛屋及烏，對羅君瑜、羅君嫱亦如事尊長，敬愛有加。證據之二，是對素素，如對親姊。與李靖斷交、與香玉山成仇、對壞脾氣翟嬌的容忍謙讓，無不與素素有關。證據之三，是對貞嫂如親嫂。證據之四，是對杜伏威的父子情。這一份出人意料的感情，充滿了寇仲、徐子陵這兩個孤兒對父親的隱秘渴望。證據之五，是與跋鋒寒、劉黑闥、侯希白、可達志等人的兄弟情感。寇仲、徐子陵重情感恩，是小說中最感人的篇章，也是小說中最重要的故事線索，對親情與友情的重視，使得他們最終達到對所有人類同胞的同情憐憫之心，從而放棄爭霸天下。

書中的第四個設定，是兩位主人公個性互補，友情牢不可破。寇仲和徐子陵的個性截然不同，寇仲外向，徐子陵相對內向；寇仲更具英雄氣概，霸氣外露，徐子陵則長相俊俏，儒雅風流。兩人最大的個性差異，是寇仲夢想爭霸天下，而徐子陵則想隱居求道。儘管兩人差異明顯，因從小相依為命，不是兄弟勝似兄弟，友情牢不可破。只要這兩人相互配合，幾乎戰無不勝；而無論兩人之間有怎樣的意見不一，他們從不會相互衝突。寇仲的口頭禪「一世人兩兄弟」，似乎就是這對兄弟情感的設定密碼，也是他們之間深刻情感的咒語。儘管徐子陵對爭霸天下沒有興趣，也會跟隨寇仲一起出生入死；儘管寇仲雄心勃勃，當徐子陵勸說他支持李世民時，寇仲也會毫不猶豫地照做。對寇

石之軒曾多次要殺害徐子陵，又多次放過徐子陵，正是石之軒內心矛盾及精神分裂的實際呈現。為了事業與使命，石之軒必須殺死擋道的徐子陵；而為了女兒石青璇的幸福，他又不能不放過徐子陵。這一矛盾衝突一直延續到最後，當石之軒發現魔門奪取李唐政權計畫被寇仲和徐子陵破壞，尤其是聽到石青璇在母親靈前的簫聲，石之軒才作出最後選擇，那就是放棄自己的使命，向宿命投降，成全自己對女兒的愛，成全女兒對徐子陵的愛。石之軒的行為，既是精彩故事，也是生動寓言。

寇仲、徐子陵突然放棄爭霸大業，轉而支持秦王李世民，有人認為這一轉折突兀，讓人難以接受。果如是否？可以討論。這一轉折的原因，是作者戲說歷史，但不想也不能改變歷史真實。隋末爭霸的最終勝利者，是李淵、李世民父子。作者只有一種選擇，即在爭霸未分勝負之際，寇仲出人意料地改變立場。

這樣寫，有充足理由。徐子陵首先改變立場，勸說寇仲與李世民合作，實有可觀的原因。首先，是外敵寇邊，突厥的頡利可汗召集四十萬大軍，在邊境虎視眈眈，隨時會南下。假如寇仲仍然要爭霸天下，與李世民為敵，相互對峙，內戰不可避免，而突厥頡利可汗的軍隊就會勢不可擋，中原大地就會被突厥鐵蹄踐踏。只有寇仲轉變立場，與李世民合作，才可避免中原百姓萬劫不復。因為徐子陵和寇仲親身經歷過戰亂苦楚，有切膚之痛。

其次，徐子陵這樣做，也是因為師妃暄。師妃暄選擇支持李世民，正是因為李世民有戰略家的智慧和明君胸懷氣度，支持李世民可以減少戰爭殺戮和災難。而徐子陵處於好友寇仲和戀人師妃暄之間，一直面臨兩難選擇，直到頡利大軍蠢蠢欲動，才真正明白師妃暄的選擇：她不是偏愛李世民，而是為天下百姓著想。於是，徐子陵作出選擇，即勸說寇仲轉變立場。再次，徐子陵有把握勸說寇仲改變立場，是因為他是寇仲摯友，知道寇仲參與爭霸天下遊戲，並不在乎權力，而是在乎爭霸過程可以實現其生命價值。

進一步的問題是，寇仲為什麼會被徐子陵輕易說服？也有充分理由。首先，勸說自己的是徐子陵。其次，他參與爭霸天下遊戲，目的不在於爭霸，而在於遊戲。再次，徐子陵說服寇仲，是因為知道寇仲不願當皇帝。寇仲不願當皇帝，並不是不喜歡權力，而是害怕當皇帝太辛苦、不好玩——這是「寇仲式理由」。

又次，還有一條重要理由，那就是這樣做可以找回宋玉致的愛情。支持李世民、避免分裂戰爭及外族入侵，是寇仲送給宋玉致的一份大禮。寇仲的轉變，不僅是放棄爭霸選擇，而是轉向真正的人文立場：珍惜個人情感及生命價值。

最後一個問題是，宋閥之主宋缺如何能接受寇仲的這一轉變？首先，消極方面，師妃暄讓寧道奇挑戰宋缺，結果兩敗俱傷，按照約定，宋缺再也不能過問爭霸天下事；宋缺要療傷，也沒有精力過問。其次，仍是消極方面，知道寇仲改變了立場，宋缺能怎麼辦？沒有寇仲，宋家縱有精兵數萬，卻沒有爭霸天下的社會資本。

再次，積極方面，宋缺支持的是漢人正統，寇仲和李世民帶來了讓他耳目一新的價值觀，一是以天下蒼生為念，二是胡人漢化（民族融合）的「新漢人」觀念。宋缺堅持的，是血緣上的漢人正統，而李世民的胡人漢化觀念，則是文化上的漢人正統。李世民冒險隨寇仲謁見宋缺，表達了他對宋缺極大尊重；而李世民的觀念、才幹和大度，也讓宋缺心動。

最後，也是最關鍵的一點，即宋缺本人並無政治野心，作為閥主，他必須為宋家未來作出選擇。李世民謁見宋缺，宋缺表明對李世民的支持，其價值過於雪中送炭，可保宋家未來無虞。在這樣的情況下，宋缺作出支持李世民的決定，可以說是理由充足，順理成章。

綜上所述，書中對寇仲立場轉變的敘述，並非心血來潮的隨意之舉，而是有其精心策劃與構想。讀者對此感到不解或不滿，固然可能是因為作者對徐子陵、寇仲的立場突轉缺乏鋪墊，讓人難以適應；更可能是由於讀者完全沉靜在寇仲、徐子陵爭霸天下的遊戲之中，樂而忘返，從而無法接受。也就是說，被許多讀者詬病的「突轉」，可能並不是這部小說的真正弱點。

小說也有缺點或不足。缺點之一，是篇幅太長，有時敷衍拖遝，故意節外生枝。例如，寇仲和徐子陵去關外的情節，長達數十萬字，雖然不乏看點，理由卻並不充分：大小姐翟嬌羊皮被劫、自己被人打傷，要寇仲和徐子陵為她找回公道。且不說寇仲的爭霸事業尚未完成布局，立足未穩；翟嬌一向支持寇仲爭霸，怎麼會讓寇仲和徐子陵因小失大？

作者借寇仲之口說，此次出關是要學習草原民族的戰爭技藝，這種解釋，是此地無銀三百兩。又如，寇仲、徐子陵二人長安，即徐子陵扮平遙典當商司徒福榮和申文江到長安與池生春賭博，要找出香貴家族販賣人口的證據，看似意義重大，卻非當務之急。在爭霸天下的關鍵時刻，徐子陵、寇仲如此冒險，終於一事無成，這段故事情節，實屬冗餘。

其二，是過分誇大寇仲的知識見解和徐子陵的精神境界。例如，寇仲給東海幫幾位首領作長篇報告，說關中地利在於「地沃人富，有險可守」（第六卷第十二章）這段話，不是僅憑聰明就能說出。無獨有偶，書中有一段對徐子陵的講述，說「他的目標在於探索這個奇異的人世，探索武道的最高境界，勘破生命的奧秘……」（第六卷第九章）這段話，顯然是作者把自己的人生設計硬套在徐子陵頭上。

其三，有些情節設計不合人情常規。例如，一向敵視漢人的羅君綽，怎麼會將楊公寶藏的秘密告訴寇仲和徐子陵？這一設計關係重大，只可惜人為痕跡明顯。

五、《邊荒傳說》

《邊荒傳說》是黃易小說中的真正奇葩。這部書的藝術成就，不在大名鼎鼎的《尋秦記》與《大唐雙龍傳》之下，甚或猶有過之。

這部小說最大成就，是創造出邊荒集這樣一個特殊的空間。這一空間的特殊性，在於它既是地理空間，也是商貿空間、江湖空間、政治空間、文化空間和理想空間。作為地理空間，它是淮泗之間的三不管地帶。它是南北貿易的樞紐及轉運站，作為商貿空間，紅子春的妓院、費正昌的錢莊、姬別的兵器，卓狂生的書館，龐義的酒樓，高彥的情報交易，此地百業興旺。它是天下冒險家、商人、逃犯、盜賊、間諜、投機者和自由人的樂園。由此形成江湖空間，有祝天雲的漢幫，拓跋儀的鮮卑飛馬會，慕容戰的鮮卑北騎聯，赫連勃勃的匈奴幫，呼雷方的羌幫，哈力行的羯幫，還有兩湖幫、桓玄的振荊會等不同勢力。

邊荒集始終在南朝政權與北方政權的擠壓下，成了重要的政治空間。邊荒人有自己的價值觀和生活方式，形成獨特文化空間，邊荒人團結起來保護家園，實際上是要保護他們獨特的生活方式與文化傳統。

對邊荒人而言，這裡是精神家園。邊荒集是個神奇空間，有人認為它是罪惡淵藪（劉裕，第六卷第七章），有人認為它是自由天地（尹清雅，第三十五卷第十章），有人認為是活力之源（向雨田，第三十六卷第十章），有人認為是人間樂土（紅子春，第四十三卷第五章）。此前的武俠小說，從未有人創造出這樣一個充滿想像力的空間。更重要的是，邊荒集是書中最重要的角色，它的形成、發展、變化、危機、重生，是小說的敘事主線。

本書的故事情節，是由主人公燕飛和他的兩個好友即南方漢人劉裕和北方鮮卑人拓跋珪共同串聯起來的。肥水之戰爆發時，燕飛、劉裕、拓跋珪初會於邊荒集，一起浴血奮鬥，幫助東晉謝玄打贏了這場以少勝多的戰爭。劉裕和拓跋珪參與了收復邊荒的戰鬥，不僅讓他倆與燕飛的友情更深，更獲得了邊荒人的信任與友情。此後是燕飛及邊荒人投桃報李，先是幫助劉裕在東晉謝家北府兵中迅速躥升，奪得北府兵的軍事指揮權，平息孫恩起義、桓玄叛亂，從而統一南方。接下來是燕飛和邊荒人幫助拓跋珪在與慕容垂的軍事對峙中獲得勝利。

在兩次收復邊荒、劉裕統一南方、拓跋珪成為北方之主這一故事主幹之外，書中還有若干情節支線。一是東晉內部的階級鬥爭及權力鬥爭。二是燕飛與彌勒教竺法慶、尼惠暉、赫連勃勃、天師道孫恩與盧循，以及魔門聖君慕清流等人之間錯綜複雜的矛盾衝突及武力比拼。三是多條情感線索，例如邊荒集高彥與小白雁尹清雅，燕飛與萬俟明瑤、紀千千、安玉晴，劉裕與王淡真、謝鍾秀、江文青、任青緹，屠奉三與李淑莊，拓跋珪與楚無瑕，等等。本書將傳奇故事與歷史故事融為一體，並非簡單的拼貼，而是將歷史人物故事化入小說傳奇的魔幻空間。

本書另一成就，是主人公燕飛形象設計。首先，燕飛原名拓跋漢，母親是鮮卑人，父親是漢人。使他既認同拓跋珪（母系），也認同劉裕（父系），地位超然。其次，雖然多次與拓跋珪、劉裕並肩作戰，但燕飛與他倆卻並不是同類人。燕飛卻對民族衝突、政治權力沒有興趣，他是邊荒集的自由人。

再次，燕飛與邊荒人卻又有所不同，邊荒人是現世中人，而燕飛卻不僅屬於此世，而且屬於永恆——燕飛已獲不死之身，隨時可以打開仙門——他是凡塵中的非凡人。概而言之，燕飛半胡人半漢人、半政治人半自由人、半凡人半仙人。燕飛的「仙緣」，一是因為他天資聰穎，有神思妙悟；二是他服了「丹劫」，經歷九死一生，脫胎換骨。三是在與孫恩第二次比武時，遇天、地、心三佩合一，窺見仙門，獲得長生。其妙處不在升仙，而在他的人世感受與思考與眾不同。

劉裕形象刻畫，亦可圈可點。小說開始時，劉裕不過是謝玄屬下的一個偵察兵，戰功顯赫受謝玄賞識並選定為接班人。進而，由於三佩爆炸，被說書人卓狂生演繹成「劉裕一箭沉穩龍，正是火石天降時」，暗示劉裕是能夠印證異象的真命天子，結果，劉裕果然成了北府兵的新領袖，進而成了南方之主。劉裕原本沒有明確的政治理想，卻被謝玄、宋悲風、卓狂生、屠奉三、江文清乃至任青緹等人共同塑造成政治領袖。可嘆的是，卓狂生等邊荒人塑造並成全劉裕，而劉裕卻是終結邊荒歷史的人。這是另類歷史書寫，其中有深刻的文化寓言。

劉裕與王淡真、謝鍾秀、江文清、任青緹等人的感情，值得專門討論。

與王淡真相愛，是劉裕人生的重大關鍵。這是寒門子弟與高門名媛間的跨越階級壁壘的愛情，是鼓勵劉裕為身分進階而奮鬥的動力。正因如此，出現奇特悖論：假如兩人私奔，會成為不容於社會的罪人；只有暫時放棄，完成謝玄交付的使命，成為南方之主，才有迎娶王淡真的合法身分。而放棄私奔，王淡真的命運就不能由自己掌握，最終落入桓玄之手，結局是自殺身亡。王淡真之死，是劉裕最大的心靈之痛，同時也成為劉裕奮戰到底的重大動力：找桓玄報仇。

劉裕與謝鍾秀的愛情，與劉、王之愛相似亦相關。謝鍾秀愛劉裕，是不想重複謝道韞、謝聘婷的婚姻悲劇。進而，謝鍾秀是劉裕與王淡真私奔的破壞者，是她向父親謝玄告密，讓劉裕和王淡真有緣無分。謝鍾秀為什麼要這麼做？此事有想像空間，或許是出於下意識嫉妒，要破壞劉裕的私奔計畫。有意思的是，謝鍾秀嚴詞拒絕劉裕的示愛，臨終時才說出真情。劉裕對謝鍾秀的愛，是否王淡真的替代？也有想像空間。即便早就愛上謝鍾秀，他也不敢表達，原因是不敢挑戰階級壁壘，更怕讓謝玄不快。直到謝玄去世，王淡真自殺，才敢示愛。謝鍾秀拒愛，差點把劉裕打回原形，幸有旁觀者提醒，謝鍾秀拒愛實飽含真情，他才重新振作。劉裕與名門雙姝的愛情悲劇，是門閥制度的必然。

劉裕與江文清的愛情，沒有階級壁壘，亦無社會禁忌。問題是，江文清喜歡女扮男裝，常以「邊荒公子」形象出現，似性別意識模糊，抑或有超越性別的隱秘自許。父親江海流被殺，劉裕感動芳心，江文清並不急於表白愛情，固然是由於少女矜持和自尊，也因為劉裕態度曖昧。劉裕所以態度曖昧，當然是因為王淡真、謝鍾秀，也因為戰事倥傯。王、謝辭世後，劉裕和江文清才結為夫婦。

劉裕與任青媞的關係，最具傳奇性。任青媞是逍遙教主任遙的妹妹，是曹魏王朝的嫡系後人，是劉裕的對頭。第一次在邊荒集見面，任青媞就欺騙了劉裕和燕飛，還曾試圖暗殺劉裕。此後亦長期與劉裕為敵，但最後卻出人意料地成了劉裕的外室。

任青媞這麼做，符合她的行為邏輯，其奮鬥目標是獲得政治權力，至少要成為當權者的枕邊人。劉裕接受任青媞，固然是任青媞能幫他清除李淑莊，解除魔門威脅；也因為任青媞美貌如花，是世上少有的性感尤物。劉裕與任青媞結合，是欲望與權力交易。進而，任青媞是劉裕的秘密夫人，也是劉裕的政治導師，她比劉裕更懂得權力鬥爭的規則與技術，劉裕在政治上也需要她。

劉裕與任青媞的關係，可與拓跋珪和楚無瑕的關係參照。任青媞與楚無瑕，身分、作風、奮鬥目標都很相似。任青媞找到了南方之主劉裕，而楚無瑕找到了北方之主拓跋珪。當劉裕、拓跋珪分別登上南北兩地權力巔峰時，他們身邊的任青媞、楚無瑕會有怎樣的作為？會編導演出怎樣的故事？有極大的想像空間。

邊荒集有很多人值得一說，首先是高彥。他是邊荒集的首席風媒，以收集並出賣情報為生。作為邊荒人，其人生觀念及生活方式極具邊荒特色，即拼命掙錢，然後拼命花錢，他的錢多半花在邊荒集夜窩子的青樓中。初見尹清雅，就一見鍾情，認定她就是自己命中註定的女主角，從此糾纏不休。即便尹清雅謀殺他，他也是不知、不信、不在意。為了追求尹清雅，他可以不惜一切。即便被拒絕一百次，他仍會做第一百零一次努力。

高彥求愛過程，即著名的「小白雁之戀」，是這部小說中最浪漫的傳奇，也是最動人的篇章。其浪漫與動人之處，是因為，不僅是高彥一個人在追求尹清雅，而是邊荒集的重要人物幾乎全都投入了這一動人故事中。首先是燕飛，居然在百忙之中抽空陪伴高彥前往兩湖幫駐地，創造機會讓高彥見到心上人；在高彥被俘之後，燕飛以其高超的武功和更為高超的智慧，救回了高彥，並與聶天還訂約，讓他不要干預高彥和尹清雅的情感發展，為「小白雁之戀」創造了堅實的基礎。

其次是卓狂生，不僅為高彥出謀劃策，而且把高彥對尹清雅的追求當作是所有邊荒人的共同心願，專門創作《小白雁之戀》話本，故意讓它廣泛傳播，吸引尹清雅的注意力；進而借高彥被刺以及「邊荒地穴游」的商機，大造聲勢，終於成功地將尹清雅吸引到邊荒集，創造了尹清雅與高彥再次見面的機會，為他們的愛情創造氛圍。在此過程中，高彥的性格與行為也發生了根本性變化，從一個追求物欲的人變成了一個追求愛情的人，從自我欲望優先轉為對方情感優先，高彥成了情愛英雄。

尹清雅對高彥從無情到動情的過程，也是這個故事的重要關鍵。她曾刺殺高彥，是害怕高彥燒掉木筏，破壞了兩湖幫參與的反攻邊荒集的大計。那時候，她只是一個專心的細作（特工），並沒有愛上高彥，也不在乎高彥對她的情感。所以如此，是因為尹清雅年紀尚幼，情竇未開；也因為她自以為是，並不知道自己的情感萌芽。只不過，刺殺高彥一事，成了尹清雅的一個心結。發現高彥不在意她曾刺殺過他，把對她的愛情置於自己的生死之上，強烈衝擊了她的心扉。隨著對邊荒集瞭解加深，對高彥的情感亦日漸加深；對高彥的情感愈深，對邊荒集亦愈加熱愛。「小白雁之戀」的故事，不僅是高彥和尹清雅的愛情故事，也是邊荒集故事中最動人的篇章。

還有一個重要人物不能不提，那就是邊荒集說書館主人卓狂生。與高彥一樣，卓狂生也是典型的邊荒人；與高彥不一樣的是，卓狂生比高彥擁有更高的文化水準，更大的創造能力，更堅定的個人意志和更大的社會影響力。

卓狂生是邊荒生活方式的主創者和設計者，也是邊荒集的意見領袖和精神領袖。首先，他創造了夜窩族，打破邊荒集的幫派壁壘，讓漢、匈奴、鮮卑、羌、羯、氐等各個幫派之人都有機會成為夜窩族成員，從而形成凝聚邊荒人的生活中心和精神中心。

其次，他創建了邊荒集的鐘樓議會，邀請各派各幫及各個利益團體成員參加，協調邊荒集的利益分配，解決邊荒集的各種矛盾衝突；在邊荒集遭遇危機時，則探討邊荒集的共同對策。鐘樓議會是邊荒集政治制度設計。這一創舉，顯然參考了現代民主政治體制，卻也正是解決矛盾紛繁的邊荒集社會問題的必然產物。

再次，卓狂生還有一大創造，那就是他的說書館，平日他是以說書賺錢，而在這個故事中，他不只是個職業說書人，同時還是邊荒集的歷史創造者、參與者和記錄者——他不僅書寫並講述了高彥和尹清雅的《小白雁之戀》，書寫並傳播了事關東晉命運的「劉裕一箭沉穩龍，正是火石天降時」，還完成了整部邊荒集史書《邊荒傳說》——恰好與這部小說同名。可以說，卓狂生是小說作者的替身。卓狂生說：

「我會走遍天之涯、海之角，踏遍窮鄉僻壤，把我的說書廣傳開去。我說書的對象再不是付得起錢的人，而是沒法接觸外面世界，又對外面遼闊的天地充滿好奇心的小孩子，讓他們曉得真正的英雄是怎樣的人。告訴他們，最一無所有的人，如何成為公侯將相；出身布衣貧農者，也可以成就帝王不朽功業；花心的小子，竟有可能變得情深如海。我會在孩子們的心中播下創造命運的種子，讓種子將來有開花結果的一天。」（第四十三卷第十一章）

這話，可謂《邊荒傳說》的思想主題。

書中屠奉三的形象及其出人意料的愛情故事也值得一說。屠奉三的形象，有過幾次明顯的轉變。當他以振荊會主的身分出現在邊荒集，強買店面開設刺客館時，他是個不折不扣的殺手。當桓玄與兩湖幫主聶天還結盟時，他感到自己被出賣；而當他得知自己全家數百口被桓玄殺害，他成了堅定不移的復仇者。當他堅定地站在劉裕身邊，願意為劉裕的事業衝鋒陷陣，他的目標並不是未來的政治權力或商業利潤，而是實現對桓玄復仇的心願。

當屠奉三這個典型的硬漢，在燕飛的鼓勵下，竟對建康城清談女王李淑莊產生真情，有震撼人心之效。屠奉三與李淑莊之間，不僅有政治差異和階級鴻溝，更有道德壁壘——李淑莊這個清談女王不僅是魔門高手，且曾人盡可夫——當這種不可能的愛情成為現實，自然會讓人刮目相看。有意思的是，當劉裕奪取北府兵統領之權，成為東晉王朝的真正主宰之際，其首席功臣屠奉三竟然要求攜李淑莊隱退。屠奉三從權力狂到鍾情人，固然是因為李淑莊的驚人魔力，更是因為邊荒集徹底改變了屠奉三，讓他找到了人生的真義與真趣，找到了生活的目標與方式，這正是邊荒集的典型方式。

小說的不足之處，一是篇幅太長，且有故意拉長篇幅、故意放慢節奏、延宕故事情節發展之嫌。例如，在敘述劉裕故事線索時，幾乎在每個章節中都要以蒙太奇形式講述紀千千與慕容垂的片斷、拓跋珪的片斷，以及燕飛與紀千千、安玉晴以及孫恩等人的片斷，讓劉裕故事陷於停滯。

蒙太奇之妙，不僅在於隨時能照應不同的情境與角色，更在於能借此節省篇幅，留出供人想像與思索的空間。但這部小說則相反，無論是否必要，總是要盡可能將各個情境中的人物狀態作仔細交代，影響故事情節發展，且填得太滿，剝奪讀者想像與思索空間。

另一個不足，是主人公燕飛、紀千千形象的豐度和深度不足。燕飛不是求道者卻成得道之人，他與紀千千千里傳心，雖然神奇，效果卻不如作者期望。燕飛身分與形象設計非常好，但對他的故事構想和敘述卻不盡如人意。由於作者賦予他思想傳聲筒職責，其愛情和人生故事反而不如高彥、卓狂生那樣感人。

六、「盛唐三部曲」之《日月當空》

「盛唐三部曲」講述女皇武則天晚年至唐玄宗登上皇位的一段歷史傳奇，包括唐中宗李顯發起的神龍政變、李隆基和太平公主發起唐隆政變，歷時十餘年。第一部《日月當空》，講述武則天生命的最後幾年，至唐中宗李顯登上皇位。歷史只是故事座標，主要故事情節是龍鷹傳奇。

《日月當空》及「盛唐三部曲」的成功，主因是成功塑造了主人公龍鷹形象。龍鷹形象的最大秘密，是從現代社會向唐代社會的神奇穿越，與《尋秦記》中項少龍的穿越有所不同，龍鷹不是肉身穿越，而是靈魂穿越——他是個現代人文主義者，或者說是作者黃易想像性自我的化身。證據是，他與法明對話，法明問龍鷹最重視的是什麼，龍鷹不假思索地說：自由。

進一步證據是，龍鷹的價值觀的行為方式，無不具有二十世紀乃至廿一世紀現代人的特徵。從他的自我生命審思到對女性的同情，他的民族觀念、政治理想及處理人際關係的靈活態度，無不體現出他的現代性。

龍鷹的穿越，當然是基於作者的「魔法」，這也意味著，作者要為這個故事的主人公建構一種特殊的身分，且主人公本人也在不斷地進行自我探索和及其身分認同。

龍鷹的身世非常特殊，首先，他是個孤兒，似乎生來就沒見過自己的父母，甚至不知道自己的父母是誰。其次，他從小被師父聖帝杜傲撫養並教導，但杜傲之於龍鷹卻既無教導之德、更無養育之恩，原因是杜傲是地道的魔門邪帝，一向薄情寡恩，他雖培養弟子，只不過是要把弟子作為實現其夢想的工具。如此，龍鷹其人，如同《西遊記》中的孫悟空，毫無世間親情牽掛。直到被太平公主和胖公公率人將他抓獲，讓他來到武則天面前，為武則天書寫《道心種魔大法》武功秘笈，他才開始有了屬於自己的社會關係和社會身分。

由於胖公公、太平公主和武則天都把他當作邪帝，因而他的社會地位相當超然。他的第一重社會身分，是武則天大周王朝的國賓，即除了要與武則天合作之外，他不受大周王朝的體制與禮法拘束或限制。從一開始，他就是個精神獨立的自由人，即便成了大周的國賓，仍然獨立而且自由。其後，龍鷹與武曌女皇展開合作，首先是代女皇出征，大勝契丹王李盡忠及其不可一世的大將孫萬榮。

龍鷹選擇了兩個重要身分，一是在漢族與異族的衝突中，他選擇了自己的民族，即中原漢人身分。二是在大周王朝內部，在武氏和李氏的接班人之爭中，他選擇了擁李派立場，因為這是小魔女狄藕仙的父親狄仁傑的立場，也是他的好友萬仞雨及整個關中劍派的立場，實際上也是當時朝廷內外多數人的立場。

龍鷹的民族身分和政治身分，也有其超然性。作為漢人，他赴邊禦敵，並非因為忠君，更非為光宗耀祖，而是要保家衛國，讓天下百姓安享和平。他參戰目的，並不是要消滅異族，而是要打擊突厥默啜可汗的幫凶，維護北方多民族勢力平衡，限制突厥勢力發展，確保和平。進而，他雖然是擁李派，卻非基於對李氏家族的愚忠，一旦發現太子懦弱無能，且被奸邪利用，就毅然選擇與法明合作，刺殺李顯。更重要的是，他支持李氏繼承權，是因為看到了李旦之子李隆基才識超群，有可能為中原帶來長治久安，天下百姓可以享受太平。作者的後見之明，成就了龍鷹的超人洞見及博大襟懷。

在《日月當空》中，很多人都認為龍鷹是「寇仲再世」，天縱英才、戰無不勝。而龍鷹比寇仲讓人更容易接受，原因是，其一，龍鷹在被太平公主和胖公公抓獲之前，曾博覽群書，曾勤奮修練，且曾孤獨思索，使得他比寇仲有更扎實的知識儲備，他的天縱英才也就更加可信。不似寇仲的天才全靠作者刻意設定。

其二，龍鷹雖然戰無不勝，但作者並沒有將他當作全知全能的超人，而是明確地刻畫了他知識和才智的局限，在武功方面和軍事方面雖然有超人氣質（**其中也還有他曾博覽群書的基礎**），而在政治方面卻常常是糊塗蟲，幸而他有武曌、狄仁傑這樣貨真價實的政治家罩著，還有胖公公這樣在權力場上奮鬥掙扎過半世紀的秘密高參。即使是在大江聯內部，他也得到了寬玉的顧問或提示。

其實，龍鷹與寇仲有明顯不同。其故事有更多玄幻因素，且是玄幻升級版。具體說，一是「道心種魔大法」，《覆雨翻雲》中韓柏是種魔的先行者，但龍鷹之「道心種魔」不僅是修練而成，且有十一重不同境界，諸如結魔、養魔、催魔、成魔、魔極、魔變，至道心魔種真正融合的最高境界，理路分明，能自圓其說。不僅是武道境界的發展過程，且能看到主人公的成才與成長。

二是打開仙門，原版是《破碎虛空》，修訂版是《邊荒傳說》，龍鷹故事才是真正的升級版：道尊席遙發現了打開仙門的線索，對龍鷹產生了巨大影響，讓龍鷹的生命審思有了全新的立場和角度，讓俗世生命價值觀受到強烈震撼。每個在凡塵中掙扎的讀者，對此震撼應能感同身受。打開仙門之說，直到龍鷹故事中，才有了真正能打動人心的藝術效果，即不是導向對仙門的嚮往，而是導向對此生的深刻思索和體驗。

三是生命轉世，源自《雲夢城之謎》，但那只是推動故事情節發展的一個設定，結局卻讓人迷茫，藝術效應有限且可疑。而《日月當空》中講述龍鷹幫助風過庭找到轉世戀人的故事，則不僅完成了一樁美麗愛情的義舉，同時也大大豐富龍鷹人生體驗的維度，假如生命可以轉世輪迴，那麼此生痛苦悲傷或喜悅滿足的體驗，都不過是過眼雲煙。反之，要想窮盡生命的奧秘，卻又必須對此生經驗加以深刻體驗和思索，這就從另一面強調了此生的獨一性與重要性。總之，道心種魔、破碎虛空、打開仙門、前世今生的玄幻，雖然在《破碎虛空》、《覆雨翻雲》、《邊荒傳說》、《雲夢城之謎》等小說中早已播種，卻是在《日月當空》及「盛唐三部曲」中才得真正地開花結果。龍鷹故事的玄幻維度，值得專題研究。

龍鷹與寇仲另一明顯不同，是寇仲雖然多情，但卻不縱欲；而龍鷹卻是典型的多情且縱欲者。書中「龍鷹女郎」，簡直不計其數。作者重開《尋秦記》、《覆雨翻雲》的情色配方，雖似故態復萌，卻也有新的構想。龍鷹所以如此好色，是因為他是修練過「道心種魔大法」的邪帝，使他有《覆雨翻雲》中韓柏那樣好色的「合理性」。而龍鷹與「龍鷹女郎」的關係，大部分屬於露水姻緣。龍鷹雖然好色，卻非荒淫無度，例如向武則天討得七位宮女，是要給她們尋找歸宿；胖公公將兩位侍女小慧、小嬌託付給龍鷹，龍鷹將她們送給覓南天。更重要的是，龍鷹縱欲，卻也有情，更有對生命經驗的感悟。

值得注意的是，書中龍鷹有幾個化身，一是醜神醫王庭經，二是打入大江聯內部的玩命郎范輕舟；三是魔門胖賈安隆的弟子毒公子康道生。擁有這幾個化身，當然是因為工作需要，即要隱藏自己的真實身分，從而發揮自己的能力與作用。仔細看，這幾個化身，也未嘗不是龍鷹形象的邊界輔助線：醜神醫王庭經是濟世救人的正人君子，玩命郎范輕舟是亦正亦邪的江湖浪人，毒公子康道生卻是肆無忌憚的邪派高手。這三個人與龍鷹的個性都有部分近似，三者合成，即是龍鷹超群個性的真實邊界線。他不是通常意義上的正人君子，更不是通常意義上的邪魔外道，而是既有道心、又有魔種、心性善良而行為放恣的自由人。

這部小說的重要看點之一，是對人間友情的生動書寫。《大唐雙龍傳》中寇仲和徐子陵的友情引人注目，而《日月當空》中龍鷹與風過庭、萬仞雨的兄弟情誼，則更上層樓。《大唐雙龍傳》是雙主角，《日月當空》則是「三人行」。作者一直在試驗三人行寫法，如《覆雨翻雲》中的韓柏、戚長征、風行烈，《邊荒傳說》中的燕飛、劉裕和拓跋珪，以及《雲夢城之謎》中烏子虛、辜月明、丘九師。努力痕跡明顯，成績卻不如人意。《覆雨翻雲》把三個人聯繫在一起，顯然有作者人為因素。《邊荒傳說》中的三大主人公成績不俗，卻非真正的三人行，在大部分故事中，劉裕和拓跋珪再也沒有見面。更重要的是，燕飛與劉裕、拓跋珪並非真正的同路人。《雲夢城之謎》中的三位主人公在前往雲夢城途中相遇，雖有合作，但友情不深。《日月當空》中龍鷹、風過庭、萬仞雨三兄弟情投意合、並肩作戰、同生共死，形成了動人景觀。

在洛陽共同對付武氏家族，去東北對付契丹王李盡忠及其大將孫萬榮，去吐蕃對付竊取政權的欽沒晨日，去南詔對付宗密智，三人的無敵組合，所向披靡。更難得的是，他們不僅都武藝超群，且都個性突出，皇家第一劍術高手風過庭出身草根，而民間的萬仞雨恰恰出身名門，一面是社會地位懸殊，一面是門閥傳統壁壘，龍鷹卻讓他們成為生死之交。龍鷹撮合萬仞雨、聶芳華的愛情，是書中動人情節；而龍鷹、萬仞雨幫助風過庭去遙遠的南詔尋訪轉世戀人，更加震撼人心。

龍鷹與寇仲確有相似之處，他們都有天生的領袖氣質，隨時隨地能交朋結友。龍鷹不僅能在同一陣營中找到朋友及死心塌地的追隨者，如武則天御林軍侍衛中的令羽、小馬、小曾、小徐；更有化敵為友的超級技能，吐蕃的橫空牧野，龜茲的荒原舞，突厥陣營中的吐火羅高手覓難天，無不是從敵對者轉化為情同兄弟的生死之交。

即便是對一些次要人物，如大江聯裡的殺手天龐、情報員宋言志、天竺高手烏素、突厥人羌赤和復真，他也總是能減少敵意、傳播友情，方法是儘量減少殺戮，理解對方的立場，尊重對方的情感。例如龍鷹為復真追求風月樓的翠翠，不惜得罪壇級更高的夫羅什，甚而不惜挑戰地位崇高的九壇高奇湛，不僅讓敵手震撼，讓復真感恩，也讓寬玉欣慰釋懷並引為心腹知己。龍鷹與上述諸人的交往過程，無不是真實而動人的故事，這不是來自龍鷹的心智機巧，而是來自他與生俱來的真性情。

書中有個幽默的片斷，武則天問龍鷹為什麼會與某個人結為朋友，龍鷹不假思索地說「因為他也說粗話」，這一回答讓武則天十分意外，但卻也覺得十分可信。因為龍鷹就是這樣一個人，把會不會說粗話，作為關係遠近的判斷標準之一，表現的不僅是龍鷹的草根性，更表現出龍鷹的真性情——只有那種具有真性情的人才會如此不顧社會文化劇本的規定，認粗話為心聲。

《日月當空》的女主角，並不是任何一個「龍鷹女郎」，而是女皇武則天。本書故事主線，是龍鷹與武則天衝突與合作，決定武周與李唐王朝的命運走勢。

小說中武則天形象的刻畫，值得專題討論。作者將她設定為魔門——書中武則天、胖公公等人都自稱之為「聖門」——領袖，首先當然是書寫傳奇的必要設定，同時也是對武則天這位歷史上的第一個女皇帝的「心理不適症」的另類詮釋。

一個女性，承歡兩代，女奪男權，竟至公然改朝換代，以周代唐，一般人無法理解，儒學正宗更無法接受。若說是魔門詭計，如《大唐雙龍傳》結尾所暗示，武則天改名武曌，乃是魔門陰癸派絕世高手婠婠的弟子和女兒，因為她出身魔門，本就是以統一魔門、統一江湖、奪取江山為其奮鬥目標，這不但更容易理解了，且能欣然接受。這種設計，固然與傳統觀念及其文化心理不適有關，卻也對理解武則天這一歷史人物提供了一條有效的輔助線。武曌奪取政權之後，最突出的行動之一就是掃蕩魔門，目的是要將魔門《天魔策》十冊全部奪得，並作統一收藏。

龍鷹之所以被捕，就是武曌要逼迫他默寫這一派的重要經典《道心種魔大法》。武曌不是統一魔門，而是要掃蕩魔門，與原初的目標似乎不同，是因為武曌有了第二種身分，即政治身分，她是大周皇帝，所作所為要為大周政權考慮，即把她的大周政權鞏固作為頭等大事。掃蕩魔門的真正原因，是要保護其大周政權，因為魔門中人都想追求權力，若不加以掃蕩，就會政局不穩，後患無窮。武曌掃蕩魔門，是以法明、薛懷義為幫手，一旦魔門掃蕩乾淨，而法明野心勃勃、薛懷義作惡多端，武曌的下一個行動目標，就是讓龍鷹公開處決薛懷義，並親自警告法明。

作為政治人物，一旦政權穩固之後，又要面對另一個重大問題，即古代專制政治的重大政治歷史難題：如何遴選接班人。她年事已高，即便能長命百歲，總不可能萬壽無疆，因而必然要把接班人問題提上議事日程。在這一問題上，武曌再次遇到身分衝突問題：除了魔門領袖、大周皇帝兩個身分之外，武曌還有第三種身分，即作為武氏家族的血脈繼承人；和第四種身分，即作為中宗李顯、太子李旦的母親。

作為母親，她當然要照顧兒子的利益；但作為大周皇帝，作為武氏家族成員，則要考慮武氏家族的利益，即必須選擇武氏弟子作自己的接班人。在傳統社會中，家族利益總是大於個人利益（**包括母子關係**）。假如她選擇自己的兒子為接班人，她的兒子姓李，一旦接班，必然要恢復李氏王朝，即棄周復唐，那麼那改唐為周就變成了一個笑話。

她毫無疑問想讓自己的侄子武承嗣、武三思接班，但這又遇到諸多難題，一是朝廷內外都有擁護唐朝的勢力，且這種勢力不可壓制，只能博弈周旋。二是武氏弟子無德無能，不得人心，弄不好就會天怨人怒，若她一意孤行，很可能會導致朝廷分裂、天下大亂。三是突厥默啜可汗崛起於北方，不僅騷擾邊境，且對中原王朝虎視眈眈；還有，早已布局了大江聯潛伏在南方，隨時可以把內憂和外患一起點燃。中原王朝的內亂，勢必導致外敵入侵。正是在這樣的情境下，武曌才改變初衷，尋求與邪帝龍鷹合作。她知道，龍鷹沒有爭權奪利的野心，地位超然，不會激化國內矛盾，有能力為她消除內憂外患。

問題是，武曌還有第五種身分，即生命個體。無論擁有怎樣的魔功與權力、富貴與榮耀，當年華老去，必定百感叢生。當龍鷹告訴她，席遙放棄了道尊競爭，全心全意去探索開啟仙門，對武曌產生了巨大的震撼和影響。即便她不會全力追求開啟仙門，也會迫切意識到肉身不能永垂不朽，總有一天要離開人世。面對生命規律，皇帝也無可奈何，意識到這一點，武曌不再一意孤行，而是開始妥協。是向狄仁傑等擁護唐朝正統的大臣妥協，更是向生命規律妥協。於是，她恢復了兒子李顯的太子地位，並設計武氏與李氏多重聯姻，確保未來李氏掌握政權後，武氏子弟仍有存活機會。就這樣，武曌改變了歷史，卻終被歷史現實改變。

《日月當空》及「盛唐三部曲」的突出特點及其重要成就，是大大提升了武俠小說的認知複雜度。通常的武俠小說，大多正邪分明，善惡一目了然。而黃易的小說超越簡單的道德判斷，寫出政治和人性的複雜性。在政治上，沒有永久的敵人，也沒有永久的盟友，端看特定情境中人的身分、立場及其相互關係。在人性方面，個性、情感、欲望、目標、立場常常因時、因地、因境改變而產生複雜變化。黃易書中的人物關係有諸多變數，其故事情節也就更加不可預測。

例如，大江聯是突厥人安插在中原的敵對組織。龍鷹化身范輕舟進入大江聯，目的是顛覆它。但這一組織內部情形極為複雜，首先是以小可汗台勒虛雲為首的漢人魔門傳人勢力，與以寬玉為首的突厥人之間的矛盾衝突，雖有共同的政治目標，即製造並利用中原王朝的政治混亂；但寬玉為的是突厥民族的整體利益，而台勒虛雲則為的是魔門小團體利益。進而，在突厥化漢人團體內部，亦有各種不同的立場紛爭，既有魔門弟子如台勒虛雲，也有墨家傳人如高奇湛，有目標分歧及權位之爭。進而，大江聯魔門內還可細分，有西域魔門，有玉女宗，還有香霸犯罪集團。龍鷹與大江聯的鬥爭，複雜萬狀，結局出人意表。

又如，龍鷹與法明的關係，是隨著時間與情境變化而變化。一是邪帝，一是僧王，同為魔門高手，卻有截然不同的政治立場。龍鷹誅殺薛懷義、剪除法明羽翼，邪帝、僧王不似共戴天，相互刺殺。因武曌斡旋，二人不得不約束自己。為保護李顯，對付西域魔教，二人又攜手合作，法明扮閻皇方漸離、龍鷹扮毒公子康道生，聯手誅殺刺客。在此過程中，法明與龍鷹逐漸成了知己。所以如此，固然與開啟仙門有關，亦因二人個性使然。其後，更有出人意料的動人篇章。

本書的不足，是龍鷹與慈航靜齋的端木菱的關係，缺乏新意。龍鷹居然對端木菱說：「仙子也有老子是你夫君的感覺嗎？」這話過於粗俗。

七、「盛唐三部曲」之《龍戰在野》

《龍戰在野》是「龍鷹傳奇」故事的中段，講述武曌辭世前後的歷史。龍鷹傳奇繼續，包括攘外和安內兩大部分。攘外是指龍鷹秘密率領千人部隊赴漠北追殺馬賊邊遨，安定北部邊疆，並取得突厥寶藏。安內是指確保武曌與太子李顯政權交接時，政局穩定、社會安全。

其中有條故事線，一是龍鷹扮范輕舟前往飛馬牧場參加馬球節，一是龍鷹回到洛陽，確保武曌如願離開、李顯如願登基。洛陽部分又有兩個分支，一是龍鷹的「造皇」計畫，即為李隆基的未來精心布局，取得武曌同意，約定五年為期。一是龍鷹與寬玉合作，將大江聯中的突厥人送回北方故土，簡稱「南人北徙」計畫。

看點之一，是龍鷹率領多國部隊，包括丁伏民率領的五百大周士兵，以及林壯率領的五百吐蕃士兵，以及漢人高手風過庭、吐火羅的覓難天、龜茲的荒原舞、小高，天山族達達和古竹、回紇的虎義、勝渡、方雄廷、史奇，高昌的君懷朴、于闐的容傑、克倫雅巴的管軼夫、疏勒的權石左田、黠戛斯的軍醫樂轉蓬、天竺的烏素、柔然的皇甫常遇和皇甫嬋善、白魯族的桑槐，波斯的博真，以及大明尊教原子符太。

龍鷹不僅有天賦的軍事奇才，更有過人的人格魅力，把大唐西域的幾乎所有被突厥人壓迫的民族都聯合起來，對抗共同的敵人默啜可汗。更妙的是，對付突厥軍隊的軍事行動，最終演變成尋寶行動，由於寶藏就是突厥前代可汗的墓葬，所以尋寶取寶本身就是對突厥可汗的精神打擊。而軍事突襲突然變為尋寶遊戲，不僅顯示出作者神秘莫測的敘事技巧，更有出人意料的傳奇效果。

看點二，《龍戰在野》中最重要的新增因素，是大明尊教原子符太這個人。首先，符太的出現，改變了「龍鷹團隊」的構成。在《日月當空》中，龍鷹團隊核心成員是風過庭和萬仞雨，而在《龍戰在野》中，萬仞雨並沒有參加攘外行動，只有風過庭一人參加，風過庭要獨當一面，龍鷹與符太聯手，有新氣象、新趣味。

其次，符太是西域大明尊教原子，從小受邪教薰陶又受教中長老欺凌，從而邪氣十足。練成血手武功，自命聰穎而不可一世，與社會人群類疏離，甚而有反社會乃心理傾向。龍鷹幫助他完成了「再社會化」歷程，讓這個憤世嫉俗且蔑視人類的孤獨症患者，成了龍鷹團隊的核心成員，也是龍鷹團隊中最受人矚目的新星。龍鷹改變了符太的人生軌跡，也改變了他的人生觀及其精神世界。

看點三，由於符太的出現，龍鷹的形象也出現了新側面或新維度。龍鷹固然改變了符太，符太其實也改變了龍鷹。如果說龍鷹在《日月當空》中只是一個學習者和行動者，自從在《龍戰在野》中遇到符太之後，他就變成了生命的體驗者、感知者和思索者。而這一新的維度的出現，與符太的出現關係較大。

符太之所以沒有與人類共情，失去對人類的關愛，主要原因是大明尊教的傳統薰陶及他從小所受的歧視折磨，更重要的原因是他覺得自己比其他人更聰明、感受更多、追問更多、思索更多，而他感受和思索的問題，其他人幾乎從未想過。直到他遇到龍鷹，才算是找到真正的對話者和交心的人，而符太也成了龍鷹的真正知音。

在小說中，龍鷹經常與符太談人生，說他自己經常追問「我是誰」；有意思的是，又說符太想得太多，變成了「局外人」（加繆式存在主義者）。進而，龍鷹與符太分享了仙門故事，他自己也從中獲得了思索生命的新角度。符太十分羨慕龍鷹的冒險經歷，龍鷹假扮醜神醫王庭經、玩命郎范輕舟、毒公子康道生的經歷，被符太解釋為：可以體驗不同的角色及其生命經驗。這些言論提醒了龍鷹，讓他從簡單的行動者，變成了反思者和追問人，從此常對自己的行為和心理作觀測與反思。由此，使得龍鷹這一人物形象，與其他的武俠小說主人公有了真正的不同。

看點四，《龍戰在野》的另一新增因素，是玉女宗掌門人無瑕。一開始，無瑕和無彌兩位美女出現在風度翩翩的傑天行身邊，後來知道這個傑天行是域外魔教「鳥人」寄塵子，而無瑕在魔教的地位與眾不同。無瑕或隱或現，為龍鷹的故事增添了許多變數。龍鷹在域外活動需增添新的敵手，無瑕應運而生。進而，無瑕的出現，也為龍鷹故事增添了「色」彩，女色是龍鷹故事中不可缺少的因素。無瑕既美如天仙，卻又不可捉摸，正如《大唐雙龍傳》中的陰癸派高手婠婠之於寇仲、徐子陵，無瑕可謂婠婠「再生」。

最後，由於無瑕不僅出現在域外，還出現在龍鷹出現的任何地方，無瑕不僅與默啜有關、也與大江聯有關，更與台勒虛雲有關。所以，無論是在域外，還是在飛馬牧場，或是在神都洛陽，凡是龍鷹出現的地方都有無瑕的蹤影。而且，無瑕及其玉女宗，是大江聯魔教、漢化突厥人之外的第三勢力。這使龍鷹的敵手變得愈發複雜，故事情節有更多的可能性，無瑕與龍鷹的關係也就有多種可能性。無瑕的出現，增加了故事懸念及複雜度。

看點五，《龍戰在野》的情色描寫大幅減少。在全部十八卷書中，新增「龍鷹女郎」總共只有兩人，一是柔然族的皇甫嬋善，一是飛馬牧場的商月令。其餘如秘族的萬俟姬純、龜茲的花秀美、奚族的王妃姿娜和侍衛長泰婭，都不過是《日月當空》情色故事的延續。值得注意的是，皇甫嬋善主動獻身，書中並沒有描述具體場景，是一筆帶過。龍鷹與奚族王妃姿娜和侍衛長泰婭的關係，也是點到為止。飛馬牧場場主商月令與龍鷹的關係，雖是重點，也是多寫心動及口頭調情。所以如此，一是因為龍鷹「成長」了，不似剛剛出道時那樣耽於美色，已有多位嬌妻美妾，龍鷹不再是「色中餓鬼」，學會了控制自己的情欲衝動。二是，《龍戰在野》中，龍鷹從行動的人變成了思想的人，隨著對自己、對外界的認知越來越深入，他的色心魔種愈來愈被道心所影響，有自我克制的意識與毅力。最後，或許還因為，在故事的這一階段，作者已不需要太多情色或色情調料。

看點六，《龍戰在野》結尾，女皇武曌借千黛之死而遁世之際，僧王法明、道尊席遙趕來幫助邪帝龍鷹和原子符太，守護武曌的秘密，安定政治局勢，直到將千黛和武曌安全地送入乾陵地宮之中。這一結局看似出人意料，實際上是勢所必然。因為女皇武曌、僧王法明、道尊席遙、邪帝龍鷹、原子符太這五個人有共同點，他們都有宗教身分，或出身道教，或出身魔門，雖然都曾追求俗世事功，卻從未放棄求道心。進而，他們都分享了一個秘密，即有人曾成功打開「仙門」，這使他們震撼，也讓他們覺醒。進而，他們有共同的目標，即追問人生究竟、追問生命真相；且都想超越人生局限，追尋終極價值，追求永恆。

下面說《龍戰在野》的問題或缺陷。

首先，台勒虛雲負傷之後，書中一下說楊清仁是協調大江聯的核心人物，另一下又說洞玄子才是協調大江聯的核心人物（參見第十三卷第六章）。究竟哪一個人是協調大江聯的核心人物？具體說，究竟是洞玄子負責協調大江聯，還是楊清仁負責？作者似乎沒有拿定主意。書中對這兩個人物始終沒有正面描寫，可見作者對這兩個人物的重要性並沒有作認真衡量，才會出現前後矛盾。

較大的問題是，《龍戰在野》的故事有人為拉長、人為「添亂」的痕跡。在攘外故事結束之後，龍鷹到飛馬牧場的故事情節，占三分之一左右篇幅，是否有此必要？可以質疑。要點是：龍鷹不去的理由很多，其一，龍鷹知道「范輕舟」的身世、名聲、才華、風度都無法與楊清仁相比，追求商月令幾乎無望，已打消了此念，理當不去。

其二，龍鷹明知道去牧場途中有天大風險，知道台勒虛雲、無瑕、楊清仁等人必然會中途攔截，沒必要去冒險，理當不去。

其三，武曌並沒有讓他去牧場，且武曌已同意讓大江聯突厥人安全撤離中原，需要龍鷹策劃行動計畫並具體實施，龍鷹沒理由捨重取輕，理當不去。

其四，寬玉提醒他不要去牧場，去牧場有暴露自己真實身分的危險。理當不去。那麼他為什麼一定要去飛馬牧場？結論很明顯：有關飛馬牧場的整個情節段落，都是作者故意為之，目的是敷衍篇幅。

作者說，龍鷹到牧場後，由於跟楊清仁達成了「南人北徙」計畫，且結識了北方的貴族如宇文朔和乾舜、南方貴族如越浪和敖嘯等，似乎收穫很多。但這些收穫不過是作者為龍鷹的牧場之行找補理由，要策劃「南人北徙」計畫，及結交南北方的貴族勢力，其實在任何地方都可以，不必是飛馬牧場。

實際上，龍鷹回到洛陽後，故事情節仍有被人為拉長的跡象。既然武曌已經同意將讓位給太子李顯，而張柬之等朝臣及民間勢力都支持李顯接班，此事還有何難？作者

虛構空間不大，田上淵是虛構的人物，可作隨意構想。首先是其身分之謎，他是北幫的幫主，更是大明尊教前原子。其次是他野心勃勃且霸氣驕橫，製造了獨孤善明慘案、黃河幫陶過慘案，與黃河幫、竹幫為敵，與范輕舟（龍鷹）無法共存，對龍鷹的「造皇計畫」更是巨大威脅。在李重俊政變中，就是他率領北幫高手屠殺了武三思全家。

繼而，北幫不斷補充實力，陸續出現更多高手，如夜梟尤西勒、參禪師，如撥沙缽雄、照幹亭，如九卜女芭薇格麗，還有「蔥嶺之妖」埃簡九野望……田上淵的實力似乎深不見底。龍鷹殺尤西勒、阻擊白牙即水盜練元，只不過是與田上淵戰爭的開始；接下來將是伏擊九卜女，及針對九望野、田上淵及北幫主幹的艱苦戰爭，可惜書未寫完，無法看到下文。

再說新的盟友，即武三思、台勒虛雲。此前，武三思集團、台勒虛雲集團都是龍鷹的主要敵手，到《天地明環》中，他們都成了龍鷹的盟友。理由很簡單，既然宗楚客與武三思勢不兩立，武三思是敵人的敵人，即成龍鷹的盟友。進而，台勒虛雲與龍鷹的關係也是如此，他也有其「造皇計畫」，即要把河間王楊清仁推上皇帝寶座，與宗楚客為敵，就是他與龍鷹合作的基礎。

雖然武三思、台勒虛雲都是龍鷹的盟友，但武三思和台勒虛雲卻不是盟友，仍然是敵人。龍鷹周旋在武三思、宗楚客、田上淵、台勒虛雲等集團勢力之間，既顯出政治鬥爭錯綜複雜，亦使故事情節更加曲折迷離。龍鷹與武三思、台勒虛雲結為盟友，還有一個重要的原因，因龍鷹對政治並不十分內行，需要武三思、台勒虛雲這樣的懂得政治的人籌畫指點，才能在與宗楚客的政治角力中不至於手忙腳亂。

再說龍鷹團隊新成員，除已有的「多國部隊」外，又新增兩人，一是宇文朔、一是高力士。宇文朔是宇文家族新領袖，他一人兼有萬仞雨、風過庭兩人之長，即作為皇宮首席劍客，又能影響關中高門。宇文朔成為龍鷹團隊新成員，首先是實際需要，萬仞雨、風過庭是武曌時代的英雄，在大唐復辟後難有用武之地，只能在大理隱居，因而必須有人替代他倆。其次，是要創造新鮮感，風過庭和萬仞雨的特長及個性已人所共知，需宇文朔這樣的新鮮血液作為補充，創造新故事，增添新景觀——宇文朔與符太、龍鷹化敵為友的曲折過程，本身就是精彩故事。

龍鷹團隊中，更重要的新成員是年輕太監高力士。塑造高力士形象，是這部書中最大的驚喜。高力士是著名歷史人物，但一般史書中的高力士形象，恐怕無法與《天地明環》中的高力士相比。這是因為，一般史書寫到高力士，通常不會為這個人物設身處地，不大會站在太監閹人的立場，去設想並體驗一個年輕聰穎的太監的實際情境與心理，如：他希望自己的一生過得有意義且有價值，該有怎樣的夢想？怎樣的行為？怎樣的心思？

在《天地明環》中，高力士個性突出，形象光彩照人。他是胖公公和武曌聯手打造的宮廷精英，是「造皇計畫」的重要組成部分——如果沒有高力士，就很難保證「造皇計畫」一定成功。高明的胖公公，認準高力士是可造之才，即開始極為獨特的培訓計畫。包括三個部分，一是胖公公從不與高力士打交道，武曌也故意冷落他，以便他能在李顯復辟之後，不至於因為他與女皇及其故舊關係親密而失去立足之地；二是故意讓高力士在皇宮中受人冷落，不過早站隊亮相，從而獲得超然地位，有自由活動的空間。三是讓榮公公和湯公公對他進行嚴格培訓，讓他獲得第一流的宮廷生存智慧、政治洞察力，並樹立理想抱負、追求人生價值，讓他內心動力充足，行為自由靈動。

高力士給人的第一印象，是超級馬屁精，他的阿諛逢迎、溜鬚拍馬的能力，比金庸筆下的韋小寶，顯然有過之而無不及。這既是天賦，更是長期訓練出來的生存能力，皇宮之中的太監宮女，若沒有這樣的能力，就可能隨時受罰，甚至隨時有生命之殃。高力士的溜鬚能力，經過了最嚴格的檢驗：厭惡溜鬚拍馬的符太居然會對高力士刮目相看，可見高力士逢迎本領確實超群。

高力士與符太打交道的那些段落，可謂精彩紛呈；高力士與符太對話，讓人拍案叫絕。更為難能可貴的是，高力士不僅有超群的逢迎能力，有超群的察言觀色能力，及對他人心理的深刻洞察力，且還有高度政治敏感和驚人的政治洞察力——符太要考察高力士，給他出難題，讓他在皇族子弟中找出「可造之才」，他很快就指認出刻意韜光養晦的李隆基。這種政治敏感性和人格洞察力，讓高力士通過考驗，正式成為「造皇計畫」團隊成員，成了龍鷹、符太、李隆基的「戰友」。龍鷹的評語說得好：「高力士為『長遠之計』下的苦心和努力，是夜以繼日的水磨功夫，須多大的決心、毅力和耐性。高力士做到的，沒人辨得到。他營造出來的諸般假象，蒙蔽了韋后，令宗楚客掌握不到真正的情況。」（第廿二卷第二章）

高力士是徹頭徹尾的政治中人，如龍鷹所感：「高力士確是另一個胖公公，一切從實際和功利出發，不問六親，只求成功。他一字不提李顯的生死，僅著眼於如何利用李顯性格上的弱點，向李隆基提供最大的效益。感覺有點像讓李隆基踏上李顯的屍體，登上皇座。這種狠辣，是龍鷹永遠也學不來的。」（第廿二卷第二章）這表明，高力士的政治段位高於龍鷹。龍鷹只是業餘的政治參與者，而高力士則是真正的專業政治人。

政治，尤其是專制政治，確實殘酷無情，只有無情者才能深度參與，而深度參與者也只能無情。但這只是高力士的一個側面，即政治側面。他還有另一面，即他同樣具有真摯的情感，他對符太、龍鷹、李隆基、榮公公和湯公公等人的感情，不僅真摯，而且深刻。當他對龍鷹說自己與「當代最偉大的人物並肩戰鬥」時流淚，就是最好的證明。

難能可貴的是，無論他付出多大努力、立下多大功勞，面對符太、龍鷹和李隆基，他永遠保持著弟子或下屬的身分，永遠低眉俯首；無論他有什麼高見，哪怕是為他人指點迷津（他多次為符太和龍鷹指點迷津），他都要感謝對方給他說話的機會，感謝對方垂詢。這樣說、這樣做，已成了高力士言語和行為習慣，非如此就不是太監高力士。總之，高力士是這部書中最成功的藝術形象，讓人既感精彩，又感心酸。

本書另一看點，是龍鷹讓符太撰寫《醜醫實錄》。簡單說，是龍鷹離開期間，洛陽及長安宮廷發生的故事需要交代。這一部分內容以符太撰寫的《醜醫實錄》形式呈現。按理說，符太的經歷可以獨立成章，即用平行蒙太奇形式將它們展現出來，即讓符太故事、龍鷹故事各自成章。但那樣做，勢必會讓本書第一主人公龍鷹經常無法露面，也沒有《醜醫實錄》這樣讓人眼界大開。這樣做，首先是大大豐富了敘述方式，讓龍鷹從主人公變為旁觀者，與讀者一起重新經歷符太的經歷，確保龍鷹始終「在場」。

其次，《醜醫實錄》不僅要講述龍鷹不在場時發生的事，實際上也是符太與龍鷹的一種潛在「對話」，書中常常出現「龍鷹混蛋，你明白我的感受嗎」之類句子，讓人莞爾。

再次，龍鷹成了讀者、旁觀者，可以對符太的生活經歷隨時作出點評，對李顯朝廷的政治局勢作出仔細分析，從而形成一種具有特別效能的敘事方式。

又次，這部《醜醫實錄》，不僅交代了符太的經歷，同時也塑造了符太的形象，甚而規範符太的行為。因為要將自己的行為經歷記錄下來，所以不得不三思而行；因為符太不屑於說謊，更不願意對龍鷹說謊，所以不僅在寫作時實話實說，且在行動時亦不得不規範自己的行為。《醜醫實錄》中，符太的「社會化」過程歷歷在目，如同社會學家或人類學家的現場記錄。

又次，《醜醫實錄》讓龍鷹從理解符太，聯想到自己，為龍鷹提供自審反思的機會。

最後，《醜醫實錄》還能幫助符太提升其武學修為及思想境界，書中說：「龍鷹有個直覺，每當符太提起毛筆，立即晉入一奇異境界，既非旁觀者，亦非書裡人，而是無人無我，忘情地將所思所想，應之於手，天然流露，就好像不是他自己寫的。那亦是一種特別的修行，可惠及他武學上的修養。」（第十六卷第十八章）

有關《醜醫實錄》部分，實是作者精心安排的一種敘事策略，同時也是一種特殊的敘事形式。正因如此，龍鷹改變了閱讀方式，即不是一口氣將它讀完，而是由作者安排閱讀時間和閱讀速度。出人意料的是，當龍鷹回到長安並與符太見面之後，非但在繼續抽空閱讀《醜醫實錄》，而且龍鷹還要符太繼續寫《醜醫實錄》，這就進一步說明，作者是把符太撰寫、龍鷹閱讀《醜醫實錄》當作重要的敘事方式。進而，符太與柔夫人交往時，龍鷹堅持讓符太撰寫《醜醫實錄》，說這樣他才好「指點」符太。於是在第十八卷第十六章，符太給龍鷹送上《醜醫實錄》的最新篇章，不僅陪龍鷹看，還一邊看一邊討論。

本書還有一個看點，是龍鷹在追殺烏妖的過程中，突然採取一種他稱為「天網不漏」的奇妙對策，也就是不作計畫，讓團隊成員按自己內心衝動行事，結果由老天爺決定。結果出人意料，在龍鷹追蹤烏妖失敗之際，烏妖竟然自動出現，被龍鷹團隊飛箭射死。此後，龍鷹推廣「天網不漏」策略，既運用到符太與柔夫人的「情感戰場」，即讓符太按照自己的內心衝動去做；且推廣到「造皇計畫」之中，即在無法準確把握敵情時，讓高力士按照自己的想法去大膽行動。其結果，居然也都「不算而勝」，符太與柔夫人的愛情取得了雙贏的美好結局，而高力士的政治籌畫也同樣取得了意想不到的好結果。

龍鷹成為傳奇英雄的「秘訣」，說起來讓人難以置信，初級秘訣是：想不通就去睡覺，留待明天再說；高級秘訣是：找不到方法就不找，按自己內心衝動去做。這兩種秘訣的要點，是讓自己保持鬆弛，等待靈感、捕捉機遇——這很可能也是黃易小說寫作的重要秘訣。即：當他寫不下去的時候，就會去睡覺，待明日再說；當他無法布局謀篇時，乾脆採取「天網不漏」行動，放任自己的思緒，信筆寫去，直到靈感迸發，照亮全篇。在絕境中迸發出的靈感，很可能比挖空心思的謀劃更加巧奪天工。

本書還有一個看點，是龍鷹對美女的行為改變。獨孤倩然多次發出召喚，隨時可以交歡，龍鷹居然總是無空。某晚終於有空，卻被獨孤倩然要求「講故事」到二人先後沉沉睡去。直到最末一章，兩人關係仍僅限於摟摟抱抱。龍鷹與無瑕早已化敵為友，只是無法確定是否真愛，因而限於打情罵俏。這是什麼樣的關係？是什麼樣的愛情？作者並沒有簡單地為它定義，也沒有被任何情感關係概念所束縛，而是自由且深入地探索男女關係的實質與真相。龍鷹與獨孤倩然、龍鷹與無瑕，以及符太與妲瑪、尤其是符太與柔夫人之間的感情，有誰能說得清楚？連龍鷹、符太這樣聰穎敏感的主人公都無法琢磨、無法定義的情感關係，別人又怎能說清楚？正是因為說不清楚，才更加值得探索，也值得體驗。作者對這些始終曖昧不明的情感關係的書寫，是這部書中最突出的一大藝術貢獻。

最後，這部書尚未完成，許多內容來不及書寫，包括：一、龍鷹與台勒虛雲、無瑕合作刺殺九卜女，打擊田上淵；二、韋皇后和宗楚客發動宮廷政變，害死唐中宗李顯；三、李隆基、太平公主聯合發動唐隆政變，掃除韋后和宗楚客；四、在李旦登基之後，龍鷹與台勒虛雲及大江聯的衝突就會上升為主要矛盾，龍鷹肯定會抽空去嶺南消滅符君侯領導的拐賣人口集團，消滅香霸集團。五、必須造勢，讓唐睿宗禪位給自己的兒子李隆基。大江聯創始人寬玉肯定也參與了掃除台勒虛雲及其勢力的行動。六、很可能龍鷹還會有一次打擊突厥可汗默啜的軍事行動，確保李隆基開創盛唐時代。七、龍鷹的結局：或是帶著自己心愛的妻妾們退隱到飛馬牧場，或是與僧王法明、道尊席遙一起打開仙門，破碎虛空，離開人世。龍鷹傳奇如何結局，是這部書的最大懸疑。

【注釋】

1　梁天偉、王建慧、郭坤輝：《科玄歷史武俠小說創始人——黃易》，原載《中大校友》二〇〇二年十二月號，見孫立川編：《黃易散文集》附錄，第四〇九—四一八頁，香港，天地圖書有限公司，二〇一八年七月。

2　黃易出版的科幻小說有：《月魔》、《上帝之謎》、《湖祭》、《域外天魔》、《獸性回歸》、《聖女》、《迷失的永恆》、《浮沉之主》、《靈異》、《爾國臨格》、《光神》、《超腦》、《靈琴殺手》、《幽靈船》、《超級戰士》、《龍神》、《時空浪族》、《星際浪子》、《諸神之戰》、《封神記》等。

3　黃易：《自主》，孫立川編：《黃易散文集》，第三一七頁，香港，天地圖書有限公司，二〇一八年七月。

4 黃易：《漫談玄幻小說》，原載《南洋週刊》一九九八年七月廿六日，引自孫立川編：《黃易散文集》，第三五五頁，香港，天地圖書有限公司，二〇一八年七月。

5 黃易：《破碎虛空》，孫立川編：《黃易散文集》，第四十七頁，香港，天地圖書有限公司，二〇一八年七月。

6 黃易：《輪迴》，孫立川編：《黃易散文集》，第八十七頁，香港，天地圖書有限公司，二〇一八年七月。

7 《黃易生平年表・一九九三年》：一九九三年條目下，有「熱衷於以更寫實的手法表現男女情事的創作實驗，引起各方討論、批評，被定位為『ㄚㄚ』作家。」（ㄚㄚ即「意淫」的拼音縮寫）見孫立川編：《黃易散文集》附錄，第四四三頁，香港，天地圖書有限公司，二〇一八年七月。

8 黃易：《與金庸相比，我不善經營》，原載《成都商報》二〇〇九年二月十一日，見孫立川編：《黃易散文集》，第三八〇頁，香港，天地圖書有限公司，二〇一八年七月。

9 黃易：《漫談玄幻小說》，原載《南洋週刊》一九九八年七月廿六日，引自孫立川編：《黃易散文集》，第三五七頁，香港，天地圖書有限公司，二〇一八年七月。

10 黃易：《司馬翎》，孫立川編：《黃易散文集》，第二三七頁，香港，天地圖書有限公司，二〇一八年七月。

11 梁天偉、王建慧、郭坤輝：《科玄歷史武俠小說創始人——黃易》，原載《中大校友》二〇〇二年十二月號，見孫立川編：《黃易散文集》附錄，第四〇九—四一八頁，香港，天地圖書有限公司，二〇一八年七月。

12 黃易：《我是怎樣寫小說的？》，原載《掃文資訊》等多家網站，見孫立川編：《黃易散文集》，第三八五頁，香港，天地圖書有限公司，二〇一八年七月。

13 Mini：《閃耀的武俠科幻新星——黃易》，原載《軟體世界雜誌》二〇〇六年十月廿四日，見孫立川編：《黃易散文集》附錄，第四一九—四二六頁，香港，天地圖書有限公司，二〇一八年七月。

14 黃易：《輪迴》，孫立川編：《黃易散文集》，第八十八頁，香港，天地圖書有限公司，二〇一八年七月。

第二十八章

武林散珠集萃（三）

本章講述香港武俠小說史最近一段中的武林散珠，即後新派武俠小說時期的作家作品。武俠小說有後新派時期，一是因香港城市生活發展、媒介環境變化；二是因新生代作家不斷加入武俠小說創作；三是因古龍新文體影響，武俠小說觀念與形式有所翻新。

大體說，是一九七〇年代初露端倪，一九八〇年代風生水起，一九九〇年代以後全面覆蓋。後新派武俠小說風生水起和全面覆蓋時期，也正是香港武俠小說市場從繁榮走向衰落時期，武俠圖書市場趨於飽和，市民生活方式變化而致武俠小說需求量有所減少。另一方面是網路普及，發表作品門檻降低，武俠小說創作者層出不窮。

本章收錄作家作品不多。原因是，其一，是筆者來不及作全面而深入的調查（尤其是活躍於香港網路上的作家），其二，是有些作品難以尋覓；其三，是本書篇幅及交稿時間所限。已知作家如南宮宇、馬騰（一名馬行空）、南海辰龍、海若、左三白（香港生，澳門長）、任風吹（加籍華人，在香港工作）、費無極等人以及為數不少的未列名作家作品，只得留待以後的武俠小說史家去作評述。

下面介紹的幾例，是不同時期、不同風格、不同層次的代表。

一、高皋小說《無弦弓》

高皋，生平不詳。[1] 一九六〇年代末至一九八〇年代在香港《武俠世界》、《工商日報》上發表了大量武俠小說，由香港武林出版社出版單行本，作品有：《霹靂刀》、《無弦弓》、《血扇》、《血衣》、《斷劍殘鉤》、《狂飆》、《瘋雷狂雨動江湖》、《白羽令》、《風雨殘陽》、《破山一刀》、《留香帖》、《臘鼓》、《血濺江南》等。

《無弦弓》[2] 講述卜靖江湖歷險故事。其父白衣儒俠卜三省被人殺害，卜靖隨大荒老人學藝後進入江湖尋找仇人，捲入江湖爭霸衝突中，被潛龍幫主公孫如筠領導的白道二幫、四派聯盟追殺。殺人王夏岱贈他血刀及《血刀秘笈》，又被黑白兩道追殺，後成為天刑門主，與白娥、小晴、費如煙、黃瑛等美女有情感及兩性關係，最後領導天刑門、長春谷、綠林、丐幫消滅了公孫如筠的霸道聯盟。

小說有古龍風格影響痕跡，句子和段落相對短小，敘事節奏明快。

看點一，是江湖社會複雜紛紜，難以簡單識別。正道中未必全是好人，例如潛龍幫主公孫如筠；邪道中未必都是壞人，例如殺人王夏岱。很多人處於灰色地帶，例如四至美人杜秋娘。江湖中毀譽口碑，未必全都名副其實，例如天刑門主的血刀被視為邪惡表徵，無弦弓主人被視為救世大俠，實際上無弦弓主人是天刑門叛徒。孰善孰惡，有不同的集體認同；善惡真相，端看個人心性與行為。

看點二，是卜靖形象。他有無弦弓鞘，卻不是無弦弓傳人；褚逸民要他學習《玄黃真解》，他也拒絕了；夏岱送他血刀和《血刀秘笈》，他欣然接受，理由是，血刀可以為惡，亦可行善，善惡在於人為而非刀法。實際上，血刀秘笈、無弦弓法、玄黃真解全都是天刑門的傳統武功。有人持之作惡，也有人用以行善。卜靖曾被當作洗劫百弼莊元凶、血刀魔怪，被徹底汙名化，從而成了天下之敵，但他始終保持俠義行為準則，最終贏得武林同道的理解、尊重和支持。白娥、小晴、費如煙、黃瑛等人，開始無不與他為敵，瞭解真相後則與他並肩戰鬥，不惜犧牲。

看點三，是白娥的經歷與個性。是百弼莊主白彥虎的獨生女兒，嬌寵任性，肆無忌憚，故意挑釁卜靖，看似魔女，她的挑釁其實是情感挑逗的另類形式。白娥前往王官莊為卜靖洗刷罪名，是她善良正直的表現。最具匠心的安排，是白娥成為無弦弓傳人，即天刑門主卜靖的死敵，面對無法和解的死局，白娥選擇犧牲自己、拯救卜靖，叮囑卜靖放過她父親。白娥之死，震撼人心，讓她永垂不朽。

看點四，是黃瑛故事。她帶著十二個婢女投入卜靖陣營，是因為無法與公孫如筠共處——公孫如筠是白道領袖卻又是霸道梟雄；既是她的生父，也是強姦她母親的仇人。黃瑛證實公孫如筠是卜靖的殺父仇人，但她又害怕丈夫復仇，其矛盾心理真實感人。

不足之處，一是百弼莊主白彥虎的故事沒有結局：他如何成了潛龍幫副幫主、當了副幫主後又如何？二是重要人物血手褚逸民被作者遺忘：他為何教諸葛棻玄黃真解？他與天刑門是什麼關係？書中都沒有交代，讓人遺憾。

二、馬榮成、丹青漫畫小說《風雲》

馬榮成，原名馬榮城（一九六一——），原籍廣東潮陽，香港著名漫畫家。十五歲踏入漫畫行業，早期作品有《魔鬼實驗》、《五兄弟》、《風流》等，代表作有《中華英雄》、《風雲》系列、《黑豹列傳》等。丹青的生平資料暫缺。

《風雲》原是漫畫作品。一九八九年七月，漫畫家馬榮成宣布創辦天下出版有限公司，出版《天下畫集》漫畫書，從第五期開始連載《風雲》，一直連載廿四年，直到二〇一三年，馬榮成宣布封刀。《天下畫集》開始為週刊，後來改為旬刊，而後改為雙週刊，最後改為月刊。《風雲》出版三集（三個系列）。

《風雲》講述聶風和步驚雲兩位主人公的苦難命運、奇異的人生遭遇、截然不同的個性，以及充滿傳奇色彩的成長歷程。

聶風的父親聶人王號稱北飲狂刀，後歸隱田園，做普通農夫，但妻子顏盈羨慕英雄，與人私奔。聶人王陷入瘋狂，年僅六歲的主人公聶風追隨發瘋的父親流浪，墜入人生困境，聶風的命運如何，是書中重大懸念。

另一主人公步驚雲的身世更加悲慘。其父步淵亭是一個鑄劍師，為了找鑄劍精鐵遠赴西域，回家即病逝，步驚雲成了母親玉濃發洩不滿的對象。繼而母親改嫁、母親病逝、霍家被滅門，後進入天下會，期望有一天殺了雄霸為繼父霍步天報仇——他能不能報仇？如何報仇？是本書另一重大懸念。

第四冊又推出反派小主人公，即南麟劍首斷帥之子斷浪。出場時，小傢伙只有八歲，小小年紀就失去了父母，繼而在天下會為奴，造成嚴重心理扭曲，為斷浪成為反派鋪墊充分理由。第四冊中，風、雲相會成為同門師兄弟，他們的關係就成為新重點，故事也可分可合。第七冊《搜神》，是漫畫版中從未出現過的故事，專為漫畫小說而作，將《白蛇傳》故事作另類演繹。可取之處是阿鐵與阿黑的兄弟情，及富有創意的武功設計，例如雪緣以淚作劍，運用「移天神訣」。

作者預告《搜神》只是中篇，卻越寫越長，從第六集尾到第十二集仍未結束，這一段創新插敘未免有些長，有礙《風雲》的整體結構，風、雲關係及其命運才是小說的主線，《搜神》故事離開主線越來越遠。

此書我沒有看全，難以作整體性評說。從武俠小說角度說，這部作品並非上佳之作，它的意義是武俠小說的新產品即漫畫小說的成功開發，吸引了「讀圖時代」的大批書迷。因重點是圖，小說故事內容的重要性排序相應降低。

三、吳道子的兩部小說

吳道子，原名吳國銓（一九五〇——），生於香港，祖籍廣東恩平，曾擔任香港多家銀行及財務機構經理，後全力投入寫作，為《東方日報》、《新報》、《快報》、《華僑日報》等撰寫專欄及小說連載，武俠小說有《蛇齒蜂針》、《魔蹤倩影》、《刀劍風雲錄》等。

《蛇齒蜂針》[3]講述獵鷹楚三追殺採花賊、彌平繁星宮與丐幫衝突故事。主人公的職業近乎西方賞金獵人，獵鷹兼遊俠，是一大創新。小說故事情節頗為誘人，細看卻有編造痕跡，且有不少漏洞：白玉蓮、莊婷爭霸江湖缺乏實力，理由也不充分，係作者編造；白玉蓮與楚三郎的關係則沒說清楚。更大問題是書名《蛇齒蜂針》，寓意「最毒婦人心」，讓人反感。

《刀劍風雲錄》[4]講述主人公岳峰的傳奇人生故事。

本書創意，是構想了反傳統的「論刀大會」——武林中有「論劍」傳統，從未有過論刀大會——劍士身分高貴，刀客則多為底層且品流複雜，包括黑道、綠林中人。論刀大會及隨之成立的金刀盟吸引了大批黑道梟雄，創始人關東大俠皇甫磊的目的不在爭霸武林，而是要讓刀客梟雄有歸屬且有約束，開武林新風。

本書最大看點，是岳峰人生故事及其身分選擇。出場時化名丘如錚，是因為他從十七歲起就離家出走，不願讓家人知道其行蹤；離家的原因是，師父要他反清，而他父親卻是滿清將軍，且要他進入官場，左右為難，只好離家出走。經歷傷病折磨，九死一生，終於作出出乎意料的身分選擇。

書中有三對矛盾，一是漢民族與滿族矛盾，二是劍士與刀客（**社會階層**）矛盾，三是是白道與黑道（**道德立場**）矛盾。岳峰處於三大矛盾糾結中，其身分選擇具有象徵意義。在漢民族與滿清統治者矛盾中，岳峰從逃避到彌合，即從民族認同走向國家認同，也因此與父母和解。進而，岳峰受聘擔任金刀盟繼任盟主，似選擇了刀客、黑道一方，實際上卻是要把武林黑道、邪道、魔道中人引向合法正道。

故事主題是打破人以群分的刻板印象，提升了武俠小說的認知複雜度。漢族與滿族、劍士與刀客、白道與黑道之中都有好人、也有壞人（**東方無憂、葉長青等人的行為即是最好的例證**）；正如書中七色彩虹草，既是春藥原料，也是珍貴藥引，它是「壞藥」還是「好藥」，端看如何使用。葉小蒨用它和人參王治好岳峰新老傷痛，進而幫他恢復性功能，讓岳峰享受齊人之福，亦可證此藥神奇。

本書不足之處，是東方無憂毒害兄長東方無忌，東方依依對丘如錚一見鍾情，雖然不無可能，但寫得過於簡單。

四、敖飛揚的幾部小說

敖飛揚，原名劉惠軍，一九九六年秋開始小說寫作，是香港《武俠世界》第四代作家，[5]現任香港小說網版主、小說網出版社社長。武俠小說有《名劍》、《保鏢》、《燕子劍》、《斷魂刀》、《小狂兒》、《十年恩仇》、《赤煉鷹王》、《絕嶺恩仇》、《正義風雲錄》、《武林爭霸戰》、《魔劍傳說》、《如來佛掌》、《熱血丹心》、《飛揚的武俠世界》、《飛揚的武俠世界二》、《飛揚的武俠世界三》、《悲劍危城》等。

《十年恩仇》[6]是短篇，講述苗禮、曹玉廷為一本武學秘笈而兄弟反目故事。看點一，是結義兄長一時貪欲，導致二人人生面目全非，讓人唏噓。看點二，是小說的開放性結局，苗禮一聲「大哥」結束，感慨萬千，韻味悠長。

《如來佛掌》出版於二〇〇三年，分《火雲邪神》、《萬佛朝宗》兩冊，講述主人公古漢魂的傳奇人生故事。本書故事精彩、情節曲折、文筆簡練，可讀性強，且有寓言性。

第一看點，是主人公的成長經歷及其形象與心理變化，從童年到青年即從紅髮到白髮，從「火雲邪神」到「萬佛朝宗」，始終不失赤子之心，「古漢魂」之名顯然有象徵意義。

看點二，是野心勃勃的孫碧玲形象刻畫，孫碧玲一生摯愛不是任何人，而是武林盟主之位，她曾如願以償，卻也因此而死於非命。

看點三，是陽傲天形象與命運，在上冊中，他是「正義聯盟」的領導人；在下冊中卻搖身一變為魔教新任教主，其權力狂心理始終未變。

看點四，是古漢魂與孫碧玲有緣無分，其義子龍劍飛與孫碧玲女兒裘玉華喜結連理，女兒裘玉華的性格和命運與母親孫碧玲截然不同。

《悲劍危城》[7] 講述主人公陳少南亂世人生悲情故事。情節線索有三條，一是陳少南復仇故事，對象是前明錦衣衛都副指揮使孫德洪；二是愛情故事，即陳少南、李秀、張三郎之間的「反髒式」情感關係；三是亂世人生經歷，由於仇人孫德洪在明、清兩朝任職，而情人李秀是闖軍制將軍李岩的妹妹，陳少南的情仇關係牽涉明、闖、清、南明三方四面，從而成為亂世歷史見證人。

本書看點一，是陳少南愛李秀，但李秀與張三郎已有婚約；張三郎愛李秀，但他的舅舅牛金星卻是殺害李秀兄長李岩的主謀；李秀愛張三郎更愛陳少南，深陷情與禮的矛盾衝突中。所謂「反黐式」，即非相互糾纏，而是陳少南和張三郎不斷相互禮讓。

看點二，是小說結局，陳少南與仇人孫德洪同歸於盡，情、仇、苦痛人生一併解決，玉碎結局可歌可泣。

看點三，是陳少南親眼目睹了師門泰山派的二千餘人全都選擇瓦全，即降清保命，場面讓人反感，卻正是人之常情。

看點四，是上官楚的悲劇人生，他是明朝錦衣衛千戶，也是逆子惡人閻王劍；卻也不失英雄氣概，最終浪子回頭臨終懺悔，其命運發人深思。

看點五，是李自成之死，與其說是死於自己侍衛之手，不如說是死於自己的人格局限，李自成「發瘋」細節，近乎心理事實，也是人性寓言。

五、喬靖夫小說《幻國之刃：超劍士殺人事件》

喬靖夫（一九六九——），畢業於香港城市大學，曾做過新聞翻譯、電腦遊戲開發、編劇、歌詞創作，後從事專業創作。小說作品有《幻國之刃》、《熾天使》、《惡魔斬殺陣》、《冥獸酷殺行》、《殺人鬼繪卷》、《殺禪》八卷、《武道狂之詩》十二卷、《誤宮大廈》、《東濱街道故事集》、《香港關機》、《詭異十二章》等。

《幻國之刃：超劍士殺人事件》[8]講述主人公康哲夫的人生冒險故事：他是美國中央情報局（CIA）特聘冷兵器專家，調查一起間諜謀殺案，遇女畫家媞莉亞，被朔月國劍士襲擊，又被CIA特工追捕，最後與朔月國第一劍士鬥劍並脫險。

作者說：「我心目中的好作品有兩個條件：能夠超越『類型』，及擁有完整的『世界觀』。」[9]本書正是如此：有間諜，但非間諜小說；有謀殺案，卻非偵探小說；有愛情，卻非愛情小說；此「動作幻想」，如何歸類？

說它是武俠小說，有幾個理由。一是書中有武，故事中人搏鬥方式為劍術格鬥，即傳統武功技擊。二是書中有俠，主人公康哲夫雖是做過雇傭兵、CIA分析員、凶殺案調查員，但內心卻堅守俠義精神，守孝道、明是非、重然諾、尚愛心、不殺人。三是書中有古，小說是當代背景下的一個失去國土的古代王國及其遺民故事，是向過去時代致敬。四是書中有武俠目標，作者說，這部書其實是武俠小說《武道狂之詩》的「別傳」，[10]即是證明。《幻國之刃》是非典型武俠小說，糅合間諜、偵探、言情、幻想等多種要素，是武俠小說的一種變革嘗試。

本書最大看點，是幻想虛構的朔月之國及其遺民。不僅有自己的語言、典籍、習俗，且有政治組織、經濟實力和軍事目標。朔月之國有雙重含義，一是「原初」之國；二是「看不見的國家」，或曰影子王國——該國的臨時「首都」居然在美國紐約曼哈頓一座大樓的夾層中；該國遺民都有雙重乃至多重身分。

另一看點，是主人公的經歷與個性。康哲夫是華裔美國人，少年時拜華裔劍術家顧楓練劍，畢業於麻省理工學院數學系，為母親巨額醫療費而加入雇傭軍。外表如堅硬甲冑，內心則柔軟仁慈，有驚人的格鬥技能，卻嚮往平凡的人生，珍惜人間友情和愛情。康哲夫逃離ＣＩＡ而追尋媞莉亞，是為了愛情；拒絕加入朔月國，是不願接受雙重身分，只想過單純的生活、做單純的人。

另一看點，是康哲夫與媞莉亞的愛情。媞莉亞是朔月國的公主和間諜，愛上康哲夫，是發現康哲夫內心充滿憂傷；康哲夫愛上媞莉亞，則是因為她直接觸碰其內心傷痛，既是情人，更像母親；追尋媞莉亞，成了他活得有意義的人生目標。

又一看點，是康哲夫與朔月國先鋒提督喀爾塔最終決鬥的處理方式，康哲夫不殺對方，是因為發誓不再殺人，更是為了媞莉亞；而喀爾塔不殺康哲夫，則是為了劍士的榮譽和尊嚴——此人是謀殺陳長德、達圭的凶手，卻也是朔月國英雄。

本書的不足，是書中康哲夫逃離ＣＩＡ的動機略顯牽強，明知媞莉亞是間諜，親近他的動機顯然不純，康哲夫如何能堅信愛情，並為愛情而違背職業倫理？更不必說，康哲夫獲得了愛情和自由，卻須隱姓埋名，不可能有正常生活。

六、徐振小說《浩然一劍》

徐振，原名徐焯賢（一九七三——），作家、出版家。著有豪將系列《天王逆子》、《野狂雷》、《北國行》、《大帝不惑》，《追尋年代》、《校園推理會》，及武俠小說《浩然一劍》、《十五少》等。

《浩然一劍》[11] 講述浩然、浩婷兄妹復仇故事。其父親浩雲被太監湯冠害死，要刺殺湯冠復仇，最大障礙恰是其大哥姬滅——他是湯冠屬下第一高手。

看點之一，是浩然、浩婷兄妹與大哥姬滅之間的矛盾衝突。大哥姬滅阻止弟、妹復仇，各自堅持己見，刀劍相對、同胞相殘。

看點之二，是雲凌對浩然的摯愛。浩然矢志復仇而躲避雲凌，雲凌則義無反顧，不惜犧牲。

看點之三，是姬滅之妻子紅修羅秦裘與浩然女友雲凌間的惺惺相惜。妯娌間刀劍相對，危難時卻相互救助，說對方是「戰士」，超越女性定位，是現代意義上的巾幗英雄。

看點四，是湯冠屬下謝小月與復仇者浩婷之間的奇妙情感。

看點之五，是人物始終在行動中，語言生動，敘事簡練，節奏明快，毫不拖泥帶水。

小說最大看點，是講述復仇故事，而對復仇充滿質疑。大哥姬滅不贊成弟、妹復仇，認為「報仇只不過是譚得時他們加諸我們身上的枷鎖」（第一四八頁），要不要為父母報仇？成了哈姆雷特式的倫理難題，作者「把『復仇』簡約為生存的意義」[12]，即把問題提升到哲學層面。小說結尾兄妹惘然相對，如同寓言。

小說的弱點，在於作者把自己的想法強加給筆下人物，思想與故事並非水乳交融。姬滅是否有復仇之心？書中有兩種答案，一是利用湯冠向皇帝復仇，而後再報復湯冠；另一答案是根本不想報仇。若是後者，姬滅甘當仇人湯冠的走狗，豈不可鄙更可悲？進而，浩然、浩婷的父親浩雲究竟是怎麼死的？是湯冠直接迫害致死，還是皇帝下令處死？或是湯冠和皇帝共謀處死？

不同的死法、不同的死因，與浩然、浩婷復仇合理性密切相關。書中沒有提供具體資訊，作者卻抽象地反對復仇，其實是對真實人性的不理解、不尊重。又，譚得時邀請好手來京對付湯冠，是幫助浩然兄妹復仇？還是把浩然、浩婷兄妹當作權力鬥爭工具？書中也無敘述說明，這一情節之所以重要，是要證實或證偽：譚得時是不是將「復仇的枷鎖」套在浩然兄妹頭上？若譚得時主動幫助浩然兄妹復仇，那他就是一個有正義感的好人；若他是利用浩然兄妹作權力鬥爭工具，那他就是一個別有用心的梟雄。最後，湯冠說自己「沒有想過發動任何兵變」（第九十八頁）。那麼，湯冠是怎樣的人？

七、張鋒小說《獵殺天讎》

張鋒（一九六七——），香港作家，喜歡打電玩、看動畫、旅行和寫作。

《獵殺天讎》[13]是張鋒的第一部武俠小說，講述劍浩劫後的屍鎮少年阿舜跟隨鐵劍鬼項鐵海前往北方大雪山、西方半月城、南方海濱神魚灣歷險故事。阿舜最初目的，是尋找特種雪蓮和夜光杯為妻子綾真治病，經過溶洞之劫，心性改變，回屍鎮後燒死了綾真、拋棄了靈斯，再上命運旅途，面對第二次劍浩劫。

看點一，是架空歷史。憑想像構建了東方大地、西方大漠、北方大山、南方大海。阿舜故鄉屍鎮是由爭奪武林至寶「天讎」而爆發的劍浩劫後形成。

看點二，是阿舜形象。一是善良尚義。出場時年方十歲，為報答綾家養育之恩，娶綾真為妻，發誓照顧她一生一世，為治癒綾真而經歷千難萬險。二是有天賦和勇氣。練武天資卓絕，項鐵海的輕功、老石頭的內功、神魚公子的激浪五招，一學即會；對武功的洞察力，讓項鐵海震驚；更難得的是他的非凡勇氣，對群馬寨土匪、大雪山奇獸、半月湖神秘劍士、神魚公子超人壓力，都無所畏懼。

三是意志堅定。在大雪山破解白爺爺的生死秘密，在半月城破解半月湖神的秘密，在南海神魚堡拒絕成為神魚公子的繼承人，都是證明。四是被命運操弄。其身分成謎，遇險逢難之際，總有來自內心深處的「天雔」的呼聲，經歷第一次劍浩劫，又要面對第二次劍浩劫，不願做神魚公子的替代者，卻無法逃脫命運的指掌，溶洞遭遇即是確證。阿舜故事的真正焦點，是性格與命運的衝突。

又一看點，是破解奇幻之迷。書中有大量奇幻或玄幻因素，例如大雪山白爺爺豢養的白鹿王、白猿王、白鵰王，學會了白爺爺的武功，且為白爺爺報仇；半月湖邊的無頭劍士及湖神傳說；南海神魚公子的神魚丹，余驚濤在深海中與神魚為伍，余破茫在泥中藏身一年後死而復生，等等。但在這一切的背後，卻是真實的人性書寫，白爺爺如雪山之神，卻被山下的商人李大樹、獵人嚴木、嚮導郝伯華聯手傷害致死。半月湖神也非神祇，無頭劍士更非神蹟，是流放在此地的破元帥即老石頭製造的驚人景觀，最後老石頭自殺，成了第十三尊無頭劍士。南海神魚堡父子兄弟相殘，無非權力欲望與執念。劍浩劫是由於人類貪婪，行者劫取「地鑰」劍，為揚名立萬而打開地獄之門，更是人性的弱點與悲哀。

又一看點，是書中人物如屍鎮的陳四變身富貴翁，雪影村的商戶李大樹，半月城的鐵匠庸盧、妓女如妻、算命少女靈斯，神魚公子父子，都有可觀之處。

本書弱點，是敘事技法不夠成熟，有些情節交代不清，例如阿舜和項鐵海在溶洞中的遭遇，就因製造懸念而導致敘事「事故」。十歲少年阿舜，或受《風雲》人物影響，如何讓人信服，尚待斟酌。

【注釋】

1 作家西門丁曾告訴顧臻，香港《武俠世界》前總編鄭重曾說過，此人可能是臺灣人，曾在香港工作。

2 高臯：《無弦弓》，上下集，四九九頁，香港，武林出版社，一九七二年秋。

3 吳道子：《蛇齒蜂針》，香港，環球出版社，一九九一年春初版。

4 吳道子：《刀劍風雲錄》，香港，藝林出版社有限公司，一九九五年初版。

5 沈西城先生在《江湖再聚：武俠世界六十年》中曾專門介紹過敖飛揚，見該書第一八四—一八五頁，香港，中華書局（香港）有限公司，二〇一九年。

6 敖飛揚：《十年恩仇》，載短篇小說集《我們筆下的武林》，香港，香港小說網出版、利通圖書有限公司發行，二〇〇三年。

7 敖飛揚：《悲劍危城》（全新編修版），香港，飛揚出版社，二〇一六年。

8 喬靖夫：《幻國之刃：超劍士殺人事件》，上下冊，香港，鐵道館，一九九六年初版，二〇〇〇年再版。

9 喬靖夫《幻國之刃：超劍士殺人事件．初版後記》下冊第一八四頁，香港，鐵道館，二〇〇〇年。

10 喬靖夫《幻國之刃：超劍士殺人事件．初版後記》下冊第一八四頁，香港，鐵道館，二〇〇〇年。

11 徐振：《浩然一劍》，香港，振然出版社，二〇〇一年七月。

12 徐振：《浩然一劍．後記》第一五九頁，香港，振然出版社，二〇〇一年。

13 張鋒：《獵殺天仇》，共三集，香港，東立出版集團有限公司，二〇〇二年初版。

重要參考文獻

顧臻：《王香琴長篇武俠小說目錄（草稿）》（二〇二二・十一・〇二版）
顧臻：《散髮生武俠小說目錄（草稿二〇二二・十一・〇一）》，電子版，未曾發表。
顧臻：《念佛山人小說目錄草稿》（二〇二一年十月一日修訂版），未曾發表。
顧臻：《毛聊生長篇武俠小說目錄草稿》（二〇二一年三月廿七日版），未曾發表。
顧臻：《張夢還作品目錄》，未曾發表。
顧臻：《我是山人小說目錄》，未曾發表。
顧臻：《顧鴻小說目錄》，未曾發表。
顧臻：《高峰武俠小說目錄》，未曾發表。
顧臻：《倪匡年表（僅含武俠）》，未曾發表。
顧臻：《倪匡六十年代武俠小說目錄》，未曾發表。
顧臻：《黃鷹武俠小說目錄》，未曾發表。
顧臻：《龍乘風武俠小說目錄》，未曾發表。
顧臻：《西門丁武俠小說目錄》，未曾發表。
顧臻：《蹄風武俠小說目錄》，未曾發表。
顧臻：《金鋒武俠小說目錄》，未曾發表。

顧臻：《偉青與左報系武俠小說目錄》（二〇二一年修訂版），未曾發表。
鱸魚膾（趙躍利）的博客：http://blog.sina.com.cn/zhaoyueli。
笑商：《溫書北漸笑商談》，修訂稿電子版，未曾發表。
笑商：《溫書南頓》，修訂稿電子版，未曾發表。
笑商：《穿越已成往事》，修訂稿電子版，未曾發表。
黃仲鳴：《琴台客聚》：http://paper.wenweipo.com/2015/05/12/OT1505120004.htm。
沈西城：《江湖再聚：〈武俠世界〉六十年》，香港，中華書局（香港）有限公司，二〇一九年。
林保淳：《武俠小說概論》，臺灣新北，空中大學，二〇一九年。
李以建：《金庸散文集》，香港，天地圖書有限公司，二〇一九年。
李以建：《金庸小說創作、連載及修訂出版年表》，載《金庸散文集》第四五三—四五六頁，香港，天地圖書有限公司，二〇一九年。
顧臻、于鵬、林春光：《金庸武俠小說年表》，載《中國武俠學會會刊》（電子版）二〇一八年第四期（總第六期）。
王錚編：《倪匡散文集》，香港，天地圖書有限公司，二〇一八年。
王錚：《倪匡年表》，《倪匡散文集．附錄》第四八六—五五九頁，香港，天地圖書有限公司，二〇一八年。
孫立川編：《黃易散文集》，香港，天地圖書有限公司，二〇一八年。
林遙：《中國武俠小說史話》，上海，上海世紀出版集團、上海文化出版社，二〇一八年。
倪匡：《倪匡寫武俠》，香港，豐林文化傳播有限公司，二〇一七年。
馬雲：《馬雲自傳》，香港，青雲工作室，二〇一七年。
王振良主編，張元卿、顧臻編：《品報學叢》第三輯，天津，天津出版傳媒集團、天津古籍出版社，二〇一七年。
王振良主編，張元卿、顧臻編：《品報學叢》第二輯，天津，天津出版傳媒集團、天津古籍出版社，二〇一六年。
林保淳：《縱橫今古說武俠》，臺北，五南圖書出版股份有限公司，二〇一六年。
渠誠編：《梁羽生散文集》，香港，天地圖書有限公司，二〇一五年。
陳墨：《版本金庸》，北京，海豚出版社，二〇一五年。
黃仲鳴主編：《香港文學大系．通俗文學卷（一九一九—一九四九）》，香港，商務印書館有限公司，二〇一四年。
傅國湧：《金庸傳》（修訂版），杭州，浙江人民出版社，二〇一三年。
羅孚：《文苑繽紛》，北京，中央編譯出版社，二〇一一年。
羅立群：《中國武俠小說史》，石家莊，花山文藝出版社，二〇〇八年。
吳昊：《孤城記：論香港電影及俗文學》，香港，次文化有限公司，二〇〇八年。
張圭陽：《金庸與〈明報〉》，武漢，湖北長江出版集團、湖北人民出版社，二〇〇七年。
慕容羽軍：《為文學作證：親歷的香港文學史》，香港，普文社出版，二〇〇五年。
葉洪生、林保淳：《臺灣武俠小說發展史》，臺北，遠流出版事業股份有限公司，二〇〇五年。
梁天偉、王建慧、郭坤輝：《科玄歷史武俠小說創始人——黃易》，香港，《中大校友》二〇〇二年十二月號。
劉維群：《名士風流：梁羽生全傳》，香港，天地圖書有限公司，二〇〇〇年。
金庸、池田大作：《探求一個燦爛的世紀》，臺北，遠流出版事業股份有限公司，一九九八年。
夢還：《武俠小說名家大評介》，香港《武俠世界》第四十年第廿三期，一九九八年七月廿七日出版。

陳墨：《港臺新武俠小說五大家精品導讀》，昆明，雲南人民出版社，一九九八年。
葉洪生：《論劍：武俠小說談藝錄》，上海，學林出版社，一九九七年。
倪匡：《我看金庸小說》，臺北，遠流出版事業股份有限公司，一九九七年。
羅立群：《開創新派的宗師：梁羽生小說藝術談》，上海，學林出版社，一九九六年。
青羊、金健主編：《港臺武俠小說精品大觀》（全四冊），北京，中國廣播電視出版社，一九九三年。
陳墨：《新武俠二十家》，北京，文化藝術出版社，一九九二年。
黃維梁：《香港文學初探》，香港，華漢文化事業公司，一九八五年。

後記

這部書本不在我的工作計畫之內。答應寫這部書，有幾個原因。一，《中國武俠小說通史》是由中國武俠文學學會會長劉國輝兄策劃，並由會長辦公會通過，分配我承擔《香港武俠小說史》的寫作任務，作為學會成員，我不能推辭。二，我三十年前舊作《新武俠二十家》有太多錯誤資訊，以訛傳訛，誤導讀者，我當年無知輕率，難辭其咎，想以此書稍稍補過。三，是因為有顧臻（俠聖）。

顧臻兄是我所知最熟悉武俠小說的人，堪稱武林百曉生。他答應全力幫助，我才敢答應接受這個幾乎無法完成的任務。顧臻兄對本書的貢獻，一是慷慨提供上千冊香港原版及港臺舊版武俠小說供我閱讀，還發出武林帖向國內武俠小說收藏家徵集借閱圖書；二是慷慨提供數十年考證編纂的香港武俠小說作家作品目錄（見《重要參考文獻》），我在寫作中遇到問題，他總是會在第一時間幫我解決；三是陪我去香港作調研，聯繫西門丁、沈西城、王學文、張夢還的妹妹、陳湘記現任老闆、租書店老闆等香港武俠小說史親歷者和知情人與我見面交流；四是三年多以來，他和我見面交談上百小時、電子郵件數百通，讓我受到無數教益和啟發。五是擔任本書的義務審稿人，每一章初稿寫出後都送給他審閱，他也都會提出寶貴的意見和建議。沒有顧臻的幫助，我不可能寫出這部書。

通過顧臻，我還得到了下列俠友的幫助：楊銳先生（民國故紙堆）提供了他搜集整理出的王香琴小說電子版及朱愚齋小說等港版書；侯立新先生（猴兒哥）出借遠景版倪匡武俠小說作品集；盧軍先生（南明離火）出借西門丁《爭霸》等；李劼白先生（諸葛慕雲）出借《馬雲自傳》《一筆縱橫五十年》和西門丁《出劍埋江湖》、吳道子及敖飛揚等人的作品；梁思陽（笑商）先生提供他的《溫書北漸笑商談》、《溫書南頓》、《穿越已成往事》等長文修訂稿電子版，並多次接受諮詢；此外，我還得到了趙躍利先生（鱸魚膾）、渠誠先生（私家偵探）、朱少濱先生（天山游龍）先生當面或郵件賜教。在此一併感謝！

我要感謝武俠文學學會會長劉國輝先生、秘書長楊華女士、副秘書長陳光博士及劉曉東先生等曾為本書寫作提供資金、資訊幫助，並催稿督促。

還要感謝我太太朱俠：三十六年前我迷上武俠小說，是她每天為我到租書攤上租書、還書；在這部書的寫作過程中，她見我看港版舊書流淚——不是感動，更非傷心——她擔心我會把眼睛弄瞎，希望我少看為佳，甚至「痛恨」顧臻借書，但實際上仍一如既往地呵護和支持，讓我安心工作，毫無後顧之憂。

最後要說明的是，本書是由中國武俠文學學會策劃，交由河北教育出版社出版。由於各卷字數參差不齊，出版社要求每卷書稿不得少於廿五萬字、不得多於四十萬字。我的這部《香港武俠小說史》初稿寫了五十二萬多字，顯然不合出版社的要求，不得不對初稿加以「瘦身」，壓縮到四十萬字左右。於是，這部書就有了兩部書稿，相差十多萬字。

臺灣風雲時代出版社社長陳曉林先生早就與我相約，要出版這部《香港武俠小說史》，聽說有兩種書稿，說他要出全本，不要節本。想一想，也好。這樣一來，臺灣風雲時代版與大陸河北教育出版社版，就成了同一書名的兩個不同版本。

為此，我要感謝陳曉林先生！感謝臺灣風雲時代出版社！

陳墨　二〇二一年末，於北京小西天

香港武俠小說史（下）

作者：陳墨
發行人：陳曉林
出版所：風雲時代出版股份有限公司
地址：10576台北市民生東路五段178號7樓之3
電話：(02) 2756-0949
傳真：(02) 2765-3799
執行主編：朱墨菲
美術設計：吳宗潔
行銷企劃：林安莉
業務總監：張瑋鳳

初版日期：2023年1月
版權授權：陳墨
ISBN：978-626-7153-12-3
風雲書網：http://www.eastbooks.com.tw
官方部落格：http://eastbooks.pixnet.net/blog
Facebook：http://www.facebook.com/h7560949
E-mail：h7560949@ms15.hinet.net
劃撥帳號：12043291
戶名：風雲時代出版股份有限公司

風雲發行所：33373桃園市龜山區公西村2鄰復興街304巷96號
電話：(03) 318-1378
傳真：(03) 318-1378
法律顧問：永然法律事務所 李永然律師
北辰著作權事務所 蕭雄淋律師

行政院新聞局局版台業字第3595號 營利事業統一編號22759935

定價 ：550元

國家圖書館出版品預行編目資料

香港武俠小說史 / 陳墨著. -- 初版. -- 臺北市：風雲時代出版股份有限公司, 2022.07 冊； 公分

ISBN 978-626-7153-12-3 (下冊：平裝). --
1.CST: 武俠小說 2.CST: 文學評論 3.CST: 香港文學

850.3857 111007755